COMMENTAIRE SUR JONAS

SOURCES CHRÉTIENNES

N° 323

JÉRÔME

COMMENTAIRE
SUR JONAS

*INTRODUCTION, TEXTE CRITIQUE, TRADUCTION
ET COMMENTAIRE*

PAR

Yves-Marie DUVAL

*Ouvrage publié avec le concours
du Centre National des Lettres*

LES ÉDITIONS DU CERF, 29, Bd de Latour-Maubourg, PARIS
1985

La publication de cet ouvrage a été préparée avec le concours
de l'Institut des Sources Chrétiennes
(U.A. 993 du Centre National de la Recherche Scientifique)

© *Les Éditions du Cerf*, 1985
ISBN 2-204-02471-6
ISSN 0750-1978

AVANT-PROPOS

Ce *Sur Jonas* a reçu sa première illustration de la plume, combien alerte et vivante, de dom Paul Antin, grand maître en France des études hiéronymiennes, grand initié et grand initiateur à l'œuvre du moine, de l'écrivain et du bibliste. Ce n'est donc pas sans appréhension que j'ai finalement accepté d'en donner une présentation nouvelle, si l'on peut dire. Ce *Sur Jonas* avait été choisi pour être une introduction à l'exégèse de saint Jérôme. Peut-être suis-je plus sensible que dom Antin aux particularités de ce *Commentaire.* J'ai cependant axé une bonne partie de mon travail comme le sien, en prenant soin pourtant de ne pas le répéter chaque fois que son annotation me paraissait exacte. Ce volume n'entend donc pas remplacer le sien, mais seulement le compléter. Il atteindrait son but s'il aidait à lire ce *Commentaire sur Jonas,* qui est bien, comme on l'a écrit en le sentant confusément, l'un des meilleurs Commentaires de Jérôme, mais aussi le reste de l'œuvre exégétique.

J'aurais aimé offrir ce volume à dom Antin qui me l'avait maintes fois demandé. Du moins a-t-il su que le travail principal était achevé. Mais, au moment de mettre la dernière main au texte latin que je devais adopter, j'ai été en quelque sorte victime de ce qu'il avait redouté en 1954 : il s'était contenté de quelques sondages dans la tradition manuscrite, de peur, disait-il, « d'entamer des recherches infinies suspendues par (s)a mort ». Les sondages que, devant certains choix de M. Adriaen dans

le *Corpus Christianorum, Series Latina* 76, j'ai été amené
à faire, m'ont rapidement montré que le travail d'édition
à proprement parler était à refaire ou à faire, malgré
l'édition *post Dominicum Vallarsi*. Ce travail m'a tenu
sept ans, durant lesquels dom Antin nous a quittés
(23 avril 1980).

Je dédie bien volontiers cette nouvelle présentation
du *Sur Jonas* à la mémoire de celui qui a fait entrer Jérôme
dans la collection des *Sources Chrétiennes* et qui a beaucoup
œuvré pour mieux faire connaître le moine de Bethléem.

J'y joins le souvenir de ma mère, Denise Marquilly,
morte le 25 mai 1982 dans l'espérance de la Résurrection,
qui a suivi, jusque dans sa dernière maladie, ma chasse
aux manuscrits à travers l'Europe, et celui de mon père,
Cyrille Duval, qui a tant désiré voir ce travail terminé,
mais qui ne l'aura pas vu imprimé avant sa mort (1er juin
1984).

INTRODUCTION

Jérôme critique les Commentaires qui ont besoin de commentaires[1]. On pourrait donc penser que les siens n'ont pas, n'avaient pas besoin d'éclaircissements; et on s'étonnera de l'abondance de l'annotation que j'ai cru devoir donner, en la limitant pourtant à l'essentiel. Celle-ci est due, pour une part, à la méthode et à la présentation du Commentaire antique : bien des choses, dans la façon de faire, le vocabulaire, la technique d'exégèse, allaient de soi pour un Ancien, qui nous étonnent aujourd'hui, quelquefois nous échappent ou encombrent et occultent le discours. De plus, ce Commentaire fait partie d'un ensemble dans lequel il demande à être situé. D'autre part, il a été composé à un moment précis de la carrière de Jérôme : l'on peut penser — et en fait constater — que ces circonstances transparaissent dans l'œuvre et en expliquent plus d'une page.

Présenter ce *Commentaire*, c'est donc tout d'abord montrer comment il s'insère dans la vie de Jérôme à un moment bien déterminé, en même temps que dans une entreprise à beaucoup plus long terme. C'est aussi pénétrer dans l'univers mental de Jérôme — celui du commentateur profane et chrétien, celui du bibliste — dans lequel je voudrais m'avancer quelque peu, tandis que je laisserai totalement hors de mon propos la langue de Jérôme,

---

1. *In Ionam, Prol.* (l. 17-25). Voir *infra*, p. 325, n. 21.

comme les tics de l'orateur ou de l'homme de plume souvent finement épinglés par dom Antin. C'est enfin — puisqu'il faut respecter la *breuitas* recommandée par Jérôme et le goût de son temps — mettre en lumière la ou les thèses de Jérôme, en les dégageant de la poussière des remarques. Celles-ci cachent souvent la cohérence d'un ou même de plusieurs discours qui se relaient, s'enchevêtrent d'un bout à l'autre de l'œuvre, pour les raisons que l'on verra.

Cette triple voie d'approche permettra de mieux découvrir la doctrine du Commentaire, la méthode, à la fois traditionnelle et personnelle, qui la met en lumière ou la masque pour nous, et l'originalité de cette œuvre. Celle-ci fournit bien un échantillon de l'œuvre exégétique de Jérôme et, en particulier, du grand-œuvre que représente son Commentaire des prophètes. Elle mérite aussi, cependant, d'être regardée pour elle-même.

I

DATE ET CIRCONSTANCES DU COMMENTAIRE SUR JONAS

Le bilan de la Préface En chiffres abstraits, absolus et froids, la date de l'*In Ionam* est l'une des plus faciles à établir de l'œuvre de Jérôme. La discussion ne porte que sur un laps de quelques mois. La *Préface* du *Commentaire* dresse en effet le bilan de l'activité de Jérôme depuis qu'il a interrompu la série de ses *Commentaires sur les petits prophètes*. Or, la date des ouvrages qui sont cités peut être fixée avec grande sûreté, de sorte que celle de l'*In Ionam* en découle sans difficulté : Jérôme y signale le *De uiris illustribus*, qui date de la première moitié de 393[2], l'*Aduersus Iouinianum* qui est de la même année, mais postérieur, donc de rédaction plus tardive dans cette année, et la défense qui dut en être faite l'année

---

2. Sur cette date fondamentale de 393 — et non 392 —, voir P. Nautin, « La date du *De uiris illustribus* de Jérôme, de la mort de Cyrille de Jérusalem et de celle de Grégoire de Nazianze », *RHE* 56, 1961, p. 33-35. Du même auteur on verra les « Études de chronologie hiéronymienne », *REAug* 18, 1972, p. 209-218 ; 19, 1973, p. 69-86 ; 213-239 ; 20, 1974, p. 251-284. Pour ce qui concerne les datations, mon désaccord ne porte que sur le fait de savoir si certains ouvrages n'ont pas été composés ou préparés de façon *simultanée* ou *parallèle*. Je renvoie donc à cet ensemble, qui périme un certain nombre des conclusions de F. Cavallera, *Saint Jérôme, sa vie et son œuvre* Paris 1922, I, 2, p. 43-47.

suivante[3], la *Lettre à Népotien* dont la date peut être facilement déterminée[4] et la Consolation funèbre que Jérôme composa pour l'oncle du jeune clerc après la fin 395 et quatre années avant l'été 400, donc durant l'été de 396[5]. A coup sûr, l'*In Ionam* viendrait immédiatement ensuite[6], à l'automne 396, si Jérôme ne faisait état d'autres ouvrages, qu'il ne cite pas, et dont il ne dit pas non plus à quel moment précis ils se situent dans la liste qu'il est en train de tracer[7]. En réalité, on peut se demander s'il ne faut pas descendre de quelques mois et placer notre *Commentaire* dans les mois de l'hiver 396-397, au moment où, *parallèlement*, Jérôme prépare, ou compose déjà, son pamphlet contre Jean de Jérusalem[8].

La préparation lointaine   De l'aveu, en tout cas, de son auteur, le *Commentaire sur Jonas* devait marquer une date dans l'œuvre de Jérôme : il revenait à un travail interrompu trois ans plus tôt[9] et qui constituait l'une des grandes ambitions de sa vie : commenter les prophètes et montrer comment tout l'Ancien Testament conduisait au Christ. Âgé maintenant d'une cinquantaine d'années[10], il se trouve à Bethléem

---

3. P. NAUTIN, « Études... », *REAug* 20, 1974, p. 253-255.

4. *Ibidem*, p. 251-253.

5. P. NAUTIN, « Études... », *REAug* 19, 1973, p. 84-85.

6. P. NAUTIN, « Études... », *REAug* 20, 1974, p. 269-273. Sur la dédicace, voir *infra*, p. 37, n. 52.

7. Sur ces ouvrages, voir l'annotation *ad locum*, p. 319-321.

8. J'ai montré que Jérôme avait largement utilisé le *De resurrectione* de Tertullien pour composer son *Contra Iohannem* (« Tertullien contre Origène... », *REAug* 17, 1971, p. 227-278). Or, on trouve dans ou dès l'*In Ionam* des emprunts à ce même *De resurrectione*. Voir ci-dessous, p. 368, *ad* 2, 2 et p. 384, *ad* 2, 7b.

9. *In Ionam, Prol.* (l. 1-8).

10. La date de naissance de Jérôme est une « question disputée ». Pour ma part, je maintiens la datation 345-350, et sans doute plus près de la seconde que de la première.

depuis plus de dix ans[11]. Il a eu le temps de parcourir
la Palestine bien plus que l'Égypte; il a quelque peu
amélioré sa connaissance de l'hébreu, fréquenté quelques
juifs savants; il a compulsé dans la bibliothèque épiscopale
de Césarée les œuvres d'Origène que Pamphile et Eusèbe
avaient pieusement conservées, sans compter les volumes
d'Eusèbe lui-même, d'Athanase d'Alexandrie dont la
Bibliothèque s'est enrichie sous Eusèbe et ses successeurs
Acace et Euzoios[12]. Il a même pu emprunter ou faire
recopier les vingt-cinq volumes qu'Origène a consacrés
aux petits prophètes et il se dit « riche comme Crésus »
de les posséder[13]. Pas de doute, de fait, qu'il ne continue
à consacrer une partie appréciable de ses ressources
à se procurer des manuscrits. Il est au courant de ce qui
s'écrit en Occident[14], mais il suit plus encore tout ce qui
se divulgue en Orient, concernant en particulier l'Écriture.
Il échange des ouvrages avec le monastère latin du Mont
des Oliviers[15], qui jouit peut-être des richesses de la Bibliothèque de Jérusalem, florissante à l'époque d'Eusèbe[16];
il s'active pour faire copier tout ce qu'il ne possède pas
et enrichir ainsi sa propre bibliothèque[17].

11. Jérôme a quitté Rome en août 385. Il est arrivé à Jérusalem
dans les dernières semaines de 385. Il est parti pour l'Égypte au
printemps 386, en est rentré avant l'automne.

12. Voir l'*Ep.* 34, 1 ou le *De uiris*, 113.

13. *De uiris*, 74 (*PL* 23, c. 685 A). Texte *fondamental* pour nous,
va-t-il sans dire.

14. Il connaît par exemple l'œuvre d'Ambroise au fur et à mesure
de sa publication.

15. Rufin le lui rappellera un jour. De son côté, Jérôme déclare
n'avoir connu tout d'abord l'*Apologie d'Origène* par Pamphile que
grâce à Rufin.

16. *Histoire ecclésiastique*, 6, 20, 1. C'est dans cette bibliothèque
que Rufin a dû connaître les *Catéchèses* de Cyrille de Jérusalem
qu'il utilise abondamment, signe, ici encore, que le fonds n'était
pas demeuré celui du début du IVe siècle.

17. « Les papyrus alexandrins ont épuisé notre bourse ! », recon-

C'est que, si Jérôme offre par bien des aspects l'apparence d'un autodidacte et s'il s'est lancé dans des travaux qu'aucun Latin n'avait entrepris avant lui, il n'est rien dont il se soit autant défendu comme d'accomplir un travail « personnel ». Jérôme se veut un homme de la tradition, un *uir ecclesiasticus*, comme il le dira lui-même à la suite d'Origène[18]. D'autre part, comme nous aurons à le voir plus loin, il ne conçoit son travail, dans la ligne des Commentaires profanes, que comme la mise à la disposition de ses lecteurs des opinions, diverses, de ceux qui, avant lui, se sont penchés sur les textes sacrés[19]. Dans la mentalité antique, chrétienne ou profane, et tout d'abord dans celle-ci, la « nouveauté » a toujours un relent suspect. L'hérésie affleure vite également sous le jugement ou le système personnels. Chacun doit donc chercher à se mettre à l'école — par écrit au moins — de ses prédécesseurs et à l'abri d'autorités dont on ne puisse suspecter ni la compétence scientifique ni l'orthodoxie intransigeante. Les deux ne vont pas toujours ensemble. Jérôme se fera gloire, à partir surtout des années 393-396 où il est amené à évoquer ses maîtres[20], d'avoir *toujours* su se montrer « habile changeur » et d'avoir sans cesse discerné dans les auteurs qu'il devait fréquenter par nécessité « professionnelle », la méthode et ses résultats, l'exégète et le penseur, en ne retenant, selon le mot de l'Apôtre, que « ce qui était bon[21] ». Il s'est assurément fait plus d'une fois illusion : nous le verrons même dans cet *In Ionam*, où il se montre pourtant particulièrement sour-

---

nattra-t-il le jour où on lui fera grief de lire Origène (*Ep.* 84, 3 = *CUF* 4, p. 128, l. 14, trad. Labourt).

18. Voir p. 323, n. 17 ; 329, n. 34.

19. Voir p. 34.

20. *Ep.* 61, 1 (*CUF* 3, p. 110) ; 62, 2 (p. 115-116) ; 82, 7 (*CUF* 4, p. 118-119) ; 84, 2-3 (p. 125-128) ; 7 (p. 132-133).

21. Sur cet agraphon du changeur avisé, déjà utilisé par Origène, voir A. RESCH, *Agrapha* (*TU* 4, 4), Leipzig 1889, p. 116-127.

cilleux[22]. On ne peut pas lui reprocher, en tout cas, de ne pas avoir cherché à enrichir sa documentation.

Commenter les prophètes : Chalcis

Interrompu par toutes sortes de tâches annexes ou imprévues, il semble que ce qui devait être le grand œuvre de Jérôme ait été mis en chantier dès son arrivée en Palestine, sinon dès son séjour à Rome, entre 382 et 385 ou même à Antioche entre 370 et 378. Il est frappant pourtant que le premier *Commentaire* du jeune anachorète du désert de Chalcis ait été consacré au petit prophète Abdias[23]. Il aura beau renier cet essai, il n'en reste pas moins que son intérêt pour les prophètes se manifeste par la manière dont il commence à traduire un certain nombre d'homélies d'Origène sur Jérémie, Ézéchiel et même Isaïe, avant de se risquer à un travail plus personnel à l'ombre de Grégoire de Nazianze, grand lecteur lui aussi d'Origène : le commentaire de la vision d'Isaïe. Celui-ci sera bientôt complété et dédié à Damase[24].

Rome

On pourrait cependant croire qu'à Rome le secrétaire de Damase, le réviseur des Évangiles, l'apôtre de la virginité, le « réformateur » du monachisme, le mentor des dames de l'aristo-

---

22. Il renverra sans fin, pour ce qui concerne Origène, à son *Commentaire de l'Épître aux Éphésiens* et à son *In Ecclesiasten* (*Ep.* 61, 2 = *CUF* 3, p. 112, l. 12-16 ; *Contra Iohannem*, 17 = *PL* 23, c. 369 B-C ; *Ep.* 84, 2 = *CUF* 4, p. 126, l. 8-12).

23. Nous ne le connaissons que par la *Préface* de l'*In Abdiam* actuel (396-397) et sa date découle de ce qu'y indique Jérôme : « ... quando ego et Heliodorus carissimus pariter habitare solitudinem Syriae Chalcidis uolebamus » (*CC* 76, p. 350, l. 43-47). Si le texte est à prendre en rigueur de termes (per hosce *triginta* annos : l. 37-38), le premier essai est même antérieur au départ d'Antioche pour Chalcis ; mais il me semble imprudent d'urger trop de tels textes. Jérôme parle à Pammachius d'un ami commun, Héliodore. Sur son contenu probable, v. Y.-M. DUVAL, « Jérôme et les prophètes », p. 124.

24. *Ep.* 18 A et B (*CUF* 1, p. 53-78).

cratie, ait quelque peu oublié ses projets anciens. De fait, son activité pastorale s'éparpille. Par oral ou par écrit, il explique les *Psaumes*, qui forment la base de l'alimentation spirituelle des ascètes; de même, il lit et explique l'*Ecclésiaste* avec Blésilla, traduit les *Homélies sur le Cantique* d'Origène. Il prend également part aux diverses controverses dogmatiques du moment, à l'intérieur même du christianisme. Mais, qu'est-il en train de faire lorsque Damase s'inquiète de son silence ? Il lit et collationne le texte *hébreu* de l'Ancien Testament que lui a prêté un juif romain[25]. Une lettre à Marcella de la même époque nous donne plus de détails : « Depuis longtemps je collationne l'édition d'Aquila avec les rouleaux des Hébreux, pour voir si par hasard la Synagogue n'aurait pas, par haine du Christ, modifié le texte... Déjà *les Prophètes*, Salomon, le Psautier, les Livres des Rois ont été soigneusement recensés. J'en suis à l'Exode et vais passer au Lévitique[26]. » Ce n'est pas sans raison que Jérôme a commencé par les Prophètes. C'est, comme il l'expliquera à mainte reprise, qu'il s'est aperçu que, lus dans le texte original, les écrits des prophètes annonçaient beaucoup plus clairement le Christ que les Septante ne l'avaient laissé apparaître en grec[27]. D'autre part, dans les discussions avec les Juifs, il convenait de se servir de leurs textes[28]. Ce

---

25. *Ep.* 36, 1 (*CUF* 2, p. 51, l. 6-13).

26. *Ep.* 32, 1 (*CUF* 2, p. 37-38).

27. Voir en particulier les Préfaces des *traductions* de *Job* (*BS* 1, p. 732, l. 41-43), d'*Isaïe* (*BS* 2, p. 1096, l. 11-14), du *Pentateuque* (*BS* 1, p. 3, l. 21-25); ou *In Isaiam*, 1, 2, 22 ; *In Ieremiam*, 3, 70, 2 ; 3, 71 ; 4, 63, 6 ; *Ep.* 112, 20 (*CUF* 6, p. 40, l. 19-24). Les raisons alléguées ne sont pas toutes les mêmes, ni originales : tantôt les Septante n'ont pas voulu déplaire à leurs frères de race, tantôt ne pas parler de la Trinité aux païens polythéistes...

28. Voir la Préface de la traduction du Psautier *iuxta hebraeos* (*BS* 1, p. 768, l. 18 s.) et de *Judith* (p. 691, l. 1-2) ; *In Titum*, 3, 9 (*PL* 27, c. 595) ; *Contra Rufinum*, 3, 25 (*SC* 303, p. 282-284). C'est

n'est donc pas par hasard que, dans sa lettre contre
Onasus, Jérôme fait défiler une série de prophètes en
montrant leurs déboires à annoncer à leurs contemporains
une durée vérité : il est sans doute en train de lire et
d'étudier leurs écrits[29].

Bethléem En tout cas, à peine arrivé en
Palestine, à l'extrême fin 385 ou dans
les premières semaines de 386, il se rend en Égypte,
pour se mettre, dit-il, à l'école de ce Didyme[30] dont il
avait projeté à Rome de traduire le *Traité sur le Saint-
Esprit*[31]. Il ne demeura certes qu'un mois auprès de lui[32],
mais il lui demanda de lui composer deux commentaires
au moins, sur Osée et Zacharie[33]. La découverte de ce
dernier dans les papyri de Toura est une des grandes
acquisitions du dernier demi-siècle, tant en ce qui concerne
Jérôme que Didyme. Nous ne connaissons pas la date
exacte à laquelle celui-ci († c. 398) s'est exécuté[34]. Jérôme,
on le sait maintenant[35], s'est abondamment servi de ce
Sur Zacharie en 406. Dès son retour en Palestine, au
moment où Paula, Eustochium et Marcella lui demandent

déjà une raison avancée par ORIGÈNE dans sa *Lettre à Julius Africanus*, 5 (*PG* 11, c. 60-61 = *SC* 302, p. 532-534).
29. *Ep*. 40, 1 (*CUF* 2, p. 85). Blesilla, nous est-il dit (*Ep*. 39, 1 =
CUF 2, p. 72, l. 13-14), a sans cesse en mains « les prophètes ou les
Évangiles ». Était-elle en train d'en faire la lecture avec Jérôme,
de même qu'elle a lu avec lui l'*Ecclésiaste?*
30. *In Ephesios, Prol.* (*PL* 26, c. 440 B).
31. *Ep*. 36, 1 (*CUF* 2, p. 52, l. 1-3).
32. Brièveté qui sera soulignée par Rufin !
33. *De uiris*, 109 (*PL* 23, c. 705 A-B) ; *Contra Rufinum*, 3, 28
(*SC* 303, p. 288-292) ; *In Osee, 1, Prol.* (*CC* 76, p. 5, l. 133-137) ; *In
Zachariam, 1, Prol.* (*CC* 76 A, p. 748, l. 30-32).
34. Entre 386 et 393, date du *De uiris* qui les mentionne.
35. Voir l'*Introduction* de L. DOUTRELEAU à son édition princeps
du *Sur Zacharie* de Didyme (*SC* 83, p. 129-135) : *La « copie conforme »
de Jérôme*. Sans nier le moins du monde cette dépendance on pourrait
défendre l'originalité de Jérôme cependant...

de leur expliquer les épîtres de Paul, Jérôme n'oublie pas
son projet, semble-t-il. Contre ceux qui mettent en doute
l'authenticité paulinienne de l'*Épître à Philémon* à cause
de sa brièveté, il en appelle aux mystères admirables
que contiennent dans leur brièveté les Abdias, les Nahum,
les Sophonie et les autres des douze (petits) prophètes[36].
Il s'intéresse à eux à l'époque. Il les relit à la lumière des
Hexaples de Césarée[37]. Bientôt, au milieu d'autres occupa-
tions, dont toutes ne sont pas étrangères à son grand
projet[38], il les traduira sur l'hébreu[39] et sera prêt à les
commenter.

Les cinq premiers Commentaires

Ce travail commença, discrètement,
en 393. La date on l'a vu, nous est
donnée par l'*In Ionam* et par le
De uiris illustribus qui vint interrompre, momentanément

---

36. *In Philemonem, Prol. (PL* 26, c. 602 C-D).

37. L'*In Titum*, 3, 9 (*PL* 26, c. 595 B-C), dès l'année 386, déclare
que Jérôme a exécuté — ou mieux, fait exécuter — une copie des
Hexaples à la Bibliothèque de Césarée et qu'il a lui-même vérifié
la copie sur l'original. P. NAUTIN a contesté non seulement le récit
de Jérôme (assurément exagéré, comme souvent), mais aussi la
valeur de son témoignage sur les *Hexaples*, qui n'auraient pas contenu
le texte hébreu *en caractères hébraïques* (*Origène*, Paris 1977, p. 326-
331). Je ne vois pas cependant que le texte d'EUSÈBE (*Hist. Eccles.*, 6,
16, 1-2) dise que les *Hexaples* ne contenaient qu'une translittération
grecque.

38. En particulier la traduction du *De locis* d'Eusèbe, initiation
à la géographie palestinienne.

39. La date *précise* de cette traduction des prophètes sur l'hébreu
(comme celle d'une révision hexaplaire) est loin d'être clairement
établie. Le *De uiris*, en 393, déclare que son ami Sophronius a traduit
en grec sa traduction latine des prophètes depuis l'hébreu (§ 134 =
PL 23, c. 715 B-C). D'autre part, l'*In Ionam*, 4, 6 (l. 132-143)
mentionne la critique qu'a suscitée *dudum* sa transformation de
la « cucurbite » en *lierre*. L'*ensemble* des 16 prophètes est traduit
avant 394 d'après la *lettre* 48, 4 à Pammachius (*CUF* 2, p. 118,
l. 7-11). On peut donc dire, en chiffres ronds, entre 390 et 392. (Voir
Y.-M. DUVAL, « Recension du vol. 15 de la *Biblia Sacra...* », *REAug* 25,
1979, p. 195-196).

pensait Jérôme, cet *opus prophetale*. Dans la notice qu'il consacre à son œuvre, à la fin de ce *Catalogue* des écrivains de l'Église, Jérôme cite pour finir cinq *Commentaires* de petits prophètes, en ajoutant qu'il en a d'autres en chantier et qui ne sont pas encore terminés[40]. En réalité, il ne devait revenir à ce travail que trois ans plus tard, avec, précisément, le *Commentaire sur Jonas*. Celui-ci contient, de fait, la liste des principaux travaux exécutés entre le *De uiris* et « la reprise d'activité » que représente ce retour au commentaire des prophètes. C'est qu'au moment où Jérôme terminait son *De uiris*, encore si élogieux pour Origène, éclatait à Jérusalem et à Bethléem la querelle qui allait ternir à jamais les relations de Jérôme avec son ami Rufin, ainsi qu'avec Jean, l'évêque de Jérusalem.

Rien ne permet cependant de déterminer l'ordre exact dans lequel les cinq premiers *Commentaires* ont été écrits. Jérôme nous a laissé trois listes, aux ordres différents :

— En 393, dans le *De uiris*, 135 : Michée, Sophonie, Nahum, Habacuc, Aggée.

— En 396, au début de l'*In Ionam* : Michée, Nahum, Habacuc, Sophonie, Aggée.

— En 406, dans l'*In Amos* III : Nahum, Michée, Sophonie, Aggée, Habacuc.

Trois « bilans », puisque la première liste figure dans la notice du *De uiris* qui dresse le catalogue des œuvres de Jérôme jusqu'en 393, la deuxième marque son désir de poursuivre le travail laissé en suspens de 393 à 396, et la troisième appartient à l'ultime livre consacré aux petits prophètes, en 406. Cette dernière est la plus circonstanciée et la plus précise[41], de sorte que F. Cavallera

---

40. *De uiris*, 135 (*PL* 23, c. 719 A). Sur la liste des cinq commentaires déjà effectués, voir *infra*, p. 19-21.

41. *In Amos*, 3, *Prol.* (*CC* 76, p. 300, l. 35-43).

lui a donné la préférence[42]. Je suis moins sûr que lui de son
exactitude entière. A regarder, en effet, cette liste d'un
peu près et à la comparer avec ce que nous savons par
ailleurs, on s'aperçoit que, pour les deux *Commentaires*
de 396, *Abdias* précède *Jonas*, ce qui contredit explicitement l'indication de la *Préface* de l'*In Ionam*. L'explication
judicieuse donnée par P. Nautin au changement apparent
de dédicace de l'*In Ionam* dans cette liste de l'*In Amos*[43]
invite à se demander si le classement *par dédicataire* n'a pas
également perturbé l'ordre des *Commentaires* de 393 :
les quatre premiers sont dédiés à Paule et Eustochium,
le dernier à Chromace d'Aquilée. Rien n'empêche en
réalité qu'*Habacuc* ne s'intercale dans la série des œuvres
dédiées aux deux moniales. Si on replace ces cinq Commentaires devant la liste des livres tels qu'ils figurent dans le
canon hébreu[44], on s'aperçoit que les cinq livres commentés
en 393 forment un bloc et que l'ordre de la *Préface* de
l'*In Ionam* correspond à cet ordre de la Bible hébraïque[45].
En 396, Jérôme « remonte » la liste avec *Jonas* et *Abdias*[46].
Ce qui ne veut cependant pas dire qu'il ait commencé
avec *Aggée*. D'après les rares allusions de ces premiers
commentaires, il est certain que l'*In Nahum* a précédé
l'*In Habacuc*[47] et que l'*In Michaeam* a été précédé de

42. F. Cavallera, *Saint Jérôme*, p. 29-30. Suivi par P. Nautin,
« Études... », *REAug* 20, 1974, p. 271 s.

43. P. Nautin, *Ibidem*, p. 272. — Voir *infra*, p. 37, n. 52.

44. Voici l'ordre des petits prophètes dans l'hébreu et dans la
Septante :
Héb. : Osée, Joël, Amos, Abdias, Jonas, Michée,
           Nahum, Habacuc, Sophonie, Aggée, Zacharie, Malachie.
LXX : Osée, Amos, Michée, Joël, Abdias, Jonas,
           Nahum, Habacuc, Sophonie, Aggée, Zacharie, Malachie.
L'ordre ne diffère que pour les six premiers.

45. Soit les prophètes 6 à 10.

46. Les nos 5 et 4 de la liste hébraïque.

47. *In Habacuc*, 1, *Prol.* (*CC* 76 A, p. 579, l. 8-9 et 21).

plusieurs Commentaires[48], ce qui invite à contester une nouvelle fois l'ordre donné, près de 15 ans plus tard, par la Préface de l'*In Amos* III. L'*In Sophoniam* n'est pas non plus le premier[49], semble-t-il.

Il est une autre série de remarques à verser au débat et qui ne contribuent pas à préciser, bien au contraire, l'ordre dans lequel ont été rédigés les *premiers* Commentaires. Du moins nous révèlent-elles les intentions de Jérôme, en même temps qu'elles éclairent sa méthode de travail. Dans l'*In Nahum*, mais surtout dans l'*In Sophoniam*, Jérôme se réfère à l'*In Ionam* comme si celui-ci existait déjà[50]. On peut se demander si Jérôme ne s'est pas contenté de reprendre une indication qui figurait dans une de ses sources qui n'avait pas commenté les petits prophètes dans le même ordre que lui. On peut aussi se demander, et la deuxième solution n'exclut pas nécessairement la première, si Jérôme n'a pas déjà esquissé son *In Ionam*[51] et ne songe pas à le terminer sous très peu, de sorte que les premiers Commentaires, puissent, même

48. Le début du livre II de l'*In Michaeam* fait en effet état de critiques contre la manière dont Jérôme « compile » Origène dans ses *Commentaires*, ce qui suppose qu'un certain nombre est déjà diffusé (*CC* 76, p. 473). L'*In Habacuc*, au début du second livre, repousse aussi des sifflets (*CC* 76 A, p. 618, l. 4-6).

49. Il fait, lui aussi, allusion dans sa préface (*CC* 76 A, p. 655) aux critiques qu'entraîne la dédicace par Jérôme de ses ouvrages à des femmes. Il se réfère d'autre part à l'*In Nahum* ... mais aussi à l'*In Ionam*. Voir la note suivante.

50. *In Nahum*, 2, 11 (*CC* 76 A, p. 552, l. 365-367) : « ... nous avons compris... » ; *In Sophoniam*, 2, 12-15 (p. 692, l. 583-587) : « ... nous avons compris... ». A vrai dire, dans l'*In Ionam* de Jérôme, l'identification de Ninive et de l'Église n'apparaît explicitement qu'à la *dernière* page (4, 10-11, l. 310 s.). Voir p. 432, n. 18.

51. VALLARSI a déjà fait cette remarque *(PL* 25, c. 1370, n. *d.)*. Sur ce problème, voir *Le Livre de Jonas*, p. 280-282. La critique de P. NAUTIN (*REAug* 20, 1974, p. 270-273) rend moins vraisemblable l'idée d'une seconde édition. Sur le problème des dédicaces, voir *infra*, p. 36-38.

distincts, former cependant un tout. Les événements de cette année 393 devaient brusquement interrompre cette activité, qui ne reprendrait, avec l'*In Ionam*, qu'à l'extrême fin de 396.

La *Préface* de l'*In Ionam* dresse, on l'a dit, la liste des *écrits* de Jérôme entre ces deux dates[52]. Elle montre que Jérôme ne fut pas inactif. Elle n'énumère cependant pas *tous* les écrits de la période et, surtout, elle ne laisse pas transparaître ce qui fut la grande préoccupation du moine latin en ces années : non pas la polémique avec Jovinien et ses défenseurs par-delà les mers, qui est mentionnée dans notre liste, mais la longue dispute au sujet d'Origène, tant défendu jusque-là, et qui, par les démêlés qu'elle suscita avec l'évêque de Jérusalem, faillit entraîner son exclusion de Palestine.

Jonas et la querelle origéniste

Ce n'est pas ici le lieu de retracer les étapes et les épisodes de cette querelle qui se développe de l'été ou l'automne 393 à la fête de Pâques 397, époque à laquelle Rufin se prépare à regagner l'Occident après s'être réconcilié avec Jérôme. Contentons-nous de dire que, sous l'influence d'Épiphane, évêque de Salamine de Chypre, grand pourfendeur d'hérésies, les rapports des monastères de Bethléem se sont détériorés avec ceux du Mont des Oliviers à Jérusalem où résident Rufin et Mélanie, comme avec l'évêque de la ville, leur ami et protecteur. Par le fait même, les séquelles du conflit, voire le conflit lui-même, atteignent l'Occident qui ne va pas tarder, avec des rebondissements divers, à se diviser en deux camps. Sur le plan doctrinal, les points sensibles ne sont tout d'abord autres que ceux de la théologie trinitaire, dans un monde encore mal débarrassé des

---

52. *In Ionam, Prol.* (l. 4-8) : voir p. 320-321, les notes sur ces divers écrits.

diverses formes de l'arianisme et qui est toujours disposé à suspecter chez autrui des glissements divers, comme à rappeler à l'adversaire ses compromissions anciennes[53]. Origène est volontiers présenté par ses adversaires comme un ancêtre d'Arius. Mais il est aussi attaqué pour sa doctrine sur la chute des âmes dans des corps, sur la résurrection des corps, sur la restauration finale du monde en son état primitif, qui supposerait le salut même du diable, la fameuse *apocatastase*[54]. Ne nous étonnons pas de voir apparaître chacune de ces questions dans notre *In Ionam*. Ce sont celles qui sont au cœur des débats au moment où Jérôme compose son Commentaire. Il est même probable que certaines œuvres qui nous renseignent sur la polémique en cours sont écrites ou préparées en même temps que l'*In Ionam*[55]. Il est certain, en tout cas, que Jérôme est particulièrement attentif dans cet ouvrage à tout ce qui fleure l'origénisme.

Il en sera ainsi désormais tout au long des *Commentaires*, soupçonneux que Jérôme sera rendu par les rebondissements de la querelle avec Rufin, soit au sujet du *Peri Archôn* d'Origène, soit au sujet de son ancienne admiration pour Origène, soit même des escarmouches entre les amis de Jérôme et ceux de Rufin — pour ne pas parler de la « résurrection » de Rufin et d'Origène que Jérôme croira reconnaître en Pélage, à l'époque du *Sur Jérémie*. Cet arrière-plan polémique invite certes à s'interroger sur la manière dont Jérôme a utilisé avec plus ou moins d'intérêt, de précaution, de liberté, de respect, les divers Commen-

---

53. Voir mes « Insinuations de Jérôme contre Jean de Jérusalem : de l'arianisme à l'origénisme », *RHE* 65, 1970, p. 353-374.

54. A l'époque, le catalogue des erreurs d'Origène a été dressé par ÉPIPHANE, d'une part dans son *Panarion*, 64, d'autre part dans sa *Lettre à Jean de Jérusalem* traduite par Jérôme (= *Ep.* 51, 4-7). Jérôme s'en inspire à son tour dans son *Contra Iohannem*, 7 (*PL* 23, c. 360 B-D).

55. Voir *supra*, p. 12 et n. 8.

taires d'Origène sur les prophètes; il explique surtout que ce nouveau départ de l'*In Ionam* ait si rapidement été interrompu. Jérôme ne devait commenter à la suite que le très court *In Abdiam*[56]. Ce n'est qu'à l'automne 406, soit près de dix ans plus tard, qu'il reviendra aux petits prophètes, en commentant en l'espace de quelques mois les deux derniers, puis les trois premiers[57]. Il n'aura pas assez des années qu'il lui restait à vivre pour expliquer successivement Daniel, Isaïe, Ézéchiel et Jérémie. Celui-ci restera inachevé pour un bon tiers. Il faut dire cependant que les autres travaux, de tout ordre, ne manqueront pas dans l'intervalle pour accaparer Jérôme et que ces quatre derniers *Commentaires* sont naturellement beaucoup plus longs que ceux des « petits » prophètes[58]. La question est pour nous de savoir si, en dehors des circonstances extérieures qui ont pu modifier telle ou telle perspective — l'attachement à Origène —, telle ou telle présentation — l'*In Danielem* ou l'*In Ieremiam* —, la *méthode* de Jérôme a évolué, ou plutôt, pour en rester au « point de vue » qu'offre l'*In Ionam* sur ce vaste *panorama*, si la « reprise d'activité » que représente l'*In Ionam* permet de mieux apprécier la méthode ici suivie par Jérôme, par rapport à celle qu'il avait adoptée dans ses Commentaires antérieurs et qui se retrouvera avec plus ou moins de modifications dans les œuvres postérieures.

---

56. Jérôme n'avait pas prévu l'interruption qui allait survenir brutalement quelques mois plus tard. De la même façon que dans l'*In Sophoniam* (v. *supra*, n. 50), l'*In Abdiam*, 19 (*CC* 76, p. 371, l. 668-669) présente une interprétation *donnée* dans l'*In Osee*, qui ne sera écrit qu'en 406...

57. En plus des indications fournies par les Commentaires particuliers, le bilan est dressé dans la suite de la Préface de l'*In Amos*, 3 (*CC* 76, p. 300, l. 43-48) invoquée plus haut.

58. Sans entrer dans le détail, disons que *Daniel* date de 407, *Isaïe* de 408-410, *Ézéchiel* de 410-414 et que *Jérémie* est commencé en 414.

INTRODUCTION AUX COMMENTAIRES
DE JÉRÔME[1]

**Les lois
du Commentaire**

Le Commentaire biblique, tel que
nous le rencontrons chez Jérôme, n'est
rien moins à son époque qu'un genre
littéraire original. Jérôme est le premier à en être conscient.
Il renverra maintes fois ses adversaires aux « lois » des

---

1. J'insiste sur le fait qu'il ne s'agit ici que d'une *introduction*,
qui ne peut donc, et de loin, tout aborder, et qu'elle désire introduire
concrètement à ses *Commentaires* (de l'Ancien Testament et en particulier des prophètes), plus qu'à son exégèse. D'autre part, cette
introduction est d'abord écrite en fonction de l'*In Ionam*, c'est-à-dire
de sa date, de son texte et de ses problèmes. Partout donc où la chose
me semble avoir de l'importance, les textes sont rangés dans l'ordre
chronologique, soit pour montrer que l'*In Ionam* se situe dans une
large série, soit pour montrer une évolution. Mais qu'on ne s'étonne
pas non plus de trouver souvent quelques références prises à un
petit nombre d'œuvres et suivies d'un etc. C'est qu'il s'agit alors
de données très fréquentes chez Jérôme. Il y a peu d'études d'ensemble sur l'exégèse de Jérôme : A. VACCARI, « I fattori dell'esegesi
geronimiana », *Biblica* 1, 1920, p. 457-480 ; F. CAVALLERA, « Saint
Jérôme et la Bible », *BLE* 22, 1921, p. 214-227 ; 265-284 ; A. PENNA,
Principi e carattere dell'esegesi di S. Gerolamo, Roma 1950 ; L. N. HART-
MANN, « St Jérôme as an Exegete », in F. X. MURPHY, *A Monument
to St Jérôme*, New-York 1952, p. 37-81 ; A. STAUB, *Die exegetische
Methode des Hieronymus im Kommentar zum Zwölfprophetenbuch.
Eruditio saeculi und scientia scripturarum*, diss. ad lauream S. Anselmo,
Roma 1977 (reprogr.). La problématique de plusieurs de ces études

*Commentaires*² et citera les Commentaires des œuvres
de Virgile, de Salluste, de Cicéron, etc.³. Lui-même n'a-t-il
pas été, comme il le rappelle, l'élève de Donat, célèbre
pour son Commentaire de Virgile — perdu — et celui de
Térence, heureusement parvenu jusqu'à nous ? En réalité,
ces Commentaires n'étaient que l'imitation par les latins
des méthodes mises en œuvre par les Grecs et en particulier les Alexandrins pour expliquer les classiques et
tout d'abord Homère. On peut dire en effet que la critique
biblique, comme l'exégèse, est issue principalement de la

est vieillie et on y est souvent trop préoccupé de situer Jérôme par
rapport à « l'école d'Antioche » ou « l'école d'Alexandrie ». Une telle
distinction me paraît abusive (Sur la *theoria* chez Jérôme, v. *infra*,
p. 88, n. 282) et il n'est pas tenu assez compte de la problématique
de chaque livre. Des études telles que celle de P. JAY, « Le vocabulaire exégétique de Saint Jérôme dans le Commentaire de Zacharie »,
REAug 14, 1968, p. 3-16, par rapport à l'*In Zachariam* de Didyme,
devraient être faites sur d'autres Commentaires. P. Jay prépare un
travail d'ensemble sur l'*In Isaiam*. D'autre part, indépendamment
des niveaux « verticaux » de l'interprétation, on a isolé dans le
ivᵉ siècle grec des lignées différentes d'exégèse, selon qu'elles tendent
à expliquer l'ensemble d'un texte et de sa visée ou à rendre compte
du détail, extrait parfois de son contexte. La seconde, représentée
dans l'exégèse philosophique par Porphyre, aurait tendance à être
supplantée par l'école de Jamblique. Par son souci de la *consequentia*,
Jérôme se rattacherait plutôt à cette dernière ; mais on tiendra
compte de plusieurs données avant de ranger notre exégète sous
une bannière quelconque : tout d'abord, l'opposition n'apparaît
pas avec le ivᵉ siècle, de sorte que Jérôme est sensibilisé aux problèmes
de la *consequentia* par des ouvrages qui sont antérieurs à l'époque
où celle-ci va devenir un critère d'école ; d'autre part, il utilise des
ouvrages de tendances diverses, sans pousser toujours assez loin
l'élaboration pour éliminer toute disparate. Il serait contraire au
pragmatisme et à l'éclectisme latins de procéder autrement, de sorte
que toute classification tranchée apparaît impossible, compte tenu
même d'une certaine évolution. Comme son maître Cicéron, Jérôme
est un *éclectique*.
    2. *Contra Rufinum*, 1, 16-17 (*SC* 303, p. 44-50) ; 22 (p. 60-64) ;
3, 11 (p. 240-242).
    3. *Contra Rufinum*, 1, 16 (*SC* 303, p. 44-46). V. p. 75 et n. 231.

critique et de l'interprétation homériques, telles que celles-ci
sont nées à Alexandrie surtout, avec les Lagides, et telles,
génération après génération, qu'elles se sont développées
en s'appliquant à de nouveaux textes poétiques ou philo-
sophiques, jusqu'à, disons, au moins Proclus ou Simplicius,
aux ve et vi^e siècles de notre ère.

Beaucoup des œuvres originales ayant disparu, la difficulté pour nous est de déceler les strates des divers
Commentaires qui nous sont parvenus, de reconstituer
les ensembles auxquels elles appartiennent, à partir
d'éléments épars et disloqués[4], de découvrir les principes
qui les sous-tendent. La même tâche attend celui qui
s'intéresse aux Commentaires bibliques. On peut dire
que nous apprécierions beaucoup mieux l'originalité de
chaque commentateur si nous possédions les Commentaires
antérieurs qui sont à la base de son propre travail. Plus
on avance dans le temps, plus les choses se compliquent
et, chez un Jérôme, il faut faire à la fois la part d'une
tradition grecque et celle d'une tradition latine ou occidentale. On oublie trop facilement celle-ci. Les premiers
Commentaires *latins*, si nous en croyons Jérôme qui ne
les porte pas aux nues, apparaissent au tournant du
ive siècle, avec Victorin de Poetovio et Reticius d'Autun.
Le milieu du ive siècle connaîtra deux Commentaires
sur Matthieu — celui de Fortunatien d'Aquilée dont
nous avons seulement quelques pages, et celui, beaucoup
plus serré, d'Hilaire de Poitiers —, en même temps qu'à
Rome, où Jérôme fait ses classes, Marius Victorinus et
Donat commentent Cicéron, Virgile ou Térence, avant que
le premier ne s'attaque aux *Lettres* de Paul. Mais il serait
erroné de penser que des auteurs comme Jérôme ou Hilaire

---

4. Ajoutons que ces « éléments » ne sont pas toujours connus
avec le nom de leur auteur. Cf. *infra*, p. 33-35.

n'utilisent que des Commentaires en forme et complets[5]. Cyprien, mais surtout Tertullien, sont leurs livres de chevet et si le dernier n'a pas écrit de véritable « Commentaire »[6], il a laissé, outre sa propre manière de faire, mainte réflexion sur la méthode exégétique[7]. La même remarque vaut pour des auteurs grecs qui n'ont pas besoin de « commenter » l'Écriture *ex professo* et de façon continue pour mettre en œuvre des catégories exégétiques. D'autre part, le genre du Commentaire composé sait intégrer des vues qui ont d'abord été proposées dans des *scolies*, brèves remarques « en marge » d'un texte, ou dans les

---

5. Il arrive que Jérôme cite une opinion qui n'est aucunement empruntée à un ouvrage *complet* sur l'œuvre biblique qu'il est en train d'expliquer. Voir, par ex., *In Ps.* 1, 1 (*CC* 72, p. 179, l. 11) qui renvoie brusquement au *De Spectaculis*, 3, 3-4, au sujet du *Ps.* 1, 1, pour une interprétation tout à fait accommodatice de ce verset par TERTULLIEN. L'*In Titum*, 1, 6 (*PL* 26, c. 564-565) attaque le *De monogamia* pour son exégèse du texte de Paul, mais, quelques pages plus loin (1, 7 = c. 567 A-B), il utilise sans le dire le *De ieiunio*, ce qui est de loin la pratique la plus constante, y compris dans cet *In Ionam* (3, 5 et p. 393 s., n. 4). Un autre exemple : Ambroise est mentionné avec plus ou moins de bienveillance dans les *Hebraicae quaestiones in Genesim*, 10, 21 (*CC* 72, p. 11), l'*In Ezechielem*, 11 (*CC* 75, p. 420, l. 15-17), et l'*In Zachariam*, 3, 14, 20-21 (*CC* 76 A, p. 898, l. 801-804) pour des opinions très « ponctuelles ». Il ne faut pas oublier non plus que les modèles de Jérôme, Origène en particulier, avaient écrit *divers* types de commentaires : Scholies marginales, interlinéaires ; Commentaires savants, Homélies ... Jérôme les utilise tour à tour et simultanément. Sur la mise en page matérielle de ces divers types, voir, pour une catégorie particulière et à époque carolingienne et médiévale, L. HOLTZ, « La typologie des manuscrits grammaticaux latins », *RHT* 7, 1977, p. 247-269. Sur les lemmes, leur nature et leur disposition, voir p. 44-51 ; 120.

6. Jérôme fait cette remarque dans sa *lettre* 58, 10 (*CUF* 3, p. 83-84) à Paulin de Nole au sujet de Cyprien, dans une revue des écrivains latins chrétiens, mais cela ne l'empêche pas de lire et relire Cyprien et de beaucoup lui emprunter.

7. Voir, par ex., T. P. O'MALLEY, *Tertullian and the Bible, Language, Imagery, Exegesis*, Nimègue 1967.

homélies au peuple[8]. Tout cela ne fait que rendre plus complexe la recherche de l'évolution des doctrines et des méthodes.

A s'en tenir au « Commentaire » lui-même, on n'exagérerait pas à insister sur les différences d'une école à l'autre, d'un auteur à l'autre, d'une langue à l'autre, d'une époque à l'autre. Dans le cas présent, pourtant, il vaut mieux souligner les ressemblances formelles, qui font qu'un lecteur moderne n'est pas désorienté lorsqu'il passe du Commentaire de l'*Énéide* de Servius à un Commentaire de Jérôme sur Matthieu ou l'un des prophètes, d'un Commentaire d'Origène au Commentaire sur le *Timée* de Chalcidius ou à un Commentaire de Proclus. Les parentés *formelles* sont plus nombreuses que les différences et, pour notre objet, il est essentiel de connaître ces Commentaires profanes pour mieux comprendre les préoccupations de Jérôme, le sens de certaines de ses notations ou de ses remarques. Il obéit, sans « mécanisme », ni rigueur, à des schémas scolaires qu'il faut savoir retrouver ; il partage des goûts, une esthétique, qu'il ne discute pas, mais qui sous-tend une bonne part de son discours.

1. La Préface : contenu et *topoi*

Partons donc de la Préface, plus ou moins longue, qui précède ordinairement le Commentaire et a pour première fonction de présenter l'œuvre qui va être expliquée ou annotée.

---

8. Jérôme lui-même déclare plus d'une fois avoir utilisé les « Scolies » en même temps que les *Tomes* ou les *Stromates* d'Origène. On peut montrer qu'il a utilisé également ses Homélies sur Jérémie, Ezéchiel ou Isaïe. Il n'y a pas non plus de différence fondamentale chez Jérôme entre ses *Tractatus* sur les Psaumes et les *Homélies* sur les Psaumes prêchées à ses frères de Bethléem.

« J'ai dit quel était le *but* (σκοπός) du dialogue et combien
noble, j'ai parlé du *plan* (οἰκονομία), j'ai montré le
merveilleux mélange que constitue sa *forme littéraire*
(χαρακτήρ ou εἶδος), j'ai rappelé toutes les *circonstances*,
(ὑπόθεσις) de l'entretien, j'ai remarqué en particulier
touchant les personnages (πρόσωπα), combien ils sont
appropriés aux présents discours : il siérait donc maintenant
de passer au texte lui-même (τὴν λέξιν) et d'examiner
chaque mot, dans la mesure de nos forces. » Voilà les lignes
finales du prologue de Proclus à son *Commentaire sur le
Timée* de Platon[9]. On retrouve à peu près les mêmes
propos en tête de son *Commentaire sur la République*
qui n'appartient pourtant pas tout à fait au même genre
littéraire[10]. Cette conjonction montre bien que nous
sommes devant un schéma d'école[11]. « Dans l'explication
des auteurs, disait de son côté Servius, il faut tout d'abord
considérer les points suivants : la vie du poète, le titre
de l'œuvre, la nature *(qualitas)* du poème, l'intention de
l'écrivain, le nombre de livres, leur ordre, le commentaire
(explanatio) du texte[12]. » Et il reprend chacun des premiers
points, avant d'en arriver au commentaire lui-même
qui sera donné livre par livre et vers par vers : « Sola
superest *explanatio*, quae in sequenti expositione proba-
bitur. » On retrouverait les mêmes données au début
du Commentaire des *Bucoliques*[13]; de façon plus subtile
au début de celui des *Géorgiques*[14]. Donat applique des

9. Proclus, *Commentaire sur le Timée*, trad. J. Festugière,
t. 1, Paris 1966, p. 35 (= § 9, l. 25-31).

10. Proclus, *Commentaire sur la République*, trad. J. Festugière,
t. 1, Paris 1970, p. 21-22 (= § 5, l. 20-25).

11. D. Van Berchem, « Recherche sur la tradition scolaire d'explication des auteurs », *Museum Helveticum* 9, 1952, p. 79-87.

12. Servius, *In Aeneidem*, ed. G. Thilo et H. Hagen, Hildesheim
1961, I, 1, p. 1, l. 13 — p. 5, l. 5.

13. Servius, *In Bucolicon librum*, ed. G. Thilo, Hildesheim 1961,
III, 1, p. 1-4.

14. Servius, *In Georgicon librum primum, Ibid.*, p. 128-129.

règles analogues dans son Commentaire de Térence. Elles sont moins mécaniquement observées chez Jérôme, mais il n'est pas difficile de montrer que tel ou tel développement de l'une ou l'autre Préface remplit telle ou telle fonction ordinaire de la Préface. La difficulté, si l'on peut dire, vient chez Jérôme du fait que tout est chez lui tumultuaire et qu'il aborde souvent les œuvres dans le désordre, et cela non pas par simple souci de varier.

L'argument et les *topoi* Laissons pour l'instant les « justifications » diverses du travail entrepris et les questions que posent les dédicaces, et prenons les *Épîtres* de saint Paul. Contrairement à un ordre qui était déjà à peu près fixé et qui tendait à faire de chaque « lettre » le chapitre d'un enseignement d'ensemble, Jérôme a commencé par expliquer le billet à Philémon. Cela l'amène, comme il le reconnaît lui-même, à placer à cet endroit un développement sur le changement du *nom* de Saül en Paul que l'on chercherait d'ordinaire en tête du *corpus* des *Lettres*[15]. Voilà, en partie, pour l'auteur. La *Préface* du Commentaire de l'*Épître aux Galates* expose brièvement l'*argumentum* de la lettre, en le distinguant de celui de l'*Épître aux Romains*[16]; mais il réserve pour la *Préface* du livre II les précisions sur les destinataires[17]. La *Préface* du premier livre du Commentaire de l'*Épître aux Éphésiens* rassemble au contraire ces données, après que Jérôme se soit longuement étendu sur la nécessité de distinguer pour chaque lettre les lieux, les temps, les destinataires, etc.[18] Mais la Préface du Livre III, après avoir rappelé que l'*argumentum* de la Lettre a été suffisamment exposé dans la Préface du Livre I, présente des considérations sur le sens mystique

---

15. *In Philemonem*, 1 (*PL* 26, c. 603 A-C).
16. *In Galatas*, 1, *Prol.* (*PL* 26, c. 309 B-C).
17. *In Galatas*, 2, *Prol.* (c. 353 C-357 A).
18. *In Ephesios*, 1, *Prol.* (*PL* 26, c. 441 A-442 D).

du *nom* des Éphésiens[19], les destinataires, qu'on eût peut-être aimé lire plus tôt ! *Mutatis mutandis*, on retrouve ces *topoi* disséminés dans les autres Commentaires, et en particulier dans les Commentaires sur les prophètes. Ceux-ci contiennent naturellement, encore qu'en grand désordre et mêlées à d'autres considérations plus ou moins habituelles, des précisions sur la *personne*, la *vie*, la *datation* des écrivains sacrés, sur la *nature* de leur œuvre. Jérôme s'excuse parfois de ne pas obéir aux règles. Ici, il se plaint d'avoir à répondre à des critiques alors que sa préface devrait exposer l'*argumentum* de l'œuvre[20]. Là, il avertit son lecteur qu'il ne trouvera pas l'*argumentum* de l'œuvre, parce que celle-ci est trop riche et trop profonde[21]. La remarque vaut autant pour le sens spirituel que pour le sens littéral. Au contraire, la Préface de l'*In Ionam* se termine par quelques lignes où Jérôme entend « totum prophetae sensum breui praefatione comprehendere »[22], ce qui est une autre façon de présenter le sujet de l'œuvre et obéir une fois de plus aux règles en usage. Comme souvent, il faut savoir les reconnaître là où elles ne sont pas formulées explicitement.

Réponse aux critiques : l'originalité Jérôme répond très souvent à des critiques. Il le fait maintes fois en évoquant les *Prologues* de Térence[23]. Diverses Préfaces de Cicéron n'ont pas exercé une influence moins grande. Il en découlerait une certaine monotonie si ces *Préfaces* de Commentaires ne constituaient autant de jalons dans l'histoire des

19. *In Ephesios*, 3, *Prol.* (c. 513 D-516 B).
20. *Hebraïcae quaestiones in Genesim*, *Prol.* (*CC* 72, p. 1, l. 1-2).
21. *In Isaiam*, 1, *Prol.* (*CC* 73, p. 1, l. 25 s.). Voir *In Amos*, 1, 1, 1 (*CC* 76, p. 214, l. 83-87) ; *In Ezechielem*, 4 (*CC* 75, p. 136, l. 1-7).
22. *In Ionam*, *Prol.* (l. 76-77).
23. Celui-ci ayant précisément eu à se défendre de ses rivaux dans ses *Prologues*. On trouvera le relevé de ces allusions chez H. HAGENDAHL, *Latin Fathers and the Classics*, Göteborg 1958, p. 270-274 en particulier.

rapports de Jérôme avec son entourage et ne permettaient, par la nature même des critiques qui sont réfutées, de savoir et de sentir Jérôme sur ses gardes en tel et tel domaine. Prenons l'exemple — parmi d'autres — du reproche du manque d'originalité. Dans ses Commentaires des *Épîtres* de Paul, Jérôme s'attendait peut-être au reproche inverse, puisqu'il osait commenter ces Lettres après Marius Victorinus[24]. Il se fait fort de n'avoir rien dit de lui-même et de s'être entouré de toute une série d'auteurs grecs[25]! Il ne réclame guère plus d'originalité pour l'*Épître aux Éphésiens*[26] et s'en mordra un jour les doigts[27]. Le *Commentaire de l'Ecclésiaste* se prétendrait plus personnel dans sa *Préface*[28], mais le commentaire lui-même cite expressément Origène, Grégoire le Thaumaturge, Victorin de Poetovio, Apollinaire[29] et il n'est pas difficile de rendre à l'un ou à l'autre plus d'une autre page. Des cinq premiers Commentaires sur les petits prophètes *aucun* ne comporte d'indication de modèle dans sa Préface. Que s'est-il donc passé? Jérôme a revendiqué Origène pour maître, aussi bien dans ses *Quaestiones in Genesim*[30] que dans ses *Commentarioli in Psalmos*[31]. Ce n'est donc pas pour cacher ses sources qu'il ne le cite pas nommément, mais plus vraisemblablement parce que sa personne est suspecte en Occident. Certains autour de lui

24. *In Galatas*, 1, *Prol.* (*PL* 26, c. 308 A-B). Mais il ne dit rien de « l'Ambrosiaster », qu'il connaît pourtant !
25. *Ibid.* (c. 308 B-309 B) : Origène, Didyme, Apollinaire, Alexandre, Eusèbe d'Émèse, Théodore d'Héraclée.
26. *In Ephesios*, 1, *Prol.* (c. 442 C-D) : Origène, Apollinaire, Didyme.
27. Lorsque Rufin lui reprochera d'avoir repris sans grande précaution les propos d'Origène.
28. *In Ecclesiasten*, *Praef.* (*CC* 72, p. 249, l. 12) : « nullius auctoritatem secutus sum ». Mais la phrase vaut peut-être plus pour le texte biblique lui-même que pour le Commentaire. Voir *infra*, p. 43.
29. *In Ecclesiasten*, 4, 13-16 (*CC* 72, p. 289-290).
30. *Hebraicae quaestiones in Genesim* (*CC* 72, p. 2, l. 5-17).
31. *In Ps.*, *Prol.* (*CC* 72, p. 177-178).

cependant admirent Origène et reprochent au Latin
de le plagier. C'est à eux qu'il est répondu dans la Préface
du Livre II de l'*In Michaeam* : Jérôme se range derrière
tous les auteurs latins, profanes et chrétiens, qui ont
adapté ou traduit les Grecs[32]. Cette réponse sera reprise
plusieurs fois par la suite; mais, dans l'intervalle, la
situation s'est compliquée : Jérôme est maintenant accusé
d'être un partisan d'Origène. Chez l'Alexandrin, il doit
distinguer le théologien, qu'il juge aventureux, erroné,
et le bibliste, qui connaît parfaitement l'Écriture[33].
Lorsque Rufin l'accuse d'avoir par le passé suivi Origène
plus souvent qu'il ne veut le reconnaître, Jérôme essaie
de sauver son orthodoxie en prétendant qu'il n'a fait
qu'appliquer les règles des Commentaires qui veulent
que l'on fasse état des opinions de ses prédécesseurs sans
pour autant les endosser[34]. Ce faisant, il assure même
qu'il a usé de charité[35]. Il suffit de parcourir les Commentaires profanes pour constater que les opinions d'autrui
sont plus souvent rapportées par un vague *quidam* ou
alii qu'attribuées nommément à leur auteur. Il n'en reste
pas moins que, pour tous les Commentaires antérieurs
à 393, Jérôme n'a pas appliqué avec *rigueur* la règle
qu'il édicte en 401-402. Mais, à partir du déclenchement
de la controverse origéniste, il devient plus prudent.
L'*In Ionam* et l'*In Abdiam* en 396 n'invoquent le patronage
de personne, bien que Jérôme reconnaisse avoir des prédécesseurs[36] et les *quidam* qui sont mentionnés dans le cours
du Commentaire le sont plutôt pour être réfutés[37]. En 406,

---

32. *In Michaeam*, 2, *Prol.* (*CC* 76, p. 473, l. 226-240).
33. Voir *supra*, p. 14, n. 20.
34. Voir *supra*, p. 14.
35. *In Ieremiam*, 4, 41, 6 (*CC* 74, p. 268, l. 1-3).
36. *In Ionam*, *Prol.* (l. 17-18).
37. Dans l'*In Ionam*, Jérôme fait sept fois allusion à des opinions
d'autrui : En 2, 1 b (l. 29), pour le décompte des trois jours :
quidam ; en 2, 7 b (l. 277) : *alii*, à savoir Origène (v. p. 383 s.) ; en 3, 3

pour les derniers petits prophètes, des noms réapparaissent
dans les Préfaces initiales de l'*In Zachariam*, l'*In Malachiam*, l'*In Osee*, mais non dans celles de l'*In Ioelem*
ou de l'*In Amos*, qui exploitent pourtant, eux aussi,
des prédécesseurs. On remarquera d'ailleurs que ces
prédécesseurs sont présentés de façon critique, voire
parfois négative. Jérôme prend Pammachius à témoin
qu'il se comportera à leur égard en juge et non en simple
traducteur[38], ce qui l'amène à repousser le même reproche
de prétention qu'il craint dans l'*In Ionam*[39]. Peu après
pourtant, il change partiellement de technique avec
l'*In Danielem* : pour la 9e vision de Daniel, qui occupe
la moitié environ du livre III, Jérôme transcrit successivement sept opinions différentes, sans prendre parti[40];
ce qui concerne l'Antichrist ou Antiochus Épiphane
voit d'un bout à l'autre s'opposer l'interprétation de
Porphyre à celle des « Nôtres » et accessoirement des
Hébreux[41]; quant au commentaire de l'histoire de Susanne,
il est explicitement emprunté au livre X des *Stromates*
d'Origène[42]. Il est vrai que l'*In Danielem* occupe une place
à part dans l'œuvre de Jérôme. Les autres grands prophètes
donneraient matière à des remarques analogues à celles
qui ont été faites pour les petits prophètes. Il faut, par
exemple, attendre la *Préface* du Livre VII de l'*In Ezechielem* pour entendre Jérôme reconnaître ou plutôt se plaindre

(l. 41) : *sunt qui* sur la durée de la prédication à Ninive ; en 3, 6-9
(l. 139) : *plerique* réfuté(s) par Jérôme (v. p. 396-399) ; en 4, 7-8
(l. 226) : *sunt qui*, simplement mentionnés ; en 4, 10 (l. 269) : *quidam*
(au sing.), vraisemblablement Origène (v. *supra*, p. 22-23 et *ad loc.*),
dont l'opinion est discutée avant d'être remplacée par une autre.
L'*In Abdiam* ne contient que trois renvois, assez remarquables :
voir *infra*, p. 76-77, et n. 237-238.
   38. *In Osee*, 1, *Prol.* (*CC* 76, p. 5, l. 140-146).
   39. *In Ionam, Prol.* (l. 21-22).
   40. *In Danielem*, 3, 9, 24 a (*CC* 75 A, p. 865, l. 140 ; p. 889, l. 617).
   41. *Ibid.* (4), 11, 21 (p. 915, l. 39-41) ; 12, 13 (p. 944).
   42. *Ibid.* (4), 13 (p. 945, l. 698-700).

qu'il ne connaît les Commentaires grecs que par les yeux
de ses aides[43] et la fin du Livre XI pour lui voir dire que
ses interprétations n'entendent pas condamner celles de
ses prédécesseurs[44]. Mais il hésite à aborder le livre suivant
qui devrait traiter du Temple... parce qu'il n'a plus de
guide[45].

Le dédicataire   Il cède pourtant aux sollicitations
pressantes d'Eustochium, à qui le
Commentaire est dédié[46]. Tous les Commentaires de
Jérôme sont en effet dédiés à quelqu'un, ce qui n'est pas
une loi universelle, mais se vérifie chez bien d'autres
auteurs[47]. Le nom du dédicataire apparaît normalement
dans la Préface, avec parfois des précisions sur les circonstances de la demande. A entendre Jérôme, en effet,
il ne travaillerait que sur commande et contraint. Ces
demandes expliqueraient en particulier le désordre dans
lequel certaines séries sont présentées[48]. Cela est vrai,
en gros. Il est vrai également que Jérôme ne répond pas
ou ne répond pas tout de suite à certaines demandes

43. *In Ezechielem*, 7, *Prol.* (*CC* 75, p. 278, l. 26-29).

44. *In Ezechielem*, 11, 39, 17-19 (*CC* 75, p. 545, l. 2104-2108).
Cf. *In Ezechielem*, 5, 16, 56-58 (p. 212, l. 868-869). On pourrait croire,
à lire un tel texte, qu'il ne connaît pas de prédécesseurs. Il n'en
nomme en tout cas aucun explicitement dans l'*In Ezechielem*, en
dehors des allusions habituelles à des *quidam* et *alii*.

45. *In Ezechielem*, 11, *Prol.* (*CC* 75, p. 480, l. 5-9).

46. *Ibid.*, 12 (p. 529, l. 1-8).

47. Les Commentaires de Donat et Servius ne sont pas « dédicacés »,
mais ceux de Tiberius Claudius Donatus ou de Chalcidius le sont.
On notera qu'Ambroise n'a dédié que deux de ses ouvrages (le
De fide et sans doute l'*Apologia Dauid prophetae*, à Gratien et
Théodose), mais aucun de ses travaux exégétiques en dehors de ses
lettres exégétiques. Il en est de même pour Augustin, dont les dédicaces sont rares.

48. C'est l'explication qu'il donne dans l'*In Philemonem* (*PL* 26,
c. 603 A-B) et dans l'*In Amos*, 3, *Prol.* (*CC* 76, p. 300, l. 35-39) pour
justifier la façon dont il n'a suivi ni l'ordre des *Épîtres* de Paul,
ni celui des petits prophètes.

qui doivent déranger ses plans[49], et inversement qu'il
dédie à certaines personnes des ouvrages qu'il avait
promis à d'autres[50]. Il serait trop long d'expliquer ici
toutes les raisons de ces changements[51]. Il est une question
plus importante, et elle concerne en partie l'*In Ionam* :
elle consiste en l'influence que, par sa personne ou par
ses directives, peut avoir le dédicataire sur la nature
ou la conduite du Commentaire. Pour l'*In Habacuc*,
Jérôme déclare explicitement que Chromace, auprès de qui
il avait vécu quelque temps à Aquilée[52], lui a demandé

49. Il a fait attendre Amabilis (*In Isaiam*, 5, *Prol.* = *CC* 73,
p. 160, l. 15-24).

50. Paulin de Nole a attendu longtemps l'*In Danielem*, qui ne
lui sera finalement pas dédié : P. COURCELLE, « Les rapports de
Saint Jérôme et de Paulin de Nole », *REL* 25, 1947, p. 266-271.
Peut-être n'a-t-il reçu que le *De Antichristo* (v. Fr. GLORIE, *CC* 75 A,
praef., p. 757-758). L'*In Zachariam* et l'*In Malachiam*, promis à
Chromace dès 393, ne lui seront finalement pas dédiés en 406 :
Y.-M. DUVAL, « Aquilée et la Palestine entre 370 et 420 », *AAAd* 12,
1977, p. 284-285 ; 290-291. Inversement, Alexandre et Minervius
avaient demandé autre chose que ce qui leur est dédicacé (*In
Malachiam, Praef.* = *CC* 76 A, p. 902, l. 37-38 : « ne ... *extraordinario*
uobis labore sudarem...*). V. de même la *Préface* de l'*In Zachariam*,
1, citée *infra*, n. 61.

51. Dans un cas, on peut surtout invoquer le refroidissement d'une
amitié, dans l'autre, en plus, des intérêts financiers. Le « travail »
de Jérôme est un moyen de remercier des correspondants lointains
pour les subsides qui parviennent en Palestine et en particulier à
Bethléem.

52. Jusqu'en 1960, nous ne connaissions à peu près de Chromace
que divers épisodes de sa *vie* et ce grâce, surtout, à Jérôme et Rufin :
Il était prêtre à Aquilée vers 365-370 et c'est lui qui a baptisé Rufin.
Jérôme est en correspondance avec lui après son départ d'Aquilée
et il le loue entre autres pour sa lutte contre l'arianisme. Celle-ci
explique la part qu'il prend au concile d'Aquilée de 381, à côté de
son évêque, Valérien. A la mort de celui-ci, en 388, semble-t-il,
il devient évêque d'Aquilée et c'est à partir de ce moment qu'il
demande divers travaux à Jérôme, en même temps qu'Héliodore,
autre ancien compagnon des années 370-373, devenu évêque d'Altinum. Le premier Commentaire dédié à Chromace n'est autre que

de lui donner une explication *historique* du prophète
Habacuc, qui puisse servir d'échelle — solide — pour
atteindre à l'intelligence spirituelle[53]. Jérôme s'exécute,
mais il n'a garde d'omettre les développements spirituels.
Il se « hâte vers eux[54] », s'excuse de malmener un peu
l'histoire[55] et tient sur la correspondance entre la lettre
et l'allégorie des propos étrangement cavaliers que nous
aurons à examiner[56]. Les désirs d'Amabilis de se contenter

l'*In Habacuc*. D'autres Commentaires devaient suivre qui, en définitive, seront dédiés à d'autres (v. *supra*, p. 37, n. 50). C'est que
Chromace va se trouver indirectement et directement lié à la controverse origéniste et qu'il ne doit pas être moins en relation avec Rufin
à Jérusalem qu'avec Jérôme à Bethléem. Comme P. NAUTIN l'a
suggéré (« Études... », *REAug* 20, 1974, p. 270-272), c'est dans le
cadre de cette querelle avec Rufin et Jean de Jérusalem que doit
se comprendre la dédicace de l'*In Ionam* à Chromace : elle est destinée
à le rassurer sur ses sentiments à son égard. Les traductions des
Paralipomènes, des *Proverbes* de Salomon, de *Tobie* et sans doute
de *Judith* sont des années suivantes, sans qu'il soit possible de mettre
sur toutes une date sûre. Chromace essaiera de rétablir la paix entre
Rufin et Jérôme en 402-403. Sans succès. Il prendra parti pour Jean
Chrysostome maltraité par Théophile d'Alexandrie devenu l'ami
de Jérôme depuis 399. Tout cela explique le refroidissement des
relations entre Bethléem et Aquilée. Chromace meurt vers 406-408,
en laissant inachevé, semble-t-il, un long Commentaire sur Matthieu
dont la redécouverte, avec celle, plus nouvelle encore, de près d'une
cinquantaine de sermons, constitue l'un des événements importants
des vingt dernières années (*SC* 154 et 164 pour les *Sermons*, édités
par J. Lemarié ; *CC* 9 A pour ces mêmes sermons et les quelques
60 *Tractatus in Matthaeum* édités par R. Étaix). Ni dans l'œuvre
orale ni dans l'œuvre écrite, Chromace ne répugne, et de loin, à suivre
l'*allegoricus sensus* ou la *figuralis intellegentia*, Voir G. TRETTEL,
« Terminologia esegetica nei sermoni di san Cromazio di Aquileia »,
REAug 20, 1974, p. 55-81 ; « Figura e Veritas nell opera oratoria
di san Cromazio Vescovo di Aquileia », *La Scuola Cattolica* 102,
1974, p. 3-23. Voir aussi, ici même, la n. 60.
    53. *In Habacuc*, 1, *Prol.* (*CC* 76 A, p. 580, l. 47-49).
    54. *Ibid.*, 2, 3, 8-9 (p. 630, l. 439).
    55. *Ibid.*, 2, 3, 14-16 (p. 644, l. 966-970).
    56. *Ibid.*, 1, 1, 6-11 (p. 589, l. 306-314). Voir *infra*, p. 86s.

de l'*historia*[57] seront fidèlement accomplis en 398, tant
et si bien, comme nous le verrons, que Jérôme reprendra
pour elle-même dix ans plus tard l'interprétation spirituelle de ces mêmes chapitres[58]. Celle-ci figure néanmoins
déjà en plus d'une page de « l'explication selon la lettre »
et pas toujours sous le simple nom d'Eusèbe de Césarée[59].
Il ne faut donc pas donner aux « ordres » reçus un caractère
trop absolu. Jérôme demeure, pour la plus large part,
maître de la conduite de son commentaire et j'hésiterais
beaucoup à attribuer à Chromace les réticences que
Jérôme exprime, en le prenant à témoin, devant une
explication christologique détaillée de l'aventure de
Jonas[60]. Cela vaut *a fortiori* pour les Commentaires
dédiés à Paula, à Eustochium ou à Pammachius. Le
dédicataire ne semble avoir fait autre chose que d'inviter
Jérôme au travail, de l'y encourager. Mais il ne semble pas
lui avoir donné de directive sur la nature même du travail[61].

57. *In Isaiam*, 5, *Prol.* (*CC* 73, p. 160, l. 35-40) ; 5, 23, 18 (p. 223,
l. 40-43).

58. Voir *infra*, p. 53 s.

59. *In Isaiam*, 5, 19, 14-15 (*CC* 73, p. 196, l. 25-28) ; 22, 3-6
(p. 211, l. 9) ; 22, 10-11 (p. 212, l. 15 - p. 213, l. 21) ; 12, 12-14 (p. 213,
l. 18-29) ; 22, 15-25 (p. 215, l. 84 - p. 216, l. 94), etc.

60. *In Ionam*, *Prol.* (l. 66-76). Nous pouvons constater en tout
cas par le *Tractatus* 54 *in Matthaeum*, que CHROMACE avait donné,
dans son commentaire de *Matth.* 16, 4, une interprétation christologique détaillée de l'épisode de Jonas. Se trouvait-elle déjà dans
les Commentaires de Victorin de Poetovio et Fortunatien d'Aquilée
sur le même évangéliste ? Le *Tractatus* 50 A sur *Matth.* 12, 38-40,
tout récemment découvert par R. ÉTAIX, montre en tout cas que
Chromace n'a pas tenu compte des réserves de Jérôme (« Un *tractatus
in Matthaeum* inédit de Saint Chromace d'Aquilée », *RBen* 91,
1981, p. 228-229), tout en connaissant et utilisant l'*In Ionam*.

61. A Exupère de Toulouse auquel il dédie l'*In Zachariam* promis
jadis à Chromace et Héliodore, Jérôme avoue : « Cum tibi cuperem
ingenioli mei aliquod offere munusculum et coepta in duodecim
prophetas explanatio perueniret ad calcem, susceptum opus deserere
nolui, sed, *quod et absque te dictaturus eram*, tuo potissimum nomini

Jérôme, de son côté, vise, quoi qu'il en dise parfois, un public bien plus large que celui de ses amis proches[62]. N'en appelle-t-il pas souvent au jugement de la postérité, par-delà le présent immédiat[63]?

L'appel à la prière Les circonstances particulières peuvent donc tenir une certaine place dans la mise en route, apparaître dans la *Préface* à côté de considérations plus ou moins liées à la nature même de l'œuvre dont l'explication va être fournie. L'ensemble cependant n'est qu'accessoire et quelquefois « hors d'œuvre »[64], par rapport aux données essentielles de la *Préface* d'un Commentaire. Parmi celles-ci, il faut encore compter au moins deux points, à peu près constants. Tout d'abord, l'appel à la prière des dédicataires ou des lecteurs et l'invocation du Christ ou de l'Esprit, pour qu'ils éclairent le commentateur[65]. Jérôme a beau varier

consecraui... » (*In Zachariam*, 1, *Prol.* = *CC* 76 A, p. 747, l. 19-23). Ce désir de continuer avant tout l'*opus prophetarum* est affirmé de la même façon la même année à Mineruius et Alexandre (*In Malachiam, Prol.* = *CC* 76 A, p. 902, l. 7 s. — Voir *supra*, n. 50). Pas de mention ici non plus d'une influence du dédicataire sur la méthode ou le contenu. Les allusions au dédicataire au cours même du Commentaire sont peu fréquentes : *In Isaiam*, 17, 60, 6-7 (*CC* 73 A, p. 697, l. 43 s.). Jérôme s'adresse plus souvent à un ou des lecteurs anonymes, suivant les prodécés de la diatribe.

62. Voir, par ex., *In Ephesios*, 1, *Prol.* (*PL* 26, c. 440 A) ; 2, *Prol.* (c. 476-477).

63. V., par ex., *In Danielis transl., Praef.* (*BS* 1, p. 1342, l. 51-54).

64. La Préface de l'*In Ioelem*, par exemple, est, en 406, presque entièrement consacrée à l'*ordre* des petits prophètes et au sens « mystique » de leurs noms, développement qu'on attendrait soit en tête de l'ensemble de l'œuvre comme Jérôme le remarquait pour l'*Épître à Philémon* de saint Paul (v. *supra*, p. 36, n. 48), soit en tête de chacun des prophètes concernés.

65. Voir, sur l'appel à l'Esprit-Saint dans la *Préface* de l'*In Ionam* (l. 12-16), p. 321, n. 13. Même appel au début de la *Vita Hilarionis* (1 = *PL* 23, c 29 A) en des termes proches de ceux de l'*In Ionam*. Jérôme dira de Porphyre qu'il n'a pu comprendre l'Écriture faute

les formules, multiplier les allusions scripturaires, le jeu ne semble pas gratuit de sa part. Il n'est cependant pas le premier à formuler pareilles demandes[66]. Le commentateur chrétien rejoint ici le poète païen qui invoque la Muse.

L'annonce de la méthode

Plus importante pour la conduite du commentaire est la manière dont Jérôme annonce assez souvent, d'une manière ou d'une autre, la double interprétation qu'il suivra[67]. Nous retrouvons par un biais l'exposé de l'*argumentum* dont il a été question plus haut, mais aussi la liste des auteurs consultés, puisque c'est souvent chez ceux-ci qu'il a trouvé l'interprétation de la Septante ou les interprétations spirituelles dont il fera état avec plus ou moins de faveur. Cela fait, il peut en venir au texte lui-même et il le fait plus d'une fois avec des formules qui rappellent celles de Servius[68] ou de Donat : « Sed iam ipsa Apostoli uerba ponenda sunt quae ita incipiunt... » dit la fin de la *Préface* du *Commentaire de l'Épître à Philémon*[69] et celle du *Commentaire de l'Épître aux Galates* n'est guère différente : « Sed iam tempus est ut ipsius Apostoli uerba ponentes singula quaeque pandamus[70]. » Les premiers Commentaires sur les prophètes n'usent pas de transition aussi visible. Mais en 396, si l'*In Ionam* recourt à un final plus grandiose, l'*In Abdiam* joint pour

---

de la « grâce de Dieu » (*In Danielem*, 4, 11, 44-45 = *CC* 75 A, p. 935, l. 466-8). Sur la *doctrina patrum*, v. *infra*, n. 227 s.

66. Voir par exemple le premier fragment de la *Préface* d'ORIGÈNE à son *Commentaire des Psaumes* (*PG* 12, c. 10-80 A-C) ou la *Préface* de l'*In Zachariam* de DIDYME (*SC* 83, p. 190).

67. Voir, par ex., *In Nahum, Prol.* (*CC* 76 A, p. 525, l. 7 s., 18 s. et 37 s.) ; *In Zachariam*, 1, *Prol.* (p. 748, l. 37-38) ; *In Malachiam, Prol.* (p. 902, l. 39-41).

68. Voir *supra*, p. 30.

69. *PL* 26, c. 602 D.

70. *Ibid.*, c. 312 A.

Pammachius la grande marine au prosaïque : « Sed iam
tempus est proponere exordium Abdiae et, orationum
tuarum auxilio cui uolumen hoc scribitur, *confragosum
mare et saeculi recuruos gurgites transfretare*[71]. » Les derniers
Commentaires recourent plus d'une fois à ces formules
plus ou moins développées[72]. Elles servent de repères
au lecteur ancien et lui annoncent que l'explication du
texte à proprement parler va commencer.

2. Les lemmes et leurs différences

**La disposition
du texte
et son évolution**   Pourtant, à partir de 393, le lecteur
ancien découvre chez Jérôme une
disposition inaccoutumée du texte à
expliquer. Le commentaire de l'Ancien
Testament posait en effet des problèmes nouveaux :
Jérôme pouvait bien pour les *Épîtres* de saint Paul expliquer
la traduction latine du texte grec[73], qu'allait-il faire, lui
le champion de la « vérité hébraïque », pour les textes
où la Septante lui paraissait insuffisante ? A part les
Psaumes où la version grecque des Septante a toujours
conservé ses droits — même si Jérôme sait, dans ses
exposés les plus savants, la corriger par les données de
l'hébreu et des autres traductions découvertes à la
Bibliothèque de Césarée ou dans les œuvres mêmes de
ses prédécesseurs —, la manière de faire a évolué.

Les *Questions hébraïques sur la Genèse* présentent,
de façon discontinue, un texte latin qui repose sur la

71. *CC* 76, p. 351, l. 62-65.
72. *In Zachariam*, 1, *Prol.* (*CC* 76 A, p. 748, l. 48-49) ; *In Osee*, 1,
Prol. (*CC* 76, p. 5, l. 150-151) ; etc.
73. Ce qui pose déjà bien des problèmes. Jérôme remonte un
certain nombre de fois au texte grec de Paul, mais beaucoup moins
qu'on ne pourrait l'attendre. Le lemme n'est en tout cas jamais
donné de bout en bout en grec.

Septante mais que Jérôme corrige et plus souvent précise ou illustre, par un recours à l'hébreu, en citant, aussitôt le lemme transcrit, les données des autres versions grecques[74]. Il est rare, somme toute, qu'il ose toucher au texte de « nos *codices* » ou des « *codices* latins ». L'*In Ecclesiasten* présentait de ce point de vue une grande nouveauté que Jérôme explique dans sa *Préface*. Il déclare avoir traduit l'hébreu, tout en restant fidèle à la traduction des Septante là où elle ne s'écartait pas trop de l'hébreu, et avoir recouru de-ci de-là, quand il était nécessaire, à Aquila, Symmaque et Théodotion[75]. En d'autres termes, il s'agit d'un « patch-work » ou plutôt du ravaudage du texte des Septante avec des « fils » empruntés, tantôt à l'hébreu, tantôt aux autres versions grecques. L'intention de Jérôme est clairement exprimée : il ne tient pas à dérouter exagérément ses lecteurs latins, habitués qu'ils sont à leur version fautive; mais il ne peut non plus accepter de laisser se perpétuer des erreurs grossières ou des interprétations fortement erronées[76]. En réalité, Jérôme applique ici à un texte de l'Ancien Testament la méthode qu'il a utilisée dans la révision des Évangiles. Mais il semble bien qu'il ne soit pas ici non plus sans prédécesseur. En 402, dans son *Apologie contre Rufin*, il décrira cette façon de faire comme étant celle d'Apolli-

---

74. *Hebraicae quaestiones in Genesim* (*CC* 72, p. 2, l. 13-16).

75. *In Ecclesiasten, Praef.* (*CC* 72, p. 249, l. 12-16). Cette traduction constitue donc un intermédiaire entre sa traduction-révision hexaplaire (perdue, mais mentionnée par la Préface de sa traduction sur l'hébreu = *BS* 2, p. 957, l. 8-12. 22-25) et sa traduction sur l'hébreu. Voir A. VACCARI, « Recupero d'un lauoro critico di S. Girolamo », *Scritti di erudizione...* II, Roma 1958, p. 114-121. Jérôme songeait peut-être également à offrir une traduction d'une meilleure qualité littéraire. Voir les considérations sur le texte des Écritures en 3, 6-9 (*infra*, p. 276-281). Quelques manuscrits ont reconstitué cette version des Septante et l'ont mise en tête avec l'autre : Alençon, BM 5 ; Angers, BM 153 (145) ; Rouen, BM 446 (A 88).

76. *In Ecclesiasten, Praef.* (*CC* 72, p. 249, l. 16-18).

naire de Laodicée[77], l'un des auteurs qu'il utilise d'ailleurs pour l'explication de l'*Ecclésiaste*[78]. En 402, il condamne ou, tout au moins, refuse cette façon de faire. C'est que, dans l'intervalle, Jérôme a progressé d'un degré, sans s'arrêter non plus aux simples *quaestiones* auxquelles il consacre des *Lettres* : avec les *Commentaires sur les petits prophètes*, il commence à donner en lemme, successivement, « sa » traduction de l'hébreu et sa révision ou une traduction des Septante.

Le double lemme Nous aurons à revenir sur la disposition *matérielle* de ces deux lemmes dans les manuscrits et sans doute dans les éditions primitives de Jérôme[79]. Il convient ici d'en souligner dès l'abord le sens et les conséquences, avant même d'en voir les limites et les variations. Tout d'abord, si on compare les Commentaires de Jérôme aux Commentaires antiques de Térence, Juvénal, Virgile ou Salluste d'une

77. *Contra Rufinum*, 2, 34 (*SC* 303, p. 196).

78. *In Ecclesiasten*, 4, 13-16 (*CC* 72, p. 289, l. 208-217).

79. La traduction sur l'*hébreu* de l'ensemble des prophètes a été faite entre 390 et 392-3 (voir p. 18, n. 39). Il est parfois amené à la défendre (v. *In Ionam*, 4, 6 pour le lierre) ; il la corrige rarement (v.g. *In Mal.*, 3, 8-12 = *CC* 76 A, p. 934, l. 281 s. ; *In Agg.*, 1, 9-11 = p. 724, l. 408 ; *In Isaiam*, 4, 11, 10 ; 5, 19, 16-17 ; 11, 38, 10-13 = *CC* 73, p. 153, l. 14-17 ; p. 197, l. 7 s. ; p. 446, l. 51 s.) ; le lemme n'est pas toujours parfaitement identique au texte de la Vulgate. Quant à la traduction sur le texte *grec* des Septante, elle n'a pas fait, pour les prophètes, l'objet d'une édition particulière. Il semble que Jérôme traduise au fur et à mesure. Sans doute ne cherche-t-il pas à se séparer délibérement des anciennes traductions, mais le second lemme de ses Commentaires n'est pas simplement une « Vieille Latine ». Voir par ex. la remarque sur *In Abdiam*, 17-18 (*CC* 76, p. 368, l. 573-5), en 396, tandis que l'*In Ionam*, 1, 3 b (l. 129 s.) et 2, 5 b, évoque la *uulgata editio*, celle que ses lecteurs connaissent. Le contrôle doit être fait livre par livre ... et sans doute ligne par ligne ! Ce qui est certain, c'est que Jérôme veut commenter les deux « éditions », comme il le fait remarquer à Rufin (*Contra Rufinum*, 2, 24) pour les petits prophètes. Sur la mise en page, voir p. 120.

part, aux Commentaires scripturaires latins et grecs d'autre part, on constate que les Commentaires profanes émiettent le texte, vers ou prose, jusqu'au simple mot. Pour l'Écriture, un Hilaire ne cite souvent, pour l'*Évangile de Matthieu* et pour les *Psaumes*, que les premières lignes d'un verset ou d'une péricope, suivies d'un etc. ; un Origène déborde souvent aussi le texte qu'il a placé en lemme. Chez Jérôme, au contraire — abrégements des copistes mis à part et compte tenu, pour sa traduction du texte de la Septante, des remarques de Jérôme que nous allons entendre —, on trouve pour chaque traduction le texte *complet* qui va être commenté.

Ce double texte complet prépare et facilite les comparaisons critiques auxquelles se livre Jérôme. Mais il est un autre avantage ou une autre exigence à une telle façon de faire. Le découpage du texte se fait, de part et d'autre, en fonction de la *consequentia* et du sens des ensembles. Lorsqu'il est amené à rompre les unités les plus grandes en des parcelles plus petites d'une à cinq lignes, en moyenne grossière, Jérôme se soucie de souligner dans le début de son commentaire la continuité des courtes péricopes, et il reprend inlassablement l'enchaînement. Le lecteur est toujours mis en face d'une unité logique et non pas seulement d'une poussière de fragments. Ce sens des ensembles explique sans doute aussi que Jérôme n'ait pas voulu couper certains longs oracles des « grands » prophètes et qu'il se soit même parfois alors contenté d'intercaler dans sa traduction de l'hébreu, les différences qu'il relevait chez les Septante.

L'évolution Cette façon de faire, cependant, ne semble pas s'être imposée d'un coup à Jérôme. Peut-être peut-on voir dans les différences d'un Commentaire à l'autre le signe d'une évolution. Mais on ne le fera qu'avec prudence ; car il faut tenir le plus grand compte de la fantaisie de Jérôme, de la diffé-

rence effective des deux textes hébreu et grec, de la longueur
et de l'équilibre du travail ainsi présenté au lecteur, de la
longueur même des textes à commenter, l'évolution
n'étant pas seulement due à l'âge ou à la méthode ; et
sans doute aussi de la plus ou moins grande rapidité
— indécelable — de son travail. L'examen des cinq
premiers Commentaires suggère en tout cas, par rapport
à l'*In Ionam*, des remarques intéressantes. Dans ce
Commentaire, sont sans cesse transcrites, péricope par
péricope[80], la traduction de l'hébreu, puis celle des
Septante, sauf en sept endroits où Jérôme se contente
pour la seconde d'un *similiter*, « la même chose », avec,
éventuellement, une remarque complémentaire[81]. Mais
ce *similiter* n'apparaît jamais dans l'*In Nahum*, l'*In
Michaeam*, l'*In Habacuc*, ni dans l'*In Aggaeum*[82] ; une
seule fois dans l'*In Sophoniam* au sujet d'une donnée
matérielle, la « fiche d'identité » du prophète[83]. C'est
à cet *In Sophoniam* que ressemble pourtant le plus l'*In
Ionam* pour cette transcription et cette disposition des
textes : *toujours* la séquence hébreu/Septante. L'*In Nahum*
et l'*In Aggaeum* sont beaucoup plus capricieux ou beaucoup
moins méthodiques. Dans le premier, sur trente péricopes,
vingt seulement ont la séquence hébreu/Septante. Ailleurs,
tantôt un seul texte est fourni, sans précision — dans
le texte même du commentaire — sur sa nature[84], tantôt
l'hébreu est cité puis commenté, avant que ne soit

---

80. Les péricopes sont très courtes dans ce Commentaire : un,
un demi-verset, plus souvent que deux. La plus longue (3, 6-9) en
contient trois. Elles sont quelquefois plus longues. Elles atteindront
parfois la longueur d'un chapitre dans l'*In Ezechielem*.

81. Par ex., *In Ionam*, 1, 1-2.

82. Seul *In Aggaeum*, 1, 7 ne cite que la première partie du verset
selon la Septante et poursuit par un « cetera similiter » (*CC* 76 A,
p. 722, l. 311-314).

83. *In Sophoniam*, 1, 1.

84. *In Nahum*, 1, 2 ; 1, 3b ; 1, 4 ; 2, 11-12.

transcrite et commentée la traduction latine des Septante,
en totalité[85] ou en partie[86]; tantôt encore l'hébreu est
suivi de simples indications sur la traduction des Septante[87]
ou sur les autres traductions, dont la *Septante*[88], des
précisions étant deux fois données à l'intérieur même du
commentaire sur ces autres traductions[89]. L'*In Aggaeum*
est encore plus « désordonné », puisque, sur 19 péricopes,
cinq seulement présentent les deux traductions côte
à côte[90] et, pour l'une, Jérôme déclare explicitement
qu'il a procédé ainsi à cause des différences entre les
deux traductions[91]. Le reste du temps, la démarche est
fluctuante : en plusieurs endroits, une précision isolée
sur la *Septante*[92]; le plus souvent, une traduction est
donnée sans précision aucune sur sa nature. Au lecteur
de la reconnaître comme étant celle de Jérôme. Au
contraire, l'*In Habacuc* et l'*In Michaeam* sont beaucoup
plus précis et réguliers. Le dernier ne sépare la *Septante*
de l'hébreu que pour 2, 9 - 3, 4 où, selon Jérôme, le texte
grec est par trop différent. La même chose se produit
pour *Habacuc* 3, 10-13 et 14-16 où Jérôme annonce vouloir
d'abord expliquer « sa » traduction — « solam nostram
editionem posuimus » — avant d'en venir à celle des
Septante[93]. Ce sont là des déclarations qu'on ne rencontre,
ni dans les trois autres des cinq premiers Commentaires,
qui n'ont pas l'air de se soucier de ce problème, ni dans
l'*In Ionam* ou l'*In Abdiam* de 396. Dans ce dernier, lors

85. *Ibid.*, 1, 15 ; 2, 1-2.
86. *Ibid.*, 3, 13-17.
87. *Ibid.*, 1, 3a.
88. *Ibid.*, 1, 6b ; 3, 7.
89. *Ibid.*, 1, 14 ; 3, 1-4.
90. *In Aggaeum*, 1, 7-8 ; 1, 9 ; 2, 11-15 ; 2, 16-18 ; 2, 19-20.
91. *Ibid.*, 2, 11-15.
92. *Ibid.*, 1, 1 ; 1, 3-4 ; 1, 6b ; 1, 11 ; 1, 14-2, 1 ; 2, 2-10 ; 2, 21-24.
93. *In Habacuc*, 2, 3, 10-13 (*CC* 76 A, p. 634, l. 612-614) ; 14-16
(p. 642, l. 914-917).

même qu'il a l'occasion de signaler les différences des deux traductions, il commence par juxtaposer celles-ci[94]. *En gros*, mis à part l'*In Danielem* où il signale justement qu'il ne suit pas l'habitude prise avec les *Douze prophètes*[95], il continuera de la même façon dans les Commentaires suivants[96].

Il semble donc que la méthode se soit mise peu à peu au point et qu'il ait préféré un *similiter* éventuel au silence complet. Cette attitude a-t-elle été provoquée par les résistances du public occidental[97] ? Elle peut provenir également du fait, comme nous le verrons, que les ouvrages

---

94. *In Abdiam*, 20-21 (*CC* 76, p. 372, l. 686-688). — On trouve déjà cette façon de faire en *In Michaeam*, 1, 1, 10-25 (p. 430, l. 293-295).

95. *In Danielem*, 1, *Prol.* (*CC* 75 A, p. 775, l. 81-86).

96. L'*In Isaiam* suit une méthode (?) assez peu régulière et on trouve en réalité toutes les solutions pratiques et des déclarations d'intention diverses ou successives. Pour l'*In Ezechielem*, dont la Préface de la traduction dit que l'hébreu et la Septante sont peu différents, vaut souvent ce qui est dit à propos de la prophétie contre Tyr (*Éz.* 27) : Jérôme se contente de commenter sa propre traduction, sauf s'il juge nécessaire de faire intervenir celle des Septante (*In Ezechielem*, 8, 27, 1-3 = *CC* 75, p. 357, l. 714-720). L'*In Ieremiam* au contraire transcrit rarement la *Septante* et ne fait pas toujours allusion à elle, ni aux autres traductions. Il semble que Jérôme se hâte, et recule devant les longues transcriptions, plutôt qu'il ne cherche à condamner la *Septante* ou à éviter d'entrer dans les questions compliquées que pose ce livre et qu'Origène avait aperçues, d'après sa *Lettre à Africanus*. Voir, par ex., P. Bogaert, « Les oracles et le Livre de Jérémie des origines au Moyen Âge. Essai de synthèse », *RThL* 8, 1977, p. 305-328, où le *Commentaire* de Jérôme n'est malheureusement pas pris en compte.

97. On peut s'appuyer sur les passages suivants qui font état de demandes, de désirs, mais aussi d'entorses à ce double lemme et double commentaire : *In Michaeam*, 1, 1, 16 (*CC* 76, p. 437, l. 517-520) ; *In Habacuc*, 2, 3, 14-16 (*CC* 76 A, p. 646, l. 1056-1059) ; *Contra Rufinum*, 2, 24 (*SC* 303, p. 168-170) ; *In Amos*, 2, 4, 1-3 (*CC* 76, p. 259, l. 103-104) ; 3, 6, 12-15 (p. 311, l. 418-422) ; *In Sophoniam*, 2, 5-7 (*CC* 76 A, p. 682, l. 208-214).

que Jérôme avait sous les yeux et exploitait expliquaient eux-mêmes la Septante. Il convenait donc, pour la bonne marche de son propre Commentaire, de faire état de ce texte, qu'il reprît leurs opinions ou qu'il les combattît.

Les divergences textuelles

C'est sans doute auprès de ces commentateurs — et en particulier d'Origène —, mais tout simplement aussi dans les colonnes des *Hexaples*, qu'il recueille les différences entre les diverses traductions grecques. Chacun des cinq premiers Commentaires se réfère à ces leçons divergentes[98]. Il est d'autant plus remarquable que l'*In Ionam*, à la différence également de l'*In Abdiam*, à la même époque[99], ne cite jamais ces autres versions... ou plutôt qu'il y renvoie une seule fois, de manière rapide — de sorte que le fait n'a pas été relevé — et fausse : pour défendre sa traduction du *lierre* qui a été contestée, il invoquera l'autorité des *ueteres translatores*. Nous verrons qu'il se trompe[100], ce qui suppose qu'il n'a pas

98. Après la *Préface* de la traduction de la *Chronique* d'Eusèbe (ed. Helm, *GCS* 47, p. 3), l'*In Titum*, 3, 9 (*PL* 26, c. 595 B-C) mentionnait l'existence dans les Hexaples, pour « certains livres et en particulier les livres en vers », outre les traductions d'Aquila, de Symmaque, des Septante, de Théodotion, de trois autres traductions : la *Quinta*, la *Sexta*, la *Septima*. Jérôme en a parlé à nouveau dans son *De uiris*, 54 (*PL* 23, c. 665 B-C). Était-ce suffisant pour que les versions les moins fréquentes apparaissent dans ses Commentaires sur les petits prophètes sans la moindre présentation ? Pour les seuls *petits prophètes*, la *Quinta* apparaît une bonne trentaine de fois, la *Sexta* beaucoup moins. Mais Jérôme se contente parfois d'un *in alia editione* ou d'un *alibi* qui peut recouvrir l'une ou l'autre de ces deux dernières traductions. Voir, par ex., *In Habacuc*, 1, 2, 9-11 (*CC* 76 A, p. 605, l. 376-381) ; 15-17 (p. 609, l. 538-552) ; 2, 3, 5-6 (p. 626, l. 321) ; 10-13 (p. 641, l. 851-860). Ce sont, bien entendu, les trois premières versions (outre la LXX) qui sont le plus souvent invoquées, mais très rarement citées *in extenso* comme en *In Ezechielem*, 5, 16, 56-58 (*CC* 75, p. 211, l. 842-863).

99. *In Abdiam*, 17-18 (*CC* 76, p. 368, l. 573-580).

100. Voir *In Ionam*, 4, 6 (l. 157-160) et la n. 14.

à ce moment les dites traductions sous les yeux. A-t-il jugé que, dans l'ensemble, elles présentaient peu de différences avec la Septante et avec l'hébreu ? Il arrive pourtant que notre commentateur se saisisse de différences moindres. Beaucoup de choses semblent dépendre de l'humeur du moment, ou de l'urgence du travail.

On peut parfois dire la même chose pour ce qui concerne la présentation de la Septante par rapport à l'hébreu. Dans l'*In Ionam*, nous l'avons dit, sept péricopes sur l'hébreu sont suivies d'un *similiter* pour la traduction des Septante. Sept fois, Jérôme en appelle explicitement au texte hébreu, dont il cite chaque fois *un* ou *deux* mots. Il s'agit de préciser le sens de Tharsis pour les Hébreux[101], le sens concret et symbolique de la démarche de Jonas *descendant* — et non montant — dans le navire[102], la nature du monstre qui engloutit Jonas[103], le sens d'une interjection[104], ou celui, très large, d'un verbe[105] et, beaucoup plus grave pour Jérôme, le délai de 40 jours — et non de 3 — laissé aux Ninivites[106], ou enfin la nature exacte, puisqu'elle a été contestée, de l'arbre qui abrita le prophète. Il en appelle même en ce cas au syriaque et au punique[107]. Les autres différences sont au contraire des vétilles, ou des nuances que Jérôme est prêt à accepter, de même qu'il souligne avec une

101. *In Ionam*, 1, 3a (l. 64 s.) : *Tharsis*.
102. *Ibid.*, 1, 3b (l. 127) : *iered*.
103. *Ibid.*, 2, 1a (l. 12) : *dag gadol*.
104. *Ibid.*, 4, 2-3 (l. 46) : *anna*.
105. *Ibid.*, 4, 4 (l. 76) : *hadra lach*.
106. *Ibid.*, 3, 4 (l. 66 s.) : *salos/arbaim*.
107. *Ibid.*, 4, 7 (l. 145 s.) : *Ciceion — ciceia —*. Dans cet *In Ionam* Jérôme n'a guère l'occasion de donner un petit cours d'écriture, de vocalisation ou de grammaire hébraïques. Il y recourt pourtant souvent pour expliquer une erreur de lecture, une homonymie. Voir, par ex., *In Zachariam*, 3, 12, 10 (*CC* 76 A, p. 867, l. 279 s.) ; 13, 7-9 (p. 874, l. 154 s.). En revanche, l'*In Ionam*, 3, 4 (voir p. 392, n. 2) nous renseigne sur la méthode de lecture de Jérôme.

bienveillance qui est assez rare la pertinence de quelques-unes des traductions des Septante. Sur les cinq fois où le texte grec est explicitement invoqué[108], quatre cas sont jugés avec faveur, proportion remarquable[109]. Cela concorde avec la manière générale dont est utilisée la version des Septante tout au long de ce livre : les deux traductions sont transcrites, mais leurs différences sont trop minces pour que le commentateur ne puisse pas offrir une seule explication des deux textes, quitte à les marier en une tapisserie, au point plus ou moins serré, dont la disposition que nous avons adoptée essaiera de faire ressortir les deux « couleurs » fondamentales. Cela confère à l'*In Ionam* une teinte générale qui, sans être absente de certaines *parties* d'autres Commentaires, confère néanmoins à celui-ci un caractère particulier[110].

3. La « lettre » et l'« histoire »

Nous revenons au contraire à des caractéristiques plus générales avec l'explication même du texte à laquelle

---

108. *In Ionam*, 1, 3b (l. 129 s.) ; 1, 13 (l. 440) ; 2, 6b (l. 259) ; 2, 8a (l. 321 s.) ; 3, 4 (l. 63) ; 4, 2-3 (l. 45 s.).

109. Seuls les *trois* jours de 3, 4 sont rejetés. On trouve cependant de façon fréquente des formules laissant entendre que le texte des Septante est obscur, voire inintelligible : *In Isaiam*, 5, 14, 21 (*CC* 73, p. 171, l. 14-17) ; 5, 19, 18 (p. 197, l. 4) ; *In Ezechielem*, 2, 5, 5-6 (*CC* 75, p. 56, l. 86-89) ; 3, 11, 14-16 (p. 122, l. 1021) ; 14, 45, 10-12 (p. 678, l. 40-41), etc. Jérôme, qui doit ne pas trop appuyer ses critiques, pour qu'on ne l'accuse pas de malveillance ou d'impiété, donne parfois des explications à ces erreurs : les copistes. V., par ex., *In Ezechielem*, 2, 5, 12-13 (*CC* 75, p. 60, l. 220-226).

110. De façon plus fréquente, Jérôme est amené, à cause des différences des textes, à transcrire (et expliquer) d'abord la traduction sur l'hébreu, avant de transcrire (et expliquer), souvent par petits ensembles — *commatice* —, la traduction sur la Septante. Voir, par ex., *In Habacuc*, 2, 3, 10-13 (*CC* 76 A, p. 634, l. 603-614 ; p. 635, l. 643, 659, etc.).

s'attache Jérôme dès qu'il a transcrit les deux traductions et, éventuellement, signalé leurs différences[111], en faisant appel aux autres versions juives ou judéo-chrétiennes. De la traduction, on passe à l'interprétation, même si la première, comme le montre l'usage commun d'*interpretare* pour *commenter* comme pour *traduire*, est déjà un commentaire implicite. De fait, les diverses traductions sont d'abord et avant tout au service de l'hébreu, même lorsqu'elles se séparent de lui; elles servent à l'éclairer. Cet établissement du texte permet d'ailleurs d'aborder avec plus de sécurité la première étape du Commentaire qui est ce que Jérôme appelle l'*histoire* ou la *lettre*.

« Discutiamus *historiam* et ante mysticos intellectus solam *litteram* uentilemus » déclare l'*In Ionam*[112] en une formule imagée[113] qui marque bien les deux temps de l'interprétation, tout en soulignant l'identité ordinaire de l'*historia* et de la *littera*. Les deux mots sont, de fait, d'un emploi on ne peut plus courant et sont interchangeables; tant, du moins, qu'ils ne sont affectés d'aucun qualificatif ou que le contexte ne les rabaisse pas devant l'interprétation spirituelle. Ce sont là catégories de l'éxégèse profane, mais elles sont précisées ou déformées par l'usage

---

111. Jérôme marque lui-même parfois cette étape : par ex., *In Amos*, 2, 4, 12-13 (*CC* 76, p. 269, l. 471-474) ; *In Ezechielem*, 3, 11, 14-16 (*CC* 75, p. 122, l. 1013-1014). Dans l'ordre inverse : *In Isaiam*, 5, 19, 14-15 (*CC* 73, p. 196, l. 5-6). Les explications textuelles, de fait, ne se situent pas toujours en tête. Elles peuvent aussi être disséminées. Je me borne à signaler un autre problème : celui de la coupure des péricopes. Celles-ci ne sont pas toujours égales dans les deux traductions. Jérôme invoque d'ordinaire la *continentia*, mais quelquefois aussi l'autorité des anciens pour couper le texte de telle ou telle manière, ou rattacher tel verset à ce qui précède ou à ce qui suit.

112. *In Ionam*, 4, 6 (l. 161 s.).

113. La palette est variée et étendue : *aperire, dilucidare, discutire, edisserere, explanare, exponere, intelligere, interpretari, ostendere, pandere, uentilare...*

qu'en a fait saint Paul. Le premier emploi du mot *littera* que nous rencontrerons dans l'*In Ionam* sera inspiré de l'antinomie paulinienne entre la *lettre* et l'*esprit*[114] et de très nombreux textes opposeront chez Jérôme la « lettre qui tue » à « l'esprit qui vivifie » (*II Cor.* 3, 6). Dans la même ligne paulinienne se situe le couple « charnel » ou « corporel »/« spirituel », qui oppose le plus souvent une exégèse chrétienne à une interprétation juive ou judéo-chrétienne; mais Jérôme recourt également à d'autres registres ou images[115]. La lettre ou l'histoire peuvent être *simplex* — l'ἁπλοῦς λέξις d'Origène —, *uilis, humilis*, ce qui la situe par rapport, une fois encore, à l'*altior intellegentia* à laquelle il faut accéder.

Valeur de la lettre Cependant, il serait tout à fait erroné de penser que cette *historia* ou cette *littera* soit sans valeur. Certes, il arrive que Jérôme, fidèle aux principes des « allégoristes », souligne la difficulté, l'inconséquence, l'absurdité, le scandale de la *lettre* et y trouve précisément l'invitation à dépasser ou rejeter cette lettre, non sans cécité, parfois, pour le langage imagé ou poétique des prophètes ou du psalmiste qu'il reconnaît pourtant ailleurs selon les normes de l'École; il lui arrive également de dénigrer cette *historia* à laquelle, on l'a vu, un Chromace pour Habacuc[116] ou un Amabilis

---

114. *In Ionam, Prol.* (l. 87).

115. Voir, par ex., *In Osee*, 1, 3, 2-3 (*CC* 76, p. 35, l. 96-97) ; 3, 10, 11 (p. 115, l. 389-391) ; *In Amos*, 2, 5, 1-2 (p. 273, l. 22-24). Toutes ces images, à fond ou appui scripturaire, proviennent en réalité d'Origène pour lequel l'*historia* a moins d'importance que pour Jérôme ou vise la simple matérialité du texte.

116. Voir *supra*, p. 37 s. De façon différente, voir l'*Ep.* 36, 15 (*CUF* 2, p. 61, l. 15-19) à Damase qui lui a posé une question sur le sens *littéral* d'un passage de la *Genèse*, et non sur « les types » ou « la figure » (§ 8).

pour les visions d'Isaïe[117], lui ont demandé de « s'attacher » ;
mais les louanges de l'*historiae ueritas* ou de l'*hebraica
ueritas* que l'on peut atteindre par l'*historica interpretatio*
sont bien plus fréquentes, et plus nombreuses les attaques
contre ceux qui s'envolent dans l'allégorie[118] et ses
nuages[119]. La connaissance de l'*historia* est indispensable
à qui veut accéder à un premier, mais indispensable
enseignement. Elle nourrit les simples[120], qu'il s'agisse
de morale[121] ou du récit des événements. Elle est nécessaire

117. *In Isaiam*, 5, 14, 2-5 (*CC* 73, p. 167, l. 17-19) ; 15, 2 (p. 176,
l. 2-4) ; *In Amos*, 2, 5, 3 (*CC* 76, p. 274, l. 68-69).

118. *In Isaiam*, 5, *Praef.* (*CC* 73, p. 160, l. 27) : (Origène) « liberis
allegoriae spatiis *euagatur* » ; de même Eusèbe de Césarée, d'après *In
Isaiam*, 5, 18, 2 (p. 190, l. 30-35) en 397-398, c'est-à-dire à un moment
où Jérôme est davantage en garde contre Origène. Une autre époque
de plus grande réserve, liée elle aussi à la controverse contre Pélage
et les « défenseurs » ou « disciples » d'Origène, est celle de l'*In
Ieremiam*, en 414-416 (voir n. 120).

119. L'expression est loin d'avoir, chez Jérôme, un sens uniformé-
ment péjoratif (comme l'a montré P. JAY, « *Allegoriae nubilum*
chez saint Jérôme », *REAug* 26, 1976, p. 82-89) ; elle l'a, au contraire,
dans l'*Anecdoton Amelli* (ed. G. Morin, *Anal. Maredsolana*, 3, 3,
p. 104, l. 23) ou chez JULIEN D'ÉCLANE (?), *Libellus fidei*, 2, 8 (*PL* 48,
c. 516) : « Et ne quis allegoriae nebulis simplicem obumbrare uelit
historiam... ». Celui-ci rejoint ici Jérôme qui, dans l'*In Ieremiam*,
s'en prend aux *nubes* et aux *praestigia* de l'*allegoricus interpres*
(5, 46, 4-5 = *CC* 74, p. 333, l. 7-17). Au point de départ, il convient,
comme souvent chez Jérôme, de faire sa place à l'influence de
TERTULLIEN (*De resurrectione*, 20, 5 et 28, 5), qui est équilibré.

120. *In Ezechielem*, 14, 45, 13-14 (*CC* 75, p. 682, l. 140-142 ;
p. 683, l. 157-158). Voir de même *Ep.* 18, 12 (*CUF* 1, p. 66, l. 25-29).
L'*In Ieremiam*, où Jérôme attaque souvent l'*allegoricus interpres*
qu'est Origène, se fait souvent gloire de suivre « simplicem et ueram
historiam » (5, 2, 8 = *CC* 74, p. 296, l. 20-21). Pourtant, mais dans ses
Homélies sur Jérémie, ORIGÈNE déclare déjà : « La lettre elle-même
est ici édifiante » (*h.* 14, 16 = *SC* 238, p. 102, l. 1-2, trad. Husson-
Nautin). Cf. ID., *In Genesim h.* 12, 5.

121. *In Ecclesiasten*, 9, 7-8 (*CC* 72, p. 326, l. 170) ; 10, 20 (p. 343,
l. 352) ; *In Zachariam*, 2, 8, 16-17 (*CC* 76 A, p. 819, l. 498-500) ;
In Amos, 1, 2, 6-8 (*CC* 76, p. 234, l. 159-160). Cela vaut pour les

également à celui qui veut parvenir à la perception des
« mystères », des réalités spirituelles, qu'elles soient celles
de la prophétie ou de la vie spirituelle. L'image la plus
couramment utilisée par Jérôme — elle figure, sans être
développée, dans l'*In Ionam*[122] — est celle d'une construction, dont la « lettre » constitue les fondations et le ou les
sens spirituels les étages et le faîte[123]. Il est dangereux
de poser un toit en l'air, déclare à mainte reprise Jérôme,
qui ponctue très souvent les étapes de son explication
en disant : « Jetons d'abord les *fondations* de l'histoire »
ou « Adaptons maintenant *le toit* à cette construction ».
Les deux opérations sont en effet liées : « Neque sic legenda
est littera et historiae fundamenta iacienda ut non ueniamus
ad culmina, nec ita pulcherrimo aedificio desuper tecta
ponenda ut nequaquam fundamenta sint solida[124]. »

attitudes de la vie du Christ, bien que la tendance soit de leur
chercher immédiatement un sens symbolique ; cf. *In Matthaeum*, 3,
17, 27 (*CC* 77, p. 155, l. 466-468 = *SC* 259, p. 44-46) ; *Tract. de Ps.*
108, 24 ; 145, 7 ; 145, 9 (*CC* 78, p. 217, l. 266 ; p. 325, l. 98-99 ;
p. 328, l. 161)...
122. *In Ionam, Prol.* (l. 66) : « Voilà pour ce qui concerne la
base historique ».
123. *In Abdiam*, 2-4 (*CC* 76, p. 357, l. 169-171) ; *In Zachariam*, 1,
Prol. (*CC* 76 A, p. 748, l. 37) ; 14, 16-17 (p. 894, l. 647-648) ; *In
Malachiam*, 1, 2-5 (p. 905, l. 106-108) ; *In Amos*, 2, 4, 4-6 (p. 260,
l. 144-145) ; *In Isaiam*, 5, *Praef.* (ad Amabilem) (*CC* 73, p. 160,
l. 35-36) et 6, *Praef.* (p. 223, l. 1-2) ; *In Ezechielem*, 7, 14, 15-27
(*CC* 75, p. 329, l. 1500) ; 8, 26, 15-18 (p. 353, l. 613-614) ; 29, 8-16
(p. 411, l. 847-848) ; 11, 38, 1-23 (p. 525, l. 1463-4) ; 12, 40, 24-31
(p. 576, l. 814-819) ; 12, 41, 22-26 (p. 603, l. 1603-1605). L'image
est déjà chez Origène : par ex., *In Genesim h.* 2, 1 (*SC* p. 76,
l. 6-10) ; 2, 6 (p. 106, l. 6-9)...
124. *In Ezechielem*, 13, 42, 13-14 (*CC* 75, p. 616, l. 318-321). —
Voir *infra*, p. 86-91. Autre image de construction, dans une critique
d'Eusèbe : comment faire tenir ensemble pierre *(historia)* et fer
(allegoria) (*In Isaiam*, 5, 18, 2 = *CC* 73, p. 190, l. 33-35) ?

Appliquons-nous donc à ce sens
Découverte littéral : « Primum historiae uerba
de la lettre pandenda sunt » ; « Expliquons d'abord
la lettre ou l'histoire[125] ». Voilà quelques-unes des expressions par lesquelles Jérôme entame parfois son commentaire.

Ce sens « littéral » est plus d'une fois « manifestus[126] »,
« perspicuus[127] », « non difficilis[128] », « simplex[129] » ; il ne
demande pas d'explication[130] ; ou il suffira de le reprendre
dans une très brève[131] — ou très longue — paraphrase

125. *In Ezechielem*, 8, 26, 15-18 (*CC* 75, p. 352, l. 582-583) ;
13, 44, 17-21 (p. 656, l. 1528).

126. Cf., par ex., *In Ecclesiasten*, 3, 5 (*CC* 72, p. 275, l. 84-85) ;
3, 16-17 (p. 281, l. 256) ; *In Nahum*, 1, 12-13 (*CC* 76 A, p. 537, l. 357-
358) ; *In Isaiam*, 1, 1, 4 (*CC* 73, p. 11, l. 38-40) ; *In Ezechielem*, 8,
27, 27a (*CC* 75, p. 380, l. 1367) ; *In Ieremiam*, 1, 17, 2 (*CC* 74, p. 19,
l. 14-15).

127. *In Isaiam*, 1, 1, 3 (*CC* 73, p. 9, l. 6-7) ; *In Ezechielem*, 11,
36, 16-38 (*CC* 75, p. 504, l. 795-797) ; *In Ieremiam*, 2, 87, 3 (*CC* 74,
p. 131, l. 3-4).

128. Par ex., *In Sophoniam*, 1, 17-18 (*CC* 76 A, p. 675, l. 728-9) ;
2, 5-7 (p. 680, l. 144-145).

129. *In Ecclesiasten*, 10, 11 (*CC* 72, p. 338, l. 184). Le mot n'est
pas fréquent cependant ; peut-être parce qu'il est trop lié à la
simplex intellegentia qui traduit elle-même l'ἁπλοῦς ἐξήγησις
d'Origène, c'est-à-dire le sens littéral. V., par ex., *In Habacuc*, 1, 3,
10-13 (*CC* 76 A, p. 637, l. 718-719) ; *In Isaiam*, 1, 1, 1-2 (*CC* 73,
p. 7, l. 25-27). De là, parfois, la précision par un second adjectif
(*Ep.* 65, 4 = *CUF* 3, p. 144, l. 11) : « ... simplex et *apertus...* ».

130. *In Ecclesiasten*, 5, 3-4 (*CC* 72, p. 292, l. 29-30) ; *In Danielem*,
1, 4, 1a (*CC* 75 A, p. 809, l. 769-770) ; *In Isaiam*, 5, 13, 7-8 (*CC* 73,
p. 162, l. 5) ; 17, 61, 4-5 (*CC* 73 A, p. 709, l. 31-32) ; etc.

131. *In Nahum*, 3, 13-17 (*CC* 76 A, p. 568, l. 474-477 ; p. 569,
l. 516-518) ; *In Ezechielem*, 11, 36, 16-38 (*CC* 75, p. 505, l. 808-810) ;
In Ieremiam, 6, 37, 5 (*CC* 74, p. 424, l. 4-5). On trouve parfois
l'inverse : au lieu de donner une explication d'ensemble d'*Is.* 11-12
Jérôme l'explique morceau par morceau (*In Isaiam*, 4, 11, 1-3 =
CC 73, p. 147, l. 6-9). Même façon de faire chez ORIGÈNE (*In Ieremiam*
h. 18, 1 = *SC* 238, p. 176, l. 12-13 ; 178, l. 33-34), chez DIDYME,
Sur la Genèse, 12, 7 (*SC* 244, p. 156, l. 20 s.)...

— μεταφράσει, μεταφραστικῶς, παραφραστικῶς[132] —, procédé que Jérôme emploie très souvent sans le dire, comme
les autres exégètes[133], et qui lui permet, me semble-t-il,
d'offrir une prose plus claire, plus explicite souvent[134],
moins rocailleuse aussi parfois ; bref, de mettre double-
ment l'Écriture à portée de son public lettré, comme du
public le plus humble[135].

Mais il arrive également que ce sens littéral soit
« obscur[136] », « ambigu », « incertain[137] »... C'est alors que
l'exégète doit faire appel à toute sa science, même s'il
ne doit pas craindre d'avouer son « ignorance[138] », de se

132. Chacun de ces mots apparaît, en grec, un très grand nombre
de fois. Voir, par ex., *In Nahum*, 3, 13-17 (*CC* 76 A, p. 573, l. 639-
640) ; *In Zachariam*, 3, 11, 8-9 (*CC* 76, p. 853, l. 211-212) ; 3, 14, 5
(p. 880, l. 151-152) ; *In Danielem*, 3, 9, 24 (*CC* 75 A, p. 886, l. 553) ;
In Isaiam, 9, 28, 23-29 (*CC* 73, p. 368, l. 57-59) ; *In Ezechielem*, 8,
26, 19-21 (*CC* 75, p. 356, l. 696-697) ; 14, 46, 1-7 (p. 691, l. 418-420).

133. Il ne faut pas oublier que la paraphrase est un véritable
« genre littéraire » dans l'Antiquité : H. LAUSBERG, *Handbuch der
literarischen Rhetorik*, München 1973², p. 530-531.

134. *In Danielem*, 1, 2, 31-35 (*CC* 75 A, p. 794, l. 387-388).

135. Voir Y.-M. DUVAL, « Saint Cyprien et le roi de Ninive... »,
p. 569, et l'*Ep*. 48.

136. *In Osee*, 2, 7, 5-7 (*CC* 76, l. 118-120) ; *In Zachariam*, 2,
10, 1-2 (*CC* 76 A, p. 838, l. 35-36) ; *In Isaiam*, 7, 22, 6-9 (*CC* 73,
p. 302, l. 43-44). C'est en principe à ces passages obscurs que Jérôme
consacre sa peine : v.g. *In Zachariam*, 2, 7, 8-14 (*CC* 76 A, p. 806,
l. 218-219).

137. *In Zachariam*, 2, 10, 1-2 (*CC* 76 A, p. 938, l. 35-36) ; *In
Ezechielem*, 12, 40, 5-13 (*CC* 75, p. 560, l. 358-361). L'ambiguïté
peut ne concerner que la valeur d'un mot. V.g. *Ep*. 18, 8 (*CUF* 1,
p. 63, l. 29 s.) ; *Ep*. 34, 5 (*CUF* 2, p. 48, l. 19-20) ; *Ep*. 36, 12 (p. 59,
l. 22-23) ; *Ep*. 52, 3 (p. 176, l. 4) ; *In Ecclesiasten*, 9, 9 (*CC* 72, p. 328,
l. 218) ; 12, 5 (p. 355, l. 215-225) ; *In Isaiam*, 9, 28, 1-4 (*CC* 73,
p. 356, l. 83-84) ; *In Ieremiam*, 6, 40, 8 (*CC* 74, p. 431, l. 10-11).
L'ambiguïté peut appartenir au grec comme à l'hébreu : *In Ieremiam*,
6, 12, 2 (*CC* 74, p. 379, l. 3-6).

138. *In Ezechielem*, 12, 40, 5-13 (*CC* 75, p. 565, l. 486-490) ;
13, 42, 1-12 (p. 609, l. 122-130). Le mot de Socrate « Scio quid

mettre à l'école de qui lui expliquera mieux le passage[139], et, en tout cas, d'en appeler au jugement du lecteur, dernier juge de son interprétation ou de celles qu'il aura transcrites[140]. Il suffit parfois de recourir au contexte[141], de tenir compte des habitudes des prophètes qui commencent souvent par envelopper les choses avant de s'exprimer plus clairement[142]. Peu à peu, l'obscurité peut ainsi s'éclairer[143]. Il est en tout cas dangereux de ne pas être fidèle à la *consequentia*[144] et à l'unité d'un texte. Cela amène assez souvent Jérôme à donner « brièvement » le sens d'un ensemble, avant de reprendre le détail[145].

---

nesciam » revient très souvent chez Jérôme. On trouvera d'autres aveux d'ignorance *infra*, p. 77 s., opposés à l'assurance de certains commentateurs. Ceux-ci préfèrent cependant parfois se taire eux aussi. V., par ex., *In Zachariam*, 2, 8, 1819 (*CC* 76 A, p. 820, l. 522-530).

139. Voir *infra*, p. 78, n. 250. Deux exemples simplement ici : *In Ezechielem*, 8, 26, 7-14 (*CC* 75, p. 351, l. 551-555) ; 12, 40, 5-13 p. 558, l. 280-291). On trouvera un aveu d'ignorance en *In Ionam*, 4, 10-11 (l. 279-284, et notes *ad locum*).

140. Cf. *infra*, p. 78 et n. 255.

141. *In Ecclesiasten*, 5, 12 (*CC* 72, p. 295, l. 160) ; 10, 15 (p. 339, l. 228-229) ; 10, 19 (p. 342, l. 311-312) ; *In Matthaeum*, 1, 10, 29-31 (*CC* 77, p. 72, l. 1728-32 = *SC* 242, p. 204-206) ; 4, 25, 23 (p. 238 s.) ; *In Zachariam*, 1, 1, 2-4 (*CC* 76 A, p. 752, l. 112-113) ; 3, 11, 3 (p. 849, l. 52-53). Cf. ANTIN, p. 12, n. 7.

142. *In Isaiam*, 5, 19, 1 (*CC* 73, p. 192, l. 4-5) ; *In Zachariam*, 3, 11, 1-3 (*CC* 76 A, p. 849, l. 19-20)...

143. *In Ezechielem*, 13, 43, 13-17 (*CC* 75, p. 855-856).

144. *In Ecclesiasten*, 8, 12 (*CC* 72, p. 319, l. 179-180) ; *In Michaeam*, 2, 6, 10-15 (*CC* 76, p. 501, l. 328) ; *In Isaiam*, 5, 19, 14-15 (*CC* 73, p. 196, l. 25-28). D'où parfois de longues péricopes transcrites en une seule fois : *In Ezechielem*, 14, 47, 6-12 (*CC* 75, p. 713, l. 1080-1083) La *consequentia* est de rigueur, en principe, pour l'interprétation spirituelle, mais elle offre souvent des difficultés : *In Ioelem*, 2, 28-32 (*CC* 76, p. 193, l. 630-635) ; *In Zachariam*, 1, 3, 8-9 (*CC* 76 A, p. 774, l. 170-173). Voir *infra*, p. 86 et n. 274.

145. *In Ecclesiasten*, 2, 4 (*CC* 72, p. 263, l. 57-60) ; 9, 7-8 (p. 324-325 ; p. 326, l. 161-162) ; *In Ioelem*, 2, 1-11 (*CC* 76, p. 179, l. 134-135).

Il faut faire attention au sens des mots, aux déterminants divers qui leur apportent une *distinctio*[146] : « Videte iunctiones significationesque uerborum[147]! »; il est important de connaître les règles ou les habitudes de l'Écriture[148]. Depuis Aristarque, la critique alexandrine, on l'a dit, a appris à expliquer Homère par Homère, entendons donc ici l'Écriture par l'Écriture. Il ne peut exister, à ce premier niveau de l'explication littérale, de contradiction véritable entre deux passages de la Bible et toutes les difficultés apparentes, objets de *quaestiones*, ne demandent qu'à être résolues, malgré les accusations des hérétiques. Au contraire, seul peut véritablement comprendre l'Écriture celui qui la possède *en entier*, qui est capable d'appeler à l'aide sa mémoire — peut-être aussi des concordances? — pour rassembler, sur tel ou tel mot, le dossier, plus ou moins complet, de ses occurrences[149]. Ces dossiers n'ont pas

---

146. *In Michaeam*, 2, 5, 2-3 (*CC* 76, p. 483, l. 123-125) ; 5, 1 (p. 481, l. 60-64) ; *In Ezechielem*, 13, 44, 22-31 (*CC* 75, p. 666, l. 1785-1789). Dans notre *In Ionam* : 1, 9 (l. 325 s.). Cette minutie, souvent d'ailleurs discutable, surtout quand en découlent des conséquences « spirituelles » importantes, dérive en droite ligne d'Origène et des *grammatici* qui l'ont formé, comme ils ont formé Jérôme.

147. *In Marcum*, 1, 1-12 (*CC* 78, p. 456, l. 188). Cf. *In Amos*, 2, 12-15 (*CC* 76, p. 309, l. 366) ; 2, 5, 12 (p. 273, l. 37) ; *In Isaiam*, 6, 14, 2-4 (*CC* 73, p. 237, l. 21-22) ; *In Ieremiam*, 2, 104 (*CC* 74, p. 144, l. 2-3). L'adverbe *proprie* est courant pour indiquer la traduction exacte d'un mot hébreu ou grec, v.g. *In Osee*, 2, 6, 1-3 (*CC* 76, p.36, l. 27) ; 2, 8, 5-6 (p. 84, l. 105) ; *In Amos*, 2, 7, 14-17 (*CC* 76, p. 324, l. 389)...

148. *Ep.* 21, 37 (*CUF* 1, p. 105, l. 21-22) ; *In Habacuc*, 1, 1, 6-11 (*CC* 76 A, p. 586, l. 204-207) ; 1, 2, 18 (p. 615, l. 753-755) ; *In Ionam*, 4, 5 (l. 120) ; *In Zachariam*, 1, 1, 18-21 (*CC* 76 A, p. 761, l. 439-440) ; *In Malachiam*, 3, 1 (*CC* 76 A, p. 928, l. 41-42) ; *In Isaiam*, 3, 8, 5-8 (*CC* 73, p. 113, l. 13-14) ; 5, 13, 4-5 (p. 163, l. 10) ; 5, 16, 10 (p. 182, l. 1-6) ; 5, 19, 1 (p. 192, l. 4) ; *In Ezechielem*, 47, 18 (*CC* 75, p. 724, l. 1394).

149. *In Ecclesiasten*, 12, 4-5 (*CC* 72, p. 354, l. 178-184) ; *In Marcum*, 1, 1-12 (*CC* 78, p. 451, l. 17-20) ; 1, 13-31 (p. 461, l. 58-60) ; *In*

toujours besoin d'être introduits comme tels. Très souvent,
Jérôme se contente pour éclairer le sens d'un texte ou
d'un mot de citer un autre texte où le mot figure[150].
C'est déjà l'application du principe hérité d'Origène[151],
base de l'exégèse spirituelle : « Spiritalia spiritalibus
comparantes » (*I Cor.* 2, 13). L'Esprit est le premier
interprète de l'Écriture[152].

**L'Esprit
et le langage
d'homme**

L'Esprit, cependant, s'exprime par
des hommes, dans un langage humain.
Il se met à portée des auditeurs
en employant leur langage — ce qui
soulève en particulier le grand problème des anthropomorphismes, posé de façon aiguë par les dualistes divers
dès la fin du IIe siècle[153], mais redevenu d'actualité pour
tout ce qui concerne le Christ avec les Ariens, d'obédience
plus ou moins stricte, qui ne savent pas distinguer les deux

Michaeam, 2, 5, 6-7 (*CC* 76, p. 487, l. 267) ; *In Danielem*, 2, 6, 10a
(*CC* 75 A, p. 832, l. 291-292). Chez Origène, voir, par ex., *In
Leuiticum h.* 11, 1 ; *In Ieremiam h.* 1, 7 ; 27, 23 ... L'habitude est
ancienne et a eu son emploi premier dans les recueils de *Testimonia*.

150. Voir, par ex., *In Ionam*, 1, 7 (l. 283-290) sur *malitia* ; 2, 6a
(l. 228-235) sur *abyssus*. Déjà en *Ep.* 18 B, 2 (*CUF* 1, p. 74, l. 3-20)
sur le *charbon* d'*Is.* 6 ou (p. 75, l. 24-27) sur la *main* ; *Ep.* 21, 15
(*CUF* 1, p. 95, l. 21-27) sur *être debout*, etc.

151. Voir, par ex., Origène, *In Genesim h.* 2, 6 (*SC* 7 bis, p. 112,
l. 87-92) ; 6, 3 (p. 192, l. 62-63)...

152. Voir, par ex., *Ep.* 36, 10 (*CUF* 2, p. 57, l. 19-20) ; *Tr. de Ps.*,
1, 3 (*CC* 78, p. 6, l. 100-118) ; 5, 1 (p. 12, l. 24-26) ; *In Zachariam*,
2, 10, 11-12 (*CC* 76 A, p. 846, l. 318-320) ; *In Ezechielem*, 13, 45, 1-8
(*CC* 75, p. 673, l. 2001)...

153. Jérôme trouve leur réfutation chez Tertullien déjà, et en
particulier dans l'*Aduersus Marcionem*, mais aussi chez Origène
dont proviennent vraisemblablement de nombreuses séries d'hérétiques dualistes que l'on trouve dans les *Commentaires* de Jérôme.
Voir, sur l'exemple du *repentir* divin, *Le Livre de Jonas*, p. 289-294
et *infra*, n. 262. Un exemple, avec le terme ἀνθρωποπάθως qui revient
de temps à autre, v.g. en *In Zachariam*, 1, 1, 14-16 (*CC* 76 A, p. 758,
l. 347-351).

natures du Christ[154]. L'Esprit utilise aussi leur façon
de s'exprimer — ce qui suppose que l'exégète sache apprécier le style de chaque écrivain sacré[155]. L'Écriture est
alors à lire selon les règles de la rhétorique. Si Jérôme
ne dit pas, comme Philon ou Ambroise, que la rhétorique
a trouvé sa source et ses règles dans l'Écriture[156], il
retrouve en tout cas, dans les textes sacrés, chacune des
figures, des tropes et des lois du discours. Dans le tout
début de la première prophétie de Joël, par exemple,
Jérôme relève comment, *arte rhetorica*, le prophète rend
son auditeur *attentif* en lui annonçant de grandes choses[157].
C'est une des lois de l'exorde. Et peu après, il note :
Exordium sequitur narratio[158]. Dans cette partie ordinaire

154. D'où l'attention à distinguer dans le Christ les deux natures :
par ex., *In Ionam*, 2, 5 a (l. 179) ; 2, 5 b (l. 203-205) ; 2, 8 (l. 325-
329)...

155. Dès sa traduction des prophètes, Jérôme note leurs différences
de style. Ainsi, pour Isaïe (*In Isaia propheta, Prol.* = *BS* 2, p. 1096,
l. 6-8), Jérémie (*In Ieremia propheta, Prol.* = *BS* 2, p. 1166, l. 3-4),
Ézéchiel (*Prologus Hiezecihelis prophetae* = *BS* 2, p. 1266, l. 7-8),
les petits prophètes en général (*Prologus duodecim prophetarum* =
BS 2, p. 1374, l. 2-5). Il revient sur ce point dans certains Commentaires, v.g. *In Amos*, 1, *Prol.* (*CC* 76 A, p. 211, l. 20-21) ; 1, 1,2
(p. 215, l. 100 s.) ; 1, 3, 12 (p. 251, l. 292 s.). A l'intérieur d'un prophète,
il sait distinguer certains changements de style : v., par ex., le début
de l'*In Habacuc*, 2 (*CC* 76 A, p. 618, l. 1-4). Voir ANTIN, p. 13, n. 8,
et *infra*, n. 175. Cela vaut également pour les auteurs du Nouveau
Testament : sur les imperfections du style de Paul, v., par ex.,
Ep. 121, 10 (*CUF* 8, p. 54, l. 4-9).

156. AMBROISE, *Ep.* 8, 2 (*PL* 16, c. 912. — Voir Y.-M. DUVAL,
« Formes profanes et formes bibliques dans les Oraisons funèbres
de saint Ambroise », *Entretiens de la Fondation Hardt*, 23, Vandœuvres-
Genève 1977, p. 288-289). Jérôme avance cette théorie pour la philosophie (*Tr. de Ps.* 43, 11 = *CC* 78, p. 436, l. 71-75), ce qui est un
vieil héritage, ici encore.

157. *In Ioelem*, 1, 2-3 (*CC* 76, p. 162, l. 73-74). Cf. *Ep.* 65, 7, 8, 11
(sur le *Ps.* 44).

158. *In Ioelem*, 1, 4 (*CC* 76, p. 163, l. 91-96). Voir de même la
« lecture » du début de l'*In Isaiam* (1, 1, 4 = *CC* 73, p. 10, l. 12-16).

du discours antique — mais ici biblique —, le prophète
use de « métaphore » ou de *translatio*, qu'il poursuit[159]
longuement, ou change[160]. Ailleurs, ce sera une métony-
mie[161], une *auxesis*[162] ou une antiphrase[163], ironique[164], etc.
Dans *Jonas*, Jérôme expliquera tel passage par une
synecdoque[165] et tel autre par une hyperbole[166] ou un
procédé emphatique[167]. Ce sont, de fait, des figures souvent

159. Pour l'*In Ioelem*, la *translatio*, « décryptée » dès 1, 4, n'est
signalée comme telle qu'en 2, 18-20 (*CC* 76, p. 187, l. 401). Néanmoins,
les mots *métaphora* (en grec et en latin) et *translatio* sont, on s'en
doute, deux des outils stylistiques les plus souvent signalés dans
le commentaire de la Bible. V., par ex., *In Nahum*, 3, 5-6 (*CC* 76 A,
p. 559, l. 66.169) ; *In Habacuc*, 1, 1, 15-17 (*CC* 76 A, p. 594, l. 507) ;
In Osee, 2, 9, 16-17 (*CC* 76, p. 104, l. 440-441) ; *In Isaiam*, 5, 14, 29
(*CC* 73, p. 173, l. 22) ; 5, 16, 8 (p. 181, l. 8), etc. — On trouve aussi
l'adverbe : *In Zachariam*, 3, 11, 1-2 (*CC* 76 A, p. 848, l. 12) ; *In
Ionam*, 3, 6-9 (l. 242) ; *In Isaiam*, 9, 30, 1-5 (*CC* 75, p. 382, l. 63),
etc.

160. *In Zachariam*, 3, 11, 3 (*CC* 76 A, p. 850, l. 56).

161. *In Malachiam*, 2, 3-4 (*CC* 76 A, p. 915, l. 109-110) ; *In
Isaiam*, 4, 10, 5-11 (*CC* 73, p. 137, l. 88-89).

162. *Tr. de Ps.* 111, 1 (*CC* 78, p. 232, l. 33).

163. *In Amos*, 3, 7, 10-13 (*CC* 76, p. 322, l. 320-321) ; *In Zachariam*,
3, 11, 12-13 (*CC* 76 A, p. 857, l. 340-341).

164. « Vel simpliciter hoc accipe uel εἰρωνικῶς » dit DONAT de
l'*Eunuque* de Térence (II, 2, 6, 3) ; Jérôme lui répond (*In Habacuc*,
1, 1, 6-11 = *CC* 76 A, p. 586, l. 211) : « εἰρωνικῶς est legendum ».
V. aussi : *In Zachariam*, 3, 11, 12-13 (*CC* 76, p. 857, l. 335-337) ;
In Malachiam, 3, 16 (p. 938, l. 426) ; *In Isaiam*, 9, 30, 1-5 (*CC* 73,
p. 383, l. 93) ; etc. Διασυρτικῶς (avec raillerie) en *In Sophoniam*, 1, 12
(*CC* 76 A, p. 670, l. 530).

165. *In Ionam*, 2, 1b (l. 33). Aux références de dom ANTIN (p. 77,
n. 5), ajouter *In Ecclesiasten*, 12, 5 (*CC* 72, p. 355, l. 226) ; *In Isaiam*,
2, 3, 3 (*CC* 73, p. 44, l. 1-2) ; 5, 14, 2 (p. 167, l. 12) ; ici encore, la
figure n'est pas toujours signalée *comme telle*, mais elle est vue.

166. *In Ionam*, 2, 11 (l. 397). — Voir le dossier de dom ANTIN,
p. 92, n. 2.

167. *In Ecclesiasten*, 4, 5 (*CC* 72, p. 285, l. 59) ; 6, 1-6 (p. 297,
l. 19) ; 10, 20 (p. 345, l. 358) ; *In Habacuc*, 1, 1, 6-11 (*CC* 76 A, p. 585,
l. 183) ; *In Isaiam*, 5, 19, 5-7 (*CC* 73, p. 195, l. 32) ; *In Ieremiam*,
1, 86, 2 (*CC* 74, p. 62, l. 12) ; 2, 100, 2 (p. 141-142) ; etc.

mentionnées. Mais il admire aussi l'habileté d'un exorde[168].
En d'autres cas, au contraire, il montrera la rigueur d'un
syllogisme et voici Job[169], ou Paul[170], ou Salomon[171],
transformés, non seulement en rhéteurs, mais en dialecti-
ciens et en philosophes redoutables. Jonas lui-même
amorce un syllogisme[172] et il philosophe dans le ventre
du monstre[173]. Les textes poétiques abondent en procédés
que Jérôme se plaît à relever[174], mais ceux-ci sont présents
également dans les textes en prose qui peuvent prendre une
allure épique[175] ou recourir à la parabole[176], à l'énigme[177]
à la prosopopée[178], au style figuré, autant qu'au discours, etc.

168. *In Ionam*, 4, 2-3 (l. 48-50).

169. *In libro Iob, Prol.* (*BS* 2, p. 730, l. 17-32).

170. *Ep.* 30, 1 (*CUF* 2, p. 31, l. 11-13) ; *Ep.* 49, 13 (*CUF* 2, p. 135, l. 1-12)...

171. *Ep.* 30, 1 (*CUF* 2, p. 31, l. 4-9) ; *In Ecclesiasten*, 1, 1 (*CC* 72, p. 250, l. 16-24). Tout cela provient d'Origène : v., par ex., *In Canticum, Prol.* (*PG* 13, c. 73-74).

172. *In Ionam*, 2, 5 (l. 189-192). Voir *In Ieremiam*, 6, 28, 3 (*CC* 74, p. 408, l. 22, p. 409, l. 1).

173. *In Ionam*, 2, 9 (l. 353-357).

174. Il reprend à Origène et à Josèphe des théories aventureuses sur la parenté entre la métrique grecque et la métrique hébraïque : *Ep.* 30, 3 (*CUF* 2, p. 32) ; *In Ps. 118* (*CC* 72, p. 235, l. 4-8), etc.

175. *In Habacuc*, 2, *Prol.* (*CC* 76 A, p. 618, l. 2-4) sur le *cantique* d'Habacuc ; *In Ieremiam*, 5, 3, 2 (*CC* 74, p. 300, l. 6-11). Mais rien sur le *carmen lamentabile*, le *carmen lugubre* d'*Isaïe* 5 (*In Isaiam*, 2, 5, 1 = *CC* 73, p. 62, l. 2 ; p. 63, l. 18).

176. *In Isaiam*, 6, 14, 5-6 (*CC* 73, p. 238, l. 101) ; *In Ezechielem*, 3, 12, 21-28 (*CC* 75, p. 135, l. 1445-1447).

177. *In Nahum*, 3, 8-12 (*CC* 76 A, p. 566, l. 411-414). Le principe de « l'arcane » appliqué à l'Écriture vient d'Origène, ici encore. Ce sont des raisons de prudence, et non des habitudes de style, qui expliqueraient ce recours au style figuré.

178. *In Ecclesiasten*, 9, 7-8 (*CC* 72, p. 325, l. 128-129).

Les compétences littéraires de l'exégète Tout cela suppose de la part du commentateur des connaissances littéraires qui sont celles qu'il a acquises auprès du *grammaticus* et du rhéteur. Dès lors, on ne s'étonnera pas que les Commentaires bibliques soient ponctués des mêmes remarques de style que ceux de Virgile ou Térence. Les remarques proprement grammaticales ou sémantiques sont cependant beaucoup moins nombreuses[179]. Il est vrai que Jérôme n'a pas à écrire l'histoire de la langue ou de la poésie latine et de ses licences, ni à montrer comment les écrivains s'imitent les uns les autres. Il transpose cette préoccupation lorsque, du simple point de vue du sens, il invoque tel passage du prophète pour éclairer tel autre. Mais il est néanmoins sensible à la qualité du style et ne se prive pas de l'admirer[180] ou de l'opposer à celle des auteurs profanes[181].

179. Quelques rares considérations sur le genre des mots latins : *uisio* et *uisus* (*In Habacuc*, 1, 1, 2-4 = *CC* 76 A, p. 599, l. 145-150) ; *cubitus* et *cubitum* (*In Ezechielem*, 12, 40, 5-13 = *CC* 75, p. 561, l. 393-399 ; 14, 47, 1-5 = p. 712, l. 1047-1051) ; *torques* (*In Danielem*, 2, 5, 5-7 = *CC* 75 A, p. 823-824). Quelques mises en garde contre des erreurs de lecture en latin : ne pas confondre *pīla* et *pĭla* en *In Sophoniam*, 1, 11 (*CC* 76 A, p. 667, l. 446-451). Les remarques sur les mots hébreux, la grammaire hébraïque, sont plus fréquentes et certaines plusieurs fois reprises : voir, par ex., sur *ruah*, *Ep.* 18 B, 17 (*CUF* 1, p. 73, 20-26) ; *In Ecclesiasten*, 6, 9 (*CC* 72, p. 299, l. 81-83) ; *In Isaiam*, 11, 40, 9-11 (*CC* 73, p. 459, l. 69-86). Sur le pluriel : *In Osee*, 1, 2, 13 (*CC* 76, p. 24, l. 271-280) ; *In Isaiam*, 1, 1, 2 (*CC* 73, p. 7, l. 18-21). De même pour le grec des Septante, v., par ex., *In Osee*, 1, 5, 1-2 (*CC* 76, p. 50, l. 23-25).

180. *In Nahum*, 3, 1-4 (*CC* 76 A, p. 555, l. 36-38). D'où le grand nombre des *pulchre, eleganter, significanter* qui ponctuent le commentaire et par lesquels Jérôme souligne les qualités du style.

181. *In Ecclesiasten*, 3, 7 (*CC* 72, p. 276, l. 116-118) ; 10, 2-3 (p. 333, l. 32 s.) ; *In Amos*, 2, 5, 7-9 (*CC* 76, p. 281, l. 314-317) : « Ego puto ex hoc loco etiam gentilem poetam furatum fuisse... » : OVIDE, *Métam.*, 1, 149-150. Il fait parfois appel à la littérature profane pour éclairer un procédé rhétorique : *In Habacuc*, 1, 2, 9-11

C'est que, on le sait, la médiocrité de la Bible latine a été à juste titre soulignée par les païens, et ressentie par Jérôme lui-même : ses traductions essaient de l'atténuer. Il ne cherche guère à montrer qu'elle obéit à une autre esthétique, sans doute parce qu'il ne la perçoit pas clairement. Nous aurons au contraire l'occasion de relever dans l'*In Ionam* un parallélisme frappant entre un jugement de Jérôme et celui de Servius[182].

La notion de persona

C'est donc, on le voit déjà, l'ensemble des ressources de l'exégèse profane qui est mis à la disposition ou adapté aux nécessités spécifiques de l'exégèse biblique. Je voudrais insister encore quelque peu sur l'une des catégories les plus courantes de cette exégèse antique : la notion de *prosôpon* ou de *persona*. Il faut partir du sens théâtral. Lorsqu'un auteur met en scène un personnage, il doit lui donner une certaine consistance, une certaine vie propre, une certaine constance. Il faut donc que les propos qui lui sont prêtés correspondent à son personnage. C'est là un des premiers aspects et des plus simples de la notion de *persona*. Mais ce personnage représente-t-il l'auteur ? Défend-il ses idées ? Exprime-t-il ses sentiments ? En un mot, est-il son « porte-parole », ou énonce-t-il, par exemple, les idées d'un tiers[183] ? A ce niveau, le

(*CC* 76 A, p. 604, l. 353-361) ; *In Sophoniam*, 1, 7 (*CC* 76 A, p. 663, l. 268-270)...

182. *In Ionam*, 1, 8 (l. 303-309) et p. 355 s.

183. Deux exemples, entre beaucoup : dans *De Amicitia*, 89, CICÉRON met dans la bouche de Lelius une sentence de Térence, mais, distance supplémentaire, le même Lelius cite un peu plus loin (§ 93) une tirade ... moins élevée de l'*Eunuque* en prenant soin de préciser que Térence fait ici parler Gnathon : « ut ait idem Terentius, sed ille *in Gnathonis persona.* » — SERVIUS, après avoir indiqué que les *Bucoliques* ont un rapport étroit avec la vie même de Virgile, déclare : « Tityri *sub persona*, Virgilium debemus intellegere. Non tamen ubique, sed tantum ubi exigit ratio » (*Buc.*, 1, 1 = Ed. Thilo, p. 4,

problème n'est pas sans intérêt ni conséquence, surtout
— mais pas seulement — pour « l'étage supérieur » de
l'interprétation spirituelle qui doit se superposer et
s'adapter au précédent. On peut donc facilement comprendre la raison pour laquelle il est recommandé de
chercher *qui* parle et *à qui* et *au nom de qui*. Il est des cas,
et c'est celui de l'*In Ionam*, où l'on peut ne pas trop
souligner la valeur de ces *ex persona* (*prophetae*, etc.),
super personam, in personam — qui n'ont pourtant pas
la simple valeur « prépositionnelle » ou périphrastique des
dans la bouche de, de la part de, au sujet de, etc.[184] — Mais
Jérôme lui-même indique assez souvent qu'il est difficile
de préciser *qui* parle[185]. L'obscurité des *Psaumes* et des
prophètes vient précisément du fait qu'ils « changent
sans cesse de personnes[186] ». On répartira donc les versets
d'un *Psaume* en une série de « tirades », comme dans une
pièce. Le procédé est loin d'être sans fondement. Il prête
cependant à des exagérations diverses. On refusera de

---

l. 21-23); « Corydonis *in persona* Virgilius intellegitur » (*Buc.*, 2, 1 =
p. 18, l. 1). Dans l'*Énéide*, 4, 697 est « *ex persona* poetae dictum »,
mais 10, 467, est à attribuer à Jupiter, etc.

184. Le mot apparaît 12 fois dans l'*In Ionam*, 5 fois pour Jonas
et 6 fois pour le Christ, une fois pour le Père (2, 4 = l. 141), ce qui
montre déjà que le parallélisme n'est pas complet. Par exemple,
In Ionam, 2, 4a : « Quantum ad personam Ionae / Quantum ad
Dominum Saluatorem » ; 2, 5 : « Quasi homo postulat (Christus)... / Ex
Ionae uero persona... » ; 2, 8 : « Cum, inquit (Ionas)... / Super
Saluatoris uero persona (...) qui dixit » ; 2, 9 : « Jonas / Potest hoc
et ex persona Domini prophetari » ; 2, 11 : « Haec quae supra legimus
sub persona Ionae Dominus deprecatus sit... ».

185. V.g. *In Isaiam*, 7, 21, 8-10 (*CC* 73, p. 294, l. 36-37).

186. V.g. *In Nahum*, 2, 1-2 (*CC* 76 A, p. 542, l. 20-21) ; *In
Michaeam*, 2, 7, 8-13 (*CC* 76, p. 515, l. 388-390) ; 14-17 (p. 519,
l. 542-544 ; p. 522, l. 643) ; *In Zachariam*, 1, 1, 5-6 (*CC* 76 A, p. 753,
l. 152-153) ; *In Danielem*, 3, 11, 1 (*CC* 75 A, p. 897, l. 816-822) ;
In Ieremiam, 2, 59 (*CC* 74, p. 114, l. 10-12) ; 6, 24, 2 (p. 400, l. 10-11).
Pour les *Psaumes*, v., par ex., *Tr. de Ps.* 7, 8 (*CC* 78, p. 24, l. 149 s.) ;
80, 8 (p. 79, l. 121) ; 90, 9 (p. 423, l. 99-101) ; 93, 16 (p. 146, l. 134-137).

reconnaître comme venant d'un prophète « en personne »,
ou d'appliquer au Christ lui même, des propos qui
expriment le doute ou des reproches à Dieu. Prenons
l'exemple de la longue plainte initiale d'Habacuc. Qui
parle ? « Ipse propheta uel populus *ex cuius persona*
nunc loquitur[187] ? » « *Ex persona* humanae impatientiae
uidens propheta...[188] » « Et haec dicit, non quod ipse
propheta sic sentiat, ut supra testatus sum, sed quod
impatientiam humanam *in sua persona* exprimat[189] », etc.
Ces notations sont on ne peut plus explicites. Beaucoup
peuvent passer inaperçues d'un lecteur moderne. Elles
ne sont nullement propres à Jérôme. Celui-ci ne fait
souvent que recopier un prédécesseur — et quelquefois
le dit[190] — sans toujours se rendre compte de cet
« emprunt », tellement ce mot technique a envahi toute
l'exégèse antique : une partie de la querelle entre Pélage,
Augustin et Jérôme portera sur le fait de savoir si, en
Romains 7, 23, Paul parle *ex persona sua* ou *ex persona
generis humani* ou *ex persona peccatorum.*

**Les sciences
« annexes »**
L'exégète doit être grammairien
et rhéteur[191]. Il doit également être
philosophe, et surtout historien et
géographe[192]. Jérôme n'a pas la tête philosophique à

---

187. *In Habacuc*, 1, 1, 2-3 (*CC* 76 A, p. 581, l. 12-13). Cf. *In
Zachariam*, 2, 7, 8-14 (*CC* 76 A, p. 804, l. 145 s.).

188. *In Habacuc*, 1, 1, 2-3 (*CC* 76 A, p. 581, l. 18).

189. *Ibid.*, 1, 1, 13-14 (p. 592, l. 456-457).

190. *Tr. de Ps.* 74, 2 (*CC* 78, p. 49, l. 1-3) : « Iste uersus cum
prioribus iungitur. Iste autem qui sequitur ex persona Domini
dicitur : sic enim interpretati sunt ueteres ».

191. Jérôme traducteur essaie de dissiper certaines obscurités
du texte pour ne pas lancer les « grammairiens » sur de fausses pistes :
« Timui grammaticos ne inuenirent licentiam commentandi » dira-t-il
dans son *In Ionam*, 4, 6 (l. 155-156) au sujet du « ricin », inconnu de
l'Occident.

192. Mais aussi naturaliste, botaniste, médecin, mathématicien, etc.
Voir, par ex., *In Amos*, 2, 5, 3 (*CC* 76, p. 274, l. 79 s. ; l. 93-96) ;

proprement parler et il est, comme Paul, Tertullien et
Origène, hostile à la vaine sagesse de la philosophie[192a];
mais il a reçu des notions[193] et il s'est exercé à la dialec-
tique[194]. Il en fait pourtant peu usage dans ses Commentaires. N'est-ce pas le reproche majeur qui est fait aux
hérétiques ? Au contraire, toute l'histoire du peuple
hébreu ou des peuples de l'Orient défilera dans ses
Commentaires des prophètes, comme l'histoire de Rome ou
de Carthage apparaît dans le *Commentaire de l'Énéide*
de Servius. Il faut éclairer les textes, les replacer dans leur
contexte historique, comme il convient de situer les
différents prophètes dans l'histoire des royaumes d'Israël

In Ieremiam, 3, 75, 2 (*CC* 74, p. 212, l. 1 s.) ; L'*In Ionam* contient
ainsi une dissertation sur le ricin.

192a. V.g. *In Ecclesiasten*, 10, 15 (*CC* 72, p. 339, l. 230). L'*In
Ionam*, 3, 6-9 dans sa tirade contre l'éloquence et la sagesse du monde,
citera *Col.* 2, 8.

193. Les différents philosophes apparaissent dans son œuvre, plus
ou moins caractérisés, avec des louanges parfois et la notation de
leur accord avec l'Écriture (v.g. *In Isaiam*, 6, 16, 11-13 = *CC* 73,
p. 264, l. 22-24), plus souvent avec des reproches. Voici, par ex.,
les stoïciens et la précision de leur logique en *In Aggaeum*, 1, 3-4
(*CC* 76 A, p. 719, l. 192-194), leur morale élevée en *In Isaiam*, 4,
11, 6-9 (*CC* 73, p. 38-44) ; Épicure et sa physique en *In Amos*, 3,
6, 2-6 (*CC* 76, p. 303, l. 170-174) ou sa morale en *In Isaiam*, 7,
18, 1-3 (*CC* 73, p. 274, l. 53-54). Platon, et en particulier son *Timée*
(*In Amos*, 2, 5, 3 = *CC* 76, p. 275, l. 95-96 ; *In Isaiam*, 12, *Prol.*, =
CC 73, p. 465, l. 4-7), sont connus surtout par Cicéron « dont la
bouche d'or n'a pas réussi à le rendre plus clair » ! Certains chapitres
sont sans cesse repris, comme celui des quatre passions stoïciennes :
v. par ex., *In Nahum*, 3, 1-4 (*CC* 76 A, p. 557, l. 98 s.) ; *In Ioelem*, 1,
4 (*CC* 76, p. 164, l. 127-149) ; *In Zachariam*, 1, 1, 18-21 (*CC* 76 A,
p. 762, l. 490-501). Beaucoup de ces notions stoïciennes lui sont
connues par Cicéron et Sénèque, plus que par un recours aux textes
grecs, même lorsqu'il se réfère aux *stoici*. Sur la connaissance de
Cicéron philosophe, v. S. JANNACONE, « Sull'uso degli scritti filosofici
di Cicerone da parte di S. Girolamo », *GIF* 17, 1964, p. 329-341.

194. *In Isaiam*, 17, 60, 17-18 (*CC* 73 A, p. 703, l. 12-19). Cf.
Ep. 49, 12-13 (*CUF* 2, p. 132, l. 31 - p. 134, l. 19).

et de Juda, de noter leurs synchronismes. D'où les nombreux renvois à la source essentielle qu'est l'Écriture, *historia sacra: lege, legamus, legimus.* D'où l'utilisation, plus fréquente qu'il n'est indiqué, de la *Chronique* d'Eusèbe qu'il a lui-même traduite et complétée. Souvent aussi il se contente de renvoyer, par une formule générale, aux historiens qui ont traité d'une époque ou d'un pays[195]. Il a lu un certain nombre de ces historiens et en particulier Josèphe qui est son garant premier[196], mais n'atteint bien d'autres que de seconde main[197]. Surtout, il prend rarement la peine de vérifier ses souvenirs ou les données qu'il trouve chez ses prédécesseurs. D'où de nombreuses erreurs et beaucoup d'à-peu-près : nous en trouvons plusieurs dans l'*In Ionam*[198]. Cette histoire ne sert pas seulement de cadre. Elle a pour but également de prouver l'historicité et la réalisation des prophéties[199] ou de

195. *In Zachariam*, 1, 1, 18-21 (*CC* 76 A, l. 436-438) ; *In Osee*, 1, 2, 16-17 (*CC* 76, p. 28, l. 392-411) ; etc...

196. Voir, par ex., *In Sophoniam*, 1, 12 (*CC* 76 A, p. 669, l. 525-526) : « Lisons les histoires de Josèphe et nous y trouverons écrit que... » ; *In Zachariam*, 1, 1, 18-21 (*CC* 76 A, p. 761, l. 452-3) ; 3, 14, 1-2 (p. 877, l. 43-47). Sur cette connaissance de Josèphe et ses limites, v. P. Courcelle, *Les Lettres grecques en Occident*, Paris 1948, p. 71-74.

197. Voir, par ex., l'étalage de l'*In Danielem*, 1, *Prol.* (*CC* 75 A, p. 775, l. 86-96) ; 2, 5, 1 (p. 820-821). Sur la provenance de cette science, v. P. Courcelle, *Les Lettres...*, p. 645. Sur la raison de son emploi, v. *infra*, n. 199.

198. Voir, p. 339, n. 9 sur Tharsis.

199. *In Danielem*, 1, *Prol.* (*CC* 75 A, p. 755, l. 95-101) : « Siquando cogimur litterarum saecularium recordari et aliqua ex his dicere quae olim omisimus, non nostrae uoluntatis sed, ut ita dicam, grauissimae necessitatis : ut probemus ea quae ante saecula multa a sanctis prophetis praedicta sunt tam Graecorum quam Latinarum et aliarum gentium litteris contineri » ; *In Isaiam*, 12, 45, 1-7 (*CC* 73 A, p. 504, l. 33-34 ; 41-44). Sur l'avènement de la paix universelle lors de la naissance du Christ, v. *In Michaeam*, 1, 4, 1-7 (*CC* 76, p. 469-470) et *In Isaiam*, 1, 2, 4 (*CC* 73, p. 30, l. 21-35), avec emprunt à Eusèbe dans le second texte.

montrer l'antiquité de l'histoire d'Israël[200]. C'est dans ce cadre surtout qu'intervient l'histoire de Rome où Jérôme mentionne les faits, les anecdotes, plus que les auteurs ou les dates précises[201]. Au « lecteur savant » de compléter s'il le désire : *Scit eruditus lector historiam*, sera-t-il dit dans l'*In Ionam*[202], et ce n'est là qu'un exemple parmi bien d'autres.

En revanche, Jérôme est beaucoup plus précis pour tout ce qui concerne les coordonnées géographiques. « Si l'on comprend mieux les historiens grecs », écrit-il dans la *Préface* de sa traduction des *Paralipomènes* sur la Septante, « lorsqu'on a vu Athènes, et le Troisième Livre de l'*Énéide*, lorsqu'on a navigué depuis la Troade, par Leucade et les Monts Acrocérauniens, jusqu'en Sicile, pour arriver de là aux bouches du Tibre, de même comprend-on mieux l'Écriture lorsqu'on a contemplé de ses yeux la Judée, visité les souvenirs des anciennes villes, constaté ce qui reste ou ce qui a changé dans les noms de ville[203] ». Jérôme a vu. Il a effectué un certain nombre de voyages à travers l'ensemble de la Palestine[204].

200. V.g. *In Isaiam*, 1, 1, 1 (*CC* 73, p. 6, l. 75-78) : « Sciamus quoque Ezechiam in Hierusalem duodecimo anno Romuli, qui sui nominis in Italia condidit ciuitatem, regnare coepisse, ut liquido appareat quanto antiquiores sint nostrae historiae quam gentium ceterarum » ; *In Amos*, 1, 1, 1 (*CC* 76, p. 23, l. 51-58).

201. V.g. le siège du Capitole par les Gaulois en *In Isaiam*, 5, 22, 2 (*CC* 73, p. 210, l. 8-9) ; les guerres civiles en *In Michaeam*, 1, 4, 1-7 (*CC* 76, p. 469-470) ; la mort de Cléopâtre en *In Isaiam*, 4, 11, 15-16 (*CC* 73, p. 156, l. 19-23) ; l'érection du Temple de la Paix par Vespasien (*In Ioelem*, 3, 4-6 = *CC* 76, p. 201, l. 111-113). Les allusions à Vespasien et Titus sont naturellement fréquentes, à cause de la prise de Jérusalem de 70.

202. *In Ionam*, 1, 3b (l. 120-121).

203. *In Paralipomenon librum*, *Praef.* (*PL* 29, c. 401 A-B).

204. En plus de son voyage d'arrivée, raconté dans l'*Ep.* 108, 8-14, et du périple proposé à Marcella dans l'*Ep.* 46, 13 (*CUF* 2, p. 113-114), voir, par ex., *In Nahum*, *Prol.* (*CC* 76 A, p. 526, l. 29-32) : le village d'Elcesi (...) connu des Juifs et dont les ruines ont été montrées

Il a beaucoup retenu et peut fournir à son lecteur mainte précision sur les lieux[205], le relief[206], les paysages, la végétation, le climat[207], la faune[208], les us et coutumes[209], etc. L'*In Ionam* suffit à le montrer. Mais Jérôme ne se contente pas — malheureusement parfois — de ses yeux. Vers 389, il a traduit et complété quelque peu l'*Onomasticon* d'Eusèbe, dictionnaire topographique de l'Écriture. C'est à ce dictionnaire et vraisemblablement aussi aux Commentaires de ses prédécesseurs qu'il doit un certain nombre d'informations. Il serait illusoire — et dangereux — de transformer Jérôme en témoin oculaire — « *autoptès* » — de tous les lieux qu'il mentionne.

Les traditions juives   Il faut en dire autant d'une donnée qu'il présente parfois comme fondamentale dans son Commentaire : les traditions hébraïques. Outre le sens d'un mot, voire sa graphie, elles concernent les lieux de Palestine, les divers personnages — et par exemple Jonas, comme nous le verrons[210] —, mais aussi l'interprétation d'un passage ou d'un chapitre. Les expres-

---

à Jérôme par un guide. Nombreux appels au témoignage oculaire : les cités détruites : *In Sophoniam*, 1, 15-16 (*CC* 76 A, p. 673, l. 658-667) ; Siloé : *In Isaiam* 3, 8, 5-8 (*CC* 73, p. 113, l. 29-34) ; Thécué : *In Ieremiam*, 2, 8, 1 (*CC* 74, p. 79, l. 18-20) ; 45, 2 (p. 105, l. 17-18)...

205. V.g. *In Abdiam*, 7 (*CC* 76, p. 360, l. 264-268) ; 8-9 (p. 362, l. 341-343). Sur le « palais de Melchisedeck » à Salem et l'itinéraire d'Abraham, v., par ex., *Ep.* 73, 7-8 ... Mais parfois, il se sépare des guides (*In Isaiam*, 11, 38, 8 = *CC* 73 A, p. 445, l. 50-54).

206. Sur le *descendit* de *Jonas*, 1, 3b (l. 121 s.) voir *ad locum*. Cf. *In Danielem*, 4, 11, 44-45 (*CC* 75 A, p. 933, l. 430-441).

207. V.g. *In Amos*, 2, 4, 7-8 (*CC* 76, p. 263, l. 240-247 ; 257-259).

208. Voir, par ex., dans l'*In Ionam*, 4, 6 (l. 189 s.), la description de la sauterelle (v. *infra*, p. 426, n. 23).

209. *Hebraïcae quaestiones in Genesim*, 24, 65 (*CC* 72, p. 30) ; *In Amos*, 2, 5, 10 (*CC* 76, p. 283, l. 385-389) ; *In Ieremiam*, 1, 30, 1 (*CC* 74, p. 28, l. 17-20) ; 2, 79, 2 (p. 124, l. 6 s.) ; *Ep.* 65, 14 (*CUF* 3, p. 157, l. 27-30) ; *In Isaiam*, 8, 25, 9-12 (*CC* 73, p. 328, l. 21-26), etc.

210. *In Ionam*, *Prol.* (l. 37 s.).

sions *tradunt, aiunt* ou *narrant Hebraei, Iudaei arbitrantur, dicunt, autumant, interpretantur, sentiunt, putant, intellegunt, explanant,* sont fréquentes et constituent souvent un rapport objectif. D'autres sont franchement laudatives et Jérôme est fier d'être initié à ces secrets[211]. Ceux-ci représentent souvent pour lui l'*historia* la mieux établie[212], qu'il doit faire connaître à ses lecteurs : « Quia docti ab Hebraeis uolumus eorum quoque traditionem sequi et nostris, id est Christianis, explanationem historiae demonstrare, dicendum est...[213] », déclare Jérôme dans l'un de ses premiers Commentaires sur les prophètes, et il avait déjà rassemblé un certain nombre des traditions juives sur la *Genèse* dans ses *Questions hébraïques sur la Genèse*. Il a été montré que ces traditions étaient bien répandues dans les milieux juifs[214]. On peut en dire autant de beaucoup de celles qu'on trouve dans les Commentaires des prophètes. Mais Jérôme est loin de les avoir toutes ouïes lui-même, contrairement à ce qu'il laisse parfois entendre[215]. Beaucoup de ces traditions ont été simplement

---

211. *Ep.* 73, 5-9 (*CUF* 4, p. 22, l. 31 ; p. 25, l. 19). Cf. *Ep.* 18, 10 (*CUF* 1, p. 65, l. 3-5).

212. De sorte que leur opinion constitue parfois l'*historia*, la base de l'interprétation de Jérôme ; v.g. *In Zachariam*, 1, 4, 2-7 (*CC* 76 A, p. 778, l. 54-57) : « Dicamus, singula percurrentes, primum quid uideatur Hebraeis, a quibus in ueteri testamento eruditi sumus, deinde, per hos quasi gradus ad Ecclesiae culmina conscendamus » ; *In Malachiam*, 2, 10-12 (*CC* 76 A, p. 920, l. 296-298 ; cf. p. 922, l. 353-354) ; 2, 13-16 (p. 924, l. 434-436) ; *In Amos*, 3, 7, 7-9 (*CC* 76, p. 328, l. 202-204), etc.

213. *In Nahum*, 1, 10-11 (*CC* 76 A, p. 536, l. 333-334) ; 2, 1-2 (p. 541, l. 13-17) ; *In Sophoniam*, 2, 5-7 (*CC* 76 A, p. 681, l. 264) ; *In Amos*, 1, 2, 13-16 (*CC* 76, p. 241, l. 413-414) ; *In Zachariam*, 1, 1, 8-13 (*CC* 76 A, p. 756, l. 261-262) ; 2, 6, 9-15 (p. 796, l. 172-175), etc.

214. M. J. LAGRANGE, « Saint Jérôme et la tradition juive dans la Genèse », *RBi* 7, 1898, p. 563-566.

215. Jérôme fait souvent appel à son maître hébreu : une dizaine de fois pour le seul *In Ecclesiasten* : 1, 14 (*CC* 72, p. 260, l. 337); 3, 9-11 (p. 277, l. 159) ; 4, 13-16 (p. 288, l. 179-180) ; 9, 5-6 (p. 323,

« transportées » du texte d'Origène ou d'Eusèbe dans celui de Jérôme[216].

Il est un point cependant dont on ne peut pas faire grief à Jérôme, c'est que son admiration n'est pas sans limite et qu'il sait condamner ces traditions qu'il prend pourtant tant de soin à rapporter[217] et qui lui vaudront les reproches d'un Julien d'Éclane[218]. Elles lui apparaissent souvent puériles, sottes, ridicules, ou compliquées[219] et, plus grave, ces *Iudaei* se cramponnent à l'Ancien Testament, refusent de reconnaître le Messie en Jésus[220],

---

l. 86) ; 9, 13-15 (p. 391, l. 327) ; 10, 4 (p. 335, l. 73-74) ; 10, 7 (p. 336, l. 106) sans compter les formules plus larges. Voir encore, par ex., *Ep.* 36, 5 (*CUF* 2, p. 55, l. 15) ; *In Nahum,* 3, 8-12 (*CC* 76 A, p. 562, l. 274) ; *In Habacuc,* 2, 3, 3-4 (*CC* 76 A, p. 623, l. 194-195) ; *In Abdiam,* 20-21 (*CC* 76, p. 372, l. 709-710) ; *In Amos,* 1, 3, 11 (*CC* 76, p. 250, l. 258-259) ; 2, 5, 7-9 (p. 280, l. 272), *etc.*

216. Voir G. BARDY, « Saint Jérôme et ses maîtres hébreux », *RBen* 46, 1934, p. 145-164.

217. *In Habacuc,* 1, 2, 15-17 (*CC* 76 A, p. 610, l. 578-579) : « Audiui Liddae quemdam de Hebraeis qui sapiens apud illos et δευτερότης uocabatur » ; après avoir exposé son opinion, il conclut : « Hoc quam ridiculum sit, me tacente cognoscitis » (l. 592-595). Les δευτερώσεις ne sont pas toujours jugées avec mépris : *Ep.* 18 B, 4 (*CUF* 1, p. 76, l. 21 ; p. 77, l. 4) ; *In Michaeam,* 2, 5, 7-14 (*CC* 76, p. 491, l. 411 ; p. 492, l. 438).

218. JULIEN D'ÉCLANE, *In Osee, Praef.* (*PL* 21, c. 962 = *CC* 88, p. 116).

219. *In Amos,* 1, 2, 1-3 (*CC* 76, p. 230, l. 38-42) ; *In Ezechielem,* 11, 36, 16-38 (*CC* 75, p. 506, l. 808-809) ; 11, 38, 1-23 (p. 526, l. 1501-1502) ; 11, 39, 1-16 (p. 536, l. 1817-1818) ; *In Ieremiam,* 4, 28, 5 (*CC* 74, p. 247, l. 6-7). *Iudaei, iudaicus* y remplacent souvent *Hebraei, hebraicus* ; ils sont d'ordinaire beaucoup plus négatifs.

220. V.g. l'*In Zachariam,* où Jérôme oppose sans cesse le Christ au Messie que les Juifs n'attendent qu'à la fin du monde ou au rétablissement d'Israël sous Zorobabel ou les Macchabées (par ex. 1, 2, 1-2 = *CC* 76 A, p. 763, l. 18-23 ; 2, 3-5 = p. 765. l. 87-92 ; 2, 10-12 = p. 768, l. 213-221, etc.) ; d'où la déclaration générale de *In Zachariam,* 2, 8, 18-19 (p. 820, l. 526-530) : « Cogimur ad Hebraeos recurrere (...), praesertim cum non prophetia aliqua de Christo, *ubi*

annoncent la victoire finale d'Israël sur l'Empire romain[221] ou sur l'Église[222]. D'où des formules comme : « Nos autem, accipientes *ex hac fabula* occasionem *uerae historiae*, dicemus...*[223].* » « Hoc aduersus *Iudaicam* traditionem[224]. » A ces Juifs, esclaves de la lettre et des interprétations charnelles[225], sont souvent joints les millénaristes et les Ébionites que Jérôme fustige par des attaques comme : « Iudaei et nostri Iudaizantes » ou « Audiant Ebionaei... », « Audiant Ebionitarum socii... ». Ces algarades et ces interpellations, qui ne se limitent pas aux « Juifs » et à leurs proches[226], expriment la passion de l'exégète; elles sont aussi un moyen de rendre plus vivant son commentaire.

Les exégètes antérieurs   En plus des Juifs, Jérôme recourt en effet aux opinions émises par ses prédécesseurs[227]. On le constate bien

---

tergiuersari solent et ueritatem celare mendacio, sed historiae ordo texatur ».

221. V.g. *In Michaeam,* 2, 7, 8-13 (*CC* 76, p. 515, l. 404-410).

222. V.g. *In Michaeam,* 2, 4, 11-13 (*CC* 76, p. 478, l. 410-427). Dans un autre sens : *Ep.* 65, 17 : Qui est visé ? La Synagogue ? Impossible. Donc, l'Église ; *In Isaiam,* 5, 23, 18 (*CC* 73, p. 222, l. 5-6) : « Haec secundum litteram necdum facta comperimus... »; *In Matthaeum,* 3, 21, 4-5 (*SC* 259, p. 104) : impossible ou inconvenant. Donc passons *ad altiora.*

223. *In Sophoniam,* 3, 10-13 (*CC* 76 A, p. 704, l. 392-393).

224. *In Habacuc,* 1, 2, 15-17 (*CC* 76 A, p. 611, l. 604).

225. *In Zachariam,* 1, 3, 8-9 (*CC* 76 A, p. 776, l. 217).

226. Les hérétiques divers ont droit aux mêmes interpellations (Voir, par ex., pour l'apocatastase, p. 272), mais aussi les diverses catégories de chrétiens, l'Église elle-même lorsqu'elle est défaillante : *In Ieremiam,* 3, 20, 3 ; 3, 34, 2 ; 3, 37, 2 ; etc.

227. En 415, il se donne toujours pour tâche essentielle, « optata quiete contentus, scripturarum sanctarum explanatione insistere et *hominibus linguae meae* Hebraeorum *Graecorumque eruditionem* tradere » (*In Ieremiam,* 3, 1, 2 = *CC* 74, p. 151, l. 1-3). Il ne faut pas pour autant exclure les Latins, comme on pourra le voir par la suite. Cependant, les Latins ont toujours admis que « l'invention »

entendu lorsqu'il les cite nommément[228]; on en est averti lorsque, comme nous l'avons vu[229], la *Préface* du Commentaire a fait état d'un certain nombre de prédécesseurs, que Jérôme déclare avoir suivis ou, au contraire, négligés. Même dans ce dernier cas, les bonnes intentions initiales ne durent guère, en général, et Jérôme revient vite à ses modèles, qu'il compulse[230]. Ceux-ci apparaîtront alors sous le masque d'un *quidam*, d'un *sunt qui*, d'un *plerique*, d'un *alii* ou d'un *nonnulli*. Le lecteur moderne ne doit pas se laisser induire en erreur par ce pluriel d'indétermination. Il a toute chance de ne représenter qu'une seule personne. Les lecteurs de Jérôme le savaient. « Certains » ou « d'aucuns » — qui n'est autre que Rufin, et lui seul que l'on sache! — lui ont cependant reproché de ne pas démasquer bel et bien ces auteurs. Jérôme a répondu qu'il obéissait là à une règle du Commentaire[231]. Je ne sache pas qu'elle ait été édictée quelque part. On trouve d'ailleurs des noms propres chez Donat ou Servius. Mais les *alii* et les *quidam* y sont, de fait, plus fréquents. Jérôme ajoute qu'il tait les noms... par charité. Cela n'est pas toujours faux[232].

appartenait aux Grecs. Au début de son commentaire des *Adelphes*, Donat note que Térence, en reprenant le titre de Ménandre, montre qu'il trouve « moins élogieux pour lui d'inventer que de traduire ». Jérôme est l'élève de Donat, comme de Cicéron, Térence et Ennius. Il se réclame sans cesse de leur patronage.

228. Voir p. 33 pour l'*In Ecclesiasten* ; p. 35 pour l'*In Danielem*.

229. Voir p. 35.

230. A l'entendre, ses lectures des *Commentaires de Matthieu* seraient anciennes lorsqu'il dicte son propre Commentaire (*In Matthaeum*, 1, *Praef.* = CC 77, p. 4, l. 91 = SC 242, p. 68). En réalité, celui-ci contient trop de ressemblances avec ce que nous possédons de l'*In Matthaeum* d'Origène pour que Jérôme ne l'ait pas eu à peu près constamment sous les yeux, et pas toujours pour le critiquer.

231. *Contra Rufinum*, 1, 16 (SC 303, p. 44-46). V. *supra*, p. 26, n. 3.

232. *In Ieremiam*, 4, 41, 6 (CC 74, p. 267, l. 19, p. 268, l. 3).

Une autre critique de Rufin était plus pertinente, encore qu'elle n'ait pas été développée jusqu'au bout : pourquoi recenser des opinions quand on les estime fausses ? Jérôme se protège une nouvelle fois derrière les lois du genre, en faisant valoir que le commentateur a pour tâche de rassembler les opinions antérieures et de laisser au lecteur le soin de juger et de choisir[233]. Cela n'est pas faux. Mais l'on peut constater chez Jérôme toute une série de façons de faire, dont les variations ne semblent guère dues à une évolution bien nette. Souvent, une opinion étrangère est simplement citée[234]. Elle est peut-être un peu plus extérieure à la pensée de Jérôme que les solutions diverses qu'il peut lui-même avancer par un *uel...*, *uel certe*[235], et autres formules du même genre[236]. Parfois, une opinion, tout d'abord citée comme étant celle d'autrui, est ensuite reprise par Jérôme lui-même, comme si elle était maintenant sienne[237]. Parfois encore il « acquiesce » à l'opinion

233. *Contra Rufinum*, 1, 16 (*SC* 303, p. 44-46). Jérôme rappelle la règle à Augustin (*Ep.* 112, 5 = *CUF* 6, p. 23, l. 12-17) ou à Minervius et Alexandre (*Ep.* 119, 1 = p. 98, l. 25 ; p. 99, l. 2).

234. V.g. *In Nahum, Prol.* (*CC* 76 A, p. 526, l. 27) : « Quidam putant... » ; *In Habacuc*, 1, 1, 12 (p. 591, l. 401-402) : « Quidam putant... » ; 1, 2, 5-8 (p. 601, l. 213) : « siue, ut quibusdam placet... ».

235. Pour le seul *In Ionam* : *quidam* en 2, 1b (l. 29-30) ; 4, 1 (l. 14) et 4, 10-11 (l. 269-270) ; *alii* en 2, 7b (l. 277) ; *sunt qui* en 3, 3 (l. 41) et 4, 8 (l. 226) ; *plerique* en 3, 6-9 (l. 139).

236. V.g. *In Ecclesiasten*, 2, 2 (*CC* 72, p. 263, l. 36) : « Potest hoc et haereticis accipi... » ; 3, 8 (p. 276, l. 136) : « Necnon et hoc dici potest... » ; 3, 16-17 (p. 280, l. 259) : « Siue aliter... » ; *In Michaeam*, 1, 1, 3-5 (*CC* 76, p. 425, l. 134-135) : « Potest quoque et sic intellegi quod... » ; 3, 9-12 (p. 463, l. 215-216) : « Potest et aliter accipi quod... » ; 4, 1-7 (p. 471, l. 181-186) : « Si quis autem uoluerit hoc quod dicitur (...) de anima intellegere (...), non errabit... », etc. Il ne s'agit pas toujours d'interprétations allégoriques, qui, par définition (voir *infra*, p. 86 s.), sont plus « libres ».

237. *In Abdiam*, 1 (*CC* 76, p. 355, l. 116-117) ; 2-4 (p. 359, l. 228-234) ; 12-13 (p. 364, l. 440-443) ; 17-18 (p. 369, l. 612-615).

d'autrui[238]. Mais on trouve également toutes les nuances du refus : « J'ai lu quelque part[239] », « Je sais que d'aucuns[240] », commence-t-il. C'est l'annonce, d'ordinaire, d'une critique. Ou bien, il commencera par exposer « objectivement » une opinion d'autrui, mais dira, ensuite, de diverses manières, que telle autre lui paraît meilleure[241]. Il jugera une opinion forcée[242], déplacée, inconséquente[243], difficile, incompréhensible[244], violente[245], artificielle, ridicule[246], voire superflue[247]. Que faire en pareil cas[248] ? Il peut exposer sa propre solution, avec plus[249] ou moins

---

238. *In Abdiam*, 17-18 (*CC* 76, p. 370, l. 619-624).

239. V.g. *In Ecclesiasten*, 3, 5 (*CC* 72, p. 275, l. 74) ; *In Michaeam*, 1, 1, 16 (*CC* 76, p. 438, l. 540) ; 1, 2, 9-10 (p. 450, l. 379) ; *In Habacuc*, 1, 2, 9-11 (*CC* 76 A, p. 606, l. 417-425-426) ; *In Zachariam*, 1, 6, 1-8 (*CC* 76 A, p. 794, l. 97-98) ; 3, 11, 8-9 (p. 854, l. 227-228) ; 3, 11, 14-15 (p. 858, l. 368-369) ; *In Isaiam*, 9, 30, 6 (*CC* 73, p. 385, l. 24-28) ; etc.

240. *In Ecclesiasten*, 3, 9-11 (*CC* 72, p. 277, l. 153-158) ; etc.

241. *In Habacuc*, 1, 2, 9-11 (*CC* 76 A, p. 604, l. 347-349).

242. *In Michaeam*, 1, 2, 9-10 (*CC* 76, p. 450, l. 387-388). Voir ANTIN, p. 11, n. 4.

243. *In Habacuc*, 1, 1, 12-13 (*CC* 76 A, p. 591, l. 404-405).

244. *In Michaeam*, 2, 6, 10-16 (*CC* 76, p. 504, l. 427-431).

245. *Ep.* 18, 6 (*CUF* 1, p. 61, l. 1-2) ; *In Ieremiam*, 1, 9, 3 (*CC* 74, p. 14, l. 2-8), où Jérôme répond à la critique de Rufin reprise par Pélage (cf. 4, 41, 6 = p. 267, l. 19 — p. 268, l. 3 ; 5, 61, 6 = p. 347, l. 9-11).

246. V.g. *In Ezechielem*, 8, 27, 28-32 (*CC* 75, p. 382, l. 1432).

247. *Ep.* 18 B, 5 (21) (*CUF* 1, p. 78, l. 4).

248. *Ep.* 18, 4 (*CUF* 1, p. 57, l. 29-32) ; *Ep.* 34, 3 (*CUF* 2, p. 46, l. 24-27) : reproche fait au secrétaire d'Hilaire de Poitiers qui « opinionem magis insinuare suam quam inscientiam uoluit confiteri... » ; *In Ieremiam*, 4, 47, 2 (*CC* 74, p. 275, l. 19-22).

249. Perplexité assez souvent exprimée : *Ep.* 18, 6 (*CUF* 1, p. 61, l. 17-19). A l'entendre, l'exposé des opinions est réservé aux passages obscurs : *Ep.* 72, 5 (*CUF* 4, p. 18, l. 20). C'est un principe qui, comme souvent chez Jérôme, n'est aucunement général.

d'assurance[250]. Il peut demander la prière de son lecteur[251]. Il peut annoncer, comme il le fait dans l'*In Ionam*[252], que telle opinion « de remplacement » ne sera avancée qu'avec la plus grande précaution. Les raisons de ses refus sont souvent doctrinales[253]. Mais elles peuvent être politiques, à l'occasion[254]. Dans le doute ou la difficulté, le dernier mot reste au lecteur. A lui de choisir ce qui lui paraîtra le plus exact[255]. Peut-être peut-on cependant discerner une certaine évolution chez Jérôme. Son expérience grandissante, la querelle origéniste, les polémiques qui la suivront et la prolongeront, l'amèneront à être un peu plus tranchant[256]. On notera pourtant qu'il accordera

250. V.g. *In Sophoniam*, 2, 12-15 (*CC* 76 A, p. 694, l. 663-667) ; *In Michaeam*, 1, 2, 1-5 (*CC* 76, p. 442, l. 125-143) ; 1, 2, 6-8 (p. 444, l. 194-196) ; *In Zachariam*, 1, 4, 11-14 (*CC* 76 A, p. 785, l. 290-294) ; etc. Pour l'*In Ionam*, voir 2, 1b (l. 45 s.) ; 4, 10-11 (l. 279-284) et les notes *ad locos*.

251. *Ep.* 18, 6 (*CUF* 1, p. 60, l. 4-6). Voir *infra*, p. 321, n. 13.

252. *In Ionam*, 4, 10-11 (l. 279-284). Voir de même *Ep.* 18, 6 (*CUF* 1, p. 61, l. 17-19) : « Quorum quid uerum sit, Deus uiderit. Quid *uerisimile* in sequentibus exponemus ». Jérôme, à l'exemple de Cicéron, orateur, se contente souvent du *vraisemblable*.

253. V.g. *In Zachariam*, 1, 2, 1-2 (*CC* 76 A, p. 763, l. 25-26) ; 1, 4, 2-7 (p. 780, l. 127-129) ; 1, 4, 12-14 (p. 785, l. 270-271). Dans le même sens, le début de l'*In Ionam*, 4, 10-13 (l. 270) : « ... incurrit blasphemiam... ».

254. *In Michaeam*, 2, 7, 1-4 (*CC* 76, p. 507, l. 90-92). Une prudence analogue explique la manière dont, pour la Vision de 70 semaines, en *Dan.* 9, 24 a, Jérôme se contente d'exposer les opinions de ses prédécesseurs (*CC* 75 A, p. 865-889).

255. *In Ecclesiasten*, 3, 5 (*CC* 72, p. 274, l. 68-69) ; *In Nahum*, 2, 1-2 (*CC* 76 A, p. 542, l. 17-19) ; *In Sophoniam*, 1, 2-3 (*CC* 76 A, p. 660, l. 169-172) ; *In Apocalypsim*, *Praef.* (*PLS* 1, c. 103) ; *Ep.* 73, 10 (*CUF* 4, p. 26, l. 17-18) ; *In Matthaeum*, 2, 13, 33 (*CC* 77, p. 109, l. 910-912 = *SC* 242, p. 282) ; *In Zachariam*, 2, 6, 9-15 (*CC* 76 A, p. 796, l. 175-178). Mais le lecteur peut avoir à chercher lui-même : *In Michaeam*, 1, 2, 9-10 (*CC* 76, p. 450, l. 387-390) ; *In Ezechielem*, 7, 24, 15-27 (*CC* 75, p. 332, l. 1573-1575) ; etc.

256. V.g., en 406, *In Zachariam*, 1, 4, 8-10 (*CC* 76 A, p. 781, l. 166-168) ; 3, 11, 4-5 (p. 851, l. 100-102) : *In Osee*, 2, 5, 8-9 (*CC* 76,

toujours son admiration à l'Origène *exégète*. Même s'il s'emporte souvent contre son « délire » allégorique dans son *In Ieremiam*, son dernier Commentaire[257], il reste, même alors, sous son influence, ou celle de son temps, et accorde, en définitive, à l'histoire moins d'importance que nous le ferions[258].

4. L'interprétation spirituelle

Le double héritage   Un chrétien du xxe siècle se plaît à suivre le long cheminement du peuple de Dieu, à suivre les heurts divers de son histoire, ses progrès vers une conception moins terre à terre de la vie et des rapports avec Dieu. Il subit là, sans le savoir peut-être, des influences multiples. La (re)découverte du sens historique par les derniers siècles le rend beaucoup

p. 57, 1. 240-243) ; *In Isaiam*, 7, 22, 3 (*CC* 73, p. 300, 1. 41 s.). Cette fermeté est plus grande dès que sont en jeu des questions doctrinales ; mais elle n'est pas aveugle, et l'on trouve encore bien des aveux d'ignorance dans les Commentaires les plus tardifs. Certains points de doctrine, défendus avec intransigeance à tel moment, peuvent être présentés plus tard avec moins de vigueur. Ainsi le millénarisme, attaqué avec âpreté dans l'*In Isaiam*, est toléré dans l'*In Ieremiam*... à cause de ses illustres défenseurs (4, 15, 3 = *CC* 74, p. 235, 1. 21 s.).

257. *In Ieremiam*, 3, 19, 3 (*CC* 74, p. 168, 1. 4) ; 4, 12, 2 (p. 232, 1. 17) ; 4, 9, 4 (p. 229, 1. 21) ; 5, 2, 16 (p. 299, 1. 17) ; 5, 14, 3 (p. 307, 1. 4) ; 5, 27, 6 (p. 313, 1. 7) ; 5, 46, 4-5 (p. 333, 1. 7-17) ; 5, 61, 5-6 (p. 346, 1. 21 — p. 347, 1. 11) ; 5, 66, 9-12 (p. 358, 1. 15 — p. 359, 1. 20) ; etc.

258. Jérôme ressemble, en définitive, à Paula, son élève : « Elle savait par cœur l'Écriture. Elle aimait le sens littéral, qu'elle appelait le fondement de la vérité. Mais elle suivait plus volontiers le sens spirituel ; c'était le toit dont elle protégeait l'édifice de son âme » (*Ep.* 108, 26 = *CUF* 5, p. 194, 1. 29 — p. 195, 1. 2, trad. Labourt).

plus sensible au lent développement des êtres et des choses, sans qu'il s'étonne des aberrations diverses, ni ne s'offusque des régressions éventuelles. Inversement, la référence, plus ou moins implicite, à l'enseignement de Jésus lui fournit une norme à la fois morale et historique. Il est invité à lire cette histoire en fonction de la personne et à la lumière de la parole du Christ. Celle-ci est à la fois continuation et dépassement de l'ancienne Alliance, de même que Jésus se donne à la fois comme terme et point de départ dans l'histoire du peuple juif et celle de l'humanité. En déclarant que les prophètes avaient parlé de lui, en se comparant — et c'est éminemment le cas de Jonas — à certains personnages du passé, Jésus incitait son auditoire à rechercher dans l'Écriture tout ce qui pouvait, d'une manière ou d'une autre, l'annoncer dans sa personne, ses actes ou son enseignement. Les Apôtres avaient immédiatement suivi cette route. Ils servaient de modèles à ceux qui voulaient prolonger leur effort. Lorsque Pierre parlait « d'antitype », Paul de « type », d'« allégorie », de « mystère », ils étendaient à de nouveaux livres de la Bible cette correspondance et ce prolongement entre l'Ancien et le Nouveau Testament; mais ils rencontraient également ou utilisaient, de façon plus ou moins volontaire et délibérée, des catégories littéraires déjà fort en usage dans les milieux grecs. Depuis plusieurs siècles, ceux-ci étaient habitués à découvrir dans les réalités de ce bas-monde une image dégradée d'un monde supérieur, comme à décrypter dans tout écrit un sens beaucoup plus profond que la simple apparence.

Ce double héritage — chrétien et profane, juif et grec — se confortait. Il allait permettre de répondre à un certain nombre d'objections ou de difficultés surgies dès les premiers siècles. Les Juifs, tout d'abord, refusaient de « dépasser » la lettre et de reconnaître dans le Christ ou l'Église les destinataires ou les interlocuteurs réels de l'Ancien Testament. Il fallait montrer toutes les inconséquences d'un tel refus[259], attirer l'attention sur les impossibilités diverses[260] ou sur le caractère scandaleusement matériel ou cruel ou grossier d'un certain nombre d'actes, de prescriptions et de promesses[261]. Tout était à interpréter « en s'élevant » à un plan plus noble. On fut bientôt conduit à la même règle avec une série de chrétiens ou de païens gravitant autour du christianisme, qui étaient précisément choqués par le caractère matériel de l'Ancien Testament. Ils étaient tout disposés à s'en débarrasser[262]. La grande Église tenait au contraire à sauvegarder cette histoire du peuple de Dieu dont elle se disait l'héritière véritable. On le fit, moins en insistant sur le progrès accompli au cours de l'histoire, qu'en découvrant dans les événements vécus autrefois ou les propos tenus alors un sens « plus profond » ou « plus élevé » que leur apparence immédiate[263].

---

259. Il ne s'agit bien entendu pas d'une méthode propre à Jérôme. Les textes peuvent être multipliés. Les suivants sont pris à des époques différentes de la vie de Jérôme : *In Sophoniam*, 3, 8-9 (*CC* 76 A, p. 700, l. 253-271) ; 3, 10-13 (p. 704, l. 387-399) ; *In Ezechielem*, 13, 44, 6-8 (*CC* 75, p. 650, l. 1305-1312 — au sujet du sens figuré de « circoncision des oreilles ») ; *Ep.* 121, 10 (*CUF* 8, p. 53, l. 30 — p. 54, l. 3), etc.

260. V.g. *In Sophoniam*, 2, 8-11 (*CC* 76 A, p. 684, l. 302 — p. 686, l. 348) ; *In Isaiam*, 4, 11, 6-9 (*CC* 73, p. 150, l. 10 — p. 151, l. 46) ; 8, 27, 13 (p. 353, l. 12) ; 9, 29, 17-21 (p. 378, l. 11-33)...

261. V.g. *In Amos*, 1, 2, 12 (*CC* 76, p. 239, l. 354-367), sur la défense de l'usage du vin que Tatien tire de ce texte.

262. D'autant que le dieu de l'Ancien Testament, avec tous les anthropomorphismes bibliques, leur paraissait indigne d'être le Père de Jésus. Dans l'*In Ionam*, Jérôme aura à répondre, après d'autres, au problème des changements de décision en Dieu (3, 10, l. 268-270).

263. On trouvera une bonne part de ces problèmes et de leurs solutions dans le livre classique de J. Pépin, *Mythe et allégorie*, Paris 1977².

Tendances contradictoires

Au moment où Jérôme entreprend d'expliquer les *Prophètes*, les *Psaumes* ou les *Évangiles*, cette double tendance a déjà produit beaucoup de ses effets. Avec des résultats tels, que certains exégètes ne cherchent qu'à les étendre encore, tandis que d'autres — mais ce sont parfois les mêmes, à des moments différents — tendent à les limiter, en les restreignant aux affirmations garanties par le Christ ou les Apôtres, en les soumettant à des « lois » et « règles » contraignantes ou, inversement, en ne leur attribuant qu'une importance très minime, porte ouverte à toutes les divagations de la subtilité. L'*In Ionam* traitera explicitement de ce problème. Il n'est pas question pour le moment de préciser la position de Jérôme, ni de dire s'il se rattache, comme on a l'habitude de le faire, à une « école » ou à une autre[264]. Il s'agit simplement, dans ces propos très généraux, de montrer la façon générale et la plus ordinaire dont il envisage concrètement cette lecture spirituelle de l'Écriture, une fois établi son sens littéral.

La nécessité d'un sens spirituel

Même si ce ne sont pas — et de loin — les occasions les plus fréquentes où il est amené à passer du sens littéral au sens spirituel, disons tout de suite que la nécessité du second se trouve parfois dans la limpidité[265]

---

264. Ainsi font Vaccari et Penna (v. *supra*, p. 25, n. 1) qui veulent découvrir en Jérôme l'influence de « l'école d'Antioche ».

265. V.g. *In Ezechielem*, 2, 6, 6-7 (*CC* 75, p. 65, l. 382-387). D'après Jérôme — et ses maîtres —, le texte peut contenir une invitation explicite à passer plus avant. Par ex. ce titre du *Ps.* 44 : « ... filiorum Core *intellegentiam* » que Jérôme commente : « Et hoc ipsum mysterium lectorem praeparat ad intellegentiam spiritalem. Vbi enim simplex et apertus est sensus, quid necesse est audientem *intellegentiae* praemoneri et dici ad eum : Qui habet aures audiendi audiat (*Matth.* 13, 9) ? » (*Ep.* 65, 4). Ce texte de *Matth.* 13, 9 (et parallèles) est l'un des garants de la nécessité d'une lecture spirituelle.

ou au contraire dans la difficulté du premier[266]. La simplicité de la lettre est parfois une invitation à chercher plus avant une signification qui soit digne de la profonde sagesse de Dieu. Plus souvent, son incohérence, sa bassesse, son impossibilité, son obscurité, etc., forcent à ne pas en demeurer à la surface *(superficies)*, à l'écorce ou la rudesse des mots et à chercher quelque chose qui soit en harmonie avec le reste de l'Écriture et de la Parole de Dieu. Ce sont là, depuis des siècles, les points de départ de l'allégorie. Mais cette lecture spirituelle se présente ordinairement de la manière la plus naturelle dans la bouche de Jérôme : après avoir établi le sens littéral, il passe, sans même toujours user du vocabulaire « repère » ou « signal » que nous étudierons plus loin[267], à une seconde lecture — à moins qu'elle ne précède! — qui reprend souvent, à un autre niveau, les éléments de la première. La nécessité ou l'utilité d'une lecture « supérieure » ne se discutent pas. Celle-ci va de soi.

La mise en œuvre chez Jérôme   Ici apparaît l'une des originalités, non pas de la méthode de Jérôme — qui, dans ses grandes lignes, est banale —, mais de la manière de Jérôme. Elle n'est que la conséquence de sa volonté de présenter et commenter une *double* traduction[268]. Elle permet peut-être de mieux

---

Cf. *Adu. Iouinianum*, 2, 26 (*PL* 23, c. 323); *In Malachiam*, 1, 1 (*CC* 76 A, p. 904, l. 39-46)...

266. *In Sophoniam*, 2, 8-11 (*CC* 76 A, p. 686, l. 365-374); *In Isaiam*, 7, 21, 11-12 (*CC* 73, p. 295, l. 53-55); *In Ezechielem*, 2, 7, 13a (*CC* 75, p. 78, l. 803-805); *In Isaiam*, 16, 58, 13 (*CC* 73 A, p. 675, l. 23-24); 14 (p. 676, l. 25 s.).

267. Voir *infra*, p. 87. Il faut se garder de croire que ces « signaux » jalonnent constamment le cheminement de Jérôme. Mais celui-ci obéit bien à cette progression, même s'il sait varier sa démarche, se lancer dans une digression, ou prendre un raccourci !

268. S'agit-il d'une demande expresse de Paula et Eustochium ? On pourrait le croire à entendre l'*In Michaeam*, 1, 1, 16 (*CC* 76,

apprécier parfois l'apport personnel du Latin. En effet,
si l'Écriture a un double sens, on pourrait se demander
si cette double lecture doit, en cas de désaccord entre
l'hébreu et la Septante, s'appliquer à l'hébreu seul ou
aux deux textes, hébreu et grec. A son habitude, Jérôme
n'a guère envisagé le problème dans l'abstrait. Dans la
pratique, il a plusieurs fois, là où les deux textes se dis-
tinguaient, proposé *deux* explications — littérale et
spirituelle — pour *chacun* des deux textes hébreu et grec[269].

p. 437, l. 517-520) : « Nobis autem, quia sic uoluistis et semel suscepimus, incumbit necessitas ita interpretari scripturas quomodo leguntur
in Ecclesia (= LXX) et nihilominus hebraicam non omittere ueritatem ». Il lui arrive de le regretter : In Nahum, 1, 14-15 (CC 76 A,
p. 539, l. 445-446) : « aduersus conscientiam meam cogor uulgatae
editionis (= LXX) consequentiam texere » et il déclare dans ce
Commentaire qu'il veut éviter la critique d'un censeur (Ibid., 3, 8-
12 = p. 564, l. 346-349). Voir de même un peu plus tard : In Isaiam,
7, 21, 4-5 (CC 73, p. 291, l. 50-53) ; 10, 30, 30-33 (p. 399, l. 21-25).
On trouve aussi assez souvent des remarques du genre suivant :
« Debemus et iuxta Septuaginta dicere, ne eos frustra proposuisse
uideamur » (In Amos, 1, 1, 4-5 = CC 76, p. 220, l. 261-262 ; cf. 3,
6, 12-15 = p. 311, l. 418-422).
269. Prenons l'In Nahum, qui est l'un des cinq premiers Commentaires des prophètes. Le Commentaire commence sans mention des
traductions et plusieurs fois l'« interprétation spirituelle » précède
l'histoire. En 1, 9 (fin) apparaît l'hébreu, et Jérôme dira en 1, 11 qu'il
veut suivre la tradition des Hébreux et expliquer, ainsi, « l'histoire »
(CC 76 A, p. 536, l. 332-335). On découvre bientôt que l'hébreu
contient l'histoire, tandis que la Septante se rapporte à la tropologie
(1, 15 = p. 540, l. 467 ; 2, 3-7 = p. 345, l. 151 s. ; 2, 10 = p. 550,
l. 300). — Il ne faut cependant pas ériger cette remarque en loi.
(Voir, par ex., In Isaiam, 7, 21, 4-5 = CC 73, p. 292, l. 23 s.) — Jérôme
avoue qu'il lui est parfois difficile de mener de front ces deux explications (1, 14 = p. 539, l. 442-446 ; 2, 1-2 = p. 541, l. 6-19), et laisse
à son lecteur le soin de choisir entre les deux explications. Plus loin,
il reconnaîtra qu'il a décidé de donner l'explication de la Septante
pour échapper aux critiques d'un censeur, dont nous ne connaissons
malheureusement pas le nom (3, 8-12 = p. 564, l. 346-349). Mais
voici que, pour la dernière péricope, après avoir exposé l'historiae
ordo, il déclare : « Debemus autem et iuxta hebraicum, antequam

Mais, de façon beaucoup plus fréquente, il se contente d'une seule explication spirituelle[270]. J'y vois une raison, qui n'est pas la seule volonté, parfois déclarée, de ne pas allonger son commentaire : ses prédécesseurs n'ont le plus souvent, en latin ou en grec, commenté que la seule *Septante*[271]. Puisque la tâche d'un exégète ancien consiste avant tout à éclairer l'Écriture à la lumière de ses prédécesseurs, il était moins aisé d'avancer pour l'explication spirituelle de l'hébreu — lorsque celui-ci était différent du grec — une opinion qui ne l'engageât point ou qu'il n'eût qu'à puiser chez ses devanciers. Heureusement

editionem Septuaginta disseramus — in illis enim longe alius et diuersus est sensus — paululum ab historia in sublime conscendere... » (3, 18-19 = p. 575, l. 732-735). La Septante recevra ensuite une explication mi-historique, mi-tropologique, comme cela avait déjà été le cas pour les péricopes précédentes. Cet *In Nahum* fournit un bon échantillon de la « navigation à vue », somme toute capricieuse, de l'exégète. Sur l'interprétation spirituelle de cet *In Nahum* et son origine probable, v. Y.-M. DUVAL, « La cure et la guérison... ».

270. V.g. *In Nahum*, 1, 14-15 (*CC* 76 A, p. 539, l. 415-416 ; 425 s. ; 442-446) ; *In Osee*, 3, 11, 3-4 (*CC* 76, p. 122, l. 100-102 ; p. 123, l. 141-145). De même *In Amos*, 2, 4, 4-6 (*CC* 76, p. 261, l. 183-186). Cet *In Amos*, le dernier des Commentaires sur les petits prophètes, suit cette « règle » de façon à peu près constante. Elle n'est pourtant formulée explicitement — mais en passant — que deux autres fois : *In Amos*, 2, 6, 1 (p. 298, l. 18) ; 3, 6, 2-6 (p. 302, l. 119-121). Elle ne disparaît pas dans les grands prophètes. V.g. *In Isaiam*, 4, 10, 5-11 (*CC* 73, p. 136, l. 70-71) ; 7, 23, 1-3 (p. 307, l. 4) ; 9, 28, 5-8 (p. 357, l. 35-37) ; 9, 30, 15-17 (p. 389, l. 32) ; etc. On trouve parfois des déclarations, surprenantes au premier abord, mais en fait très facilement explicables, lorsque le texte *grec* est plus long que le texte *hébreu :* v.g. *In Amos*, 3, 6, 7-11 (*CC* 76, p. 306, l. 249-251).

271. V.g. *In Zachariam*, 2, 6, 9-15 (*CC* 76 A, p. 798, l. 235-236) : « Nobis ... incumbit necessitas iuxta LXX interpretes dicere *quae nostri dixere maiores* » (= Didyme). C'est ce qui apparaît dans la demande de Paula à son maître : « ... ut docerem quod didiceram, non a memetipso, id est a praesumptionis pessimo praeceptore, sed *ab inlustribus Ecclesiae uiris* » (*Ep.* 108, 26 = *CUF* 5, p. 195, l. 6-8). Sur ces *uiri ecclesiastici*, voir *infra*, p. 323, n. 17 ; 329, n. 34.

pour lui, les différences ne sont pas toujours si importantes qu'il ne puisse se contenter d'*une* explication spirituelle générale, *iuxta utramque editionem*[272], quitte à ajouter quelques précisions à partir des expressions distinctes de l'une ou de l'autre.

Cette liberté prise avec ses propres principes préfigure les libertés que Jérôme affiche parfois vis-à-vis de l'interprétation spirituelle dans ses rapports avec l'interprétation littérale. Nous avons déjà fait état de la nécessité, proclamée par Jérôme, d'une « base » historique solide[273]. Les affirmations concernant l'« adaptation », la « correspondance » entre l'interprétation spirituelle et l'interprétation littérale ne sont pas moins fréquentes. D'où les attaques contre les interprétations forcées, contre ceux qui ne tiennent pas compte de l'*historiae ordo*, du contexte, de la *consequentia* d'un discours ou d'une prophétie[274]. Jérôme lui-même avoue parfois la difficulté[275] qu'il a d'étendre à un ensemble l'interprétation qui a été proposée par un apôtre pour une brève affirmation d'un prophète ou du psalmiste[276]. L'aveu de ces difficultés atteste par lui-même la tâche que Jérôme s'impose en tentant cette interprétation conséquente. Or, à côté de ces tentatives, plus ou moins risquées parfois, de l'avis même de Jérôme, on rencontre des déclarations apparemment très dégagées sur la liberté

272. *In Ionam*, 2, 6b (l. 247 s.). Cf. *In Nahum*, 1, 2 (*CC* 76 A, p. 527, l. 28-29) ; *In Michaeam*, 1, 4, 1-7 (*CC* 76, p. 470, l. 144-145) ; 2, 7, 14-17 (p. 522, l. 650-653) ; *In Isaiam*, 10, 30, 27-29 (*CC* 73, p. 398, l. 52 s.) ; *In Ezechielem*, 8, 26, 7-14 (*CC* 75, p. 349, l. 475 s.).

273. Voir *supra*, p. 55.

274. V.g. *In Isaiam*, 5, 13, 19-20 (*CC* 73, p. 165, l. 8-11) ; 5, 17, 7-8 (p. 186, l. 5-9) ; 5, 17, 12-14 (p. 187, l. 20-22). Pour le Nouveau Testament : *In Matthaeum*, 2, 11, 16-19 (*CC* 77, p. 82, l. 151-152 = *SC* 242, p. 224, l. 246 s.).

275. V.g. *In Nahum*, 1, 14-15 (*CC* 76 A, p. 539, l. 442-444) ; 2, 1-2 (p. 541, l. 6-9).

276. V.g. *In Ioelem*, 2, 28-32 (*CC* 76, p. 193, l. 630-635 ; p. 198, l. 799-805).

dont jouit l'interprétation spirituelle par rapport à l'interprétation littérale[277]. Parfois, la lettre apparaît même comme une série d'écueils et de récifs dont il faut se dégager pour se lancer sur la mer — libre — de l'interprétation spirituelle, déployer ses voiles au souffle de l'Esprit, ou de l'imagination[278].

Le vocabulaire Nous n'avons volontairement parlé jusqu'ici que « d'interprétation spirituelle », de la façon la plus générale. Son vocabulaire est en réalité très abondant : à côté de l'ordinaire *spiritalis intellegentia*, du *sensus spiritalis* ou, beaucoup moins fréquents, du *typicus intellectus*[279], de la *tropica intellegentia*[280], on trouve, en latin comme en grec, l'*anagoge*[281],

277. *Ep.* 74, 6 (*CUF* 4, p. 31, l. 29-31) : « Que tout cela soit dit sous le nuage de l'allégorie. Or, ta sagesse sait parfaitement que ce ne sont pas les mêmes règles qui jouent dans les ombres de la tropologie et dans la vérité de l'histoire » (trad. Labourt). Cf. *In Habacuc*, 1, 1, 6-11 (*CC* 76 A, p. 589, l. 306-314) ; *In Isaiam*, 4, 10, 5-11 (*CC* 73, p. 136, l. 70-74).

278. V.g. *In Michaeam*, 1, 1, 10-15 (*CC* 76, p. 433, l. 374-380) ; *In Osee*, 3, 10, 14-15 (*CC* 76, p. 119, l. 515-517).

279. *Ep.* 74, 2 (*CUF* 4, p. 27, l. 16-23). On trouvera *typica historia* en *In Isaiam*, 17, 62, 8-9 (*CC* 73 A, p. 718, l. 34). Le *type* est le relatif de l'*imago*, de l'*umbra*, de la *figura*, termes scripturaires, mais aussi rhétoriques.

280. *In Ephesios*, 5, 29 (*PL* 26, c. 533 D-534 A) ; cf. *In Ieremiam*, 3, 81, 11 (*CC* 74, p. 220, l. 3-4) : « explanatio tropica » ; *In Isaiam*, 7, *Prol.* (*CC* 73, p. 266, l. 1-3) : « tropologica explanatio ».

281. Par son sens même, ce mot se rattache toutes les images de *montée*, d'*élévation*. Par ex. : *In Ecclesiasten*, 3, 5 (*CC* 72, p. 275, l. 91-92) : « Si uoluerimus *ad altiora conscendere* » ; 5, 12-16 (p. 296, l. 169-170) : « Et haec secundum simplicem sensum. Ceterum ut *altius eleuemur...* » ; *In Amos*, 1, 1, 9-10 (*CC* 76, p. 225, l. 421) : « De littera debemus *ascendere* ad spiritum » ; *In Zachariam*, 2, 9, 9-10 (*CC* 76 A, p. 830, l. 238-239) : « secundum *altiorem* intellegentiam » ; *In Ezechielem*, 13, 45, 1-8 (*CC* 75, p. 673, l. 1999-2008) : « Haec dicta sunt ut simplex historiae sermo noscatur ... Ceterum si uoluerimus ... *ad altiora conscendere...* ».

l'*allegoria*, la très fréquente *tropologia*, mais aussi l'*imago*,
la *figura*, l'*umbra*, le *sensus* ou l'*intellectus mysticus*[282],
le *typus*, et, bien entendu, le *spiritus*, sans son équivalent
grec cette fois, — avec tous les adjectifs ou adverbes
dérivés. Ce vocabulaire est couplé avec des mots différents
du registre de la *lettre* ou de l'*histoire*. Il serait vain cependant de chercher des nuances trop importantes, et surtout
trop *permanentes*, entre les différents mots. Outre le
commentaire de *Jonas* 1, 3[b] qui mêle à plaisir les divers
termes, je n'en veux pour preuve que l'illustration que
permettent quelques livres de l'*In Isaiam*, en pleine
maturité exégétique. En 397, en effet, Jérôme a cédé
aux instances de l'évêque Amabilis qui lui demandait
une interprétation *historique* des Visions d'Isaïe, soit les
chapitres 13-23. Lorsque, dix ans plus tard, Jérôme
s'attaque au *Commentaire* d'Isaïe, plutôt que de reprendre
à nouveaux frais l'explication des mêmes chapitres, selon
la *double* interprétation que lui demande cette fois
Eustochium, il insère dans l'ensemble de son nouvel
ouvrage le livre dédié jadis à Amabilis, mais le fait suivre
de deux autres livres qui reprendront les mêmes chapitres

---

282. Ce mot est assez rare chez Jérôme (*In Ionam*, 4, 6, l. 161 ; *In
Malachiam*, 2, 2 = *CC* 76 A, p. 914, l. 53). On notera que, malgré
le désir de certains de rattacher l'exégèse de Jérôme à l'école
d'Antioche, le mot *theoria*, présent dans l'*In Ionam* à cause du sens
de Tharsis, pour désigner la contemplation de la nature du monde
ou de la sagesse (1, 3a, l. 102-105 ; 1, 6, l. 252-254), n'est pas utilisé
dans une acception exégétique. Voir de même *Tr. de Ps.* 67, 5 ;
86, 1 ; 107, 1 (*CC* 78, p. 41, l. 24 ; 109, l. 4 ; 201, l. 3) où il s'oppose à
la « practiké ». Le mot se trouve pourtant chez DIDYME, dans un sens
(exégétique) assez large (v.g. *In Zachariam*, 2, 224 et 226 ; mais
l'*In Zachariam*, 2, 8, 1-3 = *CC* 76 A, p. 807, l. 40 s., de Jérôme ne
le retient pas à ce moment). Lorsque Jérôme l'emploie *une unique
fois* dans l'*Ep.* 121, 12, dans une page qui dépend d'Origène (voir
n. 286), le mot n'a pas une valeur *technique précise*. Il s'agit de
l'*intelligentia spiritalis*, comme parfois chez Didyme, même si celle-ci
vise les réalités célestes.

du point de vue spirituel. C'est ce que Jérôme explique lui-même dans les différentes Préfaces de ces livres IV-VIII. Rien ne montre mieux la synonymie *générale* de tous les termes cités ci-dessus que la manière dont ils se remplacent l'un l'autre d'une Préface à l'autre :

In Isaiam V, *Prol.* (*CC* 73, p. 159, l. 10-14) : «...Vnde quintus in Esaiam liber erit hic qui quondam solus editus est, quo ad calcem usque perfecto, sexti uoluminis *iuxta tropologiam* arripiemus exordium et eadem, te Dominum deprecante, *spiritalis intellegentiae culmina* persequemur. »

(Ad Amabilem) (p. 160, l. 35-40) : « breuiter annotabo quae didici, *fundamenta iaciens scripturarum*. Ceterum, si aut tu uolueris aut spatium fuerit et uoluntati nostrae Christus annuerit, *spiritale supra struendum est aedificium*, ut *imposito culmine* perfecta Ecclesiae ornamenta monstremus. »

In Isaiam VI, *Prol.* (p. 223, l. 1-8) : « Quod in praecedenti uolumine pollicitus sum ut supra *fundamentum historiae* (...) *spiritale struerem aedificium* et imposito *culmine* perfectae ecclesiae ornamenta monstrarem, hoc in sequentibus duobus libris, o uirgo Eustochium, orationibus tuis et Domini misericordia, facere conabor, ut eodem labore quo quintus *historiam* comprehendit, sextus et septimus perstringat *anagogen*... »

In Isaiam VII, *Prol.* (p. 266, l. 1-3) : « Septimus liber idem *iuxta anagogen* secundus est, immo extremus. In hoc enim decem uisionum *tropologica explanatio* terminatur[283]... »

---

283. Il précise un peu plus loin : « Quia ergo iuxta historiam et id quod in hebraeo continetur in quinto libro exposui, nunc quid mihi iuxta anagogen uideatur edisseram » (*In Isaiam*, 7, 18, 1-3 = *CC* 73, p. 274, l. 26-27).

In Isaiam VIII, *Prol.* (p. 315, 1. 1-5) : « Sextus et septimus superiores libri *allegoriam* quinti uoluminis continent, quod olim *historica explanatione* dictaui. Praesens opus, id est octauus liber, ad coeptam interpretationem reuertitur ut et *historiam* et *tropologiam* iuxta utramque editionem pariter disserat. »

Si les expressions désignant la *lettre* ou l'*histoire* sont ici peu nombreuses et jouent en particulier avec la métaphore de la construction, on constate que, d'une Préface à l'autre, la *spiritalis intellegentia* est, tour à tour, *tropologia, anagoge, tropologica explanatio, allegoria* et, pour fermer la boucle, la *tropologia* chère à Jérôme. Je ne crois pas que le procédé soit intentionnel. Peut-être relève-t-il de la *uariatio* et de la *copia uerborum* en honneur chez les écrivains latins.

Cette indétermination comporte de nombreux inconvénients. Elle ne laisse pas apparaître que *tropologia* et plus encore *allegoria* peuvent avoir un sens dépréciatif, ce qui n'est pas le cas de *spiritus* — l'antithèse souvent agressive de la *littera* ou de la *caro* —, ni même d'*anagoge*. Elle ne permet pas non plus de discerner immédiatement à quelle réalité supérieure on a affaire, malgré quelques affirmations apparemment péremptoires. La plus nette s'appuie sur le texte de *Proverbes* 22, 20-21[284], cher à Origène, qui en a fait l'une des bases de sa théorie exégétique[285] et se trouve

---

284. *Prov.* 22, 20-21 (selon la Septante) : « Écris ces choses d'une *triple* façon, avec prudence et science, pour donner une réponse vraie à ceux qui te posent des questions. »

285. *Prov.* 22, 20-21 figure dans la section exégétique du *Peri Archôn*, 4, 2, 4 (11) (éd. Köstschau, *GCS*, p. 312 = *SC* 268, p. 310, 1. 104-115). On le trouve dans diverses homélies (*In Leuiticum h.* 10, 2 ; *In Numeros h.* 9, 7 ; *In Iosue h.* 21, 2), au milieu de considérations générales sur l'Écriture et en introduction à la solution d'un « problème » du sens littéral. Ce texte ne semble pas apparaître dans un tel contexte avant Origène.

dans la *Lettre* 120, 12 à Hédybia[286]. Mais elle apparaît
déjà en deux passages de l'*In Amos*[287], de peu antérieur[288],
et on la retrouve quelques années plus tard dans plusieurs
livres de l'*In Ezechielem*[289]. A entendre ces divers textes,
les sens scripturaires se superposent, depuis la *lettre* ou
l'*histoire*, jusqu'à l'*intelligence spirituelle* ou *mystique* ou
sacrée, en passant par la *tropologie* ou l'*allégorie*, dans
une hiérarchie qui est celle des trois parties de l'homme
selon le texte de *I Thess.* 5, 23 qu'il commente : corps,
âme, esprit. Mais si on regarde attentivement ces divers
textes, on s'aperçoit que chaque « étage » ne concerne

286. *Ep.* 120, 12 (*CUF* 6, p. 161, l. 30 — p. 162, l. 16) : « Praecipitur
nobis Salomone dicente : ' Tu autem describe ea tripliciter in consilio
et scientia, ut respondeas uerba ueritatis his qui proponunt tibi '.
Triplex in corde nostro descriptio et regula scripturarum est. Prima
ut intellegamus eas iuxta HISTORIAM, secunda secundum TROPOLO-
GIAM, tertia iuxta INTELLECTVM SPIRITALEM. In HISTORIA, eorum
quae *scripta* sunt ordo seruatur. In TROPOLOGIA, de *littera ad maiora*
consurgimus et quicquid in priori populo *carnaliter* factum est,
iuxta *moralem* interpretamur locum et ad *animae* nostrae emolumenta
conuertimus. In SPIRITALI θεωρίᾳ, ad sublimiora transimus, terrena
dimittimus, *de futurorum beatitudine* et *caelestibus* disputamus, ut
praesentis uitae meditatio umbra sit futurae beatitudinis. Quos
tales Christus inuenerit ut et *corpore* et *anima* et *spiritu* integri
conseruentur (cf. *I Thess.* 5, 23) et perfecta habeant *triplicis* in se
scientiae ueritatem, hos sua pace sanctificabit et faciet esse perfectos. »
On notera cet emploi, unique, de θεωρία dans un contexte exégétique
(cf. *supra*, n. 282).

287. *In Amos*, 1, 1, 9-10 (*CC* 76, p. 225, l. 421-423) ; 2, 4, 4-6
(p. 261, l. 196-199).

288. La *lettre* 120 est, comme CAVALLERA l'a établi (*Saint Jérôme*,
II, p. 52), postérieure à l'*Ep.* 121, qui cite elle-même (*Ep.* 121, 10)
l'*In Amos*, daté de la fin 406. L'*In Ezechielem* s'étend entre 409-410
et 413-4. Sur ces textes voir maintenant P. JAY, « Saint Jérôme et
le triple sens de l'Écriture », *REAug* 26, 1980, p. 214-227.

289. *In Ezechielem*, 5, 16, 30-31 (*CC* 75, p. 194-195) ; 12, 41, 13-22
(p. 599, l. 1499-1504). Jérôme y utilise à nouveau la trichotomie
paulinienne, corps, âme, esprit (*I Thess.* 5, 23), base de l'anthropologie
d'Origène.

pas exactement les mêmes réalités, là du moins où nous
découvrons une triple « couche ». Car, — et ce n'est pas la
moindre surprise de ces textes — on constate que deux
d'entre eux annoncent trois degrés et n'en développent
en réalité que deux[290]. D'autre part, aucun ne fait à
proprement parler de place, ni à la prophétie, ni à la typologie qui peut se situer aussi bien dans la *tropologie* de la
Lettre à Hedybia qui s'intéresse à la vie d'Israël, que dans
le sens mystique de l'*In Ezechielem* V, d'après l'exemple
d'*Éphésiens* 5, 32 sur lequel nous aurons à revenir[291]
ou ceux qu'Origène donne de manière analogue dans la
page qui sous-tend le développement de Jérôme[292]. En
vérité, pas plus chez Jérôme que chez Origène, il n'est
une définition parfaite et complète des sens de l'Écriture.
De plus, il est relativement rare que soit envisagé de façon
continue, et quasi mécanique, *chacun* des sens ou *chacune*
des réalités entrevues. S'il fallait présenter une solution
simple ou la solution la plus fréquemment utilisée par
Jérôme, il vaudrait mieux dire qu'il y a chez Jérôme
deux sens, la *lettre* et l'*esprit*, mais que tous deux, et en
particulier le second, peuvent tour à tour recouvrir des
réalités bien diverses[293].

290. On notera également que, dans l'*In Amos* et dans l'*In
Ezechielem*, la *littera* concerne l'*éthique*, tandis que celle-ci est du
domaine de la tropologie dans l'*Épitre* 120. De fait, la *lettre* peut
contenir des développements moraux et être par là-même « utile »
au lecteur (V. *supra*, p. 54) ; mais c'est surtout par l'application
figurée à l'âme que l'Écriture aide au progrès de l'âme dans la
tropologie.

291. Voir *infra*, p. 103 ; 348, n. 17.

292. L'exemple de *I Cor.* 9, 9 est donné par le *Peri Archôn*, 4,
2, 6 (13) (Kötschau, p. 315 = *SC* 268, p. 318, l. 165 s.).

293. On pourrait parler également de « couches », en s'appuyant
sur le texte, unique à ma connaissance, de l'*In Isaiam adbreuiatio*, 1, 1
(*CC* 73 A, p. 304, l. 27-33) où, après l'*historia*, il est question de la
prima intellegentia tropologiae, concernant l'Église, et de la *secunda*,
concernant l'âme. La doctrine est courante (v. *infra*, p. 97 s. et n. 313),

La prophétie Pour le sens littéral, en dehors du style figuré mentionné plus haut, le problème se pose essentiellement dans le cas de la « prophétie[294] ». Quelle époque visent en effet les propos du prophète ? Le présent ? un futur proche ou un avenir plus ou moins éloigné[295] ? Prenons l'exemple du cha-

mais l'expression, caractéristique et rare. On rapprochera d'Origène (*In Ieremiam h.* 7, 3 = *SC* 232, p. 348, l. 36 : « ταύτα κατὰ μίαν τροπολογίαν... » — ce qui suppose qu'il en imagine plusieurs).

294. Il faut se souvenir des différences fondamentales que Jérôme établit entre la prophétie et l'histoire, comme entre la poésie et l'histoire (v. *supra*, n. 175) : prophétie et poésie, par exemple, ne respectent pas l'ordre des événements *(historiae ordo)*. Cf. *In Amos*, 1, 2, 9-11 *(CC* 76, p. 237, l. 277-279) ; *In Isaiam*, 5, 16, 1 *(CC* 73, p. 179, l. 2-6) ; 18, *prol.* (p. 742, l. 79-84) ; *In Ezechielem*, 9, 30, 20-26 *(CC* 75, p. 431, l. 1440 — p. 432, l. 1463) ; *In Ieremiam*, 4, 20, 3 *(CC* 74, p. 248, l. 11-16) ; 5, 3, 2 (p. 300, l. 6-11) ; 5, 36, 2 (p. 321, l. 8-10)... D'où les changements de « personne » dans la prophétie comme dans la poésie (v. p. 66 et n. 186).

295. Voici la raison avancée par Jérôme pour ne pas écarter le présent des préoccupations des prophètes : « Prophetae sic multa post saecula de aduentu Christi et uocatione gentium pollicentur ut praesens tempus non neglegant, ne concionem ad aliud conuocatam non docere de his quae stant sed de incertis et futuris ludere uideantur » (*In Osee*, 1, 1, 3-4 = *CC* 76, p. 10, l. 148-152. Voir dans le même sens, un peu plus tard, *In Isaiam*, 11, 37, 30-32 = *CC* 73, p. 440, l. 12-16). Un autre texte de la même année 406 précise les raisons psychologiques : *In Amos*, 3, 7, 1-3 *(CC* 76, p. 313, l. 12-18). Jérôme a cependant tendance à reculer l'échéance des prophéties au premier ou au second avènement du Christ. L'*In Malachiam*, 1, 11-13 *(CC* 76 A, p. 912, l. 350-1) constate le fait, mais après avoir évoqué une règle d'interprétation de l'Écriture (p. 911, l. 335-6) : lorsqu'une prophétie tout à fait claire dans sa lettre vise l'époque du Christ où elle s'est réalisée, il ne faut pas lui chercher d'application figurée qui, en définitive, l'affaiblisse. Ce principe est rappelé plusieurs fois la même année dans l'*In Zachariam* (v.g. 3, 13, 7-9 = *CC* 76 A, p. 875, l. 156-161), mais il n'est pas une découverte récente de Jérôme. Dès 393, l'*In Sophoniam*, par ex., qui a tendance à entendre de la fin du monde les paroles du prophète, introduit bientôt l'opinion de *certains* pour lesquels le « Jour du Seigneur » (1, 7) est celui de la première venue du Christ *(CC* 76 A, p. 663-664) ; ce qui entraîne,

pitre 22 d'Isaïe qui concerne, selon les Hébreux, l'assaut de Jérusalem par Sennacherib, selon Jérôme, la prise de Jérusalem par Nabuchodonosor, et selon Eusèbe de Césarée, nommé plus d'une fois, la prise de Jérusalem par Titus[296]. Le chapitre recevra d'un bout à l'autre une *triplex expositio*[297], dont seule la dernière sera dite *tropologique*[298], *allégorique*[299] ou *anagogique*[300]. Cet ensemble figure dans l'*In Isaiam* V, dédié, « selon la lettre », à Amabilis. Lorsqu'il explique ce même chapitre « selon l'interprétation spirituelle », Jérôme voit tout normalement dans Jérusalem l'Église et dans ceux qui l'assaillent les hérétiques[301]. C'est là, de fait, l'une des identifications

pendant quelque temps, une quadruple interprétation : captivité à Babylone, captivité romaine (ou époque du Christ et de son Église), jugement dernier général, jugement personnel de l'âme. En 396, l'*In Abdiam* suppose lui aussi cette règle : « Et dum tropologiam sequimur, perdimus manifestam prophetiam » (1 = *CC* 76, p. 353, l. 57-58). Pour *Zacharie*, on trouve, avant Jérôme, des remarques sur les diverses échéances de la prophétie chez DIDYME (Comparer *Sur Zacharie*, 3, 38-45 = *SC* 84, p. 634-638 et *In Zachariam*, 2, 8, 20-22 = *CC* 76 A, p. 821-822).

296. *In Isaiam*, 5, 22, 2 (*CC* 73, p. 210, l. 2-12).

297. *Ibid.* (l. 12-13) ; 5, 22, 5 (p. 211, l. 3).

298. *Ibid.*, 5, 22, 3 (p. 211, l. 9).

299. *Ibid.*, 5, 22, 6 (p. 212, l. 11) ; 12-14 (p. 213, l. 18 s.).

300. *Ibid.*, 5, 22, 15-25 (p. 215, l. 84 s.).

301. *In Isaiam*, 7, 22, 1 (*CC* 73, p. 298, l. 11-15). Au début du livre 9, Jérôme annonce une autre tripartition : histoire/tropologie-allégorie/prophétie (*In Isaiam*, 9, 28, 1-4 = p. 354, l. 21-22 ; p. 355, l. 47-48 ; p. 356, l. 63). Mais il ne s'y tient guère au-delà de la péricope suivante (5-8 = p. 357, l. 35-36 ; p. 358, l. 64)... On peut prendre un autre exemple dans le début de l'*In Osee*, où deux interprétations sont tout d'abord présentées : l'annonce de la destruction d'Israël par les Chaldéens (1), l'annonce de l'abandon d'Israël après la mort du Christ (2) (1, 1-4). En 1, 5 (*CC* 76, p. 12, l. 238-245) Jérôme fait la remarque suivante : chez tous les prophètes, mais principalement chez Osée, les dix tribus représentent les hérétiques, par rapport à Juda, qui représente l'Église. Les interprétations 1-2 apparaissent bloquées dans les deux péricopes suivantes, suivies de la troisième

les plus courantes. On la trouve, par exemple, dès le début
de l'*In Michaeam* où tout ce qui est dit de la ruine de
Samarie ou même de la Jérusalem pécheresse est entendu
des hérétiques à l'extérieur ou à l'intérieur même de
l'Église[302] ; mais soudain, le plan *historique* se dédouble[303],
puisque la captivité d'Israël peut s'entendre aussi bien
de la destruction par les Romains, que de la prise de la
Palestine par les Assyriens et les Chaldéens[304], tandis
qu'apparaît une nouvelle interprétation qui voit dans

(1, 6-7 ; 8-9 = p. 14, 1. 281-285 ; 1. 299-302). La péricope suivante,
peut-être à cause de sa place dans l'*Épître aux Romains*, ne distingue
pas les interprétations 1 et 2, mais Jérôme termine en disant :
« Interpretationis *tertiae* quam suscepimus, Israel in haereticis,
Iuda in Ecclesiae hominibus exponendis, hic sensus est... » (1, 10-
11 = p. 17, 1. 389-391). La suite n'est pas moins remarquable, car,
si les trois interprétations apparaissent un certain nombre de fois,
avec souvent des insérendes des plus discrètes (2, 1 = p. 17, 1. 4,
11, 16 ; 2, 3 = p. 19, 1. 64, 67, 71 ; 4-5 = p. 19, 1. 84, 91, 102), Jérôme
déclare à la fin de 2, 2 (p. 18, 1. 53-57) : « Ne semper *triplici explanatione* tendamus uolumina, hoc raro admonuisse sufficiat quae dicta
sunt (1) conuenire et Iudaeis negantibus Christum (2) et haereticis
fidem Domini relinquentibus (3)... » Cela n'empêche pas Jérôme
de mentionner immédiatement ensuite les trois interprétations,
mais cela explique aussi que tantôt 1-2, tantôt 2-3 sont bloquées,
ou que 1 est seule fournie. On notera encore que l'*intelligentia
spiritalis*, le *typus*, la *tropologia* concernent, tantôt l'interprétation 2,
tantôt l'interprétation 3 (1, 2, 6-7 = p. 21, 1. 141 ; 10-12 = p. 23,
1. 236). Puis l'interprétation 3 disparaît, avant de resurgir au
chapitre 4 (p. 41 s., 1. 126, 160, 214, 235, 318, 390, 435, etc.). L'*In
Osee* est cependant l'un des Commentaires où elle apparaît avec le
plus de régularité, même si, parfois, « iuxta spiritalem intellegentiam,
laborandum est quomodo omnia haereticis coaptemus » (8, 10, 5-6 =
p. 11, 1. 196 s.) !

302. *In Michaeam*, 1, 1, 1 (*CC* 76, p. 422, 1. 14-16) ; 1, 6-9 (p. 428,
1. 205 s.) ; 1, 10-15 (p. 433, 1. 378 s. ; p. 436, 1. 489-492)...

303. *Ibid.*, 1, 2, 9-10 (p. 447, 1. 295-297).

304. *Ibid.*, 1, 1, 16 (p. 437, 1. 520 s. et p. 438, 1. 532 s.) ; 1, 2, 1-5
(p. 439, 1. 31 s. et p. 440, 1. 74 s.).

l'histoire d'Israël et de sa captivité celle de l'*âme*[305].
Nous sommes en 393. La saveur fortement origéniste
de cette identification appelle quelques réserves, mais
n'empêche pas Jérôme de la développer de façon plus ou
moins continue pendant un certain nombre de pages.
Cette application à l'âme peut d'ailleurs être débarrassée
de toute connotation origéniste ou platonicienne, concerner
sa vie morale sur terre plus que sa nature et son destin.
C'est ce qui arrive le plus souvent : ce qui s'applique
à l'Église pouvant s'appliquer à l'âme, ce qui vaut pour
le groupe valant pour l'individu[306]. Et inversement.
Dans notre *In Michaeam* la « troisième » interprétation
concernant l'âme est bientôt complétée, de fait, par une
« quatrième » qui concerne l'Église[307].

La richesse du texte — ou de la réalité — n'est cependant
pas épuisée encore. Il a été peu question ci-dessus du Christ.
Celui-ci est pourtant le « but » de la prophétie. En continuant à nous servir des mêmes pages de l'*In Michaeam*,
nous pouvons le découvrir aussi bien en tant que Verbe
que dans sa condition charnelle[308], le voir apparaître aussi
bien dans son second avènement lors de la fin du monde[309]
que dans le premier. Mais la même chose vaut pour
d'autres prophètes. Dès sa Préface, l'*In Nahum* annonce
que, selon l'*anagoge*, toute la prophétie de Nahum concerne
la fin du monde[310], ligne de développement qui sera

305. Cette interprétation est d'abord simplement rapportée
comme venant d'une lecture (*In Michaeam*, 1, 1, 16 = *CC* 76,
p. 438, 1. 540-550). Elle est ensuite développée avec de menues
remarques qui laissent entendre que Jérôme ne la prend pas entièrement à son compte (1, 2, 1-5 = p. 441, 1. 93 s.).

306. V.g., dans ce même *In Michaeam* : 1, 1, 10-15 = *CC* 76,
p. 435, 1. 461 s. ; 1, 2, 6-8 = p. 445, 1. 235 s.

307. *In Michaeam*, 1, 2, 1-5 (*CC* 76 p. 442, 1. 125-136).

308. *Ibid.*, 1, 1, 3-5 (p. 425, 1. 105-108).

309. *Ibid.*, 1, 1, 11-13 (p. 452, 1. 426-429 ; 1. 446-450).

310. *In Nahum, Prol.* (*CC* 76 A, p. 526, 1. 37-39).

de fait suivie... en pointillé au cours du Commentaire[311].

**Du pointillé...
au fil continu**

Il suffit, le plus souvent, de réunir ces pointillés pour retrouver le fil de deux, mais aussi parfois de trois ou quatre lignes de développement, celles-ci pouvant d'ailleurs s'entremêler, s'emmêler, ou disparaître en cours de route[312]. A côté de l'histoire d'*Israël* dans ses différentes étapes, dans ses rapports avec ses divers voisins ou ennemis, nous découvrirons l'histoire du *Christ*, selon sa double nature, présent en Israël dans ses justes et ses prophètes, désiré ou rejeté par le peuple, en attendant de revenir en vainqueur; l'histoire de l'*Église* dirigée par les Apôtres, en butte aux attaques et persécutions des païens et des hérétiques, humiliée bien souvent mais sûre de sa victoire; l'histoire de *chaque homme*, de chaque chrétien surtout, dans sa foi, ses chutes, sa patience, etc. Il faudrait y ajouter encore — mais il ne peut être question d'être complet — l'entourage des anges et des démons qui tiennent, on s'en doute, une grande place. La question est plutôt de savoir pourquoi ces « pointillés » sont parfois si espacés ou si peu visibles dans le discours de Jérôme qu'on en perd bien souvent

311. *Ibid.*, 1, 2 (p. 527, l. 3 s.) ; 1, 3 (p. 529, l. 65 s.) ; 1, 4 (p. 529, l. 87 s. ; p. 530, l. 119 s.) ; 1, 5 (p. 531, l. 137 s.) ; 1, 7 (p. 532, l. 200 s.) ; 1, 8 (p. 533, l. 224 s.) ; 1, 9 (p. 534, l. 247 s.) ; 1, 15 (p. 541, l. 491 s.) ; 2, 3-7 (p. 546, l. 165 s.) ; 2, 8-9 (p. 547, l. 225 s.) ; 2, 11-12 (p. 552, l. 365 s.) ; 2, 13 (p. 554, l. 431 s.) ; 3, 1-4 (p. 555, l. 50 s.) ; 3, 5-6 (p. 559, l. 170 s.) ; 3, 7 (p. 560, l. 215 s.) ; 3, 8-12 (p. 565, l. 364 s.) ; 3, 13-17 (p. 568, l. 474 s.) ; 3, 18-19 (p. 575, l. 732 s. ; p. 576, l. 764 s.) ; Pour un essai de « réunion » de ces pointillés, v. Y.-M. DUVAL, « La cure et la guérison... »
312. *In Ecclesiasten*, 5, 7-8 (*CC* 72, p. 293, l. 92-95). En réalité, la méthode même du Commentaire antique entraîne cette juxtaposition. Jérôme y pallie en déclarant assez souvent : « *Coeptam* interpretationem sequamur », ou en reprenant de plus haut. Voir, par ex., *In Ionam*, 2,8b et 2, 10 et p. 387, n. 1 ; 388, n. 1.

ce fil du développement. On peut invoquer plusieurs
causes qui s'ajoutent au morcellement ordinaire de l'exégèse
antique. Nous avons établi l'essentiel de ce bref exposé
sur l'exégèse de Jérôme sur les affirmations *explicites*
de Jérôme, réflexions semées au cours de ses *Commentaires*,
transitions appuyées servant en même temps de repères
au lecteur. Elles ne forment cependant qu'une toute
petite partie de l'œuvre. Il n'est pas improbable que
Jérôme ait facilité la lecture par des alinéas qui ont disparu
dans la transmission des textes et que les éditeurs modernes
n'ont malheureusement pas cherché à restaurer ou au moins
à faire apparaître. Il est probable également — l'un
n'empêche pas l'autre — que le travail très rapide de
Jérôme soit en partie responsable de ce désordre. Mais
il est des causes plus profondes, qui tiennent souvent
aux modèles de Jérôme. Celui-ci filtre en effet ses sources
et il écarte souvent tel ou tel développement partiel
— tel trait ou partie du « pointillé » — quitte à en reprendre
la suite plus loin. Parfois aussi il « s'efforce », comme il dit,
de poursuivre une interprétation, malgré ses difficultés
ou ses subtilités. On peut s'en rendre compte au nombre
des remarques et des apologies qui ponctuent les pages
de l'*In Michaeam* qui ont été prises ici en exemple[313].
On notera dans le même sens la prudence des formules
qui introduisent souvent une interprétation : « on *peut*
comprendre », « on *peut* entendre », etc.[314]

---

313. Voir *supra*, p. 96, n. 305. Sur l'application à l'âme et la
remarque générale qui suit sa conclusion : « Si quis autem in lege
Domini die ac nocte meditatus (...) potest de praesenti capitulo
probabilius aliquid dicere, non inuideo... » (*In Michaeam*, 1, 2, 1-5 =
CC 76, p. 442, l. 136-143).

314. Il existe, dans l'*In Ionam*, toute une série de nuances entre
les affirmations simples — les plus nombreuses —, les obligations
(*accipere debemus* : 1, 7, l. 285 ; 2, 6, l. 229 ; *nulli dubium est* : 2, 4,
l. 148 ; 2, 7, l. 245) ; les possibilités plus (*melius referri potest* : 2, 3,
l. 105 ; *non difficilis interpretatio* : 2, 4, l. 113 s.) ou moins faciles

L'extension du type L'*In Ionam* nous donnera l'occasion de vérifier ces remarques, qui valent en réalité pour tous les Commentaires. A deux reprises, d'autre part, il pose le problème de l'*extension* de la valeur typologique d'un événement ou d'un personnage[315]. Peut être *type*, en effet, tout fait, toute réalité, tout

---

(*hoc quoque possumus dicere* : 1, 3, l. 76 s. ; De Domino ... *possumus dicere* : 1, 3, l. 86 ; *potest* fuga prophetae : 1, 4, l. 185 ; *sed et hoc dici potest* : 1, 5, l. 223 ; *uidetur mihi posse intellegi* : 2, 7, l. 248 ; *potest hoc ... prophetari* : 2, 9, l. 364 s.), les « questions », c'est-à-dire les apories (1, 9, l. 328 ; 2, 4, l. 148), etc. Mais toutes ces formules d'introduction ne recouvrent qu'une partie de la réalité. Celle-ci peut être rendue par d'autres moyens (interrogations, réticences, etc.). D'où la qualité littéraire, très souvent, de ces Commentaires qui ne sont pas une simple suite de notes sèches comme chez Donat ou Servius.

315. Dans le prologue (l. 10, 77) et en 1, 3b (l. 140-178). Le mot *typus* apparaît cinq fois dans l'*In Ionam* : Jonas est le type du Christ d'après deux passages du prologue qui renvoient à *Matth.* 12, 40 (l. 10 s., et l. 81-83). De ce même texte scripturaire découle pour Jérôme le fait que la prière de Jonas doit être le *type* de la prière du Christ (2, 2, l. 54). Jean-Baptiste est le *type* d'Israël quand il s'efface devant le Christ (4, 6, l. 188). Enfin, dans un sens plus large, le sommeil de Jonas peut être interprété *in typo* du sommeil de l'homme dans l'erreur (1, 5, l. 231). Ce dernier emploi de *typus* rapproche le mot de *figura* (v.g. *In Zachariam*, 1, 1, 18-21 = *CC* 76 A, p. 761, l. 436) ou de *praefiguratio* (par ex. *Ibid.*, 2, 9, 11-12 = p. 832, l. 293), voire d'*imago* (Cf. *In Galatas, Prol.* = *PL* 26, c. 310 ; *In Zachariam*, 2, 8, 7-8 = *CC* 76 A, p. 811, l. 183 : *in typis et imaginibus*) et de *similitudo* qui peuvent avoir un sens *fort* de *type*, de *figure*. Il est également à rapprocher de l'expression *iuxta typum* (relativement rare), qui peut faire jeu avec *historia* ou *littera : In Osee*, 1, 1, 6-7 (*CC* 76, p. 13, l. 276 ; p. 14, l. 282). A ces mots « techniques », au sens cependant très extensif, il faut joindre les expressions *referre ad, interpretari de, intellegere*, etc., qui sont souvent l'équivalent de *typus* ou de *figura* : par ex. *In Ionam*, 1, 3, l. 143, 150, 152, 160, 170 ; 1, 4, l. 185). Dans l'*In Ionam*, Jonas « préfigure » la résurrection du Christ (*Prol.*, l. 11) et Ninive, l'Église (4, 10-11, l. 310 s.).

personnage, mauvais[316] comme bon, mais non point toute
parole, de l'Ancien Testament ou du Nouveau Testament,
qui annonce, en le préfigurant, de façon plus ou moins
claire, plus ou moins voilée[317], un autre fait, un autre
personnage[318] ou une autre réalité de l'Ancien ou du
Nouveau Testament, jusqu'à la Parousie. S'en suit-il que
tout le détail d'un événement ou *toutes* les actions d'un
personnage auront leur correspondance dans le second
temps[319] ? En ce qui concerne les « figures » éventuelles
du Christ[320], Jérôme élimine de façon tranchée celles qui

316. Nabuchodonosor, par ex., est le « type » du diable : v.g.
In Ieremiam, 6, 5, 3 (*CC* 74, p. 371, l. 15-16 ; cf. *In Ionam*, 3, 6-9,
l. 139-149). La nuit dont Dieu menace Israël ? « *In typum* iudaicae
caecitatis dies uersus est in noctem » (*In Amos*, 2, 5, 7-9 = *CC* 76,
p. 282, l. 335-339). Longue déclaration sur l'existence de types de
l'Antichrist comme de types du Christ en *In Danielem*, 4, 11, 21
(*CC* 75 A, p. 915, l. 21-39), où Jérôme déclare ne faire que suivre
ses prédécesseurs. Mais on notera, en ce qui concerne les types du
Christ, qu'il est dit que certains personnages annoncent le Christ
dans la mesure où ce qui leur est attribué par l'Écriture les dépasse
en réalité et n'a pu les concerner eux-mêmes. Le *type* se discerne
alors au fait qu'il ne pouvait exister *réellement* au moment où il est
relaté *ou* qu'il aurait été scandaleux et donc indigne de Dieu (v. *In
Osee, Prol.* = *CC* 76, p. 4, l. 103-105).

317. D'où la difficulté de l'Ancien Testament : *Ep.* 121, *Praef.*
(*CUF* 7, p. 10, l. 10-15) ; cf. Origène, *In Ezechielem*, h. 14 (*PL* 25,
c. 785-6).

318. Le problème n'est pas exclusivement « chrétien ». Servius
le pose pour la *Bucolique* 1 et son rapport à Virgile : cf. p. 65, n. 183.

319. Ces extensions à partir d'un point sont fréquentes. V., par
ex., Tertullien, *De anima*, 43, 10 (*CC* 2, p. 847, l. 62-65) ; Grégoire
d'Elvire, *Tr.* 5, 14 (*CC* 69, p. 37, l. 123-126). On trouvera le même
principe explicitement rappelé dans notre *In Ionam*, 2, 2-3 (l. 52-55).
Ce qui n'empêche ni Tertullien, ni Jérôme, d'apporter des restrictions
à cette extension de la typologie ou de l'allégorisation, comme on
va le voir plus bas.

320. On trouvera chez A. Penna, *Principi...*, p. 135-139, une
longue liste des principaux types personnels du Christ ; chez Y. Bodin,
Saint Jérôme et l'Église, Paris 1966, p. 65-103, une étude des types

ont mené une vie de péché, tels Sédécias[321] — mais non David ou Salomon, parce que, sans doute, le Nouveau Testament ne leur est pas défavorable —, les rois impies[322] ou ceux qui ont été rejetés par Dieu, tels Jéchonias[323]. Il tient en revanche sur Samson des propos contradictoires[324]. Sa tendance générale le porterait plutôt à étendre à l'*ensemble* d'un passage la valeur prophétique ou typologique qui n'a été déterminée par le Christ ou par un apôtre que pour *un élément*[325]. L'*In Ionam*[326] marque de ce point de vue une quasi-exception, puisqu'il est seul, avec la *lettre* 73 à Evangelus sur Melchisedech, figure

de l'Église, personnels et réels, dans l'Ancien et le Nouveau Testaments.

321. *In Ezechielem*, 3, 12, 3 (*CC* 75, p. 127, l. 1186-1193), 10b-16 (p. 132, l. 1350-1353).

322. V.g. *In Osee*, 2, 5, 13 (*CC* 76, p. 61, l. 387-398) ; 3, 10, 5-6 (p. 111, l. 211-215). D'où parfois des restrictions, même pour les « types » largement admis dans les siècles précédents : v.g. Josédec (*Adu. Iouinianum*, 2, 4 = *PL* 23, c. 288-289 ; *In Zachariam*, 1, 3, 1 = *CC* 76 A, p. 771-772) ; Salomon, etc.

323. *In Ieremiam*, 4, 41, 7-8 ; 42, 2.

324. La déclaration de l'*In Philemonem*, 4 (*PL* 26, c. 609 B-C) peut paraître ambiguë. Pourtant en 393, l'*Adu. Iouinianum*, 1, 23 (*PL* 23, c. 241-242) dénie à Jovinien le droit de faire de Samson, type pourtant du Christ, un exemple à suivre dans le domaine du mariage. Mais l'*In Nahum*, 2, 11-12 (*CC* 76 A, p. 552, l. 380 s.), quelques mois plus tôt, parlait du *uerus Samson*, de même que l'*Ep.* 73, 3 (*CUF* 4, p. 21, l. 1-4) en 398, ou l'*In Osee, Prol.* (*CC* 76, p. 2, l. 47-52) en 406. C'est que cette figure de Samson était célèbre : v. Origène, *Series in Matthaeum*, 116 (*PG* 13, c. 1765 C-D) ; Chromace, *Tr. in Matthaeum*, 7, 2 (*CC* 9 A, p. 225-226)...

325. Voir quelques exemples au *Commentaire* de 1, 3b (l. 140-178 : rogandus est lector prudens).

326. *In Ionam, Prol.* (l. 66-76) et 1, 3 (l. 176-178), ce qui n'empêche pas Jérôme d'annoncer qu'il « tentera » cette extension chaque fois qu'il le pourra, ni de prétendre qu'il *doit* le faire pour la prière de Jonas dans le ventre du monstre (2, 2-3, l. 52-55). La seule vraie « difficulté » interviendra lorsque cette interprétation posera un problème trinitaire (4, 10-11, l. 265-284).

du Christ, en 398, et l'*In Osee*[327], de 406, à *limiter* cette
typologie, au moment même, dans le second cas, où
l'*In Ioelem* essaie d'appliquer à *toute* la fin du livre du
prophète la promesse de l'effusion de l'Esprit que Pierre
a montrée réalisée au début des *Actes*[328], selon *un* verset
de Joël. On constatera d'ailleurs que ce n'est pas au nom
de la morale[329], mais en réfléchissant sur le sens même du
type que Jérôme refuse d'étendre la valeur typologique
dans cet *In Osee* ou dans la *lettre* 73. C'est, avant tout,
qu'un «type» est, par essence, une *esquisse* et ne peut donc
déjà constituer la *réalité*[330]. Dans l'*In Ionam*, ce sont
plutôt les *difficultés* diverses auxquelles s'expose l'interprète
qui rebutent Jérôme[331]. Il se déclare cependant décidé
à tenter cette assimilation chaque fois qu'il le pourra.
C'est de fait ce qu'il fera — au point, nous le verrons,

327. *In Osee*, 3, 11, 1-2 (*CC* 76, p. 121, l. 70-89). Ici encore Jérôme
n'est pas constant. Sa *Préface*, utilisant *Os.* 12, 10, fait dire au
Christ : «ut *quicquid* prophetae iubentur operari ad meam referatur
similitudinem » (p. 3, l. 85-88). Les exemples donnés dans le Commentaire de *Os.* 12, 10 sont cependant restreints : Moïse, Jonas, Ézéchiel,
Isaïe, Habacuc (*In Osee*, 3, 12, 9-10 = p. 137, l. 220-235). L'*In
Ieremiam*, 2, 111, 3 (*CC* 74, p. 150, l. 2-5) déclare néanmoins : « Illam
sequamur regulam quod *omnes* prophetae in typum Domini Saluatoris
pleraque gesserint et quicquid iuxta praesens tempus completum
sit in Hieremia, hoc in futurum de Domino prophetari. » Une telle
déclaration, tardive, correspond bien cependant à la *tendance générale*
de Jérôme tout au long de sa carrière. Voir le *Tr. de Ps.* 111, 1 (*CC* 78,
p. 231).

328. *In Ioelem*, 2, 28-32 (*CC* 76, p. 193, l. 630 s.). Voir *supra*,
p. 86, n. 276.

329. Ou de l'impossibilité matérielle, comme dans la *Préface* du
même *In Osée* (*CC* 76, p. 3, l. 92 — p. 4, l. 105). « Type » devient
alors un simple geste symbolique. Voir *supra*, n. 315.

330. *Ep.* 73, 9 (*CUF* 4, p. 25-26) ; *In Osee*, 3, 11, 1-2 (*CC* 76,
p. 122, l. 87 s.). Remarque analogue et même danger sous-jacent
dans l'exégèse de *Lév.* 21, 14, qui doit s'appliquer tout d'abord
au pontife de l'Ancien Testament (*Ep.* 64, 7 = *CUF* 3, p. 124,
l. 6-8, en 397).

331. Voir *infra*, p. 331, n. 43, sur le *sudor* ou le *labor*.

d'oublier parfois l'*histoire* même du prophète[332] — et lorsque il se sentira entraîné à des subtilités dangereuses pour la foi, il en avertira son lecteur et essaiera de proposer une autre interprétation[333].

Son origine ? Cette attitude de retrait invite certes à se demander si les restrictions apportées à la typologie obéissent à des influences exégétiques provenant de ce qu'on a l'habitude d'appeler « l'école d'Antioche ». On y serait d'autant mieux conduit dans le cas présent que Jérôme pourrait faire écho à des critiques qu'il a entendues de la bouche même de Grégoire de Nazianze[334]. On serait, à travers celui-ci, mis en rapport avec une exégèse plus rigoureuse dont nous découvrons des essais chez Grégoire de Nysse que Jérôme a fréquenté quelque temps à Constantinople. On pourrait évoquer également l'influence d'Apollinaire dont Jérôme s'est toujours reconnu l'élève en exégèse, tout en attaquant violemment ses erreurs théologiques. Mais c'est oublier qu'Origène lui-même a mis en garde contre une interprétation allégorique des paraboles[335], et que sa première *Homélie sur Jérémie* contient une longue discussion sur l'application du texte de *Jérémie* 1, au prophète ou au Christ, ou aux deux. Or, l'Alexandrin réagit ici, selon ses propos, contre une exégèse antérieure qui ne craignait pas de reconnaître le Christ *tout au long* de ce chapitre[336].

---

332. Voir le commentaire de 2, 5a ; 2, 6a ; 2, 10 ; 2, 11.

333. Voir *In Ionam*, 4, 10-11 (l. 265-284).

334. Voir p. 348, n. 17, sur *Jonas* 1, 3b (l. 144-151), le texte de l'*In Ephesios*, 2, 5, 32 (*PL* 26, c. 535 A-536 A) où Grégoire est mentionné comme garant.

335. ORIGÈNE, *In Matthaeum*, 10, 11 (*SC* 162, p. 178) ; 10, 13 (p. 192).

336. ORIGÈNE, *In Ieremiam h.* 1, 6-8 (*SC* 232, p. 204-212), 10 (p. 216-220) ; ce qui n'empêche pas Origène de rapporter lui-même au Christ bien des paroles ou des actes de Jérémie (v. par ex. *h.* 14, 5 ;

Il est donc dangereux de ne voir en lui qu'un « allégoriste » et, pour ma part, je ne serais pas surpris si on découvrait un jour que Jérôme a emprunté cette mise en garde contre l'extension de la typologie à Origène *lui-même*[337], comme il lui a emprunté, je pense, la substance de son interprétation.

14, 14 ; 15, 2-3 ; 15, 5, etc.). On trouve une attitude un peu analogue dans l'*In Iohannem*, 10, 39, 263-287 (*SC* 157, p. 542-560) au sujet du « Temple du corps » de Jésus évoqué en *Jn* 2, 21 : Origène commence par dire qu'il suffit d'entendre *avec beaucoup* la comparaison en son sens le plus large, sans se demander si chaque élément du Temple bâti par Salomon a son correspondant dans le corps du Christ. Mais il ajoute bien vite (§ 266 s.) qu'il va *essayer* d'établir ce rapprochement pour chaque élément, ce qui rappelle le « nos quoque facere nitemur » de Jérôme en 1, 3 (l. 178). Origène précède aussi Jérôme dans le sens inverse, quand il s'appuie sur saint Paul pour étendre le sens spirituel de l'*Exode* (v. g. *In Ieremiam h.* 14, 16) ou pour expliquer le livre si rude du *Lévitique*.

337. En tout cas, je trouve déjà une confirmation de cette « hypothèse » dans l'édition toute récente de l'*In Genesim* de Didyme, qui doit tant à Origène. Après avoir, dans un premier temps, détaillé les ressemblances entre le couple Adam-Ève et le couple Christ-Église, à partir d'*Éphés.* 5, 32, il revient sur le sujet un peu plus loin en disant, de façon générale, qu'il n'est pas nécessaire dans une allégorie de *tout* interpréter allégoriquement et, appliquant ce principe à l'union d'Adam et Ève, il ajoute : « Je dis cela pour qu'on ne cherche pas, sous prétexte qu'Adam est rapporté au Christ, à interpréter *en totalité* du Christ *tout* ce qui concerne Adam et lui est propre » (*In Genesim*, 3, 15-19 = *SC* 233, p. 102, l. 9 — p. 103, l. 8 ; p. 104, l. 28 ; p. 105, l. 7). M. Harl (*REG* 92, 1979, p. 283) relève ce texte et le rapproche de *Philocalie*, 1, 29 (Robinson, p. 34, l. 22 = *SC* 302, p. 212), ce qui va dans le sens de mon hypothèse.

L'INTERPRÉTATION DU LIVRE DE JONAS

L'éxégèse moderne a beaucoup dis-
Le sens du livre : cuté sur le sens du *Livre de Jonas*.
le rejet d'Israël
Il faudrait, pour dresser l'éventail
des positions depuis un ou deux siècles, écrire de bien
gros livres. J'ai montré ailleurs que l'exégèse antique
avait été fertile, elle aussi[1]. Il n'est pas question de fournir
ne fût-ce qu'une esquisse de cette histoire. Je voudrais
seulement, en appliquant cette règle du « pointillé » dont
j'ai parlé plus haut, montrer que l'exégèse du Commentaire
de Jérôme déroule au moins deux, sinon trois, « lignes »
superposées, et essayer d'en chercher les sources[2].

On ferait volontiers aujourd'hui de Jonas le modèle
du Juif étroit, tout attaché à son peuple et qui, par
jalousie, par attachement aux privilèges d'Israël, ne veut
rien entendre d'un salut proposé aux païens. Une telle
opinion n'était pas inconnue du temps de Jérôme, mais
celui-ci la rejette explicitement[3]. Pour lui, en effet, Jonas
est un prophète qui aime certes son peuple, mais qui,

---

1. *Le Livre de Jonas dans la littérature chrétienne grecque et latine,*
Paris 1973, essaie de tracer cette histoire multiple, en la situant par
rapport à l'interprétation proposée par Jérôme.
2. On trouvera un exposé plus complet dans *Le Livre de Jonas,*
p. 331-357.
3. *In Ionam,* 4, 1 (l. 13-15).

en tant que prophète, sait que l'envoi d'un messager
aux païens signifie bel et bien l'abandon d'Israël par son
Dieu[4]. Il sait en effet que ces païens se convertiront,
alors qu'Israël, malgré tous les prophètes, refuse d'entendre
Dieu; il sait aussi que Dieu, malgré toutes ses menaces,
ne punira pas. Plutôt, donc, que de partir à Ninive où
il est envoyé, plutôt également que d'aller prononcer
ce qui pourrait être considéré comme un mensonge et
une fausse prédiction, il se dirige dans la direction inverse
et s'embarque vers n'importe quelle destination[5]. Mais
Dieu ne le lâche pas. Après la tempête, après le séjour
dans le ventre du monstre, Jonas est envoyé une nouvelle
fois à Ninive. Cette fois, il s'exécute et fait rapidement
l'annonce qui lui a été confiée; puis, il quitte la ville, avec
l'espoir encore cependant qu'elle sera détruite. Il attend
la catastrophe en dehors de la ville sous un soleil ardent
où Dieu a la bonté de faire surgir un arbuste qui protège
Jonas de son ombre. Malheureusement, cet arbuste est
bientôt détruit. Le prophète, naguère enchanté de la
présence de cette ombre soudaine, s'apitoie et se fâche
de la disparition de l'arbuste, ce qui lui vaut une leçon
de la part de Dieu : si le prophète a pitié d'une plante,
pourquoi Dieu n'aurait-il pas pitié d'une ville aussi grande
que Ninive ?

Jérôme, comme il arrive le plus souvent dans ses
Commentaires, ne tire aucune conclusion. Nous aurons
de plus l'occasion de voir que les développements consacrés
à l'attitude même du prophète dans la deuxième partie
de sa mission sont des plus restreints : le plus souvent,
une simple paraphrase du texte, l'essentiel étant consacré
à l'interprétation spirituelle. Ce qui lui importe est de
défendre le prophète contre toute étroitesse de cœur :
il ne hait pas les païens; il préfère Israël et ne veut pas

---

4. *Ibid.*, 1, 1 (l. 8-10) ; 1, 3 a (l. 39-41 ; 58-63).
5. *Ibid.*, 1, 3a (l. 72-74).

voir arriver la destruction de son peuple et son abandon par Dieu, puisque la conversion de Ninive doit entraîner le rejet d'Israël.

Jésus et Israël Cette interprétation qui se donne pour « littérale », « historique » et dont nous essaierons plus loin de discerner l'origine, est doublée d'une interprétation « spirituelle » qui applique toute l'aventure de Jonas au Christ, et aussi aux Apôtres. Certes, le séjour du prophète dans le ventre du monstre, revendiqué par Jésus comme signe de sa mission, tient une grande place dans cette interprétation; il en est le fondement[6]; mais la vision est beaucoup plus large. A travers Jonas, Jérôme envisage le problème des rapports de Jésus avec les Juifs de son temps : il n'a pas voulu, lui non plus, la destruction de son peuple; il a envoyé ses disciples aux « brebis perdues d'Israël », et non pas aux païens. Pourtant, après sa Passion, c'est aux Nations qu'il adresse ses Apôtres, tandis qu'Israël disparaît bientôt par la prise et la destruction de Jérusalem.

Telle est, en quelques lignes, la thèse de Jérôme[7]. Malgré ses réticences, il l'a monnayée, émiettée, d'un bout à l'autre de son Commentaire[8], en découvrant dans l'aventure de Jonas, l'histoire du Christ, de son Incarnation à sa Résurrection, et à son envoi des disciples à toute « la masse des païens ». Lors de sa « première mission » à Ninive, qui n'est autre que le monde[9], Jésus préfère sauver Israël. Mais celui-ci le rejette et le fait mourir[10]. Après, donc, sa descente dans la mort et sa remontée des

---

6. *Ibid., Prol.* (l. 10-12).

7. *Le Livre de Jonas*, p. 337-352.

8. Voir *supra*, p. 101 et n. 326, sur *In Ionam, Prol.* (l. 66 s.).

9. *In Ionam*, 1, 1 (l. 20 s.).

10. Comme on le verra, Jérôme n'est pas sans être gêné par la scène de la tempête et l'attitude des marins qui voudraient ne pas se débarrasser de Jonas...

Enfers — le séjour dans le monstre —, il se rend cette fois à Ninive[11] — ou, plutôt, déclare Jérôme, y envoie ses Apôtres[12]. Dans cette perspective, l'arbuste qui, de son ombre, a protégé Jonas-Jésus, devient l'ombrage d'Israël, qui a procuré tout d'abord quelque plaisir à Jésus[13]. Sa destruction symbolise à la fois la ruine de Jérusalem et le passage de l'ombre à la lumière qui s'opère dans le remplacement de la Loi par l'Évangile[14].

Ce dernier exemple, qui n'est pas l'un des moins subtils, suggère la manière dont les moindres détails sont exploités et commentés à l'aide de l'histoire de Jésus et de ses propos. Nous verrons en effet combien la première mission des disciples dans les villes de Galilée ou l'épisode de la Chananéenne tiennent de place dans la description du refus de Jonas-Jésus de s'adresser aux païens[15]. La présence de Jonas sur un navire évoque naturellement — mais parfois de façon compliquée — un certain nombre de scènes maritimes des Évangiles. La scène dans laquelle, devant Pilate, les Juifs repoussent Jésus au profit de Barabbas, est elle-même la pierre de base de l'interprétation : renié par les Juifs, Jésus s'adressera désormais aux païens[16]. Ses apôtres partagent cependant son drame. Tant et si bien que Jonas peut être également identifié à Pierre ou Paul dans leur attitude vis-à-vis d'Israël[17]. Eux aussi auraient voulu sauver leur peuple. Ils ne se résoudront à passer aux païens que lorsque les Juifs auront refusé de les entendre.

11. *In Ionam*, 3, 1-2 (l. 16-23).
12. *Ibid.*, 3, 3 (l. 44-52).
13. *Ibid.*, 4, 6 (l. 171 s.).
14. *Ibid.*, 4, 7-8 (l. 207 s.).
15. *Ibid.*, 1, 3a (l. 52 s.). Voir *Le Livre de Jonas*, p. 348-351. Sur la scène de l'« agonie » de Jonas-Jésus, voir *Ibid.*, p. 345-348.
16. *In Ionam, Prol.* (l. 83-89).
17. *Le Livre de Jonas*, p. 352-357. D'où l'importance dans ce Commentaire de *Rom.* 9-11.

Jonas et Adam Cette double tapisserie grandiose a laissé peu de place à une troisième ligne d'interprétation. Nous avons vu plus haut qu'à la suite très probablement d'Origène, Jérôme appliquait volontiers à l'âme, à la vie individuelle, les propos des prophètes[18]. Dans l'*In Ionam*, on trouve certes, de-ci de-là, une parénèse qui naît de l'attitude du prophète[19] ou de Jésus[20], de leurs propos également; les développements concernant « l'homme » lui-même sont toutefois extrêmement rares et, à vrai dire, se réduisent ... à deux. Ceux-ci — et surtout le premier — sont cependant assez développés pour nous permettre de penser que Jérôme a négligé tout d'abord de suivre cette ligne d'interprétation et qu'il regroupe brusquement quelques « pointillés »... qu'il a délaissés antérieurement. De la fuite de Jonas, il déclare en effet : « La fuite du prophète peut également être rapportée *à l'homme en général*. Méprisant les ordres de Dieu, il s'est retiré de devant sa face et s'est livré au monde. Là, bientôt, une tempête de maux et le naufrage du monde entier acharné contre lui l'ont forcé à reconnaître Dieu et à revenir à celui qu'il avait fui[21]. » La complication de la phrase exprime vraisemblablement l'embarras de Jérôme qui anticipe d'ailleurs sur le texte qu'il commente, puisque, de la tempête, nous sommes déjà arrivés au retour de l'homme à Dieu. Un peu plus loin au contraire, au sujet du sommeil de Jonas durant cette même tempête, il déclare : « Si... nous suivons l'interprétation spirituelle, le sommeil du prophète et sa lourde torpeur désignent l'*homme* endormi dans la torpeur de l'erreur. Il ne lui a pas suffi de s'enfuir loin de la face de Dieu. L'âme accablée

---

18. Voir *supra*, p. 97.
19. *In Ionam*, 1, 5b (l. 216 s. : calme) ; 1, 12 (l. 398 s. : magnanimité) ; 2, 8a (l. 321 s. : confiance en Dieu), etc.
20. *Ibid.*, 2, 10 (l. 381 s.).
21. *Ibid.*, 1, 4 (l. 185-189).

par une espèce de folie, il ignore la colère de Dieu
(— entendez la tempête —) et dort en quelque sorte en
toute sérénité[22]... » A eux seuls, ces deux textes permettent
déjà de dire que cet « homme » qui « fuit la face de Dieu »
et qui « méprise ses ordres » est autant Adam que
Jonas, et que la fuite du prophète sur la mer est
comparée à l'entrée de l'homme en ce monde. Il n'est
pas besoin de grande imagination pour poursuivre la
comparaison. Jérôme ne l'a aucunement fait. Nous
possédons cependant un nombre suffisant de textes pour
penser qu'il l'a, en réalité, négligée et qu'il n'a pas complé-
tement inventé de lui-même les deux textes ci-dessus.
A l'état isolé et avec des différences appréciables, cette
interprétation se rencontre chez Irénée de Lyon[23], chez
Méthode d'Olympe[24], mais aussi dans quelques textes
juifs plus ou moins faciles à dater[25]. Elle se trouve également
de façon plus développée, et jointe à l'interprétation
christologique que nous avons trouvée chez Jérôme, dans
un long traité de Maxime le Confesseur et chez Théophylacte d'Achrida, au xie siècle[26]. Cela invite, me semble-t-il,
à penser que Jérôme a trouvé ces deux et même ces trois
interprétations dans le *Commentaire sur Jonas* d'Origène
que nous lui avons vu entre les mains en 393[27], au moment
même où il venait de rédiger ses cinq premiers Commentaires sur les petits prophètes[28].

---

22. *Ibid.*, 1, 5b (l. 231-6). — Voir de même 1, 15 (l. 494-500) ;
2, 4b (l. 164-167).
23. *Le Livre de Jonas*, p. 143-146.
24. *Ibid.*, p. 151-157.
25. *Ibid.*, p. 106-109.
26. *Ibid.*, p. 394 ; 460-468 et, sur l'ensemble, p. 609-613.
27. V. *supra*, p. 13, n. 13.
28. V. *supra*, p. 18 s.

**L'origine
de l'interprétation ?**

Pour apprécier la force et la faiblesse de cette argumentation, il faut tenir compte des données suivantes. Nous avons établi que la thèse « littérale » défendue par Jérôme avec beaucoup d'énergie n'apparaissait jamais ni chez lui, ni chez aucun écrivain latin ou grec avant cet *In Ionam* à l'exception de Grégoire de Nazianze et de Théodore de Mopsueste, ses contemporains, qui ont toute chance de dépendre eux-mêmes d'Origène[29]. De même, avons-nous montré que les Latins qui, après le IVe siècle, présenteront la thèse proposée par Jérôme la lui doivent en réalité[30]. Quant aux Grecs, la vraisemblance, en plus d'une série d'indices concordants, penche en faveur d'une dépendance directe d'Origène, et non pas de Jérôme[31].

Origène

La preuve apodictique ne pourra bien entendu venir que de la découverte de l'*In Ionam* d'Origène lui-même. Ce sera le seul moyen de juger le travail de Jérôme lui-même, qui me paraît avoir été surtout de « filtrer » ce que lui offrait sa ou *ses* sources. Jérôme s'en prend en effet dans sa *Préface* à des *ueteres* qu'il ne nomme pas[32]. Le pluriel n'oblige pas en pareil cas, nous l'avons dit, à imaginer un grand nombre de gens, ni même forcément plus d'*une* personne[33]. Dans le cas présent cependant, il semble bien que Jérôme pense à plusieurs personnes. Il en est qu'il connaît directement, comme Tertullien, dont on trouve deux souvenirs nets qui témoignent des lectures de Jérôme au moment où il compose son pamphlet contre Jean de

---

29. *Le Livre de Jonas*, ch. 2-7 et 9.
30. *Ibid.*, ch. 14.
31. *Ibid.*, ch. 10-13.
32. *In Ionam, Prol.* (l. 17 s.).
33. Voir *supra*, p. 75.

Jérusalem[34]; comme Eusèbe de Césarée peut-être aussi[35].
Il en est qu'il *peut* connaître à travers Origène. Mais,
c'est Origène en personne qui est visé, lorsque Jérôme
s'en prend à ceux qui trouvent que le corps humain du
Christ était corruption, en comparaison de la béatitude
dont jouissait le Verbe auprès du Père[36], ou à celui qui
a établi une hiérarchie telle entre le Père et le Fils qu'elle
lui fait friser l'hérésie[37], ou, avec beaucoup plus de violence,
à ceux qui voient dans la conversion du roi de Ninive
l'annonce de la conversion ultime du diable[38]. Ces attaques
ne s'expliquent pas seulement par le fait que la controverse
origéniste sévit alors et que Jérôme se doit de mettre en
garde, à temps et à contretemps, contre tout ce qui
pourrait fleurer Origène et pas seulement l'origénisme.
Ce serait là une explication bien compliquée et bien
invraisemblable, alors que, l'annotation le montrera[39],

34. Voir l'annotation à *In Ionam*, 2, 2 (l. 56) et 2, 7b (l. 277-288),
pour le *De resurrectione* de Tertullien. Mais il est d'autres souvenirs
de l'Africain...

35. Sur la façon de compter les trois jours de Jésus au tombeau :
In Ionam, 2, 1b (l. 29 s.). Voir *Le Livre de Jonas*, p. 242-245. Y ajouter
sans doute la lettre d'Épiphane mentionnée, p. 366, n. 2.

36. *In Ionam*, 2, 7b (l. 277-288).

37. *Ibid.*, 4, 10-11 (l. 268 s.). Consulté par dom ANTIN (p. 21-22),
Vaccari avait suggéré le nom d'Hypatios de Nicée. Sur les fragments
d'Hypatios et les problèmes qu'ils posent, voir *Le Livre de Jonas*,
p. 444-446 ; 657-662. Il me paraît beaucoup plus vraisemblable que
Jérôme s'en prend ici au subordinatianisme d'Origène. Voir l'annotation *ad loc.*, p. 428, n. 2.

38. *In Ionam*, 3, 6-9 (l. 139 s.).

39. On peut, bien entendu, présenter quelques objections, plus
ou moins recevables : certaines données ne sont pas propres à Origène
au iiie siècle ; d'autre part, entre le milieu du iiie siècle et la fin du
ive, certaines opinions se sont répandues chez les disciples d'Origène,
de sorte que Jérôme ne découvre pas toutes choses *immédiatement*
chez Origène. Tout cela est loin d'être faux et j'aurais pu multiplier
les renvois à Eusèbe de Césarée, aux Cappadociens ou à Ambroise.
Mais il faudrait supposer chez Jérôme un travail de synthèse qui ne

l'essentiel du « matériel exégétique », des « dossiers scripturaires », des indices les plus typiques, ont leur équivalent,
mainte et mainte fois répété, dans l'œuvre d'Origène
qui nous est parvenue[40]. Il n'est pas dans la nature de
Jérôme de brouiller les pistes à ce point. Il est beaucoup
plus vraisemblable que Jérôme a été séduit par l'interprétation ou les interprétations d'Origène. Il en a exclu
tout ce qui pouvait avoir une saveur hétérodoxe, le
remplaçant éventuellement par un développement personnel ; il a sans doute réduit certains développements,
interrompu même l'interprétation anthropologique ; mais,
pour l'essentiel, il a suivi le Commentaire d'Origène.

Une tradition juive Savait-il que celui-ci dépendait peut-
être, en son point de départ, d'une
interprétation juive ? Nous avons signalé plus haut que
si Jérôme invoquait les traditions juives en ce qui concernait
l'identité de Jonas[41], il gardait par la suite sur elles un
silence complet... et assez surprenant, quand on sait
comment il se comporte ordinairement vis-à-vis des opinions
des « Hébreux[42] ». Pourtant, la thèse d'un Jonas qui ne
veut pas se rendre à Ninive parce qu'il sait qu'une telle
mission annonce la perte d'Israël figure dans quelques
textes juifs dont certains ont toute chance d'être antérieurs
à Origène[43]. Si on songe aux rapports étroits qu'Origène
a entretenus, à Césarée en particulier, avec un certain
nombre de Juifs, convertis et non convertis, on n'a pas

---

lui est guère ordinaire. Il est plus vraisemblable que l'essentiel se
trouvait déjà dans l'*In Ionam* d'Origène lui-même, qu'il possédait,
de son aveu (voir *supra*, p. 13, n. 13).

40. Entre autres, deux « indices », tirés de particularités exégétiques diverses : l'interprétation de *Jn* 1, 32 en *In Ionam*, 1, 1-2
(l. 17 s.) : « *Mansit in eo* » ; la formulation, non canonique, de *Jn* 19,
15a, etc. — Voir *Le Livre de Jonas*, p. 344, n. 101.

41. Voir *supra*, p. 41.

42. Cf. *supra*, p. 72 s.

43. Voir *Le Livre de Jonas*, p. 89-93.

lieu d'être étonné qu'il ait pu connaître cette interprétation, la faire sienne et la confirmer, en quelque sorte, par une interprétation christologique qui mettait, elle aussi, l'accent sur le drame d'Israël.

Jérôme   Quoi qu'il en soit de toutes ces sup-
putations, le Commentaire de Jérôme est là. Comme un écheveau dont il faut démêler les fils et constater que certains sont cassés. Comme une construction à plusieurs étages, où Jérôme a cependant préféré sacrifier parfois la rigueur et la symétrie alambiquée... au bon sens, quitte à la déformer de quelques adjonctions qui forment excroissance[44]. Celles-ci témoignent, par leur démesure même, de la passion de Jérôme et de la vie du moment[45], dans sa lutte contre l'hérésie[46], contre les païens[47] ou contre ses rivaux[48], sans laisser de fournir de précieuses indications sur la pensée ou les préoccupations de Jérôme en cette année 396[49]. Elles donnent au commentaire une partie de sa fougue et de sa virulence. Elles ne lui ont pas enlevé sa noblesse générale de ton, ni sa grandeur.

44. A celles-ci on peut joindre le développement méthodologique de *In Ionam*, 1, 3b (l. 140-175).

45. Outre la querelle origéniste, j'ai montré comment la longue diatribe contre l'éloquence profane intervenait à un moment où la controverse les païens bat son plein : « Saint Cyprien et le roi de Ninive dans l'*In Ionam* de Jérôme », p. 563-569.

46. *In Ionam*, 2, 7b ; 4, 10-11.

47. *Ibid.*, 2, 2.

48. *Ibid.*, 4, 6.

49. On notera, par ex., au long du Commentaire du ch. 2 surtout, une attention précise à la christologie, ainsi qu'à la descente aux Enfers. Le problème de la prédication de Jonas aux païens de Ninive (ch. 1 et 3) est vu dans le cadre Israël/Nations, mais Jérôme ne souffle mot des Barbares ni de leur évangélisation... en cours. On trouvera au contraire très révélatrice l'importance qu'il donne à la conversion des lettrés (v. n. 45), à l'intérieur de l'Empire. Les Huns ont pourtant failli arriver jusqu'en Palestine en 395...

LE STYLE DE L'*IN IONAM*
ET LA PRÉSENTATION DU TEXTE

**Émiettement
et rythme**

Parler de noblesse du style peut étonner le lecteur moderne du petit conte, allègre, doucement ironique, que constitue le *Livre de Jonas*. Une telle affirmation aurait sans doute surpris Jérôme lui-même qui, au cours de ses Commentaires, multiplie les déclarations pour avertir ses lecteurs qu'il ne leur offre pas des déclamations ou des morceaux brillants, mais une explication simple et claire du texte qu'il a entre les mains[1]. Il regrette d'ailleurs

---

1. Les proclamations sont nombreuses et sont reprises d'un bout à l'autre de la carrière de Jérôme. Tout est déjà à peu près dit dès la première, qui survient dans une lettre à Damase après une série de remarques textuelles sur l'hébreu et ses diverses traductions : « Ces détails, je le sais, ennuient le lecteur. Mais, quand on disserte sur les lettres hébraïques, il ne convient, ni d'établir laborieusement une argumentation à la manière d'Aristote, ni de détourner du fleuve cicéronien un ruisselet d'éloquence, ni de flatter les oreilles par les fleurs rhétoriciennes de Quintilien dans une déclamation d'école. Il y faut nécessairement un discours simple, pareil au langage de tous les jours et qui ne « sente pas l'huile », qui explique le sujet, discute le sens, éclaire les obscurités, mais sans luxuriance artistique des mots. Que d'autres passent pour diserts, qu'on les loue comme ils le souhaitent, que leurs joues se gonflent, qu'il en jaillisse des mots écumants, mais savamment balancés ! A moi, il suffit de parler pour être compris et, puisque j'expose les Écritures, d'imiter la simplicité

souvent de dicter[2] ou d'avoir à émietter ses remarques, contraint qu'il est par les difficultés diverses du texte dans ses deux versions[3]. Le discours du commentaire est donc souvent rompu, ou repris, par des particules plus ou moins vigoureuses : *autem, porro, igitur, ergo*. Ces mêmes particules scandent l'explication des membres de phrase, les uns après les autres. Un tel découpage ne prête pas à des débauches d'éloquence. J'ai, de façon très consciente, et volontairement exagérée peut-être, fait apparaître ce découpage qui, parfois, juxtapose les remarques au fil du texte. Mais de telles pages sont relativement rares dans notre *Commentaire*. On peut dire que la majeure partie est constituée, quelquefois après une courte introduction, de deux développements qui envisagent succes-

des Écritures » (*Ep.* 36, 14 = *CUF* 2, p. 61, l. 1-12 ; trad. Labourt). On trouvera des développements analogues en *Ep.* 37, 3 (*CUF* 2, p. 67, l. 3-6) ; *In Galatas,* 3, *Prol.* (*PL* 26, c. 400 C-E, 401 B-D) ; *In Ephesios, Prol.* (*PL* 26, c. 440 B-C) ; *In Sophoniam,* 3, 14-18 (*CC* 76 A, p. 708, l. 549-554) ; *In Aggaeum,* 2, 21-24 (*CC* 76 A, p. 746, l. 744-748) ; *In Osee,* 1, 2, 16-17 (*CC* 76, p. 29, l. 428-431) ; 3, 10, 13 (p. 117, l. 440-445) ; *In Zachariam,* 2, 7, 8-14 (*CC* 76 A, p. 806, l. 218-222) ; *In Isaiam,* 5, *Praef.* (*CC* 73, p. 160, l. 47-51) ; 8, *Praef.* (p. 315, l. 9-16)...

2. Et non pas d'*écrire* lui-même : v. par ex., dès 386, *In Galatas,* 3, *Praef.* (*PL* 26, c. 399 D-400 D) ou, vingt ans plus tard, *In Zachariam,* 3, *Praef.* (*CC* 76 A, p. 848, l. 1-15). Le second exploite également l'excuse, mainte fois utilisée, du voyageur qui demande une réponse rapide. Jérôme insiste souvent sur le fait que le copiste attend, le presse de meubler ses silences, et qu'il ne lui est pas loisible de polir lui-même son style. De plus, dès son séjour à Rome, Jérôme invoque le mauvais état de ses yeux, puis la maladie aussi, comme dans la *Préface* de l'*In Galatas,* 3, citée plus haut. *Topoi* littéraires, ces difficultés et ces servitudes diverses sont cependant réelles et il ne fait pas de doute que Jérôme dicte (v. le livre classique d'E. Arns, *La technique du livre d'après saint Jérôme,* Paris 1953, p. 40 s.) ; mais Jérôme ne multiplierait pas ces remarques, dans ses lettres comme dans ses Commentaires, s'il ne prêtait pas à ces questions de style une attention qu'on ne trouve pas chez Origène, par exemple.

3. Voir *supra*, p. 97 s.

sivement, mais non dans un ordre fixe, l'interprétation littérale et l'interprétation spirituelle[4]. Les remarques techniques sur la langue, l'éclairage des mots ou des expressions par des dossiers de textes bibliques, la succession d'hypothèses, *uel, uel, uel certe*, ne semblent pas permettre à une phrase de se déployer[5]. De fait, celle-ci est souvent nerveuse et claire : que l'on compare avec la préciosité guindée de Symmaque ou la tension abstruse d'Ammien! Elle emprunte au contraire parfois à des tours populaires; mais elle sait également, avec une extrême variété de moyens, jamais compliqués ni recherchés, se maintenir dans un ton très grave qui est celui de tout ce Commentaire, plus relevé cependant peut-être que d'autres, et atteindre une éloquence inattendue dans une simple explication.

Rhétorique et dramatisation Le sujet est en effet très grave pour Jérôme, puisque, comme nous l'avons vu, il s'agit de l'histoire des rapports de Jésus avec Israël, de son rejet par les Juifs, de sa Passion et de sa Résurrection, tous moments de la vie du Christ qui sont empreints d'angoisse et de *douleur* — l'un des sens du nom de Jonas —, plutôt que d'allégresse ou de sérénité. Tous les personnages évoluent donc dans un climat tragique, qu'il s'agisse de Jonas ou des matelots, du Christ, de Pilate ou des Apôtres. La tempête, certes, y prête, ainsi que le séjour du prophète dans le ventre du monstre ou la descente angoissée, puis victorieuse, de Jésus aux Enfers. Il est cependant assez révélateur que les habitants de Ninive soient assez peu

---

4. Voir *supra*, p. 83-86, pour la méthode générale. Dans l'annotation, j'ai, pour chaque péricope, donné une petite introduction qui présente l'allure générale du commentaire, avec les problèmes ou distorsions qu'il présente, avant de passer aux détails du texte.

5. Jérôme l'annonçait dans sa *Lettre* 36, 14 à Damase citée *supra*, p. 115, n. 1.

campés devant nous, avant comme après leur conversion.
Nous apercevons leur sac et leur jeûne, mais point le
moindre pittoresque qui détendrait l'atmosphère. Il n'est
que de voir la manière dont, en utilisant le mode ordinaire
d'explication qui est la paraphrase, Jérôme *accentue*
le pathétique des situations[6]. Il récrit les interventions
de Jonas[7], des matelots[8], de Jésus[9], prolonge des dialogues,
commente en phrases ou pressantes ou sentencieuses[10]
ou indignées[11]. Qu'on lise l'ensemble du commentaire
de l'attitude de Jonas après sa mission à Ninive et l'on
verra combien les sentiments de Jonas deviennent poi-
gnants[12]; les questions, pourtant ironiques, de Dieu à son
prophète traduisent une joute serrée[13]. Le prophète sous
sa tente n'a rien de la sérénité qu'on lui connaît d'ordinaire
sur les fresques des catacombes ou les sarcophages. Il est
assis dans la majesté et la raideur d'un juge[14]. La cucurbite
ou le lierre rompt un instant cette tension, parce que
Jérôme doit se débarrasser d'un adversaire en le ridiculi-
sant, mais bien vite : « *Veniamus ad seria*[15] !» Et ce modeste
arbuste, avec l'abri qu'il ombrage, grandit aux dimensions
d'Israël, avant de s'écrouler sous les coups des Romains.

---

6. *In Ionam*, 1, 11 (l. 379-384) : « Ibat (mare) ut iussum fuerat.
Ibat in uindictam Domini sui. Ibat persequens fugitiuum prophetam... »

7. Voir, par ex., *In Ionam*, 1, 9 (l. 322-325); 1, 12 (l. 391-398), 2, 8
(l. 313-321).

8. Voir *Ibid.*, 1, 8 (l. 301-303) ; 1, 10 (l. 347-350) ; 1, 11 (l. 369-377).

9. *Ibid.*, 1, 12 (l. 410-418 ; l. 423-425) ; 2, 5a (l. 171-183).

10. *Ibid.*, 1, 4 (l. 196-197) ; 1, 6 (l. 245-246) ; 1, 10 (l. 354-355).

11. *Ibid.*, 1, 5a (l. 210-211) ; 1, 13 (l. 436 s.) : « O rerum quanta
mutatio... ! » ; 1, 14 (l. 468-472) ; 1, 16 (l. 518-522).

12. *Ibid.*, 4, 1-2 (l. 5-15) ; 4, 3 (l. 50-62).

13. Comparer *Jonas* 4, 4 et 4, 9, avec le commentaire par Jérôme
de la différence *capitale* entre les deux questions divines(l. 235-246).

14. *In Ionam*, 4, 5 (l. 114-118).

15. *Ibid.*, 4, 6 (l. 144).

La traduction Ces quelques indications n'ont pour but que d'attirer l'attention du lecteur et l'inviter à lire le texte latin plutôt que la traduction française. Celle-ci est en effet incapable de rendre la majesté du texte de Jérôme, même si j'ai essayé de conserver parfois l'ampleur, un peu lourde quelquefois, de la phrase latine ; le style de Jérôme est trop ordinairement nerveux pour que l'envol qu'il prend de temps à autre n'ait pas de signification. La traduction en tout cas ne peut rendre les clausules qui souvent terminent non seulement les explications de péricopes (ou la *Préface*!), mais aussi maint développement intérieur. Jérôme dicte. Cela comporte des inconvénients[16] ; mais il a l'oreille assez exercée pour que sa phrase « n'atterrisse » jamais au hasard ni en catastrophe. La phrase française n'obéit pas aux mêmes lois. J'ai toutefois essayé, de-ci de-là, de rendre quelque peu ces cadences. Je ne doute cependant pas d'avoir été inférieur à la tâche.

La présentation du texte J'ai préféré mettre l'accent, par un artifice typographique, sur un autre point qui me paraît plus important : la manière dont Jérôme tisse, enlace les deux textes sur l'hébreu et sur le grec des Septante, tantôt successivement, tantôt, dans cet *In Ionam*, en les entremêlant[17]. On verra mieux aussi, je pense, en quoi consiste le commentaire, à proprement parler, de Jérôme : mélange de développements généraux, de paraphrases plus ou moins asservies au texte ou aux textes, de réflexions personnelles et de développements plus étoffés que lui dicte l'actualité

16. Voir *supra*, p. 116, n. 2.

17. D'où la typographie adoptée pour les textes commentés : la traduction de l'hébreu est en petites capitales, celle des Septante en italique. Lorsque les deux traductions sont semblables, leur texte est en petites capitales italiques.

ou la polémique, ou, rarement, de morceaux de bravoure
ou de bravade.

Si la disposition du Commentaire à proprement parler,
sa ponctuation, sa typographie, destinée à faire apparaître
le jeu des versions dans le discours même de Jérôme
sont miennes, il est un élément qui, tout en tranchant
sur les éditions antérieures, a cependant toute chance de
remonter à Jérôme lui-même. Les éditeurs du xvie siècle
que nous rencontrerons dans les pages qui suivent avaient
adopté une mise en page de manuscrit de « chaîne exégétique » : le(s) texte(s) biblique(s) occupe(nt) le centre de la
page, sur deux colonnes parallèles; le commentaire est
disposé tout autour, après les premiers mots du lemme
hébreu de chaque péricope[18]. Cette façon de faire, qui a
pour elle quelques manuscrits[19], a entraîné un certain
nombre d'erreurs lorsque Martianay, au début du
xviiie siècle, a adopté une autre mise en page, suivi bientôt
par Vallarsi[20]. L'édition française revient de fait à la
présentation la plus habituelle des manuscrits, où les deux
lemmes se suivent en tête de chaque péricope, le second
seul étant ordinairement précédé de la mention LXX.
Il existe pourtant des manuscrits anciens où les *deux*
lemmes sont nettement séparés, et précédés *chacun* d'une
« étiquette » sur leur nature : *Heb, Hb, HE, EB*, etc. | *LXX*.
C'est cette présentation qui a été retenue ici[21]. Elle a

18. Voir *infra*, p. 140 s.

19. Voir, par ex., Londres, *British Museum*, Harley, 1700
(xiie s.) ; Oxford, *Bodleian Library*, *Auct.* D. 2, 21 (xiiie s.)
Bruxelles, *Bibliothèque Royale*, 21547 *(Himmerode)* (xiiie s.).
Ces manuscrits n'offrent pas d'ordinaire un texte complet.

20. Certains lemmes du texte des Septante ont disparu chez
Érasme et ses successeurs, alors qu'ils figurent dans les manuscrits
et dans l'édition de Venise. Vallarsi en a rétabli quelques-uns.

21. Elle étend à l'ensemble du texte ce que, pour l'*In Ionam*, on
trouve de façon incomplète et irrégulière en Paris, *B.N.*, *Lat.* 1836
(et sa copie Orléans, *B.M.* 61) et Karlsruhe, *Badische Landesbibliothek, Aug. Perg.* LXXXIV (et sa descendance). Voir la reconsti-

l'avantage, qui n'est pas tout à fait mineur, de mieux faire apparaître parallélismes et différences dans les deux traductions. *Ad experimentum*, la chose valait d'être tentée, ne serait-ce que pour attirer l'attention : certaines pages des Commentaires de Jérôme devienent illisibles, si on ne prend garde aux versions commentées, à la ponctuation carolingienne qui n'est plus la nôtre, à l'emploi *désordonné* de l'italique qui remonte à Martianay[22].

Quant à l'annotation, je rappelle que je n'avais pas le dessein de remplacer, mais de compléter celle de dom Antin. J'ai donc surtout essayé de mettre en lumière la méthode de Jérôme, d'éclairer son interprétation de *Jonas* et sa pensée, en en montrant les thèmes et les sources. On verra que s'il est des constantes dans cette pensée, nombre de remarques de Jérôme sont liées à cette année 396, qui ne fut pas pour le savant de Bethléem une année sereine. Cette « actualité » du Commentaire explique sans doute que les Carolingiens et les Médiévaux aient, sur le conseil de Jérôme d'ailleurs[23], amputé parfois le texte des développements les plus personnels. La plupart des manuscrits sont cependant complets et témoignent par leur nombre du succès de l'œuvre, même si celui-ci ne facilite pas l'enquête du philologue.

tution par Fr. GLORIE d'un archétype de l'*In Ezechielem* en *CC* 75, p. XIV.

22. Celui-ci a mis en italique les deux lemmes, *une partie* de leurs reprises dans le commentaire, les citations (et parfois les allusions) bibliques, ce qui embrouille tout. Vallarsi a suivi, et le tout est passé dans Migne. Outre ce qui a été dit plus haut n. 17, je donne entre *double* guillemet les citations avec insérende, entre guillemet *simple* les allusions et souvenirs nets.

23. Jérôme invite ceux qui trouveraient trop long son Commentaire sur Isaïe à en faire un *résumé (In Isaiam,* 18, *Prol.).* Ce texte a été mis en exergue d'un *Commentaire* — complet ! — *des petits prophètes.* Voir « L'origine et la diffusion de la recension de l'*In prophetas minores* hiéronymien de Clairvaux », *RHT* 11, 1981, p. 283 et 284.

LE TEXTE

1. La tradition manuscrite directe

Nombre et morcellement des manuscrits   L'éditeur d'un texte de saint Jérôme se trouve d'ordinaire devant plusieurs montagnes de documents à gravir ou à traverser : une masse de manuscrits, dont l'inventaire même n'est sans doute pas terminé[1], une tradition indirecte non moins imposante[2] qui témoigne elle aussi du succès de l'œuvre du VIIIᵉ au XIIIᵉ siècle[3],

---

1. On peut néanmoins penser que l'essentiel se trouve dans le gigantesque travail de B. LAMBERT, *Bibliotheca Hieronymiana manuscripta*, Steenbrugge-La Haye, t. 2, 1969, pour les petits prophètes : nᵒ 216, p. 155-189 ; t. 4 A, 1972, p. 192-194.

2. J'ai étudié ailleurs le contenu de cette tradition indirecte en suivant la survie de la *thèse* défendue par Jérôme dans son *In Ionam* (*Le Livre de Jonas*, p. 549-581). Raban Maur ou Remi d'Auxerre sont de l'époque de nos manuscrits les plus anciens, ce qui inviterait à regarder attentivement leurs textes. Mais ceux-ci ne sont pas critiquement édités..., de sorte que j'ai préféré ne pas en faire état ici.

3. Je n'ai guère consulté de manuscrits postérieurs au XIIIᵉ siècle. Lambert en recense une vingtaine. On ne peut certes exclure qu'un manuscrit du XVᵉ siècle nous transmette le texte d'un manuscrit très ancien. L'hypothèse semble cependant peu probable dans le cas présent lorsqu'on voit la fréquence avec laquelle ces Commentaires ont été recopiés. L'Espagne, mal représentée dans mon enquête — les deux manuscrits de Madrid sont l'un italien, l'autre français ;

pour le moins cinq grandes éditions[4] (aux nombreuses réimpressions) du XVIe au XIXe siècle, se réclamant chacune d'un grand nombre de manuscrits dont la nature et l'extension ne sont pas souvent indiquées! Le problème ne se simplifie pas pour celui qui édite *une* pièce d'un ensemble — *un* Commentaire parmi ceux des *douze* petits prophètes —, car on peut constater que cet « ensemble » est, dès l'origine, hétéroclite : Jérôme a composé *un à un* ses Commentaires, au fur et à mesure de ses temps libres, au long d'une quinzaine d'années. Les dédicataires se trouvaient à Bethléem, à Rome, à Aquilée, à Toulouse. Il n'est certes pas impossible qu'il en ait procuré à la fin une édition générale ou que l'une ou l'autre des transcriptions qu'il permettait aux copistes de ses correspondants ait pu servir de point de départ à une diffusion plus large. Pourtant, les manuscrits et les catalogues les plus anciens, qui nous permettent de saisir une partie au moins de la situation aux VIIIe-IXe siècles — soit trois à quatre cents ans plus tard! —, nous offrent plus souvent l'impression d'un émiettement que celui d'un regroupement. Parmi les manuscrits des VIIIe et IXe siècles qui nous sont parvenus, un seul contient les douze Commentaires[5]. Or, on peut montrer qu'il a été fait de la réunion de plusieurs ensembles plus restreints. Les autres manuscrits les plus anciens contiennent de un à neuf Commentaires, mais avec des ordres variés[6]. Les indications des catalogues anciens

le manuscrit d'Alcobaça descend de Clairvaux —, fournira-t-elle un descendant de la lignée wisigothique ? Isidore, en tout cas, connaissait bien l'*In Ionam*.

4. Sur les éditions que j'ai pu atteindre, voir *infra*, p. 139-143.

5. Il s'agit de TROYES, *Bibliothèque Municipale*, 126.

6. Outre les exemples que l'on trouvera dans les pages qui suivent pour des manuscrits contenant l'*In Ionam*, voir, par ex., KARLSRUHE, *Bad. Landesb., Aug. Perg.* CCLVII et ROME, *Bibl. Naz., Sessor.* 38, qui contiennent le seul *In Amos* ; KARLSRUHE, *Bad. Landesb., Aug. Perg.* CXIII, qui contient le seul *In Osee*, tandis que l'*Aug. Perg.*

de bibliothèques permettent une constatation analogue[7].
A partir du ixe siècle au contraire, on assiste à un effort
de regroupement, et de classement selon l'ordre de la
Vulgate. Dans ces conditions, il est facile de deviner
que la tradition manuscrite puisse être enchevêtrée et
ne pas forcément se simplifier au fur et à mesure que l'on
avance dans le temps. Les éditeurs du xvie siècle ont-ils eu
conscience de ces problèmes et, lorsqu'ils puisaient dans
tel manuscrit récent, imaginaient-ils qu'ils utilisaient,
en fait, des matériaux hétérogènes ? Le problème est donc
à reprendre par son début, tel du moins qu'il se présente
à nous aujourd'hui.

**Essai
de classement**

Dans les 22 manuscrits des viii[e]
et ixe siècles qui contiennent l'*In
Ionam* complet[8], il m'a semblé pouvoir
reconnaître 7 groupes qui, à ce stade, sont nettement
distincts. Ils formeront la base de l'édition, à quelques
lignes près. En effet, ces manuscrits les plus anciens
omettent, à deux reprises, tout ou partie d'un lemme
indispensable[9] et commettent une erreur d'andronyme[10],

CCLVIII contient, dans l'ordre, *Abdias, Zacharie, Malachie, Habacuc,
Osée...*

7. Voir, par ex., dans G. BECKER, *Catalogi Bibliothecarum Antiqui*,
Bonn 1885, p. 65, le cas de Bobbio au xe siècle : 6 manuscrits se
répartissent ainsi : « § 32 *Expositionem I in Zacharia et Malachia;*
§ 33 *Expositionem in Abdia et Iona;* § 34 *In alio uolumine expositionis
eiusdem in Abdia librum I;* § 35 *In Ionam I;* § 36 *In Nahum I;*
§ 48 *In Abbacuc expositionem I* ».

8. Sur les florilèges et les résumés, voir *infra*, p. 137 s.

9. En *Jonas* 1, 7 ; 1, 8 et 2, 4. Jérôme commentant le texte, il est
peu probable qu'il n'ait pas initialement fait partie du lemme. On
tiendra compte cependant, pour la traduction sur l'hébreu, de l'existence de menues différences avec le texte de la Vulgate.

10. En *Jonas* 4, 5, la tradition manuscrite du ixe siècle est unanime
pour ne pas donner à la ville bâtie par Caïn (*Gen.* 4, 17) le nom
d'Énok, mais de Cainan (*ou* -am). D'autre part, en 4, 6, aucun
manuscrit, du ixe au xiiie, ne donne les trois mots « suo trunco se

ce qui invite à chercher si les formes complètes et exactes que l'on trouve dans les éditions remontent à une correction savante ou à un groupe qui ne serait plus, actuellement, représenté par un manuscrit de l'époque carolingienne. J'ai donc étendu mon enquête jusqu'au XIIᵉ siècle de façon la plus complète possible, et j'y ai joint quelques manuscrits du XIIIᵉ siècle. Une telle extension m'a permis de distinguer un et peut-être deux autres groupes qui ne sont pas représentés au IXᵉ siècle. Tous les autres manuscrits peuvent au contraire être rattachés à des manuscrits plus anciens et ne présentent donc pas un intérêt majeur pour l'établissement du texte. Il sera pourtant nécessaire de mentionner l'un ou l'autre, à cause de la place qu'il occupe dans l'*histoire des éditions*, voire dans les sondages opérés par dom Antin pour l'*In Ionam*.

Voici donc, pour plus de 90 manuscrits, mais *en ce qui concerne le seul In Ionam*, le classement proposé[11], avec la mention du contenu de chaque manuscrit lorsque l'ordre

(sustinens) » (l. 148), que l'on trouve dans l'*Ep.* 112, 22 de Jérôme pour la description du même « lierre ».

11. On ne trouvera ici qu'une liste et un classement. Je compte justifier le tout par un travail d'ensemble qui rendra peut-être un peu plus aisée l'édition d'autres Commentaires de Jérôme. J'ai dès à présent publié trois études sur le groupe VI, les deux premiers manuscrits du groupe II et le premier du groupe VII : « Origine et diffusion de la recension de l'*In prophetas minores* hieronymien de Clairvaux », *RHT* 11, 1981, p. 277-302 ; « Sur un triple travail de copie effectué à Saint-Denis et sur sa diffusion à travers l'Europe carolingienne et médiévale, à propos de quelques Commentaires sur les petits prophètes de saint Jérôme », *Scriptorium* 38, 1984, p. 3-49 ; 181-210. Ces divers groupes sont donnés ici selon l'ordre alphabétique des sigles des manuscrits *carolingiens* (La liste proprement alphabétique se trouve *infra*, p. 154 s.), tels que ceux-ci — et ceux-ci seuls — figureront d'ordinaire dans l'apparat critique. On verra sans peine cependant que les groupes II et V d'une part, les groupes III et VI d'autre part, se rencontrent plus d'une fois (voir, n. 29). Sur le ms. d'Alcobaca, v. « Un nouveau témoin... », *Euphrosyne* 13, 1985, p. 51-77.

n'est pas celui de la *Vulgate* : la régularité dans le désordre peut fournir un indice subsidiaire de parenté.

I) A — Cologne, *Dombibliothek*, 52 (Darmstadt, 2047), IXe siècle.

...Amos, Zacharie, *Jonas*, Malachie.

Lui sont, semble-t-il, apparentés :

a) d'une part, trois manuscrits italiens des XIe-XIIe siècles, qui offrent en tout cas d'étroites parentés entre eux :

ar — Vatican, *Archives de Saint-Pierre*, D. 177, XIIe siècle.

Osée, Joël, Amos, Abdias, *Jonas*.

Va — Rome, *Biblioteca Vallicelliana*, B. 2, XIe siècle.

... Zacharie, Malachie, *Jonas*, Michée, Naum, Habacuc, Sophonie.

Me — Madrid, *Biblioteca Nacional*, 445 (A. 96) (Messine ?-Uceda), XIIe siècle.

Aggée, Zacharie, Malachie, *Jonas*, Michée, Naum, Habacuc, Sophonie, Amos, Abdias.

b) d'autre part, deux manuscrits de Vienne, parents mais non interchangeables :

Wi — Vienne, *Oesterreichische Nationalbibliothek*, Lat. 943, XIIe siècle.

Osée, Joël, Amos, Zacharie, *Jonas*, Malachie, Abdias, Michée, Naum, Habacuc, Sophonie, Aggée.

Wa — Vienne, *Oesterreichische Nationalbibliothek*, Lat. 918, XIIIe siècle.

Joël, Amos, Zacharie, *Jonas*, Malachie.

II) B — Paris, *Bibliothèque Nationale*, Lat. 1838 *(Saint-Denis)*, milieu IXe siècle.

Jonas (2, 1-4, 11), Abdias, Zacharie, Malachie... *(Mut.)*.

De ce manuscrit dépend directement pour l'*In Ionam* :

s — PARIS, *Bibliothèque Nationale*, 14287 et 14288 *(Saint-Victor)*, xiiie siècle.

Osée, Joël, Amos, Abdias, *Jonas*, Michée, Naum, Habacuc, Sophonie, Aggée, Zacharie, Malachie.

J'ai étudié ces manuscrits en même temps que ceux du groupe VI dans le deuxième des articles que l'on trouvera mentionnés plus bas[12].

Au groupe représenté au ixe siècle par B se rattachent, de façon plus ou moins proche :

n — PARIS, *Bibliothèque Nationale*, 11630 *(Saint-Cyran-Saint-Maur-Saint-Germain)*, xiie siècle[13].

Osée, Joël, Amos, Michée, Habacuc, Sophonie, Aggée, Abdias, *Jonas*, Naum, Zacharie, Malachie.

d — PARIS, *Bibliothèque Nationale*, 1835 *(Saint-Martial de Limoges*, 19), xie-xiie siècle.

Osée, Abdias, *Jonas*, Naum, Zacharie, Michée, Habacuc, Sophonie, Aggée, Malachie.

c — MADRID, *Biblioteca Nacional*, 10044 (Hh. 42) (France), xiie siècle.

Osée, Abdias, *Jonas*, Naum, Zacharie.

12. Voir « Sur un triple travail... », p. 5-13 ; 35-37 ; 181-185.

13. Ce manuscrit fait partie d'un groupe sur l'origine duquel R. ÉTAIX vient de se pencher dans le cadre des recherches sur les « nouvelles lettres » de saint Augustin : « Les manuscrits patristiques provenant de l'abbaye de Saint-Cyran », *Les lettres de saint Augustin découvertes par J. Divjak*, Paris, Études Augustiniennes, 1983, p. 29-32.

v — VENDÔME, *Bibliothèque Municipale*, 33 *(Tri-nité de Vendôme)*, xiie siècle.
Joël, Abdias, *Jonas*, Michée, Habacuc, Naum, Sophonie, Aggée, Zacharie, Malachie.

III) C — CAMBRAI, *Bibliothèque Municipale*, 299 (281) *(Cathédrale)*, ixe siècle.
Osée, Joël, Amos, Abdias, *Jonas*, Naum, Michée, Habacuc.

D — LAON, *Bibliothèque Municipale*, 38 *(Cathé-drale)*, ixe siècle.
Joël, *Jonas*, Naum, Michée, Habacuc.
A ce groupe appartiennent les manuscrits postérieurs suivants :

Au — SAINT-OMER, *Bibliothèque Municipale*, 279 *(Saint-Bertin)*, xe siècle.
Joël, *Jonas*, Naum, Michée, Habacuc.

q — OXFORD, *Bodleian Library, Laud. Misc.*, 274 (Allemagne), fin xie siècle.
Joël, *Jonas*, Naum.

w — MUNICH, *Bayerische Staatsbibliothek*, Clm 21527 *(Weihenstephan)*, xiie siècle.
Osée, Abdias, Michée, Zacharie, Malachie, Sophonie, Aggée, *Jonas*, Joël, Amos, Haba-cuc, Naum.

Li — BERLIN, *Deutsche Staatsbibliothek*, Theol. oct. 63 *(Lisborn)*, xiie siècle.
Joël, Michée, *Jonas* (sans préface).

z — ZWETL, *Stiftsbibliothek*, 74, xiie siècle.
Amos (fr) + première moitié dans l'ordre de la Vulgate.

IV) N — NAMUR, *Musée Archéologique, Fonds de la Ville*, 16 *(Saint-Hubert des Ardennes)*, ixe siè-cle.

Osée, Amos, *Jonas*, Abdias, Michée (...),
Sophonie, Aggée, Zacharie, Malachie.

X — LE MANS, *Bibliothèque Municipale*, 213 *(La
Couture)*, IXᵉ siècle.

Osée, Amos, *Jonas*, Abdias, Michée, Naum.

Q — PARIS, *Bibliothèque Nationale*, 15679 *(Saint-
Mesmin)*, IXᵉ siècle *(Extraits)*.

Jonas, Abdias, Michée, Naum, Sophonie,
Aggée, Zacharie.

A ce groupe se rattachent, de façon
étroite, aux siècles suivants :

Lo — OXFORD, *Bodleian Library*, *Laud. Misc.*, 254
(Lorsch), Xᵉ siècle.

Osée, Amos, *Jonas*, Abdias, Michée, Naum.

Mo — MUNICH, *Bayerische Staatsbibliothek*, Clm
14393 *(Sankt Emmeran*, Regensburg, E. 16),
XIᵉ-XIIᵉ siècle.

Osée, Amos, *Jonas*, Abdias, Michée, Naum,
Zacharie, Sophonie, Aggée, Malachie.

Pal — VATICAN, *Biblioteca Apostolica, Palatin Latin*,
173 *(Gladbach*-Heidelberg), XIᵉ siècle.

Osée, Joël, Amos, *Jonas*, Abdias, Michée,
Naum, Zacharie, Sophonie, Aggée, Malachie,
Habacuc.

V — ORLÉANS, *Bibliothèque Municipale*, 60 (57)
(Fleury), Xᵉ-XIᵉ siècle *(Extraits)*.

Osée, Joël, Amos, Abdias, *Jonas*, Michée,
Naum, Habacuc, Sophonie, Zacharie, Malachie *(mut.)*.

W — ORLÉANS, *Bibliothèque Municipale*, 59 (56)
(Fleury), Xᵉ siècle *(Extraits)*.

Osée, Joël, Amos, Abdias, *Jonas*, Michée,
Naum, Habacuc, Sophonie *(mut.)*.

Co — PARIS, *Bibliothèque Nationale*, 12158 (*Corbie*, Saint-Germain-des-Prés), XIIe siècle *(Extraits)*.
Ordre *Vulgate*.

To — TODI, *Biblioteca Communale L. Leoni*, 79, XIIe siècle.
Osée, Amos, Abdias, *Jonas*, Michée, Naum, Joël, Habacuc, Sophonie, Aggée, Zacharie, Malachie.

Vo — VATICAN, *Biblioteca Apostolica*, Lat. 331, XIIe siècle.
Osée, Amos, Abdias, *Jonas*, Michée, Naum, Joël, Habacuc, Sophonie, Aggée, Zacharie, Malachie.

Go — GRENOBLE, *Bibliothèque Municipale*, 214 *(Chartreuse)*, XIIe siècle.
Ordre *Vulgate*.

g — PARIS, *Bibliothèque Nationale*, Lat. 1831 (Colbert. 392 - Regius 3631/3B), XIIIe siècle.
Ordre *Vulgate*.

Cl — SAINT-OMER, *Bibliothèque Municipale*, 45 *(Clairmarais)*, XIIe-XIIIe siècle.
Osée, Joël, Amos, Abdias, *Jonas*, Michée *(mut.)* ... Malachie *(mut.)*.

Ma — PARIS, *Bibliothèque de l'Arsenal*, 34 *(Saint-Martin-des-Champs)*, XIIe siècle. (*Extraits*, récrits).
Ordre *Vulgate*.

A ce groupe s'apparentent trois autres sous-groupes :

a) i — PARIS, *Bibliothèque Mazarine*, 571 (266), XIIe siècle.
Osée, Amos, *Jonas*, Abdias, Michée, Naum, Habacuc, Sophonie, Aggée, Joël, Malachie, Zacharie.

ci — DIJON, *Bibliothèque Municipale*, 132 (99) *(Cîteaux)*, XIIe siècle.

Osée, Amos, *Jonas*, Abdias, Michée, Naum, Habacuc, Sophonie, Aggée, Joël, Malachie, Zacharie.

b) Un ensemble de manuscrits de la France du Nord et du Nord-Est, qui présentent également des parentés avec le groupe CD précédent :

bo — CAMBRIDGE, *University Library*, Gg IV, 28 (Continent), XIIIe siècle.

Osée, Amos, *Jonas*, Abdias, Michée, Naum.

an — DOUAI, *Bibliothèque Municipale*, 293, I et II *(Anchin)*, XIIe siècle.

Ordre *Vulgate*, en deux volumes (6 + 6).

am — VALENCIENNES, *Bibliothèque Municipale*, 65-66 *(Saint-Amand)*, XIIe siècle.

Ordre *Vulgate*, en deux volumes (6 + 6).

ca — CAMBRAI, *Bibliothèque Municipale*, 396 (374) *(Cathédrale*, 82, *Mont-Saint-Martin)*, XIIe siècle.

Ordre *Vulgate* : les seuls six premiers prophètes.

al — BRUXELLES, *Bibliothèque Royale*, II 1100 *(Aulne)*, XIIe-XIIIe siècle.

Ordre *Vulgate* : les seuls six premiers prophètes.

c) la — LAON, *Bibliothèque Municipale*, 41, 1 et 2 *(Vauclair)*, XIIe siècle.

Ordre *Vulgate* en deux volumes, mais 5 + 7.

sa — CHARLEVILLE-MÉZIÈRES, *Bibliothèque Municipale*, 196 C I et II *(Signy)*.

Ordre *Vulgate* en deux volumes (6 + 6).

ra — MANCHESTER, *John Rylands Library*, 93
(Crawford, 103) *(Stavelot)*, xiie siècle.
Ordre *Vulgate*, en un seul volume.

V) K — COLOGNE, *Dombibliothek*, 54 (Darmstadt 2049)
(Cathédrale), viiie-ixe siècle.
Abdias, *Jonas*, Naum.

Eb — OXFORD, *Bodleian Library*, *Laud. Misc.*,
147 *(Eberbach)*, xiie siècle.
Michée, Habacuc, Sophonie, Abdias, *Jonas*,
Naum.

A ce groupe semblent se rattacher, outre
des parentés avec CD, les manuscrits
suivants :

a) m — MUNICH, *Bayerische Staatsbibliothek*, Clm 3727
(Cathédrale d'Augsburg), xie siècle.
Osée, Joël, Amos, Abdias, *Jonas*, Michée.

b) t — TOURS, *Bibliothèque Municipale*, 275 *(Saint-
Gatien*, 126), xie siècle.
Osée, Joël, Amos, Abdias, Naum, *Jonas*,
Michée, Habacuc, Sophonie, Aggée, Zacha-
rie, Malachie.

j — PARIS, *Bibliothèque Mazarine*, 572 (267)
(Collège de Navarre), xiiie siècle.
Osée, Joël, Amos, Abdias, Naum, *Jonas*,
Michée, Habacuc, Sophonie, Aggée, Zacharie,
Malachie.

VI) Y — LE MANS, *Bibliothèque Municipale*, 240 *(La
Couture)*, ixe siècle[14].
Michée, Joël, *Jonas*, Naum, Sophonie *(mut.)*.

---

14. Sur ce groupe VI, voir les trois études mentionnées n. 11.

M — PARIS, *Bibliothèque Nationale*, 1839 (Est de la France ?), viiie-ixe siècle.
Jonas, Naum, Sophonie, Aggée.

L — PARIS, *Bibliothèque Nationale*, 12157 *(Saint-Germain-des-Prés)*, ixe siècle.
Jonas, Naum, Sophonie, Aggée.

H — KARLSRUHE, *Badische Landesbibliothek, Aug. Perg.*, LXXIV *(Saint-Denis-Reichenau)*, ixe siècle.
Jonas, Naum, Sophonie, Aggée.

I — KARLSRUHE, *Badische Landesbibliothek, Aug. Perg.*, CCXXVI *(Reichenau)*, ixe siècle.
Joël, Michée ; *Jonas*, Naum, Sophonie, Aggée.

G — SAINT-GALL, *Stiftsbibliothek*, 123 *(Saint-Gall)*, ixe siècle.
Jonas, Naum, Sophonie, Aggée.

S — SION, *Bibliothèque du Chapitre, Fonds des Archives de Valère*, 35 *(Saint-Gall)*, xie siècle.
Jonas, Naum, Sophonie, Aggée.

Sa — SCHAFFHAUSEN, *Stadtbibliothek*, 11-12 *(Allerheiligen. Sch.)*, xiie siècle.
11 : Osée, Joël, Amos, Abdias, *Jonas*, Naum.
12 : Michée, Habacuc, Sophonie, Aggée, Zacharie, Malachie.

J — TROYES, *Bibliothèque Municipale*, 126 *(Murbach)*, ixe siècle.
Ordre *Vulgate*, en un seul volume, mutilé en fin (début de Malachie).

Ta — TROYES, *Bibliothèque Municipale*, 191 *(Clairvaux)*, xiie siècle.
Ordre *Vulgate*, en un seul volume.

e — PARIS, *Bibliothèque Nationale*, 1835 A *(Fontenay)*, xiie siècle.
Osée, Joël, Amos, Abdias, *Jonas*.

p — Paris, *Bibliothèque Nationale*, 15285 *(Mori-mond (?)-Sorbonne)*, xiie siècle.

Osée, Joël, Amos, Abdias, *Jonas*, Michée,

l — Vatican, *Biblioteca Apostolica*, Lat. 329 (France), xiie siècle.

Osée, Joël, Amos, Abdias, *Jonas*, Michée.

Te — Troyes, *Bibliothèque Municipale*, 409 *(Clairvaux)*, xiie siècle.

Osée, Joël, Amos, Abdias, *Jonas*.

Ba — Lisbonne, *Bibliothèque Nationale*, 338, Alcobaça XIV *(Clairvaux)*, xiiie siècle.

Ordre *Vulgate*, en un seul volume.

VII) P — Paris, *Bibliothèque Nationale*, 1836 *(Région d'Auxerre)*, ixe siècle.

Joël, Habacuc, *Jonas*, Zacharie, Michée, Malachie.

O — Orléans, *Bibliothèque Municipale*, 61 (58) *(Fleury)*, ixe siècle.

Joël, Habacuc, *Jonas*, Zacharie, Michée, Malachie.

De ce groupe relèvent les sous-ensembles suivants :

a) My — Avranches, *Bibliothèque Municipale*, 69 *(Mont-Saint-Michel)*, xie siècle.

Osée, Joël, *Jonas*, Sophonie, Aggée, Malachie.

Fy — Angers, *Bibliothèque Municipale*, 151 (143) (Abbaye de *Saint-Aubin*), xiie siècle.

Osée, Joël, *Jonas*.

b) Jy — Rouen, *Bibliothèque Municipale*, 446 (A. 88. Ancien A. 166) *(Jumièges)*, xiie siècle.

Osée, Joël, Amos, Abdias, *Jonas*, Michée, Naum.

Sy   — Oxford, *Bodleian Library, E Mus.* 26 (*Bury Saint-Edmonds*, Suffolk), xiie siècle.
       Osée, Joël, Amos, Abdias, *Jonas*, Michée.

c) By — Londres, *British Museum, Royal* 4 C. XI (*Saint-Martin*, Battle Abbey, Sussex), xie-xiie siècle.
       Ordre *Vulgate*, complet.

Dy   — Durham, *Cathedral Library*, B. 2.9 *(Cathédrale)*, fin xie siècle.
       Ordre *Vulgate*, complet.

Ny   — Cambridge, *Emmanuel College*, 121 (II. 1.12), xiie siècle.
       Ordre *Vulgate*, première moitié.

Cy   — Cambridge, *Trinity College*, B. 3.28 *(Canterbury, Christ Church)*, xiie siècle.
       Ordre *Vulgate*, première moitié.

Py   — Eton, *College Library* 21, (*Bk.* 2.8) *(Peterborough)*, xiie siècle.
       Daniel et les Douze (Ordre *Vulgate*).

Ly   — Eton, *College Library* 22, (Bk. 2.9) *(Angleterre)*, xiiie siècle.
       Ordre *Vulgate*, complet.

d) f — Paris, *Bibliothèque Nationale*, 1832 *(Béthune)*, xiie siècle.
       Osée, Joël, Amos, *Jonas*, Michée, Habacuc.

r   — Paris, *Bibliothèque Nationale*, 17374-5 (Paris, *Saint-Martin des Champs*), xiie siècle.
       1. Osée, Joël, Amos, Abdias, *Jonas*, Michée.
       2. Naum, Habacuc, Sophonie, Aggée, Zacharie, Malachie.

h   — Paris, *Bibliothèque Nationale*, 1840 *(Bonfort)*, xiiie siècle.
       Michée, Habacuc, Zacharie, Joël, *Jonas*, Malachie.

Les deux manuscrits carolingiens de ce groupe, dont le second n'est que la copie du premier, ont un ordre caractéristique qui disparaît dans les manuscrits suivants et en particulier dans l'ensemble anglo-normand qui forme un groupe homogène dont les parentés ne se restreignent pas au seul *In Ionam*. En revanche, les derniers sont plus irréguliers, mais offrent pour *Jonas* un texte qui dépend d'un parent ou d'un ancêtre de P. Le *Paris* 1840 contient d'ailleurs, dans un ordre différent, les mêmes Commentaires que le *Paris* 1836.

VIII) Un dernier (?) groupe, constitué principalement de manuscrits italiens, n'est pas actuellement représenté pour l'*In Ionam* par un manuscrit carolingien. On peut y déceler plusieurs sous-groupes. A part le premier et le dernier, qui sont de plus très incomplets, leur ordre est celui de la *Vulgate*. Ils se caractérisent, à l'exclusion du premier, par la présence, plus ou moins nombreuse, en des endroits divers, de *Préfaces* pseudo-hiéronymiennes. L'*In Ionam* y dépend d'un ancêtre commun.

1. Vi — Vérone, *Bibliothèque Capitulaire*, XX (18), xe siècle.

  > *Jonas* (mutilé en tête), Zacharie, Malachie.

  > Ce manuscrit ne semble pas avoir été employé par Vallarsi.

2. Ki — Cologne, *Dombibliothek*, 53 (Darmstadt 2048), fin xe siècle.

  > Ce manuscrit a été corrigé à partir du Cologne, *Dombibliothek* 54 (= K, *supra*, p. 132).

3. Bi — Mont-Cassin, *Biblioteca dell'Abbazia*, 93 FF, fin xie siècle.

  Ni — Mont-Cassin, *Biblioteca dell'Abbazia*, 290 FF, xiie siècle.

  > Le deuxième n'est que la copie du premier.

4. Fi[1] — FLORENCE, *Biblioteca Medicea Laurenziana, Conv. Sopp.*, 335 (*Vallombrosa*, 335-571), XIe-XIIe siècle.

Fi[2] — FLORENCE, *Biblioteca Medicea Laurenziana, Conv. Sopp.*, 327 (*Vallombrosa*, 160-327), XIIe siècle.

Fi[3] — FLORENCE, *Biblioteca Medicea Laurenziana, S. Croce*, Plut. XV, Dext., Cod. 5, XIIIe siècle.

Ces trois manuscrits font partie des *Florentini* auxquels Marianus Victorius renvoie avec plaisir, sans s'être aperçu, semble-t-il, qu'ils devaient — abstraction faite des fautes de transmission — se réduire à un seul.

5. Ti — IVREA, *Biblioteca Capitolare*, 51 (XCVII), Xe siècle.

6. Mi — MILAN, *Biblioteca Ambrosiana*, C. 249 Inf., XIe siècle.

 Jonas, Michée, Naum, Zacharie, Aggée, Sophonie.

 Ce manuscrit a subi de nombreux bouleversements à partir de *Naum*.

Paradoxalement, n'entrent pas dans ce classement les six manuscrits les plus anciens, qui ne présentent que de brefs *excerpta* ou un texte si abrégé et *remanié* qu'il n'offre une base ni assez sûre pour établir le texte, ni suffisante, en ce qui concerne *Jonas*, pour permettre un classement tranché.

a) Un florilège de Jérôme, comprenant des emprunts à quatre *Commentaires sur les petits prophètes* et dont les témoins les plus anciens sont[15] :

15. Le texte des deux premiers manuscrits qui est extrait de l'*In Ionam* a été édité par dom ANTIN (p. 41-44). Sur ce florilège, ses manuscrits anciens et plus récents, son influence sur d'autres recueils, voir R. ÉTAIX, « Un ancien florilège hiéronymien », *Sacris Erudiri* 21, 1972-1973, p. 5-34. L'ordre des quatre prophètes est original ! C'est de ce florilège que dépend Defensor dont je n'ai pas

Λ — Lyon, *Bibliothèque Municipale*, 600 (517), viie-
viiie siècle.

Abdias, Naum, *Jonas*, Habacuc.

Π — Paris, *Bibliothèque Nationale*, 14086 (*Moutiers-
Saint-Jean*, Langres), viie-viiie siècle.

Abdias, Naum, *Jonas*, Habacuc.

Σ — Karlsruhe, *Badische Landesbibliothek, Aug.
Perg.* CLXXVII (*Reichenau*), ixe siècle.

Abdias, Naum, *Jonas*, Habacuc.

Θ — Paris, *Bibliothèque Nationale*, 2373 (Colberti-
nus 2475-Regius 4039/5-5), ixe siècle.

Abdias, Naum, *Jonas*, Habacuc.

b) E — Paris, *Bibliothèque Nationale*, 10600 (*Echternach*), viiie-ixe siècle (*Extraits*).

Osée, Abdias, *Jonas*, Naum, Habacuc, Sophonie,
Aggée, Zacharie, Malachie, Joël, Amos, Michée.

c) F — Kassel, *Landesbibliothek, Theol. Fol.* 22 (*Fulda*),
viiie siècle (*Extraits*)[16].

Osée, Amos, Michée, *Jonas*, Naum, Sophonie,
Aggée, Malachie.

On peut y joindre Gand, *Universiteitsbibliothek*, 254
(*Saint-Martin de Trèves*), xe siècle. Celui-ci est trop récrit
pour être utilisable, en ce qui concerne, du moins, l'*In
Ionam* que j'ai seul vu.

Il reste encore, pour l'*In Ionam* même, un certain nombre
de manuscrits des xiie-xiiie siècles à consulter et à classer[17].

---

repris les quelques *scintillae* provenant de l'*In Ionam*. Elles n'apportent
rien au texte.

16. Ces manuscrits E et F ne peuvent être véritablement classés
à l'aide du seul résumé, parfois très bref, des péricopes de l'*In Ionam*.
On notera un certain nombre de parentés de E avec NXQ, de F
avec CD.

17. A m'en tenir au répertoire de B. Lambert *et* aux manuscrits
qui contiennent l'*In Ionam*, il resterait à classer : — *Pour le*

L'apparat, qui sera ici donné, même là où il n'y a aucun doute sur le texte, devrait permettre de classer les derniers manuscrits, y compris ceux des xive-xve siècles qui n'ont guère été consultés. On prendra garde cependant au fait que les manuscrits des xie-xiie siècles voient leurs divergences se réduire par retour à un « bon » texte ou parfois s'additionner, par mélange de deux familles. Il n'y a pas de raison que ce travail d'émendation et de fusion se soit arrêté jusqu'au xve siècle et au changement de technique et de diffusion que permit l'impression mécanique.

2. Les éditions

Avant le XVᵉ siècle Les éditeurs anciens n'indiquent malheureusement pas de façon précise les manuscrits qu'ils utilisent. Ils peuvent puiser dans des manuscrits divers d'un Commentaire à l'autre, ne serait-ce que parce que leur manuscrit de prédilection n'est pas complet. On se méfiera donc du pluriel de leurs Préfaces, de même que des jugements sur l'antiquité de leurs documents : vu leur habitude de se servir de manuscrits récents, un manuscrit du xiie siècle devient vite pour eux *vetustissimus*. Ils ont aussi tendance à partir d'une édition précédente, qu'ils amendent à l'aide des manuscrits qu'ils ont à leur disposition. Chaque édition porte donc un

XIIᵉ siècle, Lucques, *Biblioteca Gobernativa*, 1378 (L. 90) ; et peut-être Mantoue, *Biblioteca Communale*, C. IV.14 (54) ; Tarragone, *Biblioteca Provincial*, 58. — *Pour le XIIIᵉ siècle*, Turin, *Biblioteca del Seminario Metropolitano*, III.H.II.25. De date indéterminée : Heilsbronn, *Stiftsbibliothek*, 223 (disparu, semble-t-il). A ceux-là s'ajoute une quinzaine de manuscrits du xive et surtout du xve siècle (les manuscrits Vatican, latins 330 et 332 ainsi que l'Urbin. Lat. 56(99) appartiennent au groupe VIII), dans lesquels il y a certainement quelques perles à découvrir, au moins pour l'histoire du texte.

caractère « régional », au moins partiel, à moins qu'un
manuscrit n'ait voyagé et n'apporte des données étrangères
à la contrée... ou ne conforte celles que transmettait sa
région d'origine *déjà* représentée par une édition antérieure !

**Du XVᵉ
au XVIIIᵉ siècle**

En ce qui concerne *Jonas*, l'édition
de Venise[18], dont on supposerait un
substrat « italien », véhicule l'héritage
du groupe CD dont l'apport restera important dans la
suite des siècles. L'édition d'Érasme-Amerbach[19] a connu

---

18. Vallarsi qui a donné, au début de son édition (t. 1, p. vi ;
v. *infra*, n. 26), un aperçu des éditions antérieures, place en tête,
pour les *Commentarii in sacram Bibliam*, une édition de Nuremberg
de 1477 et une autre de Cologne, deux ans plus tard. C. Tr. G. Schoenemann (*Bibliotheca Historico-Literaria Patrum Latinorum*, Lipsiae
1792, t. I, p. 476), qui se réfère à cette même Préface générale, se
demande si ces deux éditions ont existé. Il en cite une troisième
(p. 489) qui serait parue sans indication de date ni de lieu sous le
titre *Beati Hieronymi expositiones in Vetus et in Nouum Testamentum*.
La première édition à laquelle j'ai pu avoir accès, et qui est connue
de Schoenemann (p. 482 s.) comme de Vallarsi *(loc. cit.)* ou de
L. Hain (*Repertorium bibliographicum in quo libri omnes ab arte
typographica inuenta usque ad annum MD typis expressi*, 1826,
t. II, *8581), est celle de Bernardino Gadolo, que les frères Jean
et Grégoire de Gregoriis ont imprimée à Venise en 1497-1498, dans
le premier de leurs quatre volumes. En tête du t. 3, une lettre de
Gregorius de Gregoriis au Duc de Ferrare, Hercule, attribue au
camaldule B. Gadolo le travail concernant les *Commentaires sur
les petits prophètes*. Celui-ci figure dans le tome I, sous le titre général :
*Expositiones Diui Hieronymi in Hebraicas quaestiones necnon super
duodecim prophetas minores et quattuor maiores nouiter impresse cum
priuilegio*. Pas d'indication sur les manuscrits consultés. On s'attendrait à ce qu'ils fussent « italiens ». Or, on verra que cette édition est
souvent en accord avec des manuscrits du groupe III (CD etc.)
dont l'aire de diffusion est plutôt l'Allemagne et la France du Nord,
pour les manuscrits que je connais. B. Gadolo aurait-il utilisé l'une
ou l'autre des éditions allemandes de 1477 ou 1479 ?

19. J'ai consulté deux éditions du *Sextus tomus operum diui
Hieronymi commentarios in duodecim prophetas quos minores uocant*

un manuscrit descendant du groupe MLH, dont certaines leçons manifestement fautives dureront jusqu'à l'édition de Vallarsi. Marianus Victorius[20] apporte au texte précédent un certain nombre de corrections à l'aide de manuscrits de Florence, de Brescia et de Rome, dont l'unanimité le rassure. En réalité, trois manuscrits florentins au moins, on l'a dit, dépendent l'un de l'autre et appartiennent au dernier groupe. Les manuscrits de Brescia n'existent plus et ses manuscrits romains restent à identifier. Martianay[21], en utilisant les manuscrits de Saint-Germain, puise à deux groupes différents, mais le premier, par L, n'est autre que le groupe MH (VI), déjà représenté dans l'édition d'Érasme. Quant au manuscrit de Saint-Cyran (notre n), c'est, me semble-t-il, le plus mauvais représentant du groupe II. Le bénédictin a aussi recouru à l'abbaye Saint-Martin-des-Champs de Paris (notre r) et à Saint-Aubin d'Angers (notre Fy) qui lui ont, sans le savoir, fourni un texte du même groupe. Mais quel est le *Regius* qu'il évo-

---

iuxta utramque translationem continet: 1° Basileae apud Joan. Frobenium, anno MDXXV (Paris, *Bibl. Nationale,* C 939) ; 2° Sebastianus Gryphius Germanus excudebat Lugduni anno MDXXX (Paris, *Bibl. Nationale, Rés.* C 427). Les deux éditions portent en tête la même préface de B. Amerbach, datée du 1er juin 1516, qui mentionne des manuscrits de sept provenances, mais sans grande précision. Les deux éditions diffèrent quelque peu.

20. *Tomus quintus operum D. Hieronymi a Mariano Victorio Reatino canonico, et sacrae theologiae professore, ad fidem antiquissimorum exemplarium, trecentis et amplius sublatis erroribus, emendatus ; continens Ecclesiasten et duodecim prophetas minores,* Romae, in aedibus populi romani, 1571, c. 183-197. Les notes critiques sont à la fin du T. 6 (p. 71-73). Une liste d'*errata, Ibid.,* p. 319 (Paris, *Bibl. Nationale,* C 419).

21. *S. Eusebii Hieronymi Stridonensis presbyteri operum tomus tertius complectens commentarios in sexdecim prophetas majores atque minores restitutos ad fidem manuscriptorum codicum uetustissimorum,* Studio ac labore Domni Johannis Martianay presbyteri congregationis S. Mauri, Parisiis apud Ludouicum Roulland, Via Iacobaea, 1704, col. 1469-1496 (Paris, *Bibl. Nationale,* C 422).

que pour les petits prophètes et qu'est devenu le *Cluniacen-sis*[22] qu'il dit avoir utilisé[23] ? Contenait-il *Jonas*? Quel est le *Floriacensis* qu'il a consulté[24] ? Somme toute, sa base manuscrite serait assez large s'il avait vraiment fait reposer son édition sur elle, au lieu de reprendre le texte d'Érasme[25]. Car, un peu plus tard, malgré ses pluriels, Vallarsi[26] ne profite pour *Jonas* que de l'apport d'*un seul* manuscrit, le *Palatinus* 173, qui lui donne des leçons du groupe NX (IV), qu'il adopte ou signale de façon plus ou moins précise, en partant du texte de Martianay. S'il a consulté le *Vatican Latin* 329, il retrouve le groupe MLH (VI).

22. Utilisé pour *Osée, Amos, Michée*. S'agit-il du PARIS, *Nouv. Acquisitions latines*, 2248, comme le dit ADRIAEN (*CC* 76, p. XII) ? Il ne contient que l'*In Oseam*... Sur les manuscrits de Cluny, v. L. DELISLE, *Le cabinet des manuscrits de la Bibliothèque Nationale*, Paris, 1874, t. II, p. 465, n. 197, 198, 200, 201.

23. Nommément utilisé pour *Michée*.

24. Explicitement utilisé pour *Naum, Habacuc, Zacharie*. Martianay ne semble cependant pas avoir consulté le *Parisinus* 1836 qui lui aurait donné le texte de la glose présente en *In Ioelem*, 2, 28-32 de l'édition d'Érasme. Ce n'est pas de ce manuscrit cependant que provient l'édition d'Érasme. Sur ces gloses et leur transcription dans *Troyes, B.M.* 126, voir Y.-M. DUVAL, « L'origine et la diffusion... », *RHT* 11, 1981, p. 288-290.

25. Autant qu'on peut en juger par l'*In Ionam*, Martianay est loin d'annoncer toujours ses corrections. Il en emprunte aussi quelques unes aux *notes* de Marianus Victorius ; mais il part du *texte érasmien*.

26. *Sancti Eusebii Hieronymi Stridonensis presbyteri operum tomus sextus* ... studio ac labore Dominici Vallarsi, Veronae, MDCCXXXVI, c. 386-430, consultée à la *Bibliothèque Capitulaire* de Vérone. La deuxième édition, parue à Venise en 1768, avec l'aide de Scipio Maffei, un autre grand Véronais, offre un certain nombre de différences qui semblent être surtout des fautes d'impression. Le texte a été recomposé, avec de légers décalages dans la columnation. (J'ai consulté l'exemplaire de l'*École Normale Supérieure*, rue d'Ulm). C'est cette seconde édition qui, avec ses fautes, a été reprise par Migne dans le tome 25 de la *Patrologie latine* (sans différence de colonnes entre les deux éditions de 1845 et 1885). On trouvera les numéros des colonnes de Vallarsi 1 et 2 et de Migne en marge de notre texte.

Ce n'est pas la dernière fois qu'un éditeur revient en arrière en croyant enrichir sa base manuscrite.

L'édition d'Adriaen

Adriaen[27] a, pour *Jonas*, utilisé *deux* manuscrits carolingiens. L'un, N, n'est autre qu'un ancêtre, plus ou moins direct, du *Palatinus* 173 de Vallarsi. Heureusement, le second, K, appartient à un groupe qui, semble-t-il, n'avait jamais été exploité et qui est loin d'être mauvais. Le résultat aurait été meilleur encore s'il avait été fait appel au *Parisinus* 1836 (notre P) qui a servi pour d'autres Commentaires de la même édition. Les données de ce manuscrit n'apparaissent que dans la centaine de sondages qu'avait opérés dom Antin[28] et qu'Adriaen a intégrés à son apparat. Ces sondages ont été faits, pour la plupart, dans des manuscrits français et surtout parisiens. Cette bonne vingtaine de manuscrits non classés est plus trompeuse qu'autre chose, puisque, classés, ses ALEP *Vat.* 329, BSND, CFHRαρ, νGO *Vat.* 331, se réduisent déjà en réalité à quatre Carolingiens, nos M, B, P, N.

Cette édition

La présente édition voudrait offrir un texte à la fois plus satisfaisant et mieux *établi*[29] de l'*In Ionam*. Elle aimerait également « servir aux travailleurs »[30] qui s'attaqueront à d'autres Commentaires ou (et) qui se trouveront, pour l'*In Ionam*, devant un manuscrit que je n'ai pas vu. L'apparat, négatif dans la plus large mesure, donnera les leçons divergentes des Carolingiens, sans tenir compte des fautes évidentes,

---

27. *S. Hieronymi presbyteri opera, Commentarii in prophetas minores, post Dominicum Vallarsi textum edendum curauit* M. ADRIAEN (*Corpus Christianorum* 76), Turnholti 1969.

28. ANTIN, p. 35-38 et *passim*. J'ai essayé de rester au plus près des sigles de dom Antin, souvent en employant la minuscule là où il avait utilisé la majuscule pour les manuscrits des XIIe et XIIIe siècles.

29. *Note reportée p. 145 s.*

30. Selon la formule de dom ANTIN, p. 34.

des variantes orthographiques qui n'ont pas laissé de trace
ou entraîné d'erreurs dans la suite de la tradition manuscrite
du groupe. Dans cette mesure, les données de N et K
seront moins nombreuses dans cette édition que dans celle
d'Adriaen, où sont relevés — omissions et erreurs peu
nombreuses mise à part — les moindres leçons et accidents
de ces deux seuls Carolingiens. Même allégé ici des leçons
les plus aberrantes sans postérité, l'apparat reste chargé
de beaucoup de « scories » qui n'ont d'intérêt que pour
l'histoire du texte entre le ixe et le xiiie siècle au moins.
Certaines fautes évidentes ont eu la vie longue ou ont
entraîné des essais de réparation qui demandent que l'on
garde mémoire de l'erreur initiale. C'est la raison pour
laquelle également les éditions des frères Gregorii, d'Érasme,
Marianus Victorius, Martianay, Vallarsi (reprise par
Migne et, à quelques menues différences près, par dom
Antin) sont mentionnées, avec, quand c'est possible,
le manuscrit médiéval dont les éditeurs se sont servi.
En d'autres cas, on pourra voir au moins à quelle famille
appartenait le manuscrit qu'ils ont suivi. On notera aussi
que certaines leçons des Gregorii et d'Érasme, appuyées
par le groupe CD ou (et) le groupe MLH, sont arrivées
jusqu'à Vallarsi, mais ne supposent pas qu'un éditeur
intermédiaire les ait retrouvées dans ses propres manuscrits.
Comme il arrive couramment à l'époque, l'éditeur ne fait
que reprendre un texte antérieur, en consultant épisodique-
ment le ou les manuscrits qu'il a sous la main. Une édition
n'est donc nouvelle que par ses divergences. Les ressemblances ne prouvent rien ; au contraire. Il n'a pas semblé
indispensable de répéter pour les sondages de dom Antin
le classement des manuscrits qu'il avait consultés : ce
classement peut être fait sans peine à l'aide de ce qui a été
dit plus haut. De même a-t-on omis les quelques erreurs
que la vulgarisation de Migne a ajoutées au texte de la
deuxième édition de Vallarsi. L'éditeur industriel de la rue
d'Enfer n'avait pas de prétentions philologiques. Il n'a fait

que propager dans le monde entier un texte qui était
la fusion de cinq éditions κατὰ πόλεις au moins, ce qui n'est
pas un mince mérite. L'heure est peut-être venue d'entreprendre de véritables éditions critiques. Celle-ci essaie
au moins de creuser quelques tranchées dans ce vaste
chantier. Si elle a pu repérer ainsi quelques massifs, il est
plus que probable qu'elle est aussi passée à côté d'autres
trouvailles qu'une autre entreprise du même genre ne peut
manquer de provoquer.

Il me reste à remercier les Conservateurs des nombreuses
bibliothèques de France et d'Europe qui m'ont permis de
travailler directement sur leurs précieux manuscrits.
Ce travail de collation a pu être prolongé grâce à de
nombreuses photos que j'ai dues souvent à l'*Institut
de Recherche et d'Histoire des Textes*, qui ne m'a pas ménagé
sa collaboration, mais aussi à diverses bibliothèques et
à des amis qui ont bien voulu m'aider. Je serais assez
récompensé de ce long travail, qui n'a pu être effectué
dans la continuité et la sérénité qu'il eût exigées, s'il
facilitait quelques éditions d'autres *Commentaires sur les
petits prophètes* et si ce « microcosme hiéronymien » qu'est
l'*In Ionam*, comme dom Antin l'a défini de manière
excellente[31], permettait un meilleur accès à l'œuvre de
Jérôme. Quant aux imperfections, je me plais à reprendre
la formule finale d'une liste d'*errata* de l'un des éditeurs
anciens — qui souvent n'abusent pas de gentillesse, comme
si la fréquentation de Jérôme avait déteint sur eux — :
« Cetera quae fuerint (tollenda), *tollat amica manus*[32]. »
Mais il y aura aussi beaucoup à ajouter !

31. *Ibid.*, p. 29.
32. MARIANUS VICTORIUS, *Tomus Sextus*, p. 319.

29. Il apparaîtra vite à celui qui consultera l'apparat critique
que les groupes (B) et (K) sont apparentés, de même que les groupes
(CD) et (YM, etc.). Je les ai laissés ici indépendants, de crainte qu'une

conclusion trop hâtive ou qui ne concerne que l'*In Ionam* ne gêne la suite de l'enquête. En n'unifiant pas trop les rameaux du ixᵉ siècle, on se facilite un classement plus aisé des manuscrits des siècles suivants. On peut mieux voir également comment s'est opéré le travail des éditeurs, et à partir de quelle famille, sinon toujours de quel manuscrit : Amerbach amende, mais plus d'une fois à tort, l'édition de Venise. Chacun des éditeurs suivants apporte son lot de corrections, mais continue souvent à transmettre l'héritage des éditions des xvᵉ-xviᵉ s., sans le remettre en cause. Faute de savoir que le *Palatinus* dont s'était servi Vallarsi appartenait à la même famille que le manuscrit de Namur qu'il avait sous les yeux, Adriaen a indûment favorisé certaines leçons. Cela ne veut pas dire que son travail ait été mal fait (rares mauvaises lectures, quelques omissions dans son apparat — cependant plus complet que le mien pour N et K —, simples bévues orthographiques ou autres : voir *infra*). Son recours à deux manuscrits du ixᵉ siècle lui a au contraire permis d'épurer le texte de nombreuses erreurs dues, soit à des corrections tardives, soit à des défaillances anciennes. On verra que les points où je me sépare de lui concernent souvent des leçons transmises depuis le xvᵉ ou xviᵉ siècle, mais sans appui dans les manuscrits carolingiens. Toutes ces modifications n'ont pas le même poids. J'ai placé un astérisque devant celles que je considère comme importantes pour le sens. (Je n'ai pas tenu compte de quelques fautes d'impression, par ex., *CC* 76, p. 408, l. 180 : contemptilia). On verra que plusieurs de ces modifications reposent à la fois sur les manuscrits *et* sur la technique du commentaire ou la pensée de Jérôme. Je n'ai cependant pas cherché à masquer quelques disparates ou fautes de style, quand elles étaient suffisamment attestées par la tradition manuscrite (par ex., p. 240, l. 217 : corporum/eius ; en 4, 10-11 : super hederam/ super hedera ; le duodecim *milia* est une erreur, que j'ai maintenue, puisqu'elle ne prête pas à conséquence dans le commentaire où importe *duodecim* — et non *decem*).

Différences d'avec l'édition de M. Adriaen (*CC* 76, p. 377-419) :

Préface :

l. 40 quia / quoniam *Adr.*
l. 59 *a Cyaxare / et Astyage *Adr.* (et cet.).

Chapitre 1 :

l. 24 bonum / bonum est *Adr.* (et cet.).
l. 65 Tarsum / Tharsum *Adr.*
l. 75 fugae otiose / fugae otiosae *Adr.*
l. 92 perambulant / pertransibunt *Adr.* (et cet.).

l. 109   Ioppen / in Ioppen *Adr. (et cet.)*.
l. 112   *descendit / ascendit *Adr. (et cet.)*.
l. 145   (matrem) suam / *om. Adr. (et cet.)*.
l. 163   eius / huius *Adr. (et cet.)*.
l. 164   leges / lege *Adr. (et cet.)*.
l. 185   commune / -ni *Adr. (et cet.)*.
l. 198   clamauerunt / uiri add. *Adr. (et cet.)*.
l. 288   *uirtuti / ueritati *Adr.*
l. 296   (quod) est / *om. Adr. (et cet.)*.
l. 339   cognouerant / -unt *Adr. (et cet.)*.
l. 346   timuerint / -runt *Adr. (et cet.)*.
l. 371   consurgit / insurgit *Adr.*
l. 409   *suscitantes / -tem *Adr. (et cet.)*.
ι. 500   *feruore / furore *Adr.*

Chapitre 2:

l.   45   in (itinere) / *om. Adr. (et cet.)*.
l.   51   tantum ordine commutato / *om. Adr. (et cet.)*.
l.   58   *digerebantur / dirige- *Adr. (et cet.)*.
l.   70   fuisse conuersas / *tr. Adr.*
l.   91-92 eo tempore / ex *praem. Adr. (et cet.)*.
l. 101   (quod) et (in) / *om. Adr. (et cet.)*.
l. 109   in cor / in corde *Adr.*
l. 131   *temptationibus / tempestatibus *Adr.*
l. 137   *temptationibus / tempestatibus *Adr.*
l. 151   hebraeo / hebraico.
l. 163   *super / per *Adr. (et cet.)*.
l. 175   in te lumine / in tuo lumine *Adr. (et cet.)*.
l. 127   in mortem / in morte *Adr.*
l. 228   *Abyssus / Abyssos *Adr.*
l. 282   *dicat / dicit *Adr.*
l. 284   *appelletur / -atur *Adr.*
l. 285   *ducant / -unt *Adr.*
ι. 389   siccam / siccum *Adr. (et cet.)*.
l. 392   *diei illi, / diei, ille *Adr. (et cet.)*.

Chapitre 3:

l.   41   sunt / sint *Adr. (et cet.)*.
l. 102   nec si / ne si *Adr.*
l. 186   qui sit / quis sit *Adr.*
l. 235   et (simplices) / ac *Adr. (et cet.)*.
l. 242   *iustitio / maestitia *Adr. (et cet.)*.
l. 243   Illudque / Illud quoque *Adr. (et cet.)*.

l. 253   (locutus) erat / fuerat *Adr.*
l. 258   uertit / -tet *Adr. (et cet.).*
l. 272   non quo / non quod *Adr. (et cet.).*

Chapitre 4 :

l. 40   (misericors) es / *om. Adr.*
l. 54   uolui fugere / tr. *Adr. (et cet.).*
l. 85   uel (maeroris) / et *Adr. (et cet.).*
l. 104-105 *labentiaque / labentia quaeque *Adr. (et cet.).*
l. 113   Ibi (iuxta) / *om. Adr.*
l. 118   *altiore / artiori *Adr. (et cet.).*
l. 147   suo trunco se / *add. Adr. (et cet.).*
l. 148   sustinens / sustinentis *Adr.*
l. 298   redemit / redi- *Adr. (et cet.).*
l. 303   *anulum / annulum *Adr. (et cet.).*
l. 311   duodecim / decem *Adr. (et cet.).*
l. 315   lactantem / lacten- *Adr. (et cet.).*
l. 324   *in (Nineue) / *om. Adr. (et cet.).*

BIBLIOGRAPHIE

1. La vie de Jérôme et l'époque 393-397

F. CAVALLERA, *Saint Jérôme, sa vie et son œuvre*, I, 1-2, Louvain-Paris 1922.

Y.-M. DUVAL, « Sur les insinuations de Jérôme contre Jean de Jérusalem. De l'arianisme à l'origénisme », *RHE* 65, 1970, p. 353-374.

— « Tertullien contre Origène sur la résurrection de la chair dans le *Contra Iohannem Hierosolymitanum 23-36* », *REAug* 17, 1971, p. 227-278.

P. NAUTIN, « Études de Chronologie hiéronymienne », *REAug* 18, 1972, p. 209-218; 19, 1973, p. 69-86; 213-239; 20, 1974, p. 251-284.

J. N. D. KELLY, *Jerome, his Life, Writings and Controversies*, Londres-New York 1975.

2. L'exégèse de Jérôme

A. VACCARI, « I Fattori dell'exegesi geronimiana », *Biblica* 1, 1920, p. 458-480.

F. CAVALLERA, « Saint Jérôme et la Bible », *BLE* 22, 1921, p. 214-217; 265-284.

A. PENNA, *Principi e carattere dell'esegesi di San Gerolamo*, Roma 1950.

L. N. Hartmann, « St Jerome as an exegete », *A Monument to saint Jerome...*, éd. by F. X. Murphy, New York 1952, p. 35-81.

G. Q. A. Meershoek, *Le latin biblique d'après saint Jérôme*, Nimègue-Utrech 1966.

P. Jay, « Le vocabulaire exégétique de saint Jérôme dans le Commentaire sur Zacharie », *REAug* 14, 1968, p. 5-16.

— « Jérôme auditeur d'Apollinaire de Laodicée à Antioche », *Ibid.* 20, 1974, p. 36-41.

— « *Allegoriae nubilum* chez saint Jérôme », *Ibid.* 22, 1976, p. 82-89.

— « Saint Jérôme et le triple sens de l'Écriture », *Ibid.* 26, 1980, p. 214-227.

— *L'exégèse de saint Jérôme d'après son Commentaire sur Isaïe*, Paris 1985.

Y.-M. Duval, « Jérôme et les prophètes. Histoire, prophétie, actualité et actualisation dans les Commentaires de Nahum, Michée, Abdias et Joël », *Actes du XIe congrès international sur l'Ancien Testament* (Salamanca 1983), *Vetus Testamentum*, Supplément no 36, Leiden 1985, p. 108-131.

— « Jérôme et Origène avant la querelle origéniste. La cure et la guérison ultime du monde et du diable dans l'*In Nahum* », *Augustinianum* 24, 1984, p. 471-494.

3. L'interprétation antique du livre de Jonas et celle de l'« In Ionam » de Jérôme

Y.-M. Duval, « Les sources grecques de l'exégèse de Jonas chez Zénon de Vérone », *VChr* 20, 1966, p. 98-115.

— « Saint Augustin et le Commentaire sur Jonas de saint Jérôme », *REAug* 12, 1966, p. 9-40.

— « Saint Cyprien et le roi de Ninive dans l'*In Ionam* de Jérôme : la conversion des lettrés à la fin du IVe siècle », *Epektasis* (Mél. Daniélou), Paris 1972, p. 551-570.

— *Le Livre de Jonas dans la littérature chrétienne grecque et latine : Sources et influence du Commentaire sur Jonas de saint Jérôme*, 2 vol., Paris 1973.

4. La tradition manuscrite de l'« In Ionam »

Y.-M. Duval, « Origine et diffusion de la recension de l'*In prophetas minores* hiéronymien de Clairvaux », *RHT* 11, 1981, p. 277-302.

— « Un triple travail de copie effectué à Saint-Denis au IXe siècle et sa diffusion à travers l'Europe carolingienne et médiévale. A propos de quelques Commentaires sur les petits prophètes de saint Jérôme », *Scriptorium* 38, 1984, p. 3-49, 181-210.

— « Un nouveau témoin de la recension de Clairvaux de l'*In prophetas minores* de Jérôme : le manuscrit 338 de Lisbonne (Alcobaça, XIV) », *Euphrosyne* 13, 1985, p. 51-77.

Enfin, le lecteur aura toujours intérêt, plaisir et surprise à fréquenter les trois ouvrages majeurs de dom Paul Antin :

— *Essai sur saint Jérôme*, Paris 1951.
— *Sur Jonas* (*SC* 43), Paris 1956.
— *Recueil sur saint Jérôme* (La plupart de ses articles sur Jérôme), Bruxelles 1968.

ABRÉVIATIONS ET SIGLES

1. Ouvrages et collections

ANTIN = SAINT JÉRÔME, *Sur Jonas*. Introduction, texte latin, traduction et notes de dom Paul Antin, *SC* 43, Paris 1956.

BS = Biblia Sacra iuxta uulgatam uersionem, Stuttgart 1975².

CC = Corpus Christianorum, Series Latina, Turnhout.

CSEL = Corpus Scriptorum Ecclesiasticorum Latinorum, Vienne.

CUF = Collection des Universités de France, Paris.

GCS = Die Griechischen Christlichen Schriftsteller, Berlin-Leipzig.

Le Livre de Jonas = Y.-M. DUVAL, *Le Livre de Jonas dans la littérature chrétienne grecque et latine...*, I-II, Paris 1973.

PG = Patrologia Graeca (J.-P. MIGNE), Paris.

PL = Patrologia Latina (J.-P. MIGNE), Paris.

SC = Sources Chrétiennes, Paris.

TU = Texte und Untersuchungen, Berlin-Leipzig.

— Les renvois à l'œuvre de Jérôme dans *PL* concernent la première édition (1845).

— Les renvois à *CC* 74 *(In Ieremiam)* se font selon la pagination et la linéation de S. Reiter (*CSEL* 59) indiquée en marge.

2. Apparat critique

Antin   Adriaen

A Cologne, *Dombibliothek*, 52 (Darmstadt 2047), ixᵉ s.

B Paris, *Bibliothèque Nationale*, Latin 1838 (Saint-Denis), ixᵉ s.   B

C Cambrai, *Bibliothèque Municipale*, 299 (281) (Cathédrale), ixᵉ s.

D Laon, *Bibliothèque Municipale*, 38 (Cathédrale), ixᵉ s.

E Paris, *Bibliothèque Nationale*, Latin 10600 (Echternach), viiiᵉ-ixᵉ s. (Extraits)   δ

F Kassel, *Landesbibliothek*, Theol. Fol. 22 (Fulda), viiiᵉ s. (Extraits)   C
                                        (non utilisé pour *Jonas*)

G Saint-Gall, *Stiftsbibliothek*, 123 (Saint-Gall), ixᵉ s.

H Karlsruhe, *Badische Landesbibliothek*, *Aug. Perg.* LXXIV (Saint-Denis), ixᵉ s.

I Karlsruhe, *Badische Landesbibliothek*, *Aug. Perg.* CCXXVI (Reichenau), ixᵉ s.

J Troyes, *Bibliothèque Municipale*, 126 (Murbach), ixᵉ s.

K Cologne, *Dombibliothek*, 54 (Darmstadt 2049), viiiᵉ-ixᵉ s.   K

Antin *Adriaen*

L Paris, *Bibliothèque Nationale*, Latin
    12157 (Saint-Germain-des-Prés), ixe s.   L   *Germ.*

M Paris, *Bibliothèque Nationale*, Latin 1839
    (Est de la France), viiie-ixe s.   A   *Par.*

N Namur, *Musée Archéologique*, Fonds de
    la Ville 16 (Saint-Hubert), ixe s.   ν   N

O Orléans, *Bibliothèque Municipale*, 61
    (58) (Fleury), ixe s.

P Paris, *Bibliothèque Nationale*, Latin
    1836 (Région d'Auxerre), ixe s.   C   P
                                       (non utilisé
                                       pour *Jonas*)

Q Paris, *Bibliothèque Nationale*, Latin
    15679 (Saint-Mesmin), ixe s. (Extraits)

X Le Mans, *Bibliothèque Municipale*, 213
    (La Couture), ixe s.

Y Le Mans, *Bibliothèque Municipale*, 240
    (La Couture), ixe s.

Bi Mont-Cassin, *Bibliothèque de l'Abbaye*,
    93 FF (Mont-Cassin), xie s.

ᵴ consensus codicum YMLHIGJ.

Manuscripti antiquorum editorum qui passim apparent
ut lectionem editionis antiquioris fulciant uel patris
perempti locum teneant :

n : Paris, *Bibliothèque Nationale*, Latin
     11630 (Saint-Cyran), xiie s.   N   *Prat.*
     (a Martianay adhibitus : *Cyg.*)

Pal : Vatican, *Biblioteca Apostolica*, Pala-
     tin Latin 173 (Gladbach), xie s.   *Pal¹.*
     (a Vallarsi adhibitus).

Fi : Florence, *Biblioteca Medicea Lauren-*
     ziana, Conv. Sopp. 327 (xiie s.) ; 335
     (xie s.) ; S. Croce, Plut. XV. Dext.,
     Cod. 5 (xiiie s.).
     (*Florentini* Mariani Victorii).

Antin Adriaen

s   : Paris, *Bibliothèque Nationale*, Latin
       14287 (Saint-Victor), xiiie s.
       (Apographon B perempti a Prologo
       usque ad capitulum 2, 1)   S   S

Editiones:

Gre.   editio Bernardini Gadolo a fratribus de Gregoriis
         impressa (1497).
Era.   editio Erasmi dicta (1516 et saepe reimpressa).
Vic.   editio Victorii Mariani (1565 et saepe reimpressa).
Mar.   editio Johannis Martianay (1704).
Val.[1,2] editio prima uel secunda Dominici Vallarsi (1734
         et 1768).
Ant.   editio Pauli Antin (1956).
Adr.   editio Marci Adriaen (1969).

* * *

ac   ante correctionem.
add.   addidit.
codd.   codices omnes (*sc.* A — Bi).
c. Vulg.   cum Vulgata.
del.   deleuit.
dupl.   duplicauit.
edd.   editores omnes *(sc. Gre. Era. Vic. Mar. Val.
              Ant. Adr.).*
edd.(— *Adr.*) editores omnes praeter Adriaen.
i.m.   in margine.
i.n.   in nota.
i.t.   in textu.
m.p.   manus posterior.
om.   omisit.

pc	post correctionem.
praem.	praemisit.
rell.	reliqui editores.
sp.l.	supra lineam.
tr.	transposuit.
(M[ac]), (H[ac]), (B)	lectiones quae ex apographis tantum supponi possunt.

Présentation du texte

La traduction latine du lemme hébreu est en petites capitales. Celle du lemme des LXX est en italique.

Dans le commentaire de Jérôme, les citations du lemme commenté sont en petites capitales s'il s'agit de la traduction de l'hébreu, en italiques s'il s'agit de celle des LXX, en petites capitales italiques si les deux traductions sont semblables. Les autres citations du livre de *Jonas* sont placées entre guillemets.

Certains manuscrits placent souvent une indication telle que : H, HEB uer, HEB, E, EB devant la traduction du lemme hébreu (cf. apparat critique). La présente édition y place partout l'abréviation Heb.

On notera que E et Q n'ont pas de Préface, que B présente une lacune jusqu'à II, 1, que M est corrompu jusqu'à I, 5 et fortement corrigé d'un bout à l'autre (cf. Y.-M. DUVAL, « Un triple travail de copie... », *Scriptorium* 38, 1984, p. 3-49 ; 181-210) et que E, F et Q ne représentent que des extraits, d'où leur apparition très irrégulière dans l'apparat. Beaucoup plus rare encore, le renvoi à l'un ou l'autre manuscrit plus tardif utilisé par un éditeur antérieur. Une table plus complète des manuscrits (classés par famille) et des sigles se trouve aux pages 126-138.

TEXTE ET TRADUCTION

< EVSEBII HIERONYMI PRESBYTERI
COMMENTARIVS IN IONAM PROPHETAM

PRAEFATIO AD CHROMATIVM >

Triennium circiter fluxit postquam quinque prophetas PL
interpretatus sum — Michaeam, Naum, Abacuc, Sophoniam, 111
Aggaeum — et alio opere detentus, non potui implere quod Va
coeperam. Scripsi enim librum de inlustribus uiris, et aduer- V.
5 sum Iouinianum duo uolumina ; Apologeticum quoque [a] 38.
et De optimo genere interpretandi [b] ad Pammachium, et ad 38
Nepotianum [c] uel de Nepotiano [d] duos libros, et alia, quae
enumerare longum est. Igitur, tanto post tempore, quasi
quodam postliminio, a Iona interpretandi sumens princi-
10 pium, obsecro ut qui typus est Saluatoris et « tribus diebus
ac noctibus in uentre ceti [e] » moratus praefigurauit Domini
resurrectionem nobis quoque feruorem pristinum tribuat,
ut Sancti ad nos Spiritus mereamur aduentum. Si enim

incipit explanatio in ionam prophetam liber primus ad cromatium
episcopum A   incipit praefatio in ionam prophetam CD   incipit
i n ionam tractatu(s) hieronimi E   in ionanam incipit ad coroma-
tium F   haec in ionam prophetam explanationis sancti hieronimi
liber I K   in nomine domini nostri iesu christi (MLHIGJ) incipit
tractatus (sancti MLHIGJ) hieronimi presbiteri super (in Y) ionam
prophetam (S) *et deinde* incipit prologus (S) super (in Y) ionam
prophetam YML   incipit expositio in iona propheta liber unus
NX   incipit expositio in iona dicta sancti hieronimi Q   pro-
ogus sancti ieronimi presbiteri in ionam prophetam P   incipit
prologus in iona propheta Bi   *sine titulo* O

Praef. 1 fluxit : flexit K   fluit CDac ‖ 2 sum : *om.* A   (B)s
K   YMLHIG Jac   NX   sub C ‖ michaeam naum : mihi abnaum

\<COMMENTAIRE SUR LE PROPHÈTE JONAS DU PRÊTRE EUSÈBE JÉRÔME.

PRÉFACE A CHROMACE \>

Trois ans environ[1] se sont écoulés depuis que j'ai commenté[2] les cinq prophètes : Michée, Naum, Habacuc, Sophonie et Aggée[3]. Retenu par un autre travail, je n'ai pu terminer celui que j'avais commencé[4]. J'ai en effet écrit un livre sur les Hommes illustres[5] et deux volumes contre Jovinien[6] ; une Apologie[a] également[7] et un traité sur la meilleure méthode de traduction[8], dédiés à Pammachius[b] ; deux livres à Népotien[c] [9] ou sur Népotien[d], et d'autres ouvrages qu'il serait trop long d'énumérer[10]. Donc[11], après un tel laps de temps, en manière de rentrée en activité[12], je reprends mes Commentaires en partant de Jonas, en demandant[13] à celui qui est le type[14] du Sauveur et qui, par son séjour de « trois jours et trois nuits dans le ventre du monstre[e] », a préfiguré la résurrection du Seigneur, de nous donner, à nous aussi, la ferveur première, pour que nous méritions la venue en nous de l'Esprit-

---

L(M^{ac})H^{ac}   miheam naum H^{pc} ‖ 4 aduersus CD   *Gre.* ‖ 5 duo : *om.* YM^{ac}L ‖ 6 optime K ‖ 8 numerare L(M *deest*)HIGJ   Bi ‖ perlongum Bi ‖ 11 ac : tribus *add.* NX ‖ praefigurat NX ‖ 13 ut : et A   CD K   YL(M *deest*)H^{ac}   J^{pc}   PO ‖ mereamur : mereatur J^{pc}   P^{pc} -antur D^{pc}   mereamus *Gre.*

---

a : *Ep.* 48-49   b : *Ep.* 57   c : *Ep.* 52   d : *Ep.* 60   e : Matth. 12, 40

Ionas interpretatur « Columba », columba autem refertur ad
15 Spiritum Sanctum, nos quoque columbam ex aduentu ad
nos interpretemur columbae.

Scio ueteres ecclesiasticos, tam Graecos quam Latinos,
super hoc libro multa dixisse et tantis quaestionibus non
tam aperuisse quam obscurasse sententias, ut ipsa interpre-
20 tatio eorum opus habeat interpretatione et multo incertior
lector recedat quam fuerat antequam legeret. Nec hoc dico
quo magnis ingeniis detraham et alios mea laude suggillem,
sed quo | commentatoris officium sit ut quae obscura sunt 111
breuiter aperteque dilucidet et non tam disertitudinem
25 ostentet suam quam sensum eius quem exponit edisserat.

Quaerimus igi‖tur Ionas propheta, excepto uolumine 38
suo | et euangeliis ᶠ, hoc est Domini de eo testimonio, ubi 39
alibi in Scripturis sanctis lectus sit. Et, nisi fallor, in Regum 38
uolumine de eo ita scriptum est : « Anno quinto decimo 39
30 Amasiae filii Ioas regis Iuda, regnauit Hieroboam filius Ioas
regis Israhel in Samaria quadraginta annis et uno. Fecitque
malum coram Domino et non recessit ab uniuersis peccatis
Hieroboam filii Nabath qui peccare fecit Israhel. Ipse
conuertit fines Israhel in Samaria ab introitu Emath usque
35 ad mare solitudinis iuxta uerbum Domini Dei Israhel quod
locutus est in manu serui sui Ionae, filii Amathi prophetae,
qui fuit de Geth quae est in Opher ᵍ. » Tradunt autem

Praef. 15 ex aduentu : et aduentum YL(M *deest*)HIGJ *Era. Vic.
Val.*(*i.m.*) ‖ ad nos : *om.* A ‖ 19 sententiam NX ‖ interpretatio :
-tioni L(M *deest*)(Hᵃᶜ)   -tione Y ‖ 20 interpretatione : -tio YMLHᵃᶜ
GᵃᶜJᵃᶜ   -tionem CDᵃᶜ ‖ multo : *om.* Pᵃᶜ ‖ 21 legerat CDᵃᶜ ‖ 22 quo :
quod Y ‖ magis A   MᵃᶜLHᵃᶜGᵃᶜJᵃᶜ ‖ suggillem : -lam YMᵃᶜHᵃᶜGJᵃᶜ
-laem L ‖ 23 quo : quod CD *edd.*   *om.* YMᵃᶜLHᵃᶜGJᵃᶜ ‖ commen-
tatoriis *Vic.* ‖ 24 et : *om.* YL(Mᵃᶜ)HᵃᶜGJᵃᶜ ‖ 25 ostentet : -tit Π
-tat Y   -det Nᵃᶜ   -dit Λ MᵃᶜLᵃᶜHᵃᶜ   -dat LᵖᶜHᵖᶜIGJ Nᵖᶜ ‖
disserat NX ‖ 26 igitur : *om.* F ‖ 27 euangeliis : -ii A *Vic. Val.*¹(*i.m.*)
-is *Val.*²(*i.m.*) ‖ est : *om.* YMLHᵃᶜ ‖ ubi : ut *Val.*² ‖ 28 alibi : alii X ‖
et : *om.* Dᵃᶜ ‖ nisi : ni(B)s CD Bi *edd.* (— *Adr.*) ‖ 30 filii : -i A
MLHᵃᶜ NX   Pᵃᶜ ‖ filius : -os Mᵃᶜ ‖ 31 samariam K ‖ annos Y   Pᵃᶜ ‖

Saint. Si, en effet, Jonas veut dire « Colombe[15] », et si la colombe se rapporte à l'Esprit-Saint, entendons, nous aussi, Colombe de la venue en nous de la Colombe.

Je sais que de vieux[16] écrivains ecclésiastiques[17], tant Grecs que Latins, ont beaucoup parlé de ce livre. Par leurs nombreuses questions[18], ils ont moins éclairé qu'obscurci les idées, si bien que leur propre commentaire a besoin de commentaire et que le lecteur se retire beaucoup plus incertain qu'il ne l'était avant sa lecture[19]. Je ne dis pas cela pour rabaisser de grands esprits et insulter autrui en faisant mon propre éloge[20], mais parce que le rôle d'un commentateur est d'expliquer avec brièveté et clarté ce qui est obscur. Il doit moins faire parade de sa propre éloquence qu'exposer la pensée de l'auteur qu'il présente[21].

Nous cherchons donc où le prophète, mis à part son livre et les Évangiles[f] — c'est-à-dire l'appel que fait à lui le Seigneur —, paraît ailleurs dans les saintes Écritures[22]. Si je ne me trompe, dans le Livre des *Rois*, il est question de lui en ces termes[23] : « La quinzième année du roi Amasias, fils de Joas, roi de Juda, Jéroboam fils de Joas, devint roi d'Israël en Samarie pour quarante et un ans. Il fit le mal devant le Seigneur et ne s'éloigna pas de tous les péchés de Jéroboam, fils de Nabath, qui fit pécher Israël. C'est lui qui rétablit les frontières d'Israël en Samarie, de l'entrée d'Émath jusqu'à la Mer du Désert, selon ce que le Seigneur Dieu d'Israël avait dit par l'intermédiaire de son serviteur Jonas, le fils d'Amathi, le prophète, qui était de Geth en Opher[g]. » Les Hébreux[24]

32 malum : malignum L(M^ac)H^ac(*q.eras. et lac.rel.*) ‖ peccato F ‖ 33 fili Y X ‖ 34 israelis CD F P ‖ israel : filios *praem.* Bi ‖ samariam LG ‖ 36 manus K ‖ fili NX ‖ 37 opher : ofer A CD F L(M *deest*) HIGJ *Gre.* offer Y ‖ autem : *om.* F

f : Matth. 12, 39-41 ; 16, 4 ; Lc 11, 29-32   g : IV Rois 14, 23-25

Hebraei hunc esse filium uiduae Sareptanae [h] quem Helias
propheta mortuum suscitauit, matre postea dicente ad
40 eum : « Nunc cognoui quia uir Dei es tu, et uerbum Dei in
ore tuo est ueritatis [i] », et ob hanc causam etiam ipsum pue-
rum sic uocatum. Amathi enim in nostra lingua « ueritatem » sonat et, ex eo quod uerum Helias locutus est, ille qui
suscitatus est filius esse dicitur ueritatis. Porro Geth in
45 secundo | Sapphorim milliario, quae hodie appellatur Dio- 111
caesarea, euntibus Tiberiadem, haud grandis est uiculus, ubi
et sepulcrum eius ostenditur. Quamquam alii iuxta Diospolim, id est Liddam, eum et natum et conditum uelint, non
intellegentes hoc quod additur, « Opher », ad distinctionem
50 aliarum Geth urbium pertinere quae iuxta Eleutheropolim
siue Diospolim hodieque monstrantur.

Liber quoque Tobi, licet non habeatur in canone, tamen,
quia usurpatur ab ecclesiasticis uiris, tale quid memorat,
dicente Tobi ad filium suum : « Fili, ecce senui et in eo sum
55 ut reuertar de uita mea. Tolle filios tuos et uade in Mediam,
fili. Scio enim quae locutus est Ionas propheta de Nineue,
quoniam subuertetur [j]. » Et reuera, quantum ad historias
tam Hebraeas quam Graecas pertinet, et maxime Herodo-

Praef. 38 sareptanae : sareptenae N[pc] Bi   sarapthenae A   YL(M
deest)HI   PO   sarapthene F   K[pc]   saraphthenei K[ac]   saraph-
thenae C   saraphtaene D[ac]   saraphthaene D[pc]   saraepthene
J   seraptenae N[ac]X   seraphthene G ‖ 40 quia : quoniam A   K
NX   *Adr.*   quod Bi ‖ dei : domini NX ‖ 41 ueritas C[pc]D[pc]   G[pc]   Bi
Era. Vic. Val.(*i.t.*) *Ant.* ‖ 42 uocatum : amathi *add.* C[pc] ‖ nostram
linguam A ‖ 43 uerum : uerbum A ‖ illi G   J[ac] ‖ 45 secunda
N[pc] ‖ saphorim K   Bi   *Gre. Mar.*   sapporim D   sapporum F
sephorim *Era. Vic.*   sapphirim *Val.*(*i.m.*)   sasiphorim P[ac] ‖
diocaesaria N[ac]X   P[pc]   *Gre.Era. Vic.*   diocaessaria F   dioce-
carea L(M *deest*)H[ac] ‖ 46 haut C   F   K   Y   NX   aut A ‖
48 liddam D   F[ac]   YMLHIJ   N   PO   Bi   *Era. Vic. Mar. Val.*
Adr. : lidam F[pc]   liddiam K   lyddam A   (B)s   C   G   X   *Gre.*
Ant. ‖ 49 Ofer CD   F   M[pc]   NX   *Gre.*   Offer YLHIGJ   P
Ophyr O[pc]   in *praem.* (B)s ‖ 50 (h)eleutheropolim : heleuthier-

rapportent qu'il était le fils de la veuve de Sarepta[25], ressuscité par le prophète Élie[h]. Sa mère ayant alors dit à Élie : « Je sais maintenant que tu es un homme de Dieu et que la parole du Dieu de vérité est dans ta bouche[i] », c'est pour cette raison que le garçon reçut aussi ce nom. *Amathi* en effet veut dire « Vérité » en notre langue ; et, parce que Élie a dit vrai, le ressuscité est appelé « Fils de Vérité[26] ». Geth se trouve au deuxième mille de Sepphoris, appelée aujourd'hui Diocésarée, quand on va à Tibériade[27]. C'est une bourgade pas bien grande, où l'on montre même son tombeau[28]. Certains[29], il est vrai, voudraient placer à la fois sa naissance et sa tombe près de Diospolis[30], c'est-à-dire Lydda. Ils ne remarquent pas que la précision « en Opher » sert à distinguer[31] ce Geth des autres villes de ce nom que l'on montre de nos jours près d'Éleutheropolis[32] ou de Diospolis.

Le Livre de *Tobie* — il n'est pas dans le Canon[33], mais il est utilisé par les écrivains ecclésiastiques[34] — fait une allusion analogue lorsque Tobie dit à son fils[35] : « Mon fils, me voilà vieux et sur le point de quitter la vie. Prends tes fils et va en Médie, mon fils. Je sais en effet ce que le prophète Jonas a dit de Ninive : Elle sera détruite[j]. » De fait, chez les historiens hébreux comme chez les historiens grecs[36], et en particulier chez Hérodote[k], nous lisons

---

M[ac]LH[ac]   heliu- J[ac]   helyothro- X   leuter- A ‖ 51 hodie quoque *edd.* (— *Adr.*) ‖ monstratur A (B)s K NX *Adr.* ‖ 52 tobith A (B)s CD[ac] F K N   tobis PO   tobiae *edd.* ‖ licet : et A ‖ habeantur N[ac] ‖ canone : -es Y   -ae A ‖ 54 tobith A (B)s CD[ac] F K N   tobia PO *edd.* ‖ eo : euo D F aeuo C ‖ 55 medeam Bi ‖ 56 filii F   *Gre.*   *om.* C ‖ nineuem J niniue C K ‖ 58 et : *om.* Y M[ac]LH[ac]GJ[ac]

---

h : III Rois 17, 9 s.   i : III Rois 17, 24   j : Tob. 14, 3-4
k : Hérodote, *Hist.*, 1, 102-106

tum, legimus Nineuen, regnante apud Hebraeos Iosia, a
60 Cyaxare rege Medorum fuisse subuersam ᵏ. Ex quo intellegimus primo tempore, ad Ionae praedicationem acta paenitentia, Nineuitas ueniam consecutos ; postea uero, in pristinis uitiis perseuerantes, Dei in se prouocasse sententiam.
Traduntque Hebraei Osee et Amos et Esaiam ac Ionam
65 isdem prophetasse temporibus.

Hoc quantum ad historiae pertinet fundamenta. Ceterum
non ignoramus, Chromati, papa uenerabilis, | sudoris esse 1
uel maximi totum prophetam referre ad intellegentiam
Saluatoris, quod fugerit, quod dormierit, quod praecipi-
70 tatus in mare sit, quod ⸢susceptus a ceto, quod eiectus in
litus paenitentiam praedicarit, | quod contristatus ob 3
salutem urbis innumerae, cucurbitae sit delectatus umbra- 3
culo, quod reprehensus a Deo cur maiorem curam habuerit
herbae uirentis et‖extemplo aridae quam tantae hominum 3
75 multitudinis, et cetera quae in ipso uolumine explanare 3
nitemur. Et tamen, ut totum prophetae sensum breui praefatione comprehendam, nullus melior typi sui interpres erit
quam ipse qui inspirauit prophetas et futurae ueritatis in
seruis suis lineas ante signauit. Loquitur ergo ad Iudaeos
80 sui sermonis incredulos et Christum Dei filium nescientes :
« Viri Nineuitae surgent in iudicio cum generatione ista, et
condemnabunt eam quia paenitentiam egerunt in praedi-

Praef. ‖ 59 a cyaxare *scripsi* : acyxape L(Mᵃᶜ)HIGJ   acyaxage
Y   PO   acyaxa A   CD   K   aciaxa (B)sMᵖᶜ   agiaxa Bi
a Gyaxa *Gre.*   astiaxa NX   astiage Oᵖᶜ(*i.m.*)   asachare
E   et astyage *rell.* ‖ 61 acta : accepta YMLHᵃᶜ ‖ 64 iona L ‖ 65
hisdem A   CD   F   K   MLHIJ   P   Bi ‖ 66 fundamentum Bi ‖ 67
chromati : -ci A   *Gre.*   o *praem.* Dᵖᶜ ‖ 68 maximi : -me Yᵖᶜ
HᵖᶜIGᵃᶜJᵃᶜ   Nᵃᶜ   -ae Pᵃᶜ ‖ 69 quod¹ : uidelicet *praem.* n   *Mar. Val.*
Ant. ‖ fugerit : -ret Y(M *deest*) Hᵃᶜ   fuerit Pᵃᶜ ‖ 70 iectus YMᵃᶜLHIG
Jᵃᶜ   Bi ‖ 71 praedicaret NᵃᶜX   Pᵃᶜ ‖ ob : ad YL(M *deest*)HIG(Jᵃᶜ ?) ‖
72 urbis : orbis YLᵃᶜ(M *deest*)HᵃᶜGJᵃᶜ   gentis n   *Mar.*(*i.m.*) *Val.*
(*i.m.*) ‖ innumerae : innumere K   innemorae A   in minimae
L (M *deest*) HᵃᶜIGJ   in minimo Hᵖᶜ   in umbrae NX Pal

que Ninive a été détruite, sous le règne de Josias chez les Hébreux, par Cyaxare[37], le roi des Mèdes. Cela donne à entendre que, dans un premier temps, les Ninivites, à la prédication de Jonas, firent pénitence et obtinrent leur pardon, mais que par la suite ils persévérèrent dans leurs anciens vices et provoquèrent contre eux la condamnation divine[38]. Selon les traditions des Hébreux, Osée, Amos, Isaïe et Jonas ont prophétisé à la même époque[39].

Voilà pour ce qui concerne la base historique[40]. Pour le reste, nous n'ignorons pas, Chromace[41], vénérable père[42], qu'il faudrait beaucoup de labeur[43] pour entendre du Sauveur l'ensemble du prophète[44] : sa fuite, son sommeil, sa chute à la mer, son engloutissement par un monstre, son rejet sur le rivage et sa prédication de la pénitence, sa tristesse devant le salut d'une ville innombrable, son plaisir devant l'ombre d'une courge[45], les reproches que Dieu lui adresse pour s'être davantage soucié d'une herbe verte soudain desséchée que d'une si grande multitude d'hommes, et les autres événements que nous tâcherons d'expliquer au cours même de ce volume[46]. Cependant, pour saisir toute la signification du prophète en une courte préface[47], il n'y aura pas de meilleur interprète de son type que celui-là même qui a inspiré les prophètes et a tracé en ses serviteurs l'esquisse de la vérité à venir[48]. Parlant donc aux Juifs qui ne croient pas en sa parole et qui ignorent le Christ[49], fils de Dieu, il déclare : « Les Ninivites se dresseront au jour du jugement avec cette génération et ils la condamneront ; car ils ont fait pénitence à la prédica-

Bi[pc] *Val.(i.m.)* ‖ 74 uirentes X H[ac] ‖ extemplo : extimplo N[pc] J[pc] exemplo A CD[ac] K P[ac] Bi ‖ 76 nitimur CD M[pcLpcJpc] N[pc] P[pcOpc] *Gre.* ‖ praefatione : prefiguratione YMLH[ac]G(J[ac]) praefatiratione H[pc]I praefactione *Gre.* ‖ 77 comprendam A ‖ nullum A ‖ 78 futuri M[acLacHac] ‖ 80 suis K YM[ac]LHIGJ ‖ sermonis : -nes K -nibus YM[ac]LHIGJ ‖ nescientes : -tis M[ac] dominum *add.* Pal. *Val.(i.m.)* ‖ 81 resurgent YMLHGJ[ac] ‖ 82 eum M[acLac]

catione Ionae ; et ecce plus quam Iona hic [1]. » Condemna-
tur generatio Iudaeorum, credente mundo, et, Nineue
85 agente paenitentiam, Israhel incredulus perit. Illi habent
libros, nos librorum Dominum ; illi tenent prophetas, nos
intellegentiam prophetarum ; illos ' occidit littera ', nos
' uiuificat spiritus [m] ' ; apud illos Barabbas latro dimitti-
tur [n], nobis Christus Dei filius soluitur.

< INCIPIT LIBER >

I, 1-2 Heb. : Et factvm est verbvm domini ad ionam filivm
amathi dicens : svrge et vade in nineven, civitatem magnam, et praedica in ea, qvia ascendit
malitia eivs coram me.

5   Septuaginta, excepto   eo   quod   dixerunt :
        Ascendit   clamor   malitiae   eius   ad   me,
        cetera similiter transtulerunt.

In condemnationem Israhelis Ionas ad Gentes mittitur,
quod, Nineue agente paenitentiam, illi in malitia perseue-
10 rent. Porro quod ait : ascendit malitia eivs coram me siue :
clamor malitiae eius ad me, hoc ipsum est quod in Genesi

Praef. 83 quam : qua L ‖ iona : ionas *Vic. Val. Ant. Adr.* ‖ condem-
nabuntur I ‖ 84 niniuite M[ac]L[ac]H[ac]GJ[ac] ‖ 85 agentes GJ[ac] ‖ perit :
periit CD K[pc] *Gre.*   erit M[ac]LHIGJ[ac] ‖ 86 tenunt K ‖ 88 barabbas A CD M[pc]LHIGJ X PO *Mar. Val. Ant* : barrabas (B)s
K YM[ac] N Bi *Gre. Era. Vic. Adr.* ‖ demittitur M ‖ 89 nobis : a
praem. L[pc] ‖ soluitur : immolatur K. ‖ explicit prologus A K NX
explicit praefatio MLHGJ P   explicit tractata (praefatio [pc])
secundus (*sic*) sancti hiero[?] in abacuc (*ionam* [pc]) O   *sine explicit*
(B)s CD E F Y I Bi
    incipit explanationum A   incipit explanatio in ionam liber
unus CD   incipit in ionam tractatus hieronymi E   incipit tractatus sancti hieronymi presbiteri super (in Y) ionam prophetam
YMLHGJ   incipit expositio in iona dicta sancti hieronimi Q
incipit in ionam O   incipit tractatus eiusdem Bi(m.p.)   *sine*
incipit (B)s F K I NX P

tion de Jonas. Or, il y a ici plus que Jonas[1]. » La génération des Juifs est condamnée tandis que le monde croit[50] et, tandis que Ninive fait pénitence, Israël périt dans son incrédulité. Eux, ont les livres et nous, le Seigneur des livres ; eux, possèdent les prophètes et nous, l'intelligence des prophètes ; eux, la lettre les tue[m], mais nous, ' l'Esprit nous donne la vie[51] ' ; chez eux, Barabbas[52], le bandit, est relâché[n] ; pour nous, le Christ, le Fils de Dieu, est libéré.

< DÉBUT DU COMMENTAIRE >

1-2 Héb. : Et la parole du Seigneur fut adressée à Jonas, fils d'Amathi. Elle disait : « Lève-toi et va à Ninive, la grande ville ! Prêches-y, car sa méchanceté est montée devant moi. »

Les Septante, sauf qu'ils ont dit : « Le cri de sa méchanceté est monté jusqu'à moi », ont traduit le reste de la même façon[1].

Envoi à Ninive et envoi au monde C'est pour condamner Israël que Jonas est envoyé aux Nations[2] car, tandis que Ninive fait pénitence, Israël persévère dans sa méchanceté. L'expression[3] « sa méchanceté est montée devant moi » ou « le cri de sa méchanceté est monté jusqu'à moi » est celle même que

---

I, 1-2 ʜᴇʙ uer *in* H   ʜʙ *in* GJ ‖ 2 amathi : mati Q ‖ et : *om.* A NXQ PO Bi ‖ 3 eam YHᵃᶜ(M *deest*) ‖ septuaginta : similiter *add.* K ‖ 7 transtulerunt : ʟxx *add.* (B)s K ‖ 8 condemnationem : -ne CD Kᵃᶜ YL(M *deest*)HIJ   -ni Kᵖᶜ ‖ 9 malitia : -tiam Y   matia Aᵃᶜ ‖ perseuerarent E ‖ 10 malitia eius ascendit NX ‖ 11 malitiae : *om.* A ‖ ad me : *om.* D   ut LXX transtulerunt *add.* F. ‖ genisii F

Praef. 1 : Matth. 12, 41 ; Lc 11, 32   m : II Cor. 3, 6   n : Jn 18, 40

dicitur : « Clamor Sodomae et Gomorrae multiplicatus
est [a] », et ad Cain : « Vox sanguinis fratris tui clamat ad me
de terra [b]. »

15　Iuxta tropologiam uero, Dominus noster Ionas, hoc est
« Columba » | siue « Dolens » — utrumque enim interpre-
tatur, uel quia Spiritus Sanctus in specie columbae descendit et mansit in eo [c], uel quia nostris doluit ipse uulneribus
et ' fleuit super ' Hierusalem [d] et ' liuore eius sanati
20　sumus [e] ' —, uere « filius ueritatis » (Deus quippe « Veritas [f] » est), mittitur ad Nineuen pulchram, id est mundum,
quo nihil pulchrius oculis carnis aspicimus. Vnde et apud
Graecos ab ornatu nomen accepit χόσμος consummatisque
operibus singulis de eo dicitur : « Vidit Deus quia bonum [g]. »
25　Ad NINEVEN, inquam, CIVITATEM MAGNAM, ut quia Israhel
audire contempsit, totus gentium mundus exaudiat. Et hoc,
propterea QVIA ASCENDERIT MALITIA EIVS CORAM Deo. Cum
enim Deus quasi quamdam pulcherrimam | domum seruitu-
turo‖sibi homini exstruxerit, deprauatus est homo propria
30　uoluntate et a pueritia diligenter adpositum est ad malum
cor eius [h], ' posuitque in caelum os suum [i] ', et, exstructa
turre [j] superbiae, meretur ad se descendentem Filium Dei,

I, 1-2 12 sodomorum CD　Gre. Era. Vic. ‖ gomurrae Y[ac]L(M deest)
HIGJ ‖ 13 caim Bi ‖ fratris tui : abel add. G[ac] ‖ 15 iusta K ‖ tropologiam : tropho- C　thropo- YMLHI ‖ Ioanas Bi ‖ 17 quia : qua X ‖
22 quo : quod K　YM[ac]L[ac]H[ac]　Bi ‖ carnis : carneis YM[ac]LHIGJ　P[pc]
Era. Vic. Val.(i.m.)　carnes Q ‖ 23 ornato Y[ac]M[ac]L[ac]H[ac] ‖ χόσμος
H[pc]I　NX　Era. Vic. Val. : om. A　(B)s CD F K　YMLH[ac]GJ PO
Bi　Gre. Mar.　cosmos Ant. Adr. ‖ 24 de eo : de quo CD[ac]　Gre.
a deo NXPal　Val.(i.m.)　quo add. K ‖ uidit : et praem. ⑤　P[pc] ‖
deus : dominus NX ‖ bonum : est add. edd. (— Gre.)　et add. K ‖
25 inquam : in quam Bi　Gre. ‖ ciuitatem magnam : mittitur add.
PO J[pc]　ciuitalem Gre. ‖ 28 quamdam : quadam N[pc]　quondam
A　E ‖ 29 hominis K[ac]　M[ac] ‖ ad malum : ad comu-
lum E[ac]　ad cumulum E[pc] ‖ 30-31 cor eius ad malum ⑤ ‖ 31 caelum
(B)s　E　K　YH[pc]IGJ[ac]　Bi　Mar. Val. Ant. Adr. : -o A　CD

l'on trouve dans la *Genèse* : « Le cri de Sodome et Gomorre
s'est accru[a] », et à Caïn : « La voix du sang de ton frère
crie vers moi depuis la terre[b]. »

Selon la tropologie[4], le Seigneur, notre Jonas, c'est-à-dire
la Colombe ou le Souffrant[5] — l'un et l'autre sens
conviennent, soit parce que l'Esprit-Saint descendit sur
lui sous la forme d'une Colombe et demeura[6] en lui[c], soit
parce qu'il a souffert de nos propres blessures, ' pleuré
sur ' Jérusalem[d] et que ' nous avons été guéris[7] par ses
plaies[e] ' —, lui qui est vraiment le « Fils de Vérité[8] »
— car Dieu est Vérité[f] —, est envoyé à Ninive la belle[9],
c'est-à-dire au monde, ce qui s'offre de plus beau à nos
yeux de chair[10]. C'est la raison pour laquelle chez les Grecs
le monde a reçu le nom de *cosmos*, à partir de l'idée d'orne-
ment, et, lorsque les différentes œuvres de la Création
furent accomplies, il est dit de lui[11] : « Dieu vit que c'était
bien[g]. »

« A Ninive, dis-je, la grande ville[12] », afin que, puisque
Israël a dédaigné d'entendre[13], le monde entier des Nations
écoute. Et cela, parce que « sa méchanceté est montée
devant Dieu » : en effet[14], lorsque Dieu eut construit une
sorte de demeure fort belle pour l'homme qui devait le
servir, l'homme se déprava volontairement et, dès l'enfance,
son cœur n'eut d'attention que pour le mal[h]. Il leva sa
bouche contre le ciel[i], et construisit une tour[j] orgueilleuse.
Il mérita ainsi que le Fils de Dieu descende jusqu'à lui,

MLH[ac] NX POJ[pc] *rell.* ‖ et : ut E ‖ exstructa turre : extracta
turre Q   extracture E[ac]   extructa uire E[pc] ‖ 32 descendente
filio POJ[pc]

I, 1-2 a : Gen. 18, 20   b : Gen. 4, 10   c : Matth. 1, 10 ; Jn
1, 32 ; Matth. 3, 16 ; Lc 3, 22   d : Lc 19, 41   e : Is. 53, 5 ; I Pierre
2, 24   f : Jn 14, 6   g : Gen, 1, 10.12.18, etc.   h : Gen. 8, 21
i : Ps. 72, 9   j : Gen. 11, 3-9

ut per paenitentiae ruinam conscendat ad caelum qui per
tumorem subire non potuit.

I, 3 a Heb. : ET SVRREXIT IONAS VT FVGERET IN THARSIS A FACIE
DOMINI.

LXX : *Similiter.*

Scit propheta, Sancto sibi Spiritu suggerente, quod paenitentia gentium ruina sit Iudaeorum. Idcirco, amator
40 patriae suae, non tam saluti inuidet Nineue quam non uult
perire populum suum. Alioquin legerat Moisen rogantem
dixisse pro eo : « Si dimittis eis peccatum, dimitte ; sin
autem non dimittis, et me dele de libro tuo quem scrip-
sisti [a] », et ad preces illius seruatum Israhel et Moisen de
45 libro non fuisse deletum ; quin potius Dominum occasionem
accepisse per seruum ut ceteris conseruis illius parceret.
Dum enim dicit : « Dimitte me [b] », ostendit se posse retineri.
Tale quid et Apostolus loquitur : « Optabam anathema esse
pro fratribus meis qui sunt Israhelitae secundum carnem [c]. »
50 Non quo ipse perire desideret, cui ' uiuere Christus est et
mori lucrum [d] ', sed magis meretur uitam, dum saluare
uult ceteros. Praeterea, uidens Ionas conprophetas suos
mitti ' ad oues perditas domus Israhel [e] ', ut ad paeniten-

---

I, 1-2 33 paenitentiam ruinae *Gre. Era. Mar.* ‖ quo J[pc]   X   P[pc]O ‖
34 tumorem : timorem P[ac]   uentumorem Q ‖ subire : superbiae
H[pc]I   Bi   *Era. Vic. Mar. Val(i.t.) Ant.*

I, 3 a Hb *in* HIJ   PO ‖ et surrexit : exsurrexit N   et exsurrexit
C   XQ   *Gre.*   surrexit E ‖ fugeret : fugi- A   N[ac]Q   fugerit
E[ac] ‖ in Tharsis : *om.* A ‖ 37 similiter : *om. Era. Vic.* ‖ 38 scit : *om.* K ‖
40 salute K ‖ nineuem PO ‖ 41 alioqui (B)s M[pc]   P[pc]O ‖ 42 eo :
eos C   eis D   *Gre.*   populo E ‖ si : se N[ac] ‖ eis : ei Bi ‖ dimitte :
de- F   et mihi *add.* YL(M *deest*)H[ac] ‖ sin : si NX ‖ 44 seruatum :
esse *add.* H[pc]I   D[pc]   saluatum *Gre. Era. Vic. Mar.* ‖ 45 domino
Bi ‖ 46 seruis Bi ‖ pasceret K ‖ 50 quod *edd.* ‖ desiderit M[ac] ‖ uiuere :

afin que par l'abaissement de la pénitence il puisse monter jusqu'au ciel, qu'il n'avait pu gravir par son enflure.

3 a Héb. : Et Jonas se leva pour fuir à Tharsis, loin de la face du Seigneur.

LXX : Pareillement.

L'amour de Jonas pour son peuple

Le prophète[1] sait, par l'inspiration de l'Esprit-Saint[2], que la pénitence des Nations annonce la ruine des Juifs[3]. Aussi, en homme qui aime sa patrie, n'est-il pas tant jaloux du salut de Ninive qu'il ne veut pas que son propre peuple périsse. D'ailleurs, il avait lu que Moïse avait prié pour ce peuple en disant[4] : « Si tu leur remets leur péché, remets-le-leur ; mais si tu ne leur remets pas, efface-moi, moi aussi, du livre (de vie) que tu as écrit[a] », et qu'à cette prière Israël avait été sauvé et que Moïse n'avait pas été effacé. Bien mieux, le Seigneur avait trouvé dans l'intervention de son serviteur une occasion d'épargner ses autres compagnons. En effet, quand Dieu dit : « Laisse-moi[b] », il montre qu'on peut le retenir. C'est à peu près ce que l'Apôtre dit de son côté : « Je souhaiterais être anathème pour mes frères qui sont Israëlites selon la chair[c]. » Non qu'il désire périr, lui pour qui ' vivre, c'est le Christ, et mourir est un gain[d] ' ; mais il mérite d'autant plus de vivre qu'il veut sauver les autres. En outre, voyant que les autres prophètes de son temps[5] étaient envoyés ' aux brebis perdues de la maison d'Israël[e] [6] ' pour inviter le peuple à la pénitence, que

---

om. K^{ac} ‖ 51 saluari NX ‖ 52 praeterea : propterea E YMLHIG (J^{ac}) ‖ conprophetas : cum- Y N prophetas E Bi conphetas A

I, 3 a a : Ex. 32, 31-32   b : Ex. 32, 10   c : Rom. 9, 3
d : Phil. 1, 21   e : Matth. 10, 6 ; 15, 24

tiam populum prouocarent, Balaam quoque diuinum de
55 salute Israhelitici populi prophetasse [f], dolet se so|lum elec-   39.
tum qui mitteretur ad Assyrios inimicos Israhel et ad ciuitatem hostium maximam, ubi ido⟨lo⟩latria, ubi ignoratio
Dei ; et quod his maius est, timebat ne per occasionem praedicationis suae, illis conuersis ad paenitentiam, Israhel
60 penitus relinqueretur. Nouerat enim eodem Spiritu quo illi
gentium praeconium credebatur, quod quando nationes cre-
didissent, tunc periret domus Israhel, et, quod aliquando
futurum erat, hoc ne in suo fieret | tempore, uerebatur.   112

Vnde, imitatus Cain [g] et recedens *A FACIE DEI*, fugere
65 uoluit *IN THARSIS*, quod Iosephus interpretatur Tarsum
Ciliciae ciuitatem, prima tantum littera commutata [h].
Quantum uero in Paralipomenon intellegi datur [i], quidam
locus Indiae sic uocatur. Porro Hebraei Tharsis mare dici
generaliter autumant secundum illud : « In spiritu uiolento
70 confringes naues Tharsis [j] » id est maris, et, in Esaia : « Vlulate, naues Tharsis [k]. » Super quo ante annos plurimos in
epistula quadam ad Marcellam dixisse me memini [l]. Non
igitur propheta ad certum fugere cupiebat locum, sed, mare

I, 3 a 54 balam Y^ac M^ac LHIGJ^ac ‖ 56 assyrios : sirios Bi ‖ inimicus
M^ac ‖ 57 maximam : -e POJ^pc   -um Y^ac ‖ ido <la >latria : ido-
latria *codd. Gre.*   -iam A ‖ 58 quod : quidquid Bi ‖ 59 Israel :
hac *add.* L(M^ac)H^ac ‖ 60 penitus relinqueretur : *tr.* YMLHIJ ‖ relinqueretur : relinqueret X   relinquetur K^ac ‖ quod J^ac   X ‖ ille YM^ac
L^ac(?)H^ac ‖ 61 nationis M^ac L^ac H^ac ‖ 62 perirent F ‖ 64 emitatur F ‖
cain : Iona(s) *add.* YL(M^ac)HIJ   P^pc   *Era. Mar. Val. Ant.*   Iona
praem. G ‖ dei : domini CD   F   *edd.* (− *Adr.*) ‖ fugire A   K   N^ac ‖
65 in : *om.* A ‖ tarsis CD   MLH^ac ‖ quod : quam *Era. Vic. Mar.*
Val. Ant. ‖ interpraetur N^ac ‖ tharsum A   D^pc   YH^pcIGJ   NX
Adr. ‖ 66 primam ... litteram L(M^ac ?) ‖ tantum : tantam N^ac   tamen *Mar. Val. Ant.* ‖ 67 paralipomenon : paralipominonis M^ac
paralip(p)omenonis M^pc L^ac HIGJ   N^ac X   PO^pc   paralipomenis
A   (B)s   C   *Gre*   paralypominis K   paralypomenonos O^ac
paralipomen F   D^ac *legi non potest*   libro *add.* H^pcIGJ
libris *add. Era. Vic. Mar. Val. Ant.* ‖ 68 indiae : in[ui]diae

Balaam, le devin, avait également annoncé le salut[f]
du peuple d'Israël[7], Jonas souffre d'avoir été le seul à être
choisi pour être envoyé aux Assyriens, les adversaires
d'Israël, et à la capitale ennemie, où règne l'idolâtrie,
où règne l'ignorance de Dieu. Et qui plus est, il craignait
que leur conversion à la pénitence, à l'occasion de sa
prédication, n'entraîne le total abandon d'Israël. Il savait
en effet, par ce même Esprit qui lui confiait une mission
de héraut chez les Gentils, que lorsque les Nations vien-
draient à la foi, alors périrait la maison d'Israël ; et il
redoutait que cet événement futur ne se produisît de son
temps.

Aussi fit-il comme Caïn[8] : il s'éloigna « de la face du
Seigneur[g] » et voulut fuir « à Tharsis ». Josèphe[h] y voit
Tarse de Cilicie, en modifiant seulement la première
lettre du mot[9]. Pourtant, d'après ce qu'on peut comprendre
du Livre des *Paralipomènes*[i], c'est un endroit de l'Inde qui
est ainsi appelé[10]. Les Hébreux assurent, quant à eux,
que c'est la mer en général qui est ainsi désignée, d'après
ce passage : « D'un vent violent tu fracasseras les navires
de Tharsis[j] », c'est-à-dire de la mer[11] ; et dans *Isaïe*[12] :
« Hurlez, navires de Tharsis[k] ! » Je me souviens avoir parlé
de ce sujet il y a bien des années dans une lettre[l] à
Marcella[13]. Le prophète n'entendait donc pas fuir à tel

P[ac]   in syria P[pc]((*i.m.*)O(*i.t.*) ‖ tarsis E   LG[ac] ‖ 69 spiritum Y ‖
uiolento : uehementi Y M[ac]LHIGJ   *Era. Vic. Mar. Val. Ant.* ‖
70 confringes : -gens A   ML[ac]HIGJ   PO   -gas E ‖ nauis K ‖
id est maris : *om.* YL(M *deest*)H[ac]   *Era.* ‖ et : *om.* Y ‖ 72 quodam A ‖
me : *om.* A   F[ac]   Y   X[ac]   Bi ‖ 73 fugire E[ac]   K   N[ac] ‖ cupiebat
locum : *tr.* YL(M *deest*)HIJ   locum fugeret cupiebat G

I, 3 a f : Nombr. 23-24   g : Gen. 4, 8-16   h : Josèphe,
Ant. Iud., 1, 6, 1 = 1, 127 (Vide adnot.)   i : II Chr. 20, 36-37
j : Ps. 47, 8   k : Is. 23, 1, 14   l : *Ep.* 37, 2

ingrediens, quocumque pergere festinabat. Et magis hoc
75 conuenit fugitiuo et timido non locum fugae otiose eligere,
sed primam occasionem arripere nauigandi. Hoc quoque
possumus dicere : qui notum tantum putabat « in Iudaea
Deum », et « in Israel magnum nomen eius ᵐ », postquam
illum sensit in fluctibus, confitetur et dicit : « Hebraeus ego
80 sum, et Dominum caeli ego timeo qui fecit mare et aridam ⁿ. » Si autem ipse fecit mare et aridam, cur aridam
derelinquens arbitraris te conditorem maris in mari posse
uitare ? Simulque instruitur per salutem conuersionemque
nautarum, etiam tantam multitudinem Nineue simili posse
85 confessione saluari.

De Domino autem et Saluatore nostro possumus dicere
quod dimiserit domum et patriam suam ᵒ, et, adsumpta
carne, quodammodo de caelestibus fugerit, ueneritque in
Tharsis, hoc est in ma|re istius saeculi secundum quod alibi 39ᵥ
90 dicitur : « Hoc mare magnum et spatiosum, ibi reptilia quorum non est numerus, animalia pusilla cum magnis ; ibi
naues perambulant, draco iste quem formasti ad illudendum ei ᵖ. » Idcirco enim et in passione dicebat : « Pater, si

---

I, 3 a 74 quoquocumque CDᵃᶜ ‖ pergeret NX ‖ 75 conuenit fugitiuo :
confugitiuo N ‖ fugae otiose CD   E   PᵖᶜO   GJᵖᶜ   *Gre. Mar. Val.
Ant.* : fuge otiose F   Y   N   Bi   fugae otiosae K   *rell.*   fuge
otiosae A   HIJᵃᶜ   X   fugae otioso Pᵃᶜ   fugi ociosae Lᵃᶜ(M
deest)   effugii opciose Lᵖᶜ   fuge ociose (B)s ‖ elegere EᵃᶜF   Mᵃᶜ
LᵃᶜHᵃᶜ   Nᵃᶜ ‖ 76 primum HIGJ   PO ‖ nauigandi : et *praem.* F ‖ 77
quia Nᵖᶜ   quod *praem.* Pᵖᶜ ‖ in : *om.* Kᵃᶜ   Hᵃᶜ ‖ 79 illum sensit :
tr. E   YMLHGJ ‖ confitebitur I ‖ dixit K ‖ 80 dominum : deum G
Gre. ‖ 82 derelinquens : -ques Mᵃᶜ   -quis LHIGJᵃᶜ(?)   relinquens CD   *edd.* (— *Adr.*) ‖ arbitraris : et *praem.* Lᵖᶜ ‖ maris : *om.* A ‖
mari : -e CD   K   G   Bi   ma I ‖ 83 conuersationem YMᵃᶜLHIG
Jᵃᶜ   N ‖ 84 tantum FᵃᶜIᵃᶜ ‖ nineui A ‖ simili : -e YᵃᶜMᵃᶜLᵃᶜHᵃᶜ
Pᵃᶜ   *om. Ant.* ‖ 85 confessione : conuersione A   BiFi   *Vic.* ‖
confessione saluari : *tr.* YMLHIJ ‖ saluare PᵖᶜO ‖ 86 et : *om.* YMᵃᶜ
LHIGJ ‖ possimus K ‖ 87 dimiserit : de- A   dimiss- F ‖ 89 istius
saeculi : saeculi huius F ‖ 89-90 secundum — dicitur : ut in propheta F ‖

endroit précis ; mais, partant sur la mer, il voulait gagner rapidement un endroit quelconque. De fait, il convient mieux à quelqu'un qui fuit et qui a peur, de ne pas choisir tranquillement l'endroit où fuir, mais de saisir la première occasion de s'embarquer[14]. Nous pouvons dire également ceci : il pensait que « Dieu n'était connu qu'en Judée et que son nom n'est grand qu'en Israël[m] [15] » ; lorsqu'il s'est aperçu de sa présence sur les flots, il confesse et dit : « Je suis Hébreu et je crains le Seigneur du ciel qui a fait la mer et la terre sèche[n]. » Mais, si c'est lui qui a fait la mer et la terre, pourquoi t'éloignes-tu de la terre en pensant que tu vas pouvoir éviter sur la mer le créateur de la mer[16] ? En même temps, il apprend, par le salut et la conversion des marins, que la foule infinie de Ninive peut également être sauvée, en confessant semblablement Dieu[17].

De notre Seigneur et Sauveur, nous **L'amour du Christ pour Israël** pouvons dire qu'il a abandonné sa maison[o] et sa patrie[18] et qu'en prenant une chair humaine[19] il a fui en quelque sorte le ciel ; il est venu à Tharsis, c'est-à-dire la mer de ce siècle[20], d'après ce qui est dit ailleurs[21] : « Voici la mer, grande et large ; là sont les innombrables animaux rampants, petits et grands ; là se promènent les navires, le Dragon que tu as façonné pour t'en rire[p]. » C'est la raison également pour laquelle il disait dans sa Passion[22] : « Père, si

90-93 hoc — ei : hoc mare magnum usque ad illudendum ei F ‖ 90 spatiosum : spaciosum E X   speciosum K   manibus *add.* CD   *Gre.* ‖ reptibilia *Era. Vic.* ‖ 91 animania C ‖ ibi : illic CD   *edd.* (— *Adr.*) (*c. Vulg.*) ‖ 92 perambulant : perambulabunt NXPal *Val.*(*i.m.*)   pertransibunt YL(M^ac ?)HIGJ   *edd.* (— *Gre.*) ‖ 93 et dicebat in passione YM^acLHIGJ   dicebat E

I, 3 a m : Ps. 75, 2   n : Jonas 1, 9   o : Jér. 12, 7   p : Ps. 103, 25-26

possibile est, transeat calix iste a me q », ne, populo concla-
95 mante : « Crucifige, crucifige talem r », nos « non habemus
regem nisi Caesarem s », plenitudo gentium subintraret et
frangerentur rami oliuae pro quibus oleastri uirgulta suc-
crescerent t. Tantaeque pietatis fuit et amoris in populum
pro electione patrum u et repromissione ad Abraham v ut
100 in cruce positus diceret : « Pater, ignosce eis ; quod enim
faciunt nesciunt w. »

Vel certe, quoniam Tharsis interpretatur « contemplatio
gaudii », ueniens ad Ioppen propheta, quae et ipsa « speciosam » sonat, ire festinat ad gaudium et, quietis beatitudine
105 perfruens, totum se tradere theoriae, melius esse arbitrans
pulchritudine et uarietate scientiae perfrui quam, per occasionem salutis gentium ceterarum, perire populum de quo
Christus in carne generandus sit x. |

I, 3 b   Heb. :   ET DESCENDIT IOPPEN ET INVENIT NAVEM EVNTEM
110   IN THARSIS. ET DEDIT NAVLVM EIVS ET DESCENDIT
             IN EAM VT IRET CVM EIS IN THARSIS A FACIE DOMINI.

I, 3 a 94 Pater si possibile est : *om.* YM^{ac}LHIGJ^{ac} ‖ a me calix iste E
Ꙅ   NX ‖ conclamante : ad *praem.* Y   clamante E ‖ 95 nos : et
praem. edd. (— *Adr.*) ‖ 96 subintraret : -re K   subintroirent E^{ac}
subintroiret E^{pc} ‖ 97 olauastri F ‖ 98 et amoris fuit CD *edd.*
(— *Adr.*) ‖ et : ut N^{ac} ‖ populo Y ‖ 99 pro : ut *praem.* X   Bi ‖
ad : *om.* A   G^{ac} NX ‖ abraham : abrahe N   habrae X   habraeon
G   habraham Bi ‖ ut : et M^{ac}L^{ac}H^{ac} *om.* X   Bi ‖ 100 crucem
M^{ac}L^{ac}H^{ac} ‖ in cruce positus : *tr.* YM^{ac}LHIGJ^{ac} ‖ quod : quid F ‖
enim : *om.* M^{ac} L^{ac}H^{ac} ‖ 103 ipsam CD^{ac} YM^{ac}LH^{ac} ‖ speciosa Bi ‖
104 quiete L^{pc} ‖ beatitudine : -nis L^{pc} -nem K ‖ 105 perfruens :
perfrui E   YL(M^{ac})H^{ac}GJ^{ac} *Era. Vic. Mar. Val.*(*i.t.*) *Ant.* ‖ trade-
ret A   *Gre.* ‖ theoriae : θεωριαε Bi   eo ire *Gre.* ‖ 106 pulchritu-
dinem YM^{ac}L^{ac}H^{ac}G^{ac}J^{ac} ‖ uarietatem Y ‖ 108 in carne generandus :
tr. NX ‖ generandus : nascendus *Gre.*

c'est possible, que ce calice passe loin de moi[q] », de peur
que les clameurs du peuple[23] : « Crucifie, crucifie[r] » un tel
homme ; nous, « nous n'avons de roi que César[s] », ne
fassent entrer la masse des Nations et ne brisent les
branches d'olivier, à la place desquelles grandiraient les
pousses de l'olivier sauvage[t]. Il avait une telle affection
et un tel amour pour son peuple, à cause du choix des
patriarches[u] et de la promesse[v] faite à Abraham[24], que
sur la croix il disait[25] : « Père, pardonne-leur, car ils ne
savent ce qu'ils font[w]. »

Ou bien[26], parce que Tharsis signifie « Contemplation
de la joie[27] », le prophète, venant à Joppé — qui veut dire,
elle aussi, « la Belle[28] » —, s'empresse d'aller vers la joie,
et, en jouissant d'un repos bienheureux, de se consacrer
à la Contemplation, estimant qu'il vaut mieux jouir
de la beauté et de la variété de la science plutôt que
d'entraîner, avec le salut des Nations, la perte du peuple[29]
dont le Christ devait naître selon la chair[x].

3b Héb. : Il descendit à Joppé, trouva un navire qui allait
à Tharsis ; il paya le voyage et descendit à bord,
pour aller avec eux à Tharsis, loin de la face du
Seigneur.

I, 3b heb *in* PO   Hb *in* HG ‖ 109 descendunt F ‖ ioppen : iopen
YL(M *deest*)HIJ   ioppe A ‖ ioppen : in *praem.* A   YL(M *deest*)
HIGJ   *edd.* ‖ 109-111 euntem — eam : *om.* K ‖ 110 in : *om.* A ‖
nabulum E   Q   P[pc]   Bi[ac] ‖ 111 ea Q ‖ ut — domini : *om.* Q ‖ in[a] :
om. A

I, 3a q : Matth. 26, 39   r : Jn 19, 15a   s : Jn 19, 15c
t : Rom. 11, 17-25   u : Rom. 9, 4-5   v : Rom. 11, 28   w : Lc
23, 34   x : Rom. 9, 5

LXX : *Et descendit in Ioppen et inuenit nauem euntem*
in Tharsis, deditque naulum suum. Et ascendit in
eam ut nauigaret cum eis in Tharsis a facie Domini.

115 Ioppen portum esse Iudaeae et in Regnorum Paralipomenonque libris [a] legimus, ad quem Hiram quoque rex Tyri
ligna de Libano ratibus transferebat, quae Hierusalem
terreno itinere perueherentur. Hic locus est in quo usque
hodie saxa monstrantur in litore in quibus Andromeda reli-
120 gata Persei quondam sit liberata praesidio. Scit eruditus
lector historiam. Sed et iuxta regionis naturam, de montanis
et arduis ad Ioppen et campestria ueniens, propheta recte
dicitur DESCENDISSE, et inuenisse nauem funem soluentem
e litore et ingredientem mare. Deditque|NAVLVM EIVS siue
125 mercedem nauis, id est subuectionis eius, iuxta hebraicum,
siue *naulum* pro se, ut Septuaginta transtulerunt.

Et uel DESCENDIT IN EAM, ut proprie continetur in hebraico («iered» enim descendit dicitur), ut fugitiuus sollicite
latebras quaereret, uel *ascendit*, ut scriptum est in editione

I, 3 b 112 et¹ : *om.* MᵃᶜLHIGJ ‖ descendit : ascendit *edd.* (— *Gre.*) ‖
in : *om.* MLHIGJ ‖ ioppen : iopen Fᵃᶜ YMᵃᶜLHIGJ   Oppem
D ‖ et² : *om.* CD YMᵃᶜLHIGJ ‖ nauim Nᵖᶜ ‖ 113 et : *om. Era. Vic.*
Mar. Val. Ant. ‖ in tharsis : *om.* C Mᵖᶜ ‖ 115 portunum I ‖ esse
iudaeae : *tr.* ☌ ‖ et : *om.* NXQ ‖ paralipomenonque : et para- F
Era. Vic. Mar. Val. Ant.   paralippomenonquoque Hᵃᶜ(Mᵃᶜ)   et
in paralippomenon HᵖᶜIGJᵃᶜ   et in paralippomenon quoque
Jᵖᶜ   paralippominon quibus Lᵃᶜ   paralippominon Lᵖᶜ ‖ 116
libris — quoque : *om.* C ‖ hiram : hyram G *Gre*   iram A E L
Bi   chiram K Q   ira Dᵃᶜ   hiran Dᵖᶜ ‖ quoque : *om.* E F
HᵖᶜIGJᵃᶜ ‖ quoque rex tyri : *tr.* YMLHᵃᶜ   *om.* F ‖ Tyri : et *Gre.* ‖
117 lingua Fᵃᶜ   linga Fᵖᶜ ‖ libano : tyro A ‖ 118 perueherentur :
peruenerentur Yᵃᶜ   peruenirentur YᵖᶜMᵃᶜLHᵃᶜGᵃᶜJᵃᶜ ‖ est : *om.*
L(ᵖᶜ ?) ‖ 119 in quibus : *om.* Y ‖ adromida Bi ‖ 120 quandam Mᵃᶜ
LᵃᶜHᵃᶜ ‖ persidio K ‖ scit : sit Bi ‖ 121 et : *om.* PO ‖ de montanis :
demonstrans A ‖ 123 nauim Nᵖᶜ ‖ fune X Bi ‖ soluente Bi ‖ 124
ingredientem : -te ML Bi   -deuntem Nᵃᶜ ‖ nabulum E F Biᵃᶜ ‖
125 naues X ‖ subuectionis : subiectiones Aᵃᶜ YMᵃᶜLᵃᶜ   subiectio-

LXX : Il descendit à Joppé, trouva un navire qui allait
à Tharsis ; il paya son voyage et monta à bord,
pour naviguer avec eux à Tharsis, loin de la face
Seigneur[1].

La fuite de Jonas

Joppé est le port de la Judée[2].
Nous le lisons dans les Livres des
Règnes et ceux des *Paralipomènes* [a]. C'est là aussi qu'Hiram,
le roi de Tyr, faisait porter par radeaux le bois du Liban.
Il était ensuite charrié jusqu'à Jérusalem par voie de terre.
C'est l'endroit où, de nos jours encore, on montre[3] sur
le rivage les rochers où Andromède enchaînée aurait
jadis été délivrée par l'intervention de Persée. Le lecteur
cultivé[4] connaît le récit[5]. Donc, en raison du relief de la
contrée, on dit avec justesse que le prophète, venant
d'une région montagneuse et élevée jusqu'à Joppé dans
la plaine, est « descendu[6] » et qu'il a trouvé un navire
qui déliait l'amarre au rivage et prenait la mer[7]. Il a payé
« le voyage », c'est-à-dire le prix du navire, à savoir de
sa cargaison, selon l'hébreu[8], ou le prix de « son propre
voyage », comme ont traduit les Septante.

Il « descendit » à bord du navire, comme dit avec
exactitude l'hébreu (*iered* en effet veut dire « il descendit »),
pour s'y cacher soigneusement, en fugitif qu'il était ;
ou bien il « monta » à bord du navire[9], comme il est écrit

---

nis A^pc H^acI Bi   subuectiones L^pc ‖ eius : *om.* F ‖ 126 pro se :
suum *Era. Vic. Val.*(*i.m.*) ‖ ut : siue ut P^acO^ac   sicut P^pc ‖ 127 uel :
om. Era. Vic. Mar. Val. Ant.   uelut Bi ‖ 128 iered : hiered C F
K NX PO Bi *Gre.*   hieret (B)s M^pc   hiret YM^acLHIJ
hireth G   hired A   hierd D^pc   *D^ac legi non potest* ‖ fugitiuus :
-as Y   -os M^acL^acH^ac ‖ 129 in editione : in aedificatione CD^ac
meditatione YM^acL^acH^ac

I, 3 b a : II Chr. 2, 16 (Vide adn.)

130 uulgata, ut quocumque nauis pergeret perueniret, euasisse
se putans si Iudaeam relinqueret.

Sed et Dominus noster in extremo Iudaeae litore, quod
quia in Iudaea erat, appellabatur pulcherrimum, non uult
tollere ' panem filiorum ' et dare eum ' canibus ᵇ ' ; sed
135 quia uenerat ad ' oues perditas domus Israhel ᶜ ', dat uectoribus pretium, ut qui primum suum saluare uult populum,
saluet accolas maris et inter turbines ac tempestates, id
est passionem suam crucisque conuicia, submersus inferno,
saluet eos quos quasi in naui dormiens neglegebat ᵈ.

140   Prudens rogandus est lector non eumdem ordinem tropologiae quem et historiae quaerere. Nam et Apostolus Agar
et Saram ad duo testamenta refert ᵉ, et tamen non omnia
quae in historia illa narrantur tropologice interpretari possumus. Et ad Ephesios de Adam et Eua disputans ait :
145 « Propter hoc relinquet homo patrem et matrem suam et
adhaerebit uxori suae et erunt duo in carne una. Sacramentum hoc magnum est : ego autem dico in Christo et in Ecclesia ᶠ. » Numquid totum principium Geneseos et fabricam
mundi et hominum conditionem ad Christum et ad Eccle-
150 siam referre possumus quia hoc testimonio sic abusus est

I, 3 b 130 perueniret : et *praem.* CD   *Gre.* ‖ euasisse se : et uasis
sese I ‖ 131 se : *om.* Eᵃᶜ   Kᵃᶜ   YMLᵃᶜHᵃᶜ ‖ putant A ‖ 132 iudae CD
MᵃᶜLᵃᶜHᵃᶜ ‖ 134 panem filiorum : *tr.* PO ‖ 135 uectoribus : uict- K
YL(M *deest*)   uec[?]ribus Nᵃᶜ ‖ 136 saluare : sanare *Mar. Val.*
Ant. ‖ 137 saluat Pᵃᶜ ‖ turbinas Bi ‖ 138 conuicia : -tium E
YMLHIG(Jᵃᶜ)   -tia A ‖ submersos HIGJ ‖ inferno : in *praem.* CD
Gᵖᶜ   *edd.* ‖ 139 nauis Bi ‖ 140 non eumdem : ne eumdem uelit *Era.*
Vic. Mar. Val. Ant. ‖ 141 et¹ : *om.* YL(M *deest*) HIGJ   PO ‖ etᵃ : *om.*
L(M *deest*) ‖ 143 tropologice : -logicae D   N   trophologicae C
tropoloice Ꙅ   tropologiae Bi ‖ 144 disputans : interpretans (B)s Mᵖᶜ
K ‖ 145 relinquet : derelinquet PO   relinquit Yᵃᶜ   relinquens K ‖
et : aut N ‖ suam : *om.* (B)s n   *Mar. Val. Ant. Adr.* ‖ 146 uxoris A ‖
148 fabrica C ‖ 150 haec Lᵖᶜ ‖ testimonio : -nia MᵃᶜL(Hᵃᶜ ?)

dans l'édition commune[10], pour gagner l'endroit quelconque où se rendrait le navire : il s'estimait tiré d'affaire
s'il quittait la Judée.

La fuite de Jésus Notre Seigneur également, à l'extrémité du rivage de Judée[11] — rivage
qui était appelé « très beau » parce qu'il était en Judée
ne veut pas prendre ' le pain des enfants[b] ' pour le donner
' aux chiens[12] '. Mais, puisqu'il était venu pour ' les brebis
perdues de la maison d'Israël[c] ', il paie le prix des trans-
porteurs[13]. Ainsi, lui qui veut d'abord sauver son propre
peuple, sauve-t-il les habitants de la mer et, englouti
par l'Enfer, au milieu des tourmentes et des tempêtes
— sa passion et les sévices de la croix —, il sauve ceux
dont il semblait ne pas se préoccuper en dormant dans le
navire[d].

L'extension Il est pemandé au lecteur intelli-
du sens spirituel gent[14] de ne pas chercher un ordre
identique pour la tropologie et pour
l'histoire[15]. Car, si l'Apôtre[e] rapporte Agar et Sara aux
deux Testaments[16], nous ne pouvons cependant pas donner
une interprétation spirituelle à tous les éléments du récit.
Aux Éphésiens, en parlant d'Adam et Ève[17], il déclare :
« C'est pourquoi l'homme abandonnera son père et sa mère
pour s'attacher à sa femme. Et les deux ne feront qu'une
seule chair. Ce mystère est grand. Je veux dire, dans le
Christ et l'Église[f]. » Pouvons-nous bien rapporter au
Christ et à l'Église tout le début de la *Genèse*, la création
du monde[18], la formation des hommes, parce que l'Apôtre

-nium Bi   testimo G ‖ sic : *om. Gre.* ‖ sic abusus est : sic est abusus Bi

---

I, 3 b b : Matth. 15, 26   c : Matth. 10, 6 ; 15, 24   d : Matth.
8, 24-25   e : Gal. 4, 22-31   f : Éphés 5, 31-32

Apostolus ? Fac enim hoc quod scriptum est : « Ideo relinquet homo patrem suum [g] », referamus ad Christum ut
dicamus eum Patrem in caelis reliquisse Deum | ut gentium 11
iungeretur Ecclesiae ; hoc quod sequitur, « matrem suam »,
155 quid possumus interpretari ? Nisi forte dicamus reliquisse
eum caelestem Hierusalem, quae est ʻ mater sanctorum [h] ʼ,
et cetera multo his difficiliora ? Illud etiam quod ab eodem
Apostolo scribitur : « Bibebant enim de spiritali sequente
eos petra : petra autem erat Christus [i] », nequaquam nos
160 artat ut omnem Exodi librum referamus ad Christum.
| Quid enim possumus dicere ? Quod haec petra a Moise 39
percussa sit non semel sed bis [j] ? quod « aquae fluxerint [k] »
et torrentes repleti sint ? Num uniuersam loci eius historiam
per hanc occasionem cogemus sub leges allegoriae et non
165 potius unusquisque locus, secundum historiae diuersitatem,
diuersam recipiet intellegentiam spiritalem ? Igitur, sicut
haec testimonia suas interpretationes habent et nec praece-
dentia nec consequentia eamdem allegoriam desiderant,
sic et Ionas propheta non absque periculo interpretantis
170 totus referri ad Dominum poterit. Nec ex eo quod in Euan-

I, 3 b 151 fac : facit L(M[ac])HIG[ac](J[ac]) *del.* G[pc]   si Y[pc]   hoc
Era. ‖ enim hoc : *tr.* MLHIGJ[ac] ‖ hoc : *om.* A   Y ‖ relinquit Y[ac] ‖
152 referamus : et *praem.* K ‖ ut : et CD ‖ 153 relinquisse A[ac]   CD
H ‖ gentium : populus *add.* Bi   *Era. Vic. Val. Ant. Adr.* ‖ 154 iun-
geretur : iungegeretur K   ungeretur I   iungetur *Adr.* ‖ ecclesia
K ‖ 155 quid : quod A   Bi   quomodo CD   *edd.* (— *Adr.*)   quam
L(M[ac])HIGJ[ac] ‖ possimus K ‖ interpretare Y ‖ relinquisse CD   M[ac]
L[ac](?)H[ac]J[ac]   P[ac] ‖ 156 caelestem hierusalem : *tr.* NX ‖ 158 descri-
bitur A ‖ enim : autem CD   Bi   *edd.* (— *Adr.*) (*c. Vulg.*) ‖ spirituali
D[pc]   Bi   *Era. Vic. Mar. Val. Ant.*   spitali M[ac] ‖ sequente : sequenti
CD[ac]   NX   sequent A   consequente D[pc]   YL   *Era. Vic. Mar.*
Val. Ant. (*c. Vulg.*)   consequenti MHIGJ   Bi ‖ 160 arctat *Mar.*
Val. Adr. ‖ homnem K ‖ 161 moisen K   P[ac]   mose A ‖ 162 aquas
A ‖ fluxerunt ⱺ ‖ 163 torrentis A ‖ sunt D   ⱺ ‖ nam YM[ac]L[ac]H[ac]
GJ[ac] ‖ uniuersi Bi ‖ locis P[ac] ‖ eius : illius J   huius A   *edd.* ‖ 164
occasionem : intellegere *add.* J[pc]   P[pc]O ‖ cogimus CD   YMLHIGJ[ac]
Gre.   cogimur POJ[pc] ‖ leges : legis A   CD[ac]   K   YML[ac](?)HJ[ac]

a ainsi utilisé ce passage ? Admettons, en effet, que nous
rapportions au Christ la phrase : « Aussi, l'homme abandonnera son père[g] », en disant qu'il a abandonné, dans le ciel,
son père, Dieu, pour s'unir à l'Église des Nations. Ce qui
suit : « et sa mère », comment pouvons-nous l'entendre ?
Dirons-nous, par hasard, qu'il a abandonné la Jérusalem
céleste[19], la ' mère des saints[h] ', et autres propos encore
plus difficiles[20] ? L'autre affirmation du même Apôtre :
« Ils buvaient au roc spirituel qui les suivait. Ce roc, c'était
le Christ[i] » ne nous contraint aucunement à rapporter
au Christ tout le Livre de l'*Exode*. Que pouvons-nous dire,
en effet ? Que ce roc a été frappé deux fois par Moïse[j], et
non pas une seule, que « les eaux ont coulé » et que les
torrents ont été remplis[k] ? Allons-nous donc par l'occasion
faire passer de force sous les lois de l'allégorie[21] tout le
récit de ce passage ? N'est-ce pas plutôt chaque passage
qui, selon la spécificité du récit, recevra le sens spirituel
qui lui est spécifique ? Ainsi donc, de même que ces textes
ont leur propre interprétation et que ce qui les précède
ou les suit ne réclame pas la même allégorie, de même
la totalité (du livre) du prophète Jonas ne pourra être
rapportée au Seigneur sans danger pour l'exégète. Ce
n'est pas parce qu'il est dit dans l'*Évangile* : « Cette

N[ac]   lege Bi[pc] *Val.*[a] *Ant. Adr.*   legibus N[pc]   sublegere L[pc1]
legere L[pc2]   legem *Gre.* ‖ allegoriae : alligoriae H[pc]IJ   allego-
riace L[pc]   allegoricae C   allegorice D[ac] ‖ 166 recipiet intellegentiam : *tr.* ⌒ ‖ recipiet : et *add.* P[ac] L[pc] ‖ spiritualem Bi   *Era.*
Vic. Mar. Val. Ant. ‖ 167 habentes CD[ac] ‖ et : *om.* CD   *Gre.* ‖ 168
allegoriam desiderant : *tr. Era. Vic. Mar. Val. Ant.* ‖ desiderent
CD[ac] ‖ 169 non : nos I ‖ periculo : speculo P[ac]O(*i.t.*)   uiolentia
O(*i.m.*) ‖ interpretationis PO ‖ 170 totus : totius M[ac](?)L[ac]H[ac]
toties L[pc] ‖ referre YM[ac]LH[ac] ‖ dominum : deum YM[ac]LHIG[ac]J[ac]
Era.

I, 3 b g : Gen. 2, 24   h : Gal. 4, 26   i : I Cor. 10, 4   j : Ex.
17, 6 ; Nombr. 20, 11   k : Ps. 77, 20

gelio dicitur : « Generatio pessima et adultera signum quaerit, et signum non dabitur ei nisi signum Ionae prophetae.
Sicut enim fuit Ionas in uentre ceti tribus diebus et tribus
noctibus, sic erit filius hominis in corde terrae tribus diebus
175 et tribus noctibus [1] », reliqua etiam quae in hoc propheta
digesta sunt eodem ordine referuntur ad Christum. Certe,
ubicumque absque discrimine hoc fieri potest, nos quoque
facere nitemur.

I, 4 Heb. : DOMINVS AVTEM MISIT VENTVM IN MARE, ET FACTA
180   EST TEMPESTAS MAGNA IN MARI, ET NAVIS PERICLI-
     TABATVR CONTERI.

LXX : *Et Dominus suscitauit spiritum in mari, et facta
est tempestas magna in mari, et nauis periclitabatur conteri.*

185   Potest fuga prophetae et ad hominis referri in commune
personam, qui, Dei praecepta contemnens, recessit a facie
eius [a] et se mundo tradidit, ubi postea, malorum tempestate
et totius mundi contra se saeuiente naufragio, compulsus est
sentire Deum et reuerti ad eum quem fugerat. Vnde intelle-
190 gimus etiam ea quae sibi homines aestimant salutaria, Deo
uolente, uerti in perniciem, et non solum non prodesse auxilium his quibus praebetur, sed et ipsos qui praebent pariter

---

I, 3 b 171 pessima : praua *Val.*(*i.m.*) ‖ 172 ionae : *om.* N ‖ 174
noctibus : *om.* P[ac]   noctis G[ac]   N[ac] ‖ 174-175 sic — noctibus :
om. YM[ac]LHIGJ[ac] ‖ 176 ordinem K ‖ referentur YM[ac]LH[ac] ‖ 177
nos : nunc L ‖ quoque : hoc *add.* CD   *Gre.* ‖ 178 nitimur P[pc]OJ[pc]
I, 4 EB *in* PO   hb *in* J ‖ 180 in mari : *om.* F ‖ mare CD   Q ‖
181 conteri : *om.* A   (B)s   CD[ac]   F   K   M[pc]   P[ac]   Bi   coeteri O ‖
182 et[1] : *om.* K   N ‖ suscitabit D[ac] ‖ spiritum : magnum *add.* Era.
Vic. Mar. Val. Ant. ‖ mare *Ant. Adr.* ‖ 185 homines K   YM[ac](L[ac])
H[ac]   NQ ‖ referre YM[ac]LH[ac] ‖ commune : commone F   communi
E[ac]   *edd.* (— *Gre.*)   communem E[pc]   Y   N ‖ 187 tempestate :
temperitate K ‖ 189 intellegimus : sentimus P[ac] ‖ 190 aestimabant

génération mauvaise et adultère demande un signe. Il ne lui sera donné comme signe que celui du prophète Jonas. De même, en effet, que Jonas fut trois jours et trois nuits dans le ventre du monstre, de même le fils de l'homme sera-t-il trois jours et trois nuits dans le sein de la terre[1] », ce n'est pas une raison pour que tout ce qui est en outre raconté dans ce livre soit rapporté de la même façon au Christ[22]. Du reste, partout où on peut le faire sans danger, nous nous efforcerons, nous aussi, de le faire.

I, 4 Héb. : Mais le Seigneur envoya le vent sur la mer et il y eut une grande tempête sur la mer. Et le navire menaçait d'être brisé.

LXX : Et le Seigneur fit se lever un coup de vent sur la mer et il y eut une grande tempête sur la mer. Et le navire menaçait d'être brisé.

La fuite de l'homme   La fuite du prophète[1] peut également être rapportée à l'homme en général[2]. Méprisant les ordres de Dieu, il s'est retiré de devant sa face[a] et s'est livré au monde. Là, bientôt, une tempête de maux et le naufrage du monde entier acharné contre lui l'ont forcé à reconnaître Dieu et à revenir à celui qu'il avait fui. Cela nous fait comprendre que même ce en quoi les hommes fondent leur sauvegarde tourne, si Dieu le veut, à leur perte. Non seulement le secours ne sert en rien à ceux à qui il est offert, mais ceux mêmes qui l'offrent sont pareillement brisés. C'est ainsi que nous

---

PO ‖ salutaria deo : salutari a deo X ‖ 191 uolente : nolente YL(M^{ac}) HIGJ Bi *Era. Vic. Mar. Val. Ant.* ‖ uerti : *om.* CD^{ac} *Gre.*

I, 3 b 1 : Matth. 12, 39-40
I, 4 a : Gen. 3, 8

conteri. Sicut legimus uictam ab Assyriis Aegyptum, quia
opitulabatur Israeheli contra Domini uoluntatem [b], peri-
195 clitabatur nauis quae periclitantem susceperat. Vento maria
concitantur, in tranquillitate tempestas oritur : nihil, Deo
aduersante, securum est.

I, 5 a Heb. : ET TIMVERVNT NAVTAE ET CLAMAVERVNT
AD DEVM SVVM ; ET MISERVNT VASA | QVAE ERANT IN   38
200   NAVI IN MARE VT ALLEVIARETVR AB EIS.

LXX : *Et timuerunt qui nauigabant, et clamauerunt
unusquisque ad deum suum ; et iactum fecerunt uaso-
rum nauis in mare ut | alleuiaretur nauis.*   1

Arbitrantur nauem solito onere praegrauari, et non
205 intellegunt totum pondus esse fugitiui prophetae. TIMENT
NAVTAE, clamat *unusquisque ad deum suum* : ignorantes ueritatem non ignorant prouidentiam et, sub errore religionis,
sciunt aliquid esse uenerandum ; proiciunt onera in mare
ut magnitudinem fluctuum classis leuior transiliret.
210   At contra, Israel nec bonis nec malis intellegit Deum et,
plangente Christo populum [a], siccos oculos habet.

I, 4 193 uictum YM^{ac} ‖ quia : quae P^{ac} et *praem.* E ‖ 194
israel E   NX   PO ‖ periclitabatur : periclitatur A   CD   E   F   ⅽ
Era. Vic. Mar. Val. Ant. ‖ 195 periclitantem : -te P^{ac}O   -tes P^{pc}
pere- N^{ac} -ta E ‖ susciperat E   F   K   M^{ac} ‖ 196 tranquillitatem
A ‖ oritur : sopitur P^{ac}
I, 5 a ʜb *in* HI GJ ‖ 198 et¹ : *om.* K ‖ clamauerunt : uiri *add. edd.* ‖
199 deum : dominum CD   F   ⅽ   PO ‖ uasa : sua *add.* NXQ ‖
quae : que K   qui M^{ac}(?)Y^{ac}(?) ‖ 200 mari M^{ac} ‖ alleuiaretur
K   MLH^{ac}J^{ac} Q   P^{ac} ‖ 201 quia D^{ac} X ‖ 202 deum : dominum
A   D ‖ iactum : ut *praem.* K^{ac} ‖ 203 alleuaretur K   L(M *deest*)H^{ac} ‖
204 arbitratur K^{ac} ‖ nauim N^{ac} ‖ onere : honore F   more E ‖
praegrauari : -re N^{ac} grauari E ‖ 205 esse : *om.* K   M^{ac}LH^{ac} ‖
fugitiui : *om.* G^{ac} ‖ 206 clamant YL^{ac}(M *deest*)HIGJ   NXQ   P^{ac} ‖
deum : dominum F   *Gre.* ‖ 207 ignorantes Bi ‖ prouidentiam :
prudentiam D^{ac} E ‖ et : sed A ‖ sub errore : subuersore C
subuersores D^{ac} ‖ 208 sciunt : se esse *praem.* YL(M *deest*)H^{ac}(?)

lisons[3] que l'Égypte a été vaincue par les Assyriens
parce qu'elle aidait Israël contre la volonté du Seigneur[b].
Le navire était en danger parce qu'il avait accueilli un
passager dangereux[4]. Les flots s'agitent sous le vent, une
tempête se lève sur une mer calme : quand Dieu est
contraire, rien n'est en sécurité !

5a Héb. : Et les matelots furent pris de crainte. Ils crièrent
vers leur dieu. Ils jetèrent à la mer la cargaison du
navire pour l'en alléger.

LXX : Et les gens du navire furent pris de crainte. Ils
crièrent chacun vers son dieu et lancèrent à la mer
la cargaison du navire pour l'alléger.

**Religion des païens
et insensibilité
d'Israël** Ils pensent que le navire est trop
lourd avec sa charge ordinaire, sans
comprendre que tout le poids vient
du prophète fugitif. « Les matelots
sont pris de crainte », « chacun crie vers son dieu » : ils ignorent la vérité, mais ils n'ignorent pas la providence[1]. Malgré
leur religion fausse, ils savent qu'il y a quelque chose
à vénérer. Ils lancent à la mer leur chargement, pour que
la nef, plus légère, franchisse l'étendue des flots[2].

Israël, au contraire, ni la prospérité, ni le malheur
ne lui font découvrir Dieu et, tandis que le Christ pleure
sur son peuple[a], lui, a les yeux secs[3] !

esse *praem.* HᵖᶜIGJ ‖ aliquid esse : *tr.* A ‖ esse : *om.* ⅁ ‖ uerandum
Pᵃᶜ ‖ proiciunt : denique *praem.* POJᵖᶜ ‖ mari K ‖ 209 magnitudine
PO ‖ fluctuum : flatuum Fᵖᶜ ‖ clausis F   Q ‖ 210 at : ad A ‖ econtra
XQ PᵖᶜOJᵖᶜ ‖ et : *om.* Val.² Ant. ‖ 211 plangente : placente Q ‖
populum : -los Q   -lus Hᵖᶜ⁽?⁾I *Gre.*   -lo YMᵃᶜ ‖ siccatos
Lᵖᶜ ‖ habent CD   F

I, 4 b : Is. 20, 3-6
I, 5a a : Lc 19, 41

I, 5 b Heb. : Et ionas descendit ad interiora navis et
dormiebat sopore gravi.

LXX : *Ionas autem descendit in uentrem nauis et*
215 *dormiebat et stertebat.*

Quantum ad historiam, prophetae mens secura describitur : non tempestate, non periculis conturbatur, eundem
et in tranquillo et imminente naufragio animum gerens.
Denique alii clamant ad deos suos, uasa proiciunt [a], nititur
220 unusquisque quod potest. Iste tam quietus est et securus
animique tranquilli ut ad navis interiora descendens,
somno placido perfruatur.

Sed et hoc dici potest : conscius erat fugae et peccati quo
Domini praecepta neglexerat, et tempestatem, ignorantibus
225 ceteris, contra se saeuire cernebat. Ideo descendit ad
interiora navis et tristis absconditur, ne quasi Dei uindices fluctus aduersum se uideret intumescere. Quod autem
dormit, non securitatis est, sed maeroris. Nam et apostolos
legimus in Domini passione ' prae tristitiae [b] ' magnitudine
230 somno fuisse depressos.

Sin autem interpretamur in typo, somnus prophetae et
grauissimus sopor hominem significat erroris sopore tor-

I, 5 b he *in* PO   hb uer *in* HIG ‖ 212 descendens P^{pc}O ‖ ad :
in K ‖ et^a : *om.* PO ‖ 213 dormiebant P^{ac} ‖ 214-215 ionas — stertebat :
om. Gre. ‖ 214 uentre A   CD   K   NX   PO ‖ 216 ad : *om.* K ‖
historiam : -aY   pertinet *add.* CD   E(F *deest*)   *edd.* (— *Adr.*) ‖
217 conturbatur : conturbabatur A   J^{pc}(*q.del.*)   concum[ ]atur
P^{ac} ‖ eamdem G^{pc} ‖ 218 imminente : inminente C   ML^{ac}HIJ   in
inminente L^{pc} inminente D^{ac} in G^{ac} in minente G^{pc} ‖
animum : *om.* M^{ac}L^{ac}H^{ac}GJ^{ac} ‖ 219 clamabant POJ^{pc1} ‖ 220 est :
es A ‖ 221 animique tranquilli : enim atque tranquillus P^{ac} ‖ ad :
et I ‖ 222 somno : *om.* O ‖ placito D^{ac} P^{ac} ‖ 223 peccatis K^{ac} ‖ quod
NX   PO   Bi ‖ 226 uindices : -is K   J^{pc} uendices F ‖ 227 quod
autem : et *praem.* YM^{ac}LH^{ac}GJ^{ac} ‖ autem : *om.* L^{pc} ‖ 228 apostolos :
-us K   Q   apos E^{ac} ‖ 230 depressos : -us M^{ac} pressus E^{ac}

5b Héb. : Et Jonas descendit à l'intérieur du navire. Il
dormait d'un lourd sommeil.

LXX : Quant à Jonas, il descendit au cœur du navire.
Il dormait et ronflait.

Sommeil de Jonas   Pour ce qui concerne l'histoire[1],
on décrit la sérénité d'âme du pro-
phète : ni la tempête ni les dangers ne le troublent. Il a la
même attitude d'esprit par temps calme et à l'approche
du naufrage. En effet, les autres crient vers leurs dieux,
ils lancent la cargaison[a] à la mer ; chacun essaie ce qu'il
peut. Lui, est si calme et si serein, il a l'esprit si tranquille,
qu'il « descend à l'intérieur du navire », pour y jouir d'un
doux sommeil[2].

Mais on peut dire également qu'il était conscient de sa
fugue et de la faute qui lui avait fait négliger les ordres du
Seigneur. Il se rendait compte, lui, si les autres l'ignoraient,
que la tempête faisait rage contre lui. Voilà pourquoi « il
descend à l'intérieur du navire » et se cache tout triste, pour
ne pas voir les flots, comme des vengeurs de Dieu, se gonfler
contre lui. S'il dort, ce n'est plus signe de sécurité, mais
de chagrin[3]. De fait, nous lisons que les Apôtres aussi,
durant la Passion du Seigneur, ont été écrasés de sommeil
sous le poids de la ' tristesse[b] '.

La torpeur du péché   Si au contraire nous suivons l'interprétation spirituelle[4], le sommeil du
prophète et sa lourde torpeur désignent l'homme engourdi
dans la torpeur de l'erreur[5]. Il ne lui a pas suffi de s'enfuir

---

pressos E[pc] ‖ 231 sin — typo : moraliter E ‖ si P[ac] ‖ interpretamus
NQ ‖ 232 erroris : terroris A   K ‖ sopore torpentem : soporetum
P[ac]   soporetor(p?)entem P[pc]   soporetorentem O[ac] ‖ torpente Y

I, 5 b   a : Jonas 1, 5a   b : Lc 22, 45

pentem, cui non suffecerat fugisse a facie Dei [c] nisi et quadam uecordia mens illius obruta ignoraret iracundiam Dei
235 et quasi securus dormiret et profundissimum somnum rauca
nare resonaret.

I, 6 Heb. : Et accessit ad evm gvbernator et dixit ei :
        qvid tv sopore deprimeris ? svrge, invoca
        devm tvvm, si forte cogi | tet devs de nobis
240   et non pereamvs.

LXX : *Et accessit ad eum proreta et dixit ei :
        Quid tu stertis ? Surge, inuoca Deum tuum,
        si quomodo saluos nos faciat Deus et non
        pereamus.*

245 Naturale est unumquemque in suo periculo de alio plus
     sperare. Vnde gvbernator, siue *proreta*, qui uectores timi-
     dos debuerat consolari, cernens discriminis magnitudinem,
     excitat dormientem et arguit improuidae securitatis com-
     monetque ut ipse quoque pro uirili portione deprecetur
250 Deum suum, ut cuius erat commune periculum communis
     esset oratio.

I, 5 b 233 suffecerat : suffi- A   C   K   M[ac]L[ac]HIGJ[ac] NXQ   suffi-
ceret D   E ‖ fuisse D[ac] ‖ dei : domini A ‖ et (B)sM[pc]   K   Y   POJ[pc]
Mar. Val. Ant. Adr. : *om.* A   CD   E   M[ac]LHIGJ[ac] NXQ Bi
Gre. Era. Vic. ‖ 234 uecordiam YM[ac(?)]H[ac] ‖ obruta : obdurata A ‖
235 profundissimum somnum : -o -o L[pc]   prodissimum somnum
XQ[ac] ‖ somnium A ‖ rauca : rauco E[pc]   rhonco *Era. Vic.(a.c.)*
Val.(i.m.)   rhonca *Val.(i.m.)* ‖ 236 nare : nares Q   naris
Vic.(a.c.) ‖ resonaret D[pc]   E   K   PO   *Mar. Val.(i.t.) Ant. Adr.* :
sonaret A   (B)s   CD[ac]   ⊆   NXQ   Bi   *Gre. Era. Vic. Val.(i.m.)*
     I, 6 H *in* PO   Hb *in* HIG ‖ 237 et[1] : *om.* M[ac]LH[ac]J ‖ et[a] : *om.*
Bi ‖ 238 quid : qui M[ac]   quod Bi[ac] ‖ sopore deprimeris : *tr.* YL
(M[ac])HIGJ   dormis (B)s   M[pc]   s. depraemeris Q ‖ surge :
et *add.* ⊆ ‖ 239-240 si — pereamus : *om.* Q ‖ 239 cogitet : recogitet
D[pc] *edd.* (— *Adr.*) (*c. Vulg.*)   cogitit M[ac] ‖ 240 periamus M[ac]
L[ac] ‖ 241 propheta N[ac]X   J[ac(?)]   P[ac] ‖ 242 qui D   M[ac]L[ac] ‖ stertis

loin de la face de Dieu c. L'âme accablée par une espèce
de folie, il ignore la colère de Dieu, dort en quelque sorte
en toute sérénité et sa narine sonore fait retentir le son
de son très profond sommeil[6].

, 6 Héb. : Et le capitaine s'approcha de lui et lui dit :
« Que fais-tu là, toi, à être écrasé de sommeil ?
Lève-toi. Prie ton dieu. Si Dieu venait à penser
à nous et que nous ne périssions pas ! »

LXX : Et le pilote s'approcha de lui et lui dit : « Que
fais-tu là, toi, à ronfler ? Lève-toi. Prie ton Dieu.
Si Dieu venait à trouver un moyen de nous sauver
et que nous ne périssions pas ! »

Il est naturel[1] que, dans le danger, chacun mette plus
d'espoir en autrui qu'en soi-même[2]. Voilà pourquoi « le
capitaine » (ou « le pilote »), qui aurait dû encourager
l'équipage effrayé[3], se rendant compte de la grandeur du
danger, réveille celui qui dormait, lui reproche sa sérénité
imprévoyante et l'invite instamment à prier lui aussi,
autant qu'il le peut, son propre dieu : puisque tous étaient
en danger, tous devaient prier.

(B)sM^pc Y PO *edd.* (— *Gre.*) : sopore deprimeris A CD K
NX Bi *Gre.*   deprimeris sopore L(M^ac)HIGJ^ac   stertis sopore
J^pc ‖ 243 saluos nos : *tr.* YM^acLHIGJ ‖ nos : *om.* CD^ac *Gre.* ‖ nos
faciat : *tr. Era. Vic. Mar. Val. Ant.* ‖ 246 sperare : sapere K ‖ propheta
A N^acX P^ac ‖ uectores : uictores M^acH^ac   uector est Y ‖ timi-
dos : -dus M^acL^ac   tumidos Y^ac ‖ 247 consolari : -re P^ac
consulari F ‖ debuerat consolari : *tr.* YMLHIG ‖ 248 securitatis :
temeritatis Bi ‖ commonet : communi M^acL^acH^ac

I, 5 b c : Gen. 3, 8

Porro, iuxta tropologiam, plures sunt qui cum Iona
nauigantes et habentes proprios deos [a], ad « contemplationem gaudii » ire festinant. Sed postquam Ionas fuerit sorte
255 deprehensus [b] et morte illius mundi sedata tempestas
marique tranquillitas reddita [c], tunc unus adorabitur Deus
et immolabuntur | uictimae [d] spiritales quas utique iuxta
litteram in mediis fluctibus non habebant.

I, 7 Heb. : ET DIXIT VIR AD COLLEGAM SVVM : VENITE ET MIT-
260   TAMVS SORTES ET SCIAMVS QVARE HOC MALVM SIT
         NOBIS. ET MISERVNT SORTES, ET CECIDIT SORS
         SVPER IONAM.

LXX : *Et dixit unusquisque ad proximum suum : Venite,*
      mittamus sortes et cognoscamus propter quem malitia
265   *haec est super nos. Et miserunt sortes, et cecidit sors*
      super Ionam.

Nouerant naturam maris, et tanto tempore nauigantes
sciebant tempestatum uentorumque rationes. Et utique, si
solitos et quos aliquando experti fuerant fluctus uidissent
270 consurgere, numquam sorte auctorem naufragii quaererent
et per rem incertam certum cuperent euitare discrimen.
Nec statim debemus sub hoc exemplo sortibus credere, uel
illud de Actibus Apostolorum huic testimonio copulare ubi

I, 6 253 ad contemplationem : de contemplatione A ‖ 254 ire
festinant : refestinant A ‖ 254-255 fuerit sorte deprehensus : s.d.f.
YM^{ac}LHIGJ ‖ 254 fuerat X^{ac} ‖ 255 deprensus A ‖ mundi : om. A
YMLH^{ac}GJ^{ac} P^{pc}O Bi ‖ tempestas : om. P^{ac} ‖ 256 marique tranquillitas reddita : om. P^{ac} ‖ deus : om. K^{ac} ‖ 257 immolabitur D^{ac} ‖
spirituales D^{pc} *Era. Vic. Mar. Val. Ant.* ‖ 258 haberant P^{pc}

I, 7 EB *in* P   HB *in* HIG ‖ 263-266 et — ionam : om. *Gre.* ‖
264 propter quem : cuius gratia *Era. Vic. Mar. Val. Ant.* ‖ malitia :
malum N^{pc} ‖ 265 haec : hoc N^{pc} ‖ 265-266 et[1] — ionam (*Recent. ex
familia* OP) *Era. Vic. Mar. Val. Ant. Adr.* : om. A (B)s CD K
Ꙅ NX PO Bi ‖ 267 nouerunt F ‖ 268 racionem K ‖ 269 solitus

Selon la tropologie, ils sont nombreux à naviguer avec Jonas et à avoir leurs propres dieux[a] pour se hâter vers la « Contemplation de la joie »[4]. Mais, lorsque Jonas aura été livré par le sort[b], que sa mort aura apaisé la tempête de ce monde et rendu à la mer sa tranquillité[c], alors on n'adorera qu'un seul Dieu et on immolera des victimes[d] spirituelles, qu'évidemment, selon la lettre[5], les marins n'avaient pas au milieu des flots.

I, 7 Héb. : Et chacun dit à son compagnon : « Allons, tirons au sort, que nous sachions d'où nous vient ce malheur ! » Ils tirèrent au sort et le sort tomba sur Jonas.

LXX : Et chacun dit à son voisin : « Allons, tirons au sort, que nous connaissions à cause de qui nous vient ce mal ! » Ils tirèrent au sort et le sort tomba sur Jonas[1].

Le tirage au sort Ils connaissaient la nature de la mer, et, depuis le temps qu'ils naviguaient, ils savaient comment se lèvent les vents et les tempêtes. S'ils avaient vu se dresser les flots habituels, qu'ils avaient déjà subis l'une ou l'autre fois, à coup sûr ils ne chercheraient pas le responsable du naufrage en tirant au sort et ne souhaiteraient pas éviter un danger certain par un procédé incertain[2]. Nous ne sommes pas immédiatement obligés, à cause de ce cas, de croire aux sorts[3] ou de rapprocher ce passage de celui des *Actes des Apôtres* où

F ‖ 271 cuperent : cupirent E[ac]   cuperint Y[ac]M[ac]LH[ac] ‖ uitare E   Bi ‖ 272 statim : tamen CD   *Gre.* ‖ sub : *om.* D[ac] ‖ 273 copulare : consulere NX

I, 6 a : Jonas 1, 5a   b : Jonas 1, 7   c : Jonas 1, 15   d : Jonas 1, 16

sorte in apostolatum Matthias eligitur [a], cum priuilegia
275 singulorum non possint legem facere communem. Sicut
enim in condemnationem Balaam asina loquitur [b] et Pha-
rao [c] et Nabuchodonosor [d] in iudicium sui somniis futura
cognoscunt, et tamen Deum non intellegunt reuelantem,
Caiphas quoque prophetat ignorans quod expediret unum
280 perire pro cunctis [e], ita et hic fugitiuus sorte deprehenditur,
non uiribus sor | tium et maxime sortibus ethnicorum, sed 3
uoluntate eius qui sortes regebat incertas.

Quod autem dicitur : *et cognoscamus propter quem malitia
haec est super nos*, hic *malitiam* pro afflictione et calamitate
285 accipere debemus, secundum illud : « Sufficit diei malitia
sua [f] » et in Amos propheta : « Si est malitia in ciuitate quam
Dominus non fecerit [g] », et in Esaia : « Ego Dominus qui
facio pacem et creo mala [h]. » In alio uero loco *malitia* contra-
ria uirtuti intellegitur, iuxta quod in hoc eodem propheta
290 supra legimus : « Ascendit clamor malitiae eius ad me [i]. »

I, 8 Heb. : Et dixervnt ad evm : indica nobis cvivs
cavsa malvm istvd sit nobis, qvod est opvs
tvvm, qvae terra tva et qvo vadis vel ex qvo
popvlo es tv.

I, 7 274 apostolato M[ac](L[ac])H[ac] ‖ 275 legem facere : legere N ‖
276 condemnationem : -ne A   YMLGJ   N[pc]   contemptationem E
contempnationem F ‖ balam E   F ‖ assina F ‖ 277 in iudicium : in
iuditium ML[ac]   in inditium L[pc]   indicio D[pc] ‖ suis K   L[pc]   P[ac]
Bi ‖ somniis : somnis E[ac]   F   P[ac]   omnis YM[ac]L[ac]   somnii CD
E[pc]   P[pc]O   *Gre* ‖ 278 cognoscant E   M[ac]L[ac]H[ac] ‖ deum : dominum F ‖
280 et : ut E[ac] ‖ prehenditur P[ac] ‖ 281 et maxime sortibus : *om.* P[ac] ‖
ethnicorum : et iniquorum YH[ac](M[ac]) et inigur[ ]um L[ac]   ethinicorum F[pc]   et in augurio L[pc]   aethicorum E ‖ 282 qui sortes :
per sortes Bi[ac]   qui eos per sortes Bi[pc] ‖ sortis M[ac]H[ac] ‖ 283 quem :
quae A ‖ 284 haec : eius X ‖ malitia A   C   MH[ac]   O ‖ afflliccionem
K ‖ 285 debeamus G[ac] ‖ 287 fecit L[pc]   Bi[ac] ‖ 288 uero : *om.*
YM[ac]LHIGJ ‖ 289 uirtuti : -te L[ac]   ueritati NX Pal.   *Gre.*
Val.(*i.m.*) *Adr.* ‖ hoc : *om.* NX

Matthias est choisi comme Apôtre par tirage au sort[a], car des privilèges personnels ne peuvent devenir loi commune. De même, en effet, qu'une ânesse parle pour la condamnation de Balaam[b], que Pharaon[c] et Nabuchodonosor[d], pour leur propre jugement, connaissent l'avenir par des songes, sans pour autant y reconnaître la révélation divine, que Caïphe[e] également prophétise, sans le savoir, qu'il valait mieux qu'un seul mourût pour tous[4], ici de même le fugitif est livré par le sort, non par la puissance des sorts et en particulier des sorts païens, mais par la volonté de celui qui dirigeait les sorts incertains.

Quant à l'expression : « Que nous connaissions à cause de qui nous vient ce mal », il faut entendre ici « mal[5] » au sens d'affliction et de calamité, comme dans le texte : « A chaque jour suffit son *mal*[t 6] » ou dans le prophète Amos : « Y a-t-il un *mal* dans une ville que Dieu n'ait pas accompli[g 7] ? » ou dans Isaïe : « C'est moi, le Seigneur, qui fais la paix et qui cause le *mal*[h 8]. » En d'autres endroits, en revanche, *mal* a le sens de contraire à la vertu, comme dans le passage de notre prophète que nous avons lu plus haut : « Le cri de sa méchanceté est monté jusqu'à moi[i]. »

8 Héb. : Et ils lui dirent : « Indique-nous la cause de ce malheur sur nous. Quel est ton métier, ton pays ? Où vas-tu et de quel peuple es-tu ? »

I, 8 EB *in* PO   HB *in* HG ‖ 292 est : *om. Gre. Era. Mar. Val.(i .t.) Ant.* ‖ 293 quae : est *add.* Bi[pc] ‖ terrae tuae Y ‖ et quo uadis (B)s H[pc]I Bi (+*Recentiores ex fam.* PO   NX) *edd.* : et quo uadas A et quo CD   F   K   M[pc]   Q   P[ac](*c.Vulg.*)   et YL(M[ac])H[ac]GJ *om.* NX   P[pc]O ‖ 294 populo es : populustu K[ac]

I, 7 a : Act. 1, 23-26   b : Nombr. 22, 28   c : Gen. 41, 1 s.
d : Dan. 2, 1 s. ; 4, 1 s.   e : Jn 11, 49-50 ; 18, 14   f : Matth.
6, 34   g : Amos 3, 6   h : Is. 45, 7   i : Jonas 1, 1

295 LXX : *Et dixerunt ad eum : Adnuntia nobis cuius*
gratia haec malitia est in nobis, quod est
opus tuum et unde uenis et de qua regione et de
quo populo es tu.

Quem sors indicauerat, cogunt uoce propria confiteri
300 cur tanta tempestas sit uel quare contra eos Dei ira desae-
uiat : INDICA, inquiunt, NOBIS CVIVS CAVSA MALVM ISTVD
SIT, quid operis agas, de qua terra, de quo populo profici-
scaris, quo abire festines. Et notanda breuitas quam admi-
rari in Vergilio solebamus :

305   « Iuuenes, quae causa subegit
Ignotas temptare uias ? Quo tenditis ? inquit.
Qui genus ? Vnde domo ? Pacemne huc fertis an arma [a] ? » |

Interrogatur persona, regio, iter, ciuitas, ut ex his cognos-
catur et causa discriminis.

I, 9 Heb. : ET DIXIT AD EOS : HEBRAEVS EGO SVM ET DOMINVM
DEVM CAELI EGO TIMEO, QVI FECIT MARE ET ARIDAM.

LXX : *Et dixit ad eos : Seruus Domini ego sum et Deum*
caeli ego colo, qui fecit mare et aridam.

I, 8 295-298 et — tu : *om. Gre.* ‖ 295-296 cuius — nobis *edd.* (*ex*
commentario ?) : *om. codd.* ‖ cuius gratia : propter quem *Vic.* ‖ 296 est[a]
codd. Era. Vic. : *om. Mar. Val. Ant. Adr.* ‖ 297 uenis : et quo uadis
add. edd. (— *Gre.*) ‖ de[1] : ex L[pc] *Era. Vic. Mar. Val. Ant.* ‖ regione :
es *add. Val.*   es tu *add.* G[ac] *Vic.* ‖ 297-298 et[2] — tu : *om. Vic.* ‖
297 de[2] : ex Ⓢ *Era. Mar. Val. Ant.* ‖ 299 propria : propri K   pria
C ‖ 300 sit : super nos *add.* CD *Era. Vic. Mar. Val.* ‖ 303 notantur
N[ac] ‖ quem D[ac] ‖ 304 uergilium Q ‖ 305 iuuenis Y[ac]M[ac]LHIGJ[ac]   N ‖
causa subegit : causas ubi egit A ‖ 307 qui : quo D[ac]   quod CD[pc]
Bi *Gre.* ‖ domo : homo CD[ac] *Gre.*   homines D[pc] ‖ pacemne
huc : pacem neue Bi ‖ fertis : uertitis Y[ac]L(M[ac])H(*i.t.*)G[ac] uertis
J[ac] ‖ an : *om.* N ‖ arma : orma Y[ac]M[ac] ‖ 308 ex : *om.* MLHIGJ ‖
309 et : *om.* A

LXX : Et ils lui dirent : « Apprends-nous la raison de ce
mal qui nous atteint. Quel est ton métier ? D'où
viens-tu ? De quelle région es-tu et de quel
peuple[1] ? »

Le sort l'avait désigné ; ils le forcent à avouer lui-même
la raison d'une telle tempête ou pour quel motif la colère
de Dieu sévit contre eux : « Indique-nous, disent-ils, la
cause de ce malheur », quel métier tu fais, de quel pays,
de quel peuple tu sors, où tu te sauves si vite. Notons la
brièveté que nous avions coutume d'admirer chez Virgile[2] :

« Jeunes-gens, quelle raison vous a contraints, dit-il,
A explorer des chemins inconnus ? Où vous rendez-vous ?
Quelle est votre race ? Votre maison ? Apportez-vous
ici la paix ou le fer[a] ? »

Les questions portent sur l'identité, le pays, la route,
la cité, pour qu'on puisse par là connaître également la
la cause du péril présent.

9 Héb. : Et il leur dit : « Je suis Hébreu et je crains le
Seigneur, le Dieu du ciel, qui a fait la mer et la
la terre sèche ».

LXX : Et il leur dit : « Je suis un serviteur du Seigneur
et je vénère le Dieu du ciel, qui a fait la mer et
la terre sèche[1]. »

I, 9 EB *in* PO   HEB *in* HIG ‖ 310 ad eos : *om.* YM^acLHIGJ^ac ‖
312-313 et[1] — aridam *edd.* (— *Gre.*) : Similiter *codd.*   *Gre.*

I, 8 a : Virgile, *En.*, 8, 112-114.

Non dixit : « Iudaeus ego sum », quod scissura decem tri-
315 buum a duabus populo nomen imposuit ᵃ, sed : ʜᴇʙʀᴀᴇᴠѕ
ѕᴠᴍ, hoc est περάτης, transitor, sicut et Abraham ᵇ, qui
dicere poterat : « Aduena sum ego et peregrinus sicut omnes
patres mei ᶜ », de quo in alio psalmo scribitur : « Transierunt
de gente in gentem et de regno ad populum alterum ᵈ. »
320 Moises : « Transeam, inquit, et uidebo uisionem hanc
magnam ᵉ. »

Eᴛ ᴅᴏᴍɪɴᴠᴍ ᴅᴇᴠᴍ ᴄᴀᴇʟɪ ᴇɢᴏ ᴛɪᴍᴇᴏ, non deos quos inuo-
catis et qui salvare ‖ non | possunt, sed ᴅᴇᴠᴍ ᴄᴀᴇʟɪ ǫᴠɪ ᴍᴀʀᴇ
ꜰᴇᴄɪᴛ ᴇᴛ ᴀʀɪᴅᴀᴍ: ᴍᴀʀᴇ, in quo fugio, ᴀʀɪᴅᴀᴍ, de qua
325 fugio. Et eleganter, ad distinctionem maris, non terra sed
ᴀʀɪᴅᴀ nuncupatur et in breui uniuersitatis factor ostenditur
qui et caeli Dominus est et terrae et maris.

Quaeritur autem quomodo uere dicere comprobetur :
ᴅᴏᴍɪɴᴠᴍ ᴅᴇᴠᴍ ᴄᴀᴇʟɪ ᴇɢᴏ ᴛɪᴍᴇᴏ, cum eius praecepta non
330 faciat. Nisi forte respondeamus quod et peccatores timeant
Deum seruorumque sit non diligere sed timere, quamquam
in hoc loco « timor » pro « cultu » possit intellegi, iuxta sensum eorum qui audiebant et adhuc ignorabant Deum.

I, 10 Heb. : Eᴛ ᴛɪᴍᴠᴇʀᴠɴᴛ ᴠɪʀɪ ᴛɪᴍᴏʀᴇ ᴍᴀɢɴᴏ ᴇᴛ ᴅɪxᴇʀᴠɴᴛ
335   ᴀᴅ ᴇᴠᴍ : ǫᴠɪᴅ ʜᴏᴄ ꜰᴇᴄɪѕᴛɪ ? ᴄᴏɢɴᴏᴠᴇʀᴀɴᴛ ᴇɴɪᴍ

, 9 314 ego C K Ꙅ : om. A (B)s D NX PO Bi Gre. ‖
316 περάτης A MᵖᶜHᵖᶜIJᵖᶜ NX Pᵖᶜ:περατνϲ CD E   περωτης
Pᵃᶜ   περαθε K   ιτραθε YᵖᶜLG   περατεϲ O   περοϲηϲ Bi
ne patrie (B)s   om. F ‖ transitor : transitur NᵃᶜX Hᵃᶜ(?)   tran-
situs MᵃᶜLᵃᶜ Bi   transiens Lᵖᶜ(sp.l.) ‖ 317 potuit Bi ‖ peregriniis
MᵃᶜLᵃᶜ ‖ 318 de — scribitur : om. A ‖ alio : ali K ‖ iscribitur K ‖
319 et — alterum : om. Pᵃᶜ ‖ 320 moises : et praem. PO Jᵖᶜ
autem add. Bi ‖ 322 dominum : om. (B)sMᵖᶜ ‖ quos : quo Nᵃᶜ   quas
Jᵃᶜ ‖ 324-325 aridamᵃ — fugio : om. F ‖ 326 nuncupantur K ‖ factor
ostenditur : tr. Ꙅ ‖ ostenditor F ‖ 327 qui — maris : om. F ‖ qui et :
quia et PᵖᶜO ‖ et¹ : est K (B)sMᵖᶜ ‖ est : om. K (B)sMᵖᶜ ‖ 328
uerum Lᵖᶜ ‖ comprobetur : -batur E F Jᵃᶜ   non probetur C ‖
330 facit C ‖ timeat C ‖ 331 deum : dominum Nᵃᶜ ‖ 332 cultu : oculto
MLᵃᶜ   occulto YHIGJᵃᶜ NX

Il n'a pas dit : « Je suis Juif »,
La profession de foi nom donné au peuple à partir de la
de l'Hébreu séparation ᵃ des dix tribus des deux
autres², mais : « Je suis Hébreu », c'est-à-dire *peralès*,
un passant³, ainsi qu'Abraham ᵇ qui pouvait dire : « Je suis
un étranger et un voyageur, comme tous mes pères ᶜ »,
lui dont il est écrit dans un autre *Psaume* : « Ils passèrent
de nation en nation, d'un royaume à un autre peuple ᵈ. »
Moïse déclare : « Je passerai et je verrai cette grande
vision ᵉ. »

« Je crains le Seigneur, le Dieu du ciel », non les dieux
que vous invoquez et qui ne peuvent sauver, mais « le Dieu
du ciel, qui a fait la mer et la terre sèche » : la mer où
je fuis, la terre sèche d'où je fuis. C'est avec justesse⁴
que, pour l'opposer à la mer, il parle, non de la terre,
mais de la « terre sèche ». Un raccourci présente le créateur
de l'Univers : il est à la fois le Seigneur du ciel⁵, de la
terre et de la mer.

Mais surgit une difficulté⁶. Comment prouver qu'il dit
sincèrement : « Je crains le Seigneur, le Dieu du ciel »,
alors qu'il n'exécute pas ses ordres. Peut-être pourrions-
nous répondre que les pécheurs aussi craignent Dieu et
que le propre des serviteurs n'est pas d'aimer, mais de
craindre. Ici cependant on peut entendre *crainte* au sens
de *vénération*, pour s'adapter à des auditeurs qui ne
connaissaient pas encore Dieu.

10 Héb. : Et les hommes furent pris d'une grande crainte.
Ils lui dirent : « Pourquoi as-tu fait cela ? » Les

I, 10 ʜb *in* HIGJ ‖ 334 uiri : *om.* Bi ‖ 335 cognouerant : -runt
YL(Mᵃᶜ)HIGJ *Era. Vic. Mar. Val. Ant.(c.Vulg.)*

I, 9 a : III Rois 12, 19 ; 14, 21   b : Gen. 12, 1   c : Ps. 38,
13   d : Ps. 104, 13   e : Ex. 3, 3

VIRI QVOD A FACIE DOMINI FVGERET QVIA
INDICAVERAT EIS.

LXX : *Et timuerunt uiri timore magno et dixerunt
ad eum : Quid hoc fecisti ? Cognouerant enim*
340   *uiri quod a facie Domini fugeret eo quod
indicasset eis.*

Historiae ordo praeposterus est. Quia enim poterat dici :
nulla causa timoris fuit ex eo quod eis confessus est dicens :
« Hebraeus ego sum et dominum deum caeli ego timeo,
345 qui fecit mare et aridam[a] », statim subnectitur quod
idcirco timuerint quia indicauerat eis se Domini fugere
conspectum et eius non fecisse praecepta. Denique causantur et dicunt : QVID HOC FECISTI ? Id est : Si « times » Deum,
cur fugis ? Si tantae potentiae praedicas quem « colis[b] »,
350 quomodo te putas eum posse euadere ?

TIMENT autem *TIMORE MAGNO*, quod intellegunt sanctum
et sanctae gentis uirum. De Ioppe quippe soluentes funem,
Hebraeae gentis nouerant priuilegium. Et tamen fugitiuum celare non possunt. Magnus est qui fugit, sed maior
355 ille qui quaerit. Non audent tradere, celare non possunt.
Reprehendunt culpam, timorem confitentur. Rogant ut
ipse remedio sit qui auctor peccati fuerat.

I, 10 336 fugeret : fugiret N[ac]   fugerat CD   K ‖ 337 ei Bi ‖ 339
fecisti : indica nobis *add.* POJ[pc] ‖ cognouerant (B)s CD   K   X   PO
Bi *Gre.* : -runt A ⸏ N *rell.* ‖ 340 fugeret : fugerit Y[ac]M[ac]
fugiret K   N[ac]   fugerat CD   *Gre.* ‖ eo quod : quia A ‖ 341 indicauerat A ‖ eis : *om.* N ‖ 342 praeposteros E[ac]F ‖ dic A ‖ 343 fuit ex
eo quod : ex eo quod fuit YL(M[ac])HIGJ ‖ 346 timuerint : -runt E   F
YM[ac]LHIGJ *edd.* (— *Gre.*)   timuerimus K ‖ indicauerat eis : *tr.*
CD   *edd.* (— *Adr.*) ‖ indicauerat : -rit A   K   -rant F[ac] ‖ se : si
K ‖ fugere : fugire K   fugisse CD   PO   *Gre.* ‖ 348 deum (B)s
CD   YMLHIGJ[ac]   O   Bi   *edd.* : dominum A   F   K   NX   PJ[pc] ‖
349 potentiae praedicas : *tr.* Bi ‖ 350 te putas : *tr.* A ‖ te : tu Bi ‖ eum
posse : *tr.* Bi ‖ posse euadere : *tr.* A ‖ 352 sanctae : scire A ‖ gentes K ‖
gentis uirum : *tr.* ⸏ ‖ ioppen K   YMLHIGJ[ac]   N ‖ quippe : *om.*

hommes savaient en effet qu'il fuyait la face du
Seigneur, parce qu'il le leur avait indiqué.

LXX : Et les hommes furent pris d'une grande crainte.
Ils lui dirent : « Pourquoi as-tu fait cela ? » Les
hommes savaient en effet qu'il fuyait la face du
Seigneur, car il le leur avait indiqué[1].

L'ordre du récit est inversé[2]. En effet, comme on pouvait
dire qu'il n'y avait aucune raison de craindre dans ce qu'il
leur avait déclaré : « Je suis un Hébreu, je crains le Seigneur,
le Dieu du ciel qui a fait la mer et la terre sèche[a] », on
ajoute aussitôt qu'ils furent pris de crainte parce qu'il
leur avait indiqué qu'il fuyait le regard du Seigneur et
qu'il n'avait pas exécuté ses ordres. En effet, ils l'accusent
en disant : « Pourquoi as-tu fait cela ? », c'est-à-dire :
Si tu « crains » Dieu, pourquoi fuis-tu ? Si celui que tu
« vénères[b] » a la puissance que tu proclames, comment
penses-tu pouvoir lui échapper[3] ?

Les matelots « sont pris d'une grande crainte » parce
qu'ils comprennent que Jonas est saint et membre d'un
peuple saint : appareillant de Joppé, ils connaissaient le
privilège du peuple hébreu. Et cependant, ils ne peuvent
cacher un fugitif : grand est celui qui fuit, mais plus grand
celui qui poursuit. Ils n'osent le livrer, mais ne peuvent
le cacher. Ils lui font reproche de sa faute et font aveu de
leur crainte[4]. Ils lui demandent de trouver lui-même
le remède, puisqu'il était à l'origine de la faute.

PO   Bi ‖ 353 nouerant : -runt F   M[ac]LHJ   noluerunt I ‖ priui-
gelegium C ‖ 354 magnus : hic *praem.* K(*i.m.*) ‖ celare : *om.* MLH[ac]
reuelare F[ac] ‖ 355 ille : est Bi ‖ 357 remedio : -dius F   -dium K
YMLHIGJ[ac]   N[pc] ‖ peccata N[ac]

I, 10 a : Jonas 1, 9 Heb.   b : Jonas 1, 9 LXX

Vel certe quod dicunt : ovid hoc fecisti *?*, non increpant, sed interrogant, uolentes causam fugae nosse « serui ᶜ »
360 a domino, filii a patre, hominis a Deo. Quod est, inquiunt,
tantum mysterium ut terra deseratur, expetantur maria,
relinquatur patria, loca appetantur aliena ? |

I, 11 Heb. : ET DIXERVNT AD EVM : QVID FACIEMVS | TIBI, ET
CESSABIT MARE A NOBIS ? QVIA MARE IBAT ET
365 INTVMESCEBAT.

LXX : *Et dixerunt ad eum : Quid tibi faciemus et
quiescet mare a nobis ? Quia mare ibat et
suscitabat magis fluctus.*

Propter te dicis uentos, fluctus, mare, gurgites concita-
370 tos ᵃ. Exposuisti causam morbi, indica sanitatis. Ex eo quod
contra nos consurgit mare, intellegimus iram esse suscep-
tionis tuae. Si culpa est quod suscepimus, quid facere possumus ne Dominus irascetur. ovid faciemvs tibi *?* hoc
est : Interficiemus te ? — sed cultor es Domini. Seruabi-
375 mus ? — sed Deum fugis. Nostrum est praebere manus

I, 10 358 fecisti : nobis *add.* L(Mᵃᶜ)HIGJ ‖ 360 patre A   K ‖
homines CD YMᵖᶜLHᵃᶜJᵃᶜ Nᵃᶜ Bi ‖ quid YMᵃᶜLHIGJᵃᶜ ‖ 361
expetantur : expectantur A   Dᵃᶜ   K   Bi   exspectatur Gᵃᶜ ‖ 362
relinquatur : reliq- Nᵃᶜ   reliquetur Bi
I, 11 Heb uer *in* HIG   Hb *in* J ‖ 363 faciamus F   *Val.*² *Ant.* ‖
364 cessauit K   Mᵃᶜ ‖ 365 tumescebat MᵃᶜLᵃᶜHᵃᶜGJᵃᶜ   *Gre.* ‖
366 qui N ‖ tibi faciemus : *tr.* YMᵃᶜLHIGJ ‖ 367 requiescet Yᵃᶜ ‖
ibat : et intumescebat *add.* CD   *Gre.* ‖ 368 suscitabat : suscitauit
K   surgebat CD   *Gre.* ‖ fluctus : fructus Dᵃᶜ   fluctibus A
Nᵖᶜ ‖ 369 dices A ‖ uentus M ‖ fluctus CD   *edd.* : *om.* A   (B)s   F   K
ᛊ   NX   PO   Bi ‖ concitatus K ‖ 370 morbo Pᵃᶜ ‖ indica : et *add.*
Lᵖᶜ ‖ 371 consurgit A   (B)s   CD   E   K   YML   Pᵃᶜ   Bi   *Gre.* :
insurgit NX   PᵖᶜO   *Adr.*   surgit HIGJ   *rell.* ‖ intellegimus :
intellegis YL(Mᵃᶜ)HIGJᵃᶜ   intellegemus Bi ‖ 372 tuae : sue Kᵃᶜ ‖
possumus : possi sumus K ‖ 374 interficiamus A ‖ cultor es : cultores
F   YL(Mᵃᶜ)   NX   Pᵃᶜ   Bi   cultorem CD   K   *Gre. Era. Vic.* ‖

Ou encore, quand ils disent : « Pourquoi as-tu fait cela ? »,
ils ne le critiquent pas, mais l'interrogent. Ils veulent
connaître la raison de la fugue d'un « serviteur[c] » loin de
son maître, d'un fils loin de son père, d'un homme loin de
Dieu. « Quel est, disent-ils, ce grand mystère, qui te fait
quitter la terre, gagner la mer, abandonner ta patrie,
désirer des contrées étrangères ? »

I, 11   Héb. : Et ils lui dirent : « Qu'allons-nous te faire pour que
la mer nous laisse ? » Car la mer s'avançait et
se gonflait.

LXX : Et ils lui dirent : « Qu'allons-nous te faire pour
que la mer s'apaise pour nous ? » Car la mer
s'avançait et soulevait davantage ses flots[1].

C'est à cause de toi, dis-tu, que les vents, les flots, la
mer, les tourbillons sont agités[a]. Tu as exposé la cause
de la maladie, indique-nous celle de la guérison. La mer
se dresse contre nous. Nous comprenons que sa colère
vient de ce que nous t'avons pris avec nous. Si nous
avons péché en te prenant, que pouvons-nous faire pour
que le Seigneur ne soit plus en colère. « Qu'allons-nous
te faire ? » C'est-à-dire : Allons-nous te tuer ? — Mais
tu vénères le Seigneur. Allons-nous te sauver ? — Mais
tu fuis Dieu. Notre tâche, à nous, est d'exécuter tes
ordres[2] ; la tienne, d'indiquer comment pourra s'apaiser

seruauimus M[ac] ‖ 375 sed deum : sed si deum P[ac]   si deum *Era.* ‖
deum : dominum Bi ‖ manibus N[ac]X

I, 10 c : Jonas 1, 9 LXX
I, 11 a : Jonas 1, 12

quid fieri iubeas ; tuum est imperare quo facto quiescat
mare quod nunc creatoris iram suo tumore testatur.

Statimque historicus causam iungit istiusmodi quaes-
tionis, MARE, dicens, IBAT ET INTVMESCEBAT : IBAT, ut
380 iussum fuerat, IBAT in uindictam Domini sui, IBAT persequens fugitiuum prophetam. INTVMESCEBAT autem per
singula momenta temporum et, quasi nautis morantibus,
in maiores fluctus *suscitabatur*, ut ostenderet ultionem
creatoris se differre non posse.

I, 12 Heb. : ET DIXIT AD EOS : TOLLITE ME ET MITTITE ME IN
MARE ET CESSABIT MARE A VOBIS ; SCIO ENIM QVIA
PROPTER ME TEMPESTAS GRANDIS EST SVPER VOS.

LXX : *Et dixit Ionas ad eos : Tollite me et mittite me in*
mare et quiescet mare a uobis ; ego enim noui quod
390   *propter me fluctus magni contra uos sunt.*

Contra me tempestas detonat, me quaerit, naufragium
uobis minatur ut me prendat ; me prendet, ut mea
morte uiuatis. SCIO, inquit, QVIA PROPTER ME TEMPESTAS
HAEC GRANDIS EST. Non ignoro in meam poenam elementa
395 turbari, mundi esse confusionem, mihi irasci, in uos saeuire
naufragium ; fluctus ipsi imperant uobis ut me mittatis in

I, 11 376 iubes Lᴾᶜ ‖ quo : quod C ‖ 377 nunc : non Nᵃᶜ   *om.*
NᴾᶜX ‖ tumore : timore Dᵃᶜ   stumore Fᵃᶜ ‖ testator F ‖ 378 iunget
YᵃᶜMᵃᶜLᵃᶜHᵃᶜ ‖ 379 mare dicens : *tr.* A ‖ tumescebat MᵃᶜLᵃᶜHIGJᵃᶜ ‖
380 uindicta Nᴾᶜ ‖ 383 maiores fluctus : *tr.* F *Era. Vic. Mar. Val.*
Ant. ‖ maiore X ‖ fluctibus NᵃᶜX ‖ 384 differre : defferre F   deffere
MᵃᶜLᵃᶜ   deferre Hᵃᶜ   diferre HᴾᶜIGᵃᶜ
I, 12 H *in* PO   heb *in* HIG ‖ 385 ad eos : ionas *add.* YL(Mᵃᶜ)
HIGJ ‖ me² A F YL(Mᵃᶜ)HIGJ XQ *edd.* (− *Gre.*) : *om.* (B)s
Mᴾᶜ CD K N PO Bi *Gre.* (*c.Vulg.*) ‖ 386 cessauit Kᵃᶜ X ‖
mare : *om.* I ‖ 387 tempestas : haec *add. edd.* (− *Adr.*) (*c.Vulg.*) ‖
uos : nos Nᵃᶜ ‖ 388 me² A CD HᴾᶜIJ NX PO Bi *edd.* : *om.*
(B)s K YMLHᵃᶜG ‖ 389 quiescit K ‖ 390 propter : contra Gᵃᶜ ‖
391 naufragum *Gre.* ‖ 392 ut me : *om.* Pᵃᶜ ‖ prendat A D MᴾᶜHIGJ

la mer qui, pour l'instant, atteste la colère du Créateur
par le gonflement de ses eaux.

Le narrateur[3] ajoute aussitôt la cause de ce genre de
question : « La mer », dit-il, « s'avançait et se gonflait ».
« Elle s'avançait », comme il lui avait été ordonné. « Elle
s'avançait », pour venger son maître. « Elle s'avançait »,
à la poursuite du prophète fugitif. « Elle se gonflait »
d'instant en instant et, comme si les matelots hésitaient,
« elle se soulevait » en flots de plus en plus grands, pour
montrer qu'elle ne pouvait plus retarder la vengeance du
Créateur.

1, 12 Héb. : Et il leur dit : « Prenez-moi, jetez-moi à la mer et
la mer vous laissera. Car, je le sais, c'est à cause de
moi que cette grande tempête est sur vous. »

LXX : Et Jonas leur dit : « Prenez-moi, jetez-moi à la
mer et la mer s'apaisera pour vous. Car, je le
reconnais, c'est à cause de moi que ces grands
flots sont contre vous[1]. »

C'est contre moi que tonne la tempête, c'est moi qu'elle
cherche. Elle vous menace de naufrage, pour se saisir de moi.
Elle se saisira de moi pour que ma mort vous fasse vivre.
« Je le sais », dit-il, « c'est à cause de moi qu'a lieu cette
grande tempête. » Je n'ignore pas que c'est pour ma punition que les éléments sont troublés, que le monde est
bouleversé. Leur colère est contre moi, leur menace de
naufrage contre vous. Les flots eux-mêmes vous ordonnent

PO *Era.* : prehendat Y Bi *rell.* praendat C NX   prindat
M[ac]   praerendat K   perdat L precedat (B ?)s ‖ prendet L[ac](M
deest) : prehendet Bi *Mar. Val. Ant. Adr.*   praehendit *Gre. Era.*
Vic.   prendit A C K Y[ac](?)POJ[pc]   praendit N[ac]X   pra-
endat N[pc]   prendat Y[pc]L[pc]HIGJ[ac]   prendite D   precedit
(B ?)s ‖ meam N[ac](?) ‖ 394 ignora N[ac] ‖ 395 turbare K

mare. Si ego sensero tempestatem, uos recuperabitis tranquillitatem. — Et animaduertenda pariter fugitiui nostri
magnanimitas : non tergiuersatur, non dissimulat, non
400 negat ; sed qui confessus fuerat de fuga, poenam libenter
adsumit, se cupiens perire ne propter se ceteri pereant et,
ad peccatum fugae, alienae quoque delictum addatur
necis. Hoc quantum ad hi | storiam.   *40:*

Ceterum, non ignoramus flantes uentos quibus in euan-
405 gelio ut quiescerent Dominus imperauit et periclitantem
nauiculam in qua dormiebat Ionas et intumescens mare
quod increpatur : « Tace » et « obmutesce ᵃ », referri ad
Dominum Saluatorem et periclitantem Ecclesiam uel apostolos suscitantes ᵇ qui eum deserentes in passione ᶜ quo-
410 dammodo in fluctus praecipitant. Iste Ionas dicit : scio
QVIA PROPTER ME TEMPESTAS GRANDIS EST SVPER VOS,
quia me uident uenti uobiscum in Tharsis, hoc est ad « contemplationem laetitiae », nauigare, ut uos mecum perdu-
cam ad gaudium, ut, « ubi ego sum » et Pater, ibi et uos
415 sitis ᵈ. Idcirco saeuiunt, idcirco « mundus », qui « in mali-
gno positus est ᵉ », fremit ; | ideo elementa turbantur ; me 11:

I, 12 397 ego : ergo I ‖ 398 et animaduertenda : et enim adu- Fᵃᶜ
et est adu- *Gre.* ‖ 401 se¹ : sed I ‖ ne : nec Pᵃᶜ ‖ se² : si Kᵖᶜ   *om.* Lᵃᶜ
eum Lᵖᶜ ‖ ceteri : et *praem.* ⑤ *Era. Vic. Mar. Val. Ant.* ‖ et : ne A ‖
402 ad peccatum : a peccato YMLᵃᶜHIGJ   peccato Lᵖᶜ ‖ fugae :
meae *add.* Y   suae *add.* PO ‖ 402-403 necis delictum addatur PO ‖
403 necis : nec his K ‖ 406 dormierat POJᵖᶜ ‖ 407 obmutesce : obmu-
tisce Nᵖᶜ PᵖᶜO   obmutescere CDᵃᶜ   obmutiscere Mᵃᶜ   ommu-
tescere K   Mᵖᶜ   ommutesce Nᵃᶜ   obstupesce Bi   commu-
tesce (B)s ‖ referri : referre YMLHIGJᵃᶜ   ferri K ‖ 408 saluantem
YMᵃᶜLHIGJᵃᶜ ‖ 409 suscitantem MLHIG Jᵃᶜ *Era. Vic. Mar. Val.*
(*i.t.*) *Ant. Adr.* ‖ desinentes YMᵃᶜLᵃᶜHIGJ ‖ quodammodo : et *praem.*
Gᵖᶜ ‖ 410 praecipitant : praecipitantes YHᵖᶜIGJᵃᶜ   praecipitan-
tur N   praecipitabant Eᵖᶜ *Era. Vic. Mar. Val. Ant.*   praeci-
pitante Mᵃᶜ(?)Lᵃᶜ(?)Hᵃᶜ ‖ 412 me : *om.* Kᵃᶜ ‖ uenti : uenienti A
eunti *add.* H(*i.m.*) I(*i.t.*) ‖ uident me uobiscum uenti YMLHᵃᶜGJ

de me jeter à la mer. Dès que j'aurai, moi, ressenti la
tempête, vous retrouverez, vous, le calme. Il faut remarquer
également ici la grandeur d'âme de notre fugitif : il n'hésite
pas, il ne dissimule pas, il ne nie pas ; mais, après avoir
avoué sa faute, il assume de bonne grâce sa punition.
Il désire mourir pour que d'autres ne meurent à cause
de lui et pour ne pas ajouter à la faute de sa fuite un délit
d'homicide contre autrui. Voilà pour ce qui regarde
l'histoire.

**Tempête
de la Passion**
Pour le reste, nous n'ignorons pas[2]
que les vents qui soufflent et auxquels,
dans l'Évangile, le Seigneur a donné
l'ordre de s'apaiser, le navire en péril dans lequel dormait
Jonas, la mer gonflée qui est réprimandée : « Silence »
et « Tais-toi[a] », se rapportent au Seigneur[3], à l'Église en
péril ou aux Apôtres qui éveillent[4] le Christ[b] et qui, en
l'abandonnant durant la Passion[c], le précipitent en quelque
sorte dans les flots. Ce Jonas déclare : « Je le sais, c'est
à cause de moi que cette grande tempête est sur vous » ;
car les vents me voient aller avec vous à Tharsis, c'est-à-
dire voguer vers la « Contemplation de la joie[5] », pour
vous conduire avec moi à la joie, en sorte que, « là où
je suis » ainsi que le Père, là aussi vous soyez[d]. Voilà
pourquoi les vents sont en furie, voilà pourquoi « le monde,
qui est au pouvoir du malin[e] », frémit, voilà la raison pour
laquelle les éléments sont troublés : la Mort veut me

uident uenti me uobiscum PO ‖ uobiscum : ire *add.* Bi *Era.*
Vic. Mar. Val. Ant. ‖ 413 laetitiae : gaudii ⅊ ‖ perducat CD^ac
Gre. ‖ 414 ubi : ibi A ‖ ibi : *om.* C G^ac

I, 12 a : Matth. 8, 24-26 ; Mc 4, 37-39   b : Matth. 8, 25 ; Mc 4, 38
c : Matth. 26, 56 ; Mc 14, 50   d : Jn 14, 3 ; 17, 24   e : I Jn 5, 19

cupit deuorare mors, ut uos pariter occidat, et non intellegit quia uelut in hamo escam capit ut mea morte moriatur.

TOLLITE ME ET MITTITE IN MARE : non est enim nostrum
420 mortem arripere, sed illatam ab aliis libenter excipere. Vnde
et in persecutionibus non licet propria perire manu absque
eo ubi castitas periclitatur, sed percutienti colla sub-
mittere. Sic, inquit, placate uentos, sic in maria liba
fundite : tempestas quae propter me saeuit contra uos, me
425 moriente, sedabitur.

I, 13 Heb. : ET REMIGABANT VIRI VT REVERTERENTVR AD
ARIDAM ET NON VALEBANT, QVIA MARE IBAT ET
INTVMESCEBAT SVPER EOS.

LXX : *Et   conabantur   uiri   ut   reuerterentur   ad*
430   *terram   et   non   poterant,   quia   mare   ibat   et*
insurgebat magis contra eos.

Protulerat contra se propheta sententiam, sed illi, cultorem audientes Dei, manus inicere non audebant. Propterea
nitebantur reuerti ad aridam et effugere discrimen ne san-
435 guinem funderent, magis uolentes perire quam perdere.

I, 12 417 ut : et *praem.* M^(ac)LHIGJ   et *add.* Y ‖ intellegit : -get
K   -xit E ‖ 418 quia uelut : quia uelud E   MH^(ac)   quiuelud L^(ac)
quiduelud L^(pc)   quia uelit J^(ac) ‖ in hamo : in amo C   E   Ƽ   N   PO
Bi   in animo D^(ac) ‖ capit : capi YM^(ac)L^(ac)H^(ac)GJ^(ac)   cupit *Gre.* ‖
ut mea : ut in ea C   J   ut meam H^(ac)   ut me G ‖ mortem M^(ac)H^(ac) ‖
419 et mittite : me *add.* YM^(ac)LHIGJ   NX   PO ‖ 420 allatam A ‖
421 perire manu : *tr.* E   Ƽ ‖ 422 collum YL(M^(ac))HIGJ^(ac) ‖ submit-
tere : praebere YL(M^(ac))HIGJ ‖ 423 uentus Y^(ac)M^(ac)L^(ac)H^(ac) ‖ marea K ‖
liba : libamina YL(M^(ac))HGJ   N^(pc) *edd.* (— *Gre.*)   lab- I ‖ 424 tempestas : et *praem.* PO J^(pc) ‖ propter : contra (B)s ‖ 425 sedabitur : se
dabitur CD^(ac)   sede- E^(ac)
I, 13 HEB uer *in* H ‖ 427 ibat : peribat Q ‖ 428 eos : me Q ‖ 431
surgebat J ‖ 432 contra se propheta sententiam : propheta contra se
sententiam CD   *edd.* (— *Adr.*)   contra se s. propheta YM^(ac)LHIGJ ‖

dévorer pour vous tuer en même temps. Elle ne s'aperçoit pas qu'elle est en train de saisir en quelque sorte un appât à l'hameçon[6] et que ma mort va la faire mourir[7].

« Prenez-moi et jetez-moi à la mer » : il ne nous appartient pas[8], en effet, de nous saisir de la mort, mais de l'accueillir de bonne grâce quand elle nous est infligée par autrui. Aussi, dans les persécutions, ne doit-on se suicider (sauf lorsque la chasteté est en danger), mais offrir son cou au bourreau. « Voilà, dit-il, le moyen d'apaiser les vents, voilà la libation à verser dans la mer[9]. La tempête qui, à cause de moi, fait rage contre vous, sera calmée par ma mort. »

13 Héb. : Et les matelots ramaient pour revenir à terre et il n'y parvenaient pas, car la mer s'avançait et se gonflait contre eux.

LXX : Et les matelots s'efforçaient de revenir à terre et ils ne le pouvaient pas, car la mer s'avançait et se soulevait davantage contre eux[1].

Le prophète avait prononcé la sentence contre lui-même ; mais eux, en entendant qu'il était un adorateur de Dieu, n'osaient pas mettre la main sur lui. C'est la raison pour laquelle ils essayaient de revenir à terre et d'échapper à la nécessité de verser le sang, en préférant périr eux-mêmes plutôt que de perdre autrui.

cultorem : auctorem M^acL   cultores E ‖ 433 audientes : non praem. L^pc ‖ audientes dei : tr. YM^acLHIGJ ‖ inicere : iniecere C F K YM^acL^acHIG^acJ^ac   inicire A^ac ‖ audebant : ualebant CD^ac   uolebant   Gre. ‖ 434 discrimina M^acLH^ac(?) ‖ ne : om. M^acL^ac ‖ 435 funderent : effunderint M^ac   effunderent YL funderet F^ac   fuderent HIGJ^ac

O rerum quanta mutatio ! Populus qui « seruierat Deo [a] »
dicit : « Crucifige, crucifige [b] » talem. Istis imperatur ut
occidant, mare furit, tempestas iubet et, proprium periculum neglegentes, de aliena salute solliciti sunt. Quamo-
440 brem et LXX παρεβιάζοντο inquiunt, id est uim cupiebant
facere et naturam rerum uincere, ne uiola | rent prophetam
Dei.

Quod autem dicit : REMIGABANT VIRI VT REVERTERENTVR
AD ARIDAM, putabant absque sacramento eius qui passurus
445 erat posse nauem de periculo liberari, cum Ionae submersio
nauis fuerit releuatio.

I, 14 Heb. : ET CLAMAVERVNT AD DOMINVM ET DIXERVNT :
QVAESVMVS, DOMINE, NE PEREAMVS IN ANIMA
VIRI ISTIVS ET NE DES SVPER NOS SANGVINEM
450   INNOCENTEM QVIA TV, DOMINE, SICVT VOLVISTI
FECISTI.

LXX : *Et clamauerunt ad Dominum et dixerunt :*
Nequaquam, Domine, ne pereamus propter animam
uiri huius et non des super nos sanguinem
455   *iustum ; tu enim, Domine, sicut uoluisti*
fecisti.

Grandis uectorum fides ! Periclitantur ipsi et pro alterius
anima deprecantur. Sciunt enim peiorem mortem peccati
esse quam uitae. ET NE DES, inquiunt, SVPER NOS SAN-

I, 13 436 commutatio YM^acLHIGJ ‖ 437 crucifige^1,2 : -figite K ‖
438 furit : ferit M^acLH^acGJ^ac   feruit Y   furet A   fuerit I ‖
iubet : saeuit Y   POJ^pc ‖ 439 solliciti : sollite I^ac   solliti I^pc ‖
440 παρεβιάζοντο : παρεβιαζονιο YM^acLHIG   παρεβιοζοντο J   παρε-
βιζοντο Bi ‖ 441 et : ut N ‖ uincerent NX ‖ 443 dicit : *om.* K^ac   Bi
Vic.(p.c.) Mar. Val.(i.t.) Ant. ‖ reuertarentur A ‖ 444 putarent Bi ‖
sacramento : detrimento N^pc ‖ 445 nauim D^pc   N^pc ‖ subuersio *Val.*^2 ‖
446 fuerat *Gre. Era. Vic. Mar. Val(i.t.) Ant.* ‖ reuelatio CD NQ   Bi^ac
I, 14 Heb uer *in* HIG   H *in* PO ‖ 448 quaesumus : quae somnus
N^ac ‖ in : propter A ‖ animam A   CD ‖ 449 istius : huius A ‖ ne :

Quel changement[2] ! Le peuple qui avait été « le serviteur de Dieu[a] » dit : « Crucifie, crucifie[b] » un tel homme ! Les matelots, eux, on leur donne l'ordre de tuer, la mer est en furie, la tempête commande, mais ils ne pensent pas à leur propre danger, pour se soucier du salut d'autrui. De là l'expression des Septante : παρεβιάζοντο (ils s'efforçaient) ; ils désiraient employer la force et vaincre la nature, pour ne pas porter atteinte à un prophète de Dieu.

Quant au « ils ramaient pour revenir à terre » (de l'hébreu), c'est que les matelots pensaient que le navire pouvait échapper au danger, sans tenir compte du mystère de celui qui devait souffrir, alors que l'engloutissement de Jonas allait entraîner le soulagement du navire[3].

, 14 Héb. : Ils crièrent vers le Seigneur en disant : « Nous te prions, Seigneur, ne nous fais pas périr pour la vie de cet homme et ne nous attribue pas ce sang innocent, puisque tu as accompli, Seigneur, ce que tu voulais. »

LXX : Ils crièrent vers le Seigneur en disant : « Surtout, Seigneur, ne nous fais pas périr, à cause de la vie de cet homme et ne nous attribue pas le sang de ce juste ; car tu as accompli, Seigneur, ce que tu voulais[1]. »

Jugement sur le navire et à Jérusalem

Grande est la foi des marins[2] ! Ils sont eux-mêmes en danger et ils prient pour la vie d'un autre. C'est qu'ils savent que la mort du péché est pire que la mort physique. « Ne nous attribue pas,

non A ‖ super : per N[pc] ‖ 450 innocentem : *om.* NXQ   iustum A ‖ quia tu : tu autem A ‖ uoluisti : *om.* N[ac] ‖ 454 non : ne NXQ ‖ 455 enim : autem A ‖ 457 uictorum YM[ac]LH[ac]   NX

I, 13 a : Deut. 10, 12   b : Jn 19, 15a

460 GVINEM INNOCENTEM. Contestantur Deum ut quodcumque
facturi sunt non sibi reputetur et quodammodo dicunt :
Nolumus interficere prophetam tuum, sed iram tuam et
ipse confessus est, et tempestas loquitur QVIA TV DOMINE
SICVT VOLVISTI FECISTI : uoluntas tua expletur per nostras
465 manus.

Nonne nobis uidetur nautarum uox Pilati esse confessio
qui lauat manus suas et dicit : Mundus « sum ego a sanguine » uiri « huius ª ». Nolunt Christum perire Gentes,
innocentem sanguinem protestantur, et Iudaei dicunt :
470 « Sanguis eius super nos et super filios nostros ᵇ. » | Et 11
ideo, si leuauerint ' manus ', non exaudientur quia ' ple-
nae sunt sanguine ᶜ '.

QVIA TV DOMINE SICVT VOLVISTI FECISTI : quod nos suscepimus, quod turbo consurgit, quod uenti saeuiunt, quod
475 mare suscitatur in fluctus, quod proditur sorte fugitiuus,
quod indicat quid fieri debeat, tuae est, Domine, uoluntatis : tu enim SICVT VOLVISTI FECISTI. Vnde et Saluator
dicit in psalmo : Domine, « ut facerem uoluntatem tuam
uolui ᵈ ».

I, 15 Heb. : ET TVLERVNT IONAM ET MISERVNT IN MARE ET
STETIT MARE A FERVORE SVO.

LXX : Et tulerunt Ionam et miserunt in mare et
stetit mare de commotione sua.

I, 14 460 deum : dominum YMLHIJ Era. Vic. Mar. Val. Ant. ‖
quodcumque : quidcumque F   quocumque YMᵃᶜLᵃᶜHᵃᶜ   quod
POJᵖᶜ ‖ 461 deputetur F ‖ et quodammodo : ut quodammodo A
K   et quomodo Era. ‖ 463 ipso A ‖ 464 uoluisti : tu praem. K ‖
464-465 nostras manus : tr. E ⵐ ‖ 466 uobis YMLHᵃᶜGJᵃᶜ ‖ 467 lauit
A CD Gre. ‖ dixit A ‖ 471 exaudientur : -antur YMᵃᶜHᵃᶜGᵃᶜ
-untur Lᵖᶜ (Lᵃᶜ legi non potest) ‖ pleni K ‖ 473 sicut : quemadmodum
F ‖ suscipimus F   MᵃᶜLᵖᶜHᵖᶜIGJ ‖ 474 turbo : torbo E   turba
CDᵃᶜ K Gre. ‖ uenti : -tus Nᵃᶜ   -to Jᵃᶜ ‖ 475 suscitantur Aᵃᶜ
K ‖ proditur : -tor MHᵃᶜ Nᵃᶜ   in add. Gᵃᶜ ‖ 476 uoluntatis :
caritatis E

disent-ils, ce sang innocent ! » : ils prennent Dieu à témoin
de ne pas leur imputer tout ce qu'ils vont être amenés
à faire et ils disent en quelque sorte : Nous ne voulons pas
tuer ton prophète, mais il a lui-même reconnu ta colère
et d'autre part la tempête exprime « que tu as accompli,
Seigneur, ce que tu voulais » ; c'est ta volonté, qui se réalise
par nos mains.

Ne croirions-nous pas entendre[3] dans la déclaration
des matelots la proclamation de Pilate qui se lave les
mains en disant : « Je suis pur du sang de cet homme[a]. »
Les Nations ne veulent pas que le Christ périsse, elles
attestent que c'est un sang innocent, tandis que les Juifs
disent : « Que son sang retombe sur nous et sur nos
enfants[b]. » Voilà pourquoi, s'ils élèvent ' les mains '
vers le ciel, ils ne seront pas exaucés, car ' elles sont pleines
de sang[c] '.

« Car tu as accompli, Seigneur, ce que tu voulais » :
notre accueil du prophète, la bourrasque qui se lève,
les vents qui font rage, la mer qui soulève ses flots, le
fugitif qui est livré par le sort, qui nous indique ce qu'il
faut faire, tout cela est, Seigneur, l'effet de ta volonté :
« car tu as accompli ce que tu voulais ». C'est ainsi que
le Sauveur dit dans un *Psaume*[d] : Seigneur, « à accomplir
ta volonté j'ai mis mon vouloir[4] ».

I, 15 Héb. : Ils soulevèrent Jonas, le mirent à la mer, et la
mer arrêta son bouillonnement.

LXX : Ils soulevèrent Jonas, le mirent à la mer, et la
mer arrêta son agitation[1].

I, 15 ᴇb *in* P   ʜb *in* HG ‖ 481 furore A   F ‖ 483 de : a CD
edd. (— *Adr.*)

I, 14 a : Matth. 27, 24   b : Matth. 27, 25   c : Is. 1, 15   d :
Ps. 39, 9

Non dixit : « Arripuerunt », non ait : « Inuaserunt », sed :
485 TVLERVNT. Quasi cum obsequio et honore portantes,
MISERVNT IN MARE non repugnantem, sed praebentes
manus ipsius uoluntati.

ET | STETIT MARE : quia inuenerat quem quaerebat. Velut 40
si quis persequatur fugitiuum et concito pergat gradu,
490 postquam fuerit consecutus desistit currere et stat ac tenet
quem apprehenderit, ita et mare quod, absente Iona, iras-
cebatur, in uisceribus suis desideratum tenens gaudet et
confouet et ex gaudio tranquillitas redit.

Consideremus ante passionem Christi errores mundi et
495 diuersorum dogmatum flatus contrarios ᵃ et nauiculam
totumque humanum genus id est creaturam Domini periclitantem et post passionem eius tranquillitatem fidei et
orbis pacem et secura omnia et conuersionem ad Deum, et
uidebimus quomodo post praecipitationem Ionae STETERIT
500 MARE A FERVORE SVO.

I, 16 Heb. : ET TIMVERVNT VIRI TIMORE MAGNO DOMINVM ET
IMMOLAVERVNT HOSTIAS DOMINO ET VOVERVNT VOTA.

LXX : Similiter.

Ante Domini passionem, timentes clamauerunt ad deos
505 suos ; post passionem eius, DOMINVM TIMENT, id est uene-
rantur et colunt. Et non TIMENT simpliciter, ut in principio

I, 15 486 repugnantes (B)sMᵖᶜ CD *Gre.* ‖ praebentem Lᵖᶜ X
Bi *Era. Vic. Mar. Val. Ant.* ‖ 487 ipsorum *Era. Vic. Mar. Val.
Ant.* ‖ 488 quem : *om.* A ‖ 489 fugientem Gᵃᶜ ‖ 490 fuerit : -rat Lᵃᶜ
fugerit Yᵃᶜ ‖ persecutus C *Gre.* ‖ tenit Nᵃᶜ ‖ 491 apprehendit YMᵃᶜ
LHIGJᵃᶜ ‖ quod : quot POᵃᶜ ‖ 493 et : *om.* K ‖ 494 consideremus : si
praem. L(Mᵃᶜ)HIGJᵃᶜ *Era. Vic. Mar. Val. Ant.* ‖ erroris A MLᵃᶜ
Hᵃᶜ ‖ 495 flatus : -tos N   fluctus CD E K Y *Gre.* ‖ contra-
rius K Q ‖ 498 et² : *om.* Bi ‖ conuersionem : -ne Bi   -sationem
Eᵃᶜ ‖ et³ : *om. Era. Vic. Mar. Val. Ant.* ‖ 499 ionae steterit : *tr.*
YL(Mᵃᶜ)HJᵃᶜ ‖ 500 furore A NX Pal *Val.(i.m.) Adr.*

I, 16 ʜᴇʙ uer *in* HI ‖ 502 domino : deo ℭ ‖ uouerunt uota : *tr.*

Le sacrifice de Jonas
Il n'est pas dit : « Ils se saisirent », il n'est pas écrit : « Ils se jetèrent sur Jonas », mais : « Ils soulevèrent[2] ». Comme s'ils le portaient avec respect et honneur, « ils le mirent à la mer », sans qu'il s'y oppose ; au contraire, ils prêtèrent leurs mains à ses ordres[3].

« Et la mer s'arrêta » : parce qu'elle avait trouvé celui qu'elle cherchait. Quand on poursuit un fugitif en courant à toutes jambes, lorsqu'on le rejoint, on cesse de courir, on s'arrête et on retient celui qu'on a attrapé. De même, la mer, sans Jonas, s'irritait. Mais, une fois qu'elle tient en son sein celui qu'elle désirait, elle se réjouit de l'avoir, le cajole, et cette joie ramène le calme[4].

Considérons, avant la Passion du Christ, les errances du monde, les vents contraires[a] des opinions contradictoires[5], le navire du genre humain tout entier, c'est-à-dire toute la création du Seigneur en péril[6], et, après sa Passion, le calme de la foi, la paix du monde[7], la sécurité universelle, la conversion à Dieu, et nous verrons comment, après la chute de Jonas à la mer, « la mer a arrêté son bouillonnement[8] ».

I, 16 Héb. : Et les hommes furent pris d'une grande crainte pour le Seigneur. Ils immolèrent des victimes au Seigneur et ils firent des vœux.

LXX : Pareillement[1].

Conversion des marins et sacrifice spirituel
Avant la Passion du Seigneur[2], la crainte les a fait crier vers leurs dieux, mais après sa Passion, c'est « le Seigneur qu'ils craignent », c'est-à-dire vénèrent et honorent. Ils ne « craignent » plus simple-

---

F ℭ ‖ 503 LXX similiter : *om. Era. Vic. Mar.* ‖ 504 ante : nautae YL(M[ac])HIGJ[ac] ‖ dominus I ‖ clamauerant CD *Gre.*

I, 15 a : Éphés. 4, 14

legimus [a], sed *TIMORE MAGNO*, iuxta illud quod dicitur :
« Ex tota anima et ex toto corde et ex tota mente tua [b]. »

ET IMMOLAVERVNT HOSTIAS, quas certe, iuxta litteram,
510 in mediis fluctibus non habebant. Sed, quia « sacrificium
Domino spiritus contribulatus [c] » est, et in alio loco dicitur :
« Immola Deo sacrificium laudis et redde altissimo uota
tua [d] », et rursum : « Reddemus tibi uitulos labiorum
nostrorum [e] », idcirco in mari *IMMOLANT HOSTIAS* et alias
515 sponte promittunt, *VOTA* facientes se numquam ab eo
quem colere coeperant recessuros. *TIMVERVNT* enim *TIMORE
MAGNO* quia ex tranquillitate maris et tempestatis fuga,
uera prophetae uerba cernebant. Ionas, in mari fugitiuus,
naufragus, mortuus, saluat nauiculam fluctuantem, saluat
520 ethnicos in diuersas prius sententias mundi errore iactatos.
Et Osee, Amos, Esaias, Iohel, qui eodem tempore prophe-
tabant, populum in | Iudaea non queunt emendare. Ex 11:
quo ostenditur sedari non posse naufragium nisi morte
fugitiui.

I, 16 508 ex[1] : et *praem.* YH(M[ac])(L[ac])IGJ[ac] ‖ anima : corde K ‖
et[1] : *om.* N   PO ‖ corde : anima K ‖ ex[2] : *om.* YMLHIGJ[ac] ‖ tua :
sua H[pc]IGJ[ac] ‖ 511 domino : deo F   ⸖ *Era. Vic. Mar. Val. Ant.*
(*c. Vulg.*) ‖ dicitur : *om.* F. ‖ 513 rursum : iterum K ‖ reddemus : reddi-
mus K   YML[ac]HGJ[ac]   redimus I   et *praem.* MLHIGJ[ac] ‖ 514
alias : alia NX   PO   alios M[ac]J[ac] ‖ 516 colere : caelare NX ‖ timue-
rant A   (B)s   NX   PO   Bi ‖ 517 qui (B)s   N[ac] ‖ fugam L ‖ 518
uera : -am L   -e K ‖ uerba : -o L[pc]   *om.* Bi ‖ 519 naufragos Y ‖
saluat[a] : liberat (B)sM[pc]   soluat *Gre.*(bis) ‖ 520 ethnicos : et
inimicos L(M[ac])H[ac]G(J[ac])   et hic Y   P[ac] ‖ iactatus YM[ac] ‖ 521
osee : et *add.* A   YM[ac]LHIGJ   PO ‖ amos : et *add.* YM[ac]LH[ac]GJ ‖

ment, comme nous l'avons vu au début[a], mais ils sont
pris « d'une *grande* crainte », selon ce qui est dit : « De
toute ton âme, de tout ton cœur et de tout ton esprit[b]. »

« Et ils immolèrent des victimes ». Certes, à prendre
les choses à la lettre, ils n'en avaient pas au milieu de la
mer[3]. Mais, comme « le sacrifice pour Dieu c'est un esprit
contrit[c] » et qu'en un autre endroit il est dit : « Immole
à Dieu un sacrifice de louange et acquitte tes vœux au
Très-Haut[d] », et encore : « Nous nous acquitterons des
veaux *(sic)* que nos lèvres ont promis[e] »[4], « ils immolent »
en mer « des victimes » et en promettent spontanément
d'autres, en faisant « vœu » de ne jamais s'écarter de celui
qu'ils avaient commencé à honorer[5]. « Ils furent pris,
en effet, d'une grande crainte », car, au calme de la mer
et à la disparition de la tempête, ils se rendaient compte
que le prophète avait dit vrai. Jonas, par sa fuite sur la
mer, son naufrage, sa mort[6], sauve le navire balloté par la
mer, sauve les païens jetés jusqu'alors d'une opinion à une
autre par les errances du monde, tandis qu'Osée, Amos,
Isaïe, Joël, qui prophétisaient au même moment, ne parviennent pas à convertir[7] le peuple de Judée[8]. Ce qui montre
que le naufrage ne peut être apaisé que par la mort du
fugitif[9].

esaias : et *add.* H^pc^IJ^pc^ ‖ eodem : eo Bi ‖ 522 non queunt :
nequeunt CD *edd.* (— *Adr.*)   non eunte P^ac^ ‖ 523 sedare K

I, 16 a : Jonas 1, 5a   b : Deut. 6, 5   c : Ps. 50, 19   d :
Ps. 49, 14   e : Os. 14, 3

II, 1 a Heb. : ET PRAEPARAVIT DOMINVS PISCEM GRANDEM VT
          DEGLVTIRET IONAM.

     LXX : *Et praecepit Dominus ceto magno et deuorauit*
        Ionam.

5   Morti et inferno prae | cepit Dominus ut prophetam 40
suscipiat. Quae auidis faucibus praedam putans, quantum
in deuoratione laetata est, tantum luxit in uomitu. Tuncque
completum est illud quod legimus in Osee : « Ero mors tua,
o Mors ! ero morsus tuus, Inferne ᵃ. » In hebraico autem
10 PISCEM GRANDEM legimus pro quo LXX interpretes et Dominus in Euangelio ᵇ *cetum* uocant, rem ipsam breuius
explicantes. In hebraico enim dicitur « dag gadol » quod interpretatur PISCIS GRANDIS. Haud dubium quin *cetum* significet. Et animaduertandum quod ubi putabatur interitus
15 ibi custodia sit.

     Porro, quod ait PRAEPARAVIT, uel ab initio cum conderet,
de quo et in psalmo scribitur : « Draco iste quem formasti
ad illudendum ei ᶜ », uel certe iuxta nauem fecit uenire ut
praecipitem Ionam in suos reciperet sinus et pro morte
20 praeberet habitaculum, ut qui in naui iratum senserat
Deum, propitium in morte sentiret.

    II, 1 a E̅ *in* PO ‖ 2 deglutiret : degluttiret K   HᵖᶜGMᵖᶜ   N
glut(t)iret A   E   glutteret F ‖ 3 LXX : morti *add.* Kᵃᶜ ‖ dominus :
dicens *add.* Jᵃᶜ ‖ coetui Lᵖᶜ ‖ et deuorauit : ut degluttiret K ‖ 5 praecipit MᵃᶜPᵖᶜO ‖ 6 suscipiant Nᵖᶜ ‖ uidis Q ‖ putas Q ‖ 7 deuorationem
N ‖ uomitum Q ‖ 8 completum est : completur E ‖ quod legimus :
om. Gre. ‖ legitur *Mar. Val. Ant.* ‖ 9 o mors : *om.* A ‖ o : *om.* NX ‖
in : et *praem.* B   K ‖ autem : *om.* B ‖ 10 LXX : *om.* B ‖ 12 enim :
om. Bi ‖ dag gadol : daggadoi NX   H   daggadi I   dagadol
Bi ‖ 13 pisces A   K ‖ haud : aut A ‖ cetus PᵖᶜO ‖ significet : *om.*
PᵃᶜO ‖ 14 putetur NX ‖ 15 est PO ‖ 16 praeparauerit *Vic.* ‖ uel : uelut
A ‖ ab initio cum conderet : ab initio cum condiderit YMᵃᶜHIGJᵃᶜ
ab i. cum concederet NᵃᶜX   ab initiu cundiderit Lᵃᶜ   abinitio cundiderit Lᵖᶜ ‖ 17 de quo : et *praem.* F ‖ et : etiam OP ‖ scribitur :
dicitur E ‖ formasti : confirmasti M   firmasti Lᵃᶜ ‖ 18 ei : eius K ‖

1a Héb. : Le Seigneur prépara un grand poisson pour engloutir Jonas.

LXX : Le Seigneur donna un ordre au Grand monstre et il dévora Jonas[1].

Le monstre de la mort

Le Seigneur donna l'ordre à la Mort et à l'Enfer[2] de recevoir le prophète. La Mort pensa qu'il s'agissait d'une proie pour sa gueule avide : plus elle fut joyeuse de le dévorer, plus de le vomir elle fut triste ! C'est alors que s'est accompli ce que nous lisons dans Osée[3] : « Je serai ta mort, ô Mort ! Je te serai morsure, Enfer[a]. » Dans l'hébreu, nous lisons « un grand poisson », ce que les Septante traducteurs, ainsi que le Seigneur dans l'Évangile[b], appellent un monstre, en disant plus brièvement la même chose[4]. En effet, le *dag gadol* de l'hébreu, qui veut dire « grand poisson », désigne à coup sûr un monstre. Il faut noter que là où on attendait la mort on trouve la sauvegarde.

Quand il est dit : (le Seigneur) « prépara », ce fut, ou bien au début, lorsqu'il créa celui dont il est également écrit dans le *Psaume* : « Le Dragon que tu as façonné pour te jouer de lui[c] », ou bien, en le faisant venir près du navire pour recueillir dans son sein Jonas qui tombait et, en fait et lieu de la mort, lui offrir un logis[5]. Ainsi celui qui, dans le navire, avait fait l'expérience de la colère de Dieu allait-il, dans la mort, faire l'expérience de sa bonté.

---

nauem : -im N[pc]   nautem B ‖ fecit : dicit L(M[ac])H[pc]IGJ   dicet H[ac]   *om.* E ‖ 19 in suos : in sui os YM[ac]L[ac]HIG[ac]J[ac]   in sui oris G[pc] ‖ reciperet : susciperet CD   deglutiret E. ‖ 20 naui : -e C -em D[ac]   -is H[ac] ‖ iratum senserat : *tr.* YL(M[ac])HIGJ ‖ senserant N ‖ 21 propitium : deum *add.* A ‖ senserit L(M[ac])(H[ac])GJ[ac]

II, 1a a : Os. 13, 14   b : Matth. 12, 40   c : Ps. 103, 26

II, 1 b Heb. : Et erat ionas in ventre piscis tribvs diebvs
       et tribvs noctibvs.

LXX : *Et erat Ionas in uentre ceti tribus diebus*
25   *et tribus noctibus.*

Huius loci mysterium in Euangelio Dominus exponit [a]
et superfluum est uel id ipsum uel aliud dicere quam expo-
suit ipse qui passus est. Hoc solum quaerimus quomodo
« tres dies et tres noctes » fecerit « in corde terrae ». Quidam
30 παρασκευήν, quando sole fugiente ab hora sexta usque ad
horam nonam nox successit diei, in duas dies et noctes diui-
dunt et, adponentes sabbatum, tres dies et tres noctes
aestimant supputandas. Nos uero συνεκδοχικῶς totum
intellegamus a parte, ut ex eo quod ἐν παρασκευῇ [b]
35 mortuus est, unam diem supputemus et noctem et sabbati
alteram ; tertiam uero noctem, quae diei dominicae man-
cipatur, referamus ad exordium diei alterius. Nam et in
Genesi [c] nox non praecedentis diei est, sed sequentis, id
est principium futuri, non finis praeteriti. Hoc ut intellegi
40 possit dicam simplicius : finge aliquem hora nona egres-

II, 1 b ̅E̅B̅ *in* PO ‖ 22 et : *om.* A ‖ 23 tribus noctibus : *om.* C ‖
24 erit A D^ac ‖ uentri A ‖ 27-28 quam — est : *om.* A CD F
M^acLHIGJ^ac NXQ Bi *Gre. Era. Vic.* quod — est M^pc(*i.m.*) ‖
29 fecerit : fuerit D^pc *Mar. Val*(*i.t.*) *Ant.* ‖ quidam : ita *add.* YL
(M^ac)HG ‖ 30 παρασκευήν, A NX J^pc³ : parasceven BM^pc PO
parasciuen K παρακεsvHN CD παcκεyHN F   ITA PACREIIN YL
ITA PACREIHN H^ac   ITA PACREIN G   ΠΑΡΑCΚΕYHN H^pc   ΠΑΡΑ-
CΚΕΙYHN I   ΠΑΡΑΧΥΝ Bi   ΠΑΡΑCCΕYHN J^pc²   M^acJ^ac *legi non
possunt* ‖ ad : in F ‖ 31 successerit A ‖ duos B E^pc L Bi *Era.
Mar. Val. Ant.* ‖ diuidant A E^ac ‖ 32 noctes : ita se *add.* PO ‖ 33
supputandas : -dos F   suppotandas K   supputare POJ^pc¹ ‖
συνεκδοχικῶς : CYNEKΔOKIKωC A   CYNEKΔOXIKOC H^pcIM^pc O
CYNEKΔOXIXUIC B   CYNEKAOXIRωEC K   CYNEKAOXIKωC N   CYNE-
ΛOXYKωC X   CYNRδUXILUC Y   CYHRδUXILUC L   une KAOXIKωC
CD^ac   sine δoxixoc Bi ‖ 34 a parte : aperte D^ac E^ac F K H^ac
P^ac *Gre.* ‖ ut : et Bi ‖ ἐν παρασκευῇ : in ΠΑΡΑCΚΕVH A   in
ΠΑΡΑCΚΕYNH N   in ΠΑΡΑCΚΕYN H^pcI   in ΠΑΡΑCΚΕVEN G   in
ΠΑΡΑCΚΕOEN J^ac   in ΠΑΡΑCΚΕYEN J^pc   INITACRESNH L   INI-

1b Héb. : Jonas fut dans le ventre du poisson trois jours et trois nuits.

LXX : Jonas fut dans le ventre du monstre trois jours et trois nuits.

Les trois jours et les trois nuits   Le mystère de ce passage est exposé dans l'Évangile[a] par le Seigneur. Il est donc superflu de dire soit la même chose, soit autre chose que ce qu'a exposé celui-là même qui a souffert[1]. Nous nous contentons de chercher[2] comment il a passé « trois jours et trois nuits dans le sein de la terre ». Certains divisent la parascève, à partir du moment où, avec la disparition du soleil, la nuit a succédé au jour de la sixième à la neuvième heure, en deux jours et deux nuits. En ajoutant le Sabbat, ils estiment qu'il faut compter trois jours et trois nuits. Quant à nous, comprenons par synecdoque[3] le tout dans la partie : il est mort durant la parascève[b], comptons un jour et une nuit, une autre avec celle du Sabbat ; quant à la troisième nuit, qui appartient au dimanche, rapportons-la au début du jour suivant, car, dans la *Genèse*[c], la nuit n'appartient pas au jour précédent, mais au jour suivant ; elle est le début de ce qui est à venir, non la fin de ce qui précède. Pour me faire comprendre, voici un exemple plus simple[4] : soit un homme qui sort

---

ΤΑϹΡΕ N N Y   in ΠΑΡΑϹΧΕϹΥΗΝ CD[ac]   in parasceve BM[pc] in parasceven PO   X   in parascevem Bi   in parasceven παρασ-κυοην K ‖ 35 supputamus H[ac] ‖ 38 genissi F ‖ nox : *om.* NX ‖ praecedentis : -tes M[ac]Λ   praecidentis F   prodentes I[ac] pro-dentis I[pc] ‖ sequentes A   Λ ‖ 40 fingi M[ac]L[ac]H[ac] ‖ alique A ‖ hora : ora M[ac]LH[ac]   horam K[ac] ‖ nona egressum : non egressum P[ac] nona egressum P[pc]   non agressum O ‖ nona : prima A

II, 1 b a : Matth. 12, 39-40 ; Lc 11, 29-31   b : Lc 23, 54   c : Gen. 1, 4.5.8.13. etc

sum esse de mansione et alterius diei hora tertia ad man-
sionem alteram peruenisse. Si dixero bidui eum fecisse iter,
non statim reprehendar mendacii, quia ille qui ambulauit
non omnes horas utriusque diei, sed quamdam partem |
45 in itinere consumpserit. Certe mihi haec uidetur interpretatio. Si quis autem istam non recipit et meliori sensu
potest loci huius exponere sacramentum, illius magis
sequenda sententia est.

II, 2 Heb. : ET ORAVIT IONAS AD DOMINVM DEVM SVVM DE
50   VTERO PISCIS, ET DIXIT.

LXX : *Similiter, tantum ordine commutato.*

Si Ionas refertur ad Dominum et, ex eo | quod tribus
diebus ac noctibus in utero ceti fuit, passionem indicat
Salvatoris, debet et oratio illius typus esse orationis
55 dominicae.
Nec ignoro quosdam fore quibus incredibile uideatur
tribus diebus ac noctibus in utero ceti in quo naufragia
digerebantur ᵃᵃ hominem potuisse seruari. Qui utique aut
fideles erunt aut infideles. Si fideles, multo credere maiora
60 cogentur : quomodo tres pueri missi in caminum aestuantis
incendii in tantum illaesi fuerint ut ne uestimenta quidem

II, 1 b 41 alterius : -rum NᵃᶜX   iterum Nᵖᶜ ‖ dei I ‖ 43 reprehen-
dam Kᵃᶜ ‖ 44 utrisque I ‖ 45 in : *om.* N   POᵃᶜ *Val.*² *Ant. Adr.*
itineris Oᵖᶜ ‖ consumpserat YHᵖᶜIGJᵃᶜ ‖ mihi haec uidetur : mini
uidetur haec Mᵃᶜ   minime uidetur haec LHIG(Jᵃᶜ) mihi uidetur
haec Y ‖ haec : hoc NX ‖ 46 ista A BMᵖᶜ K HᵖᶜI NX POJᵖᶜ
ita Bi   *om.* YMᵃᶜLHᵃᶜGJᵃᶜ ‖ recepit A   Nᵃᶜ   reciperit MᵃᶜHIJᵃᶜ
receperit YMᵖᶜLG *Era. Mar. Val. Ant.* ‖ meliore B   N   PO ‖ 47
huius : eius A ‖ 48 sententia est : *tr. edd.* (− *Adr.*)
II, 2 н *in* PO   нeb uer *in* H   нeb *in* I ‖ 49 suum : *om.*
YLHIGJ ‖ 51 ʟxx similiter : *om. Era. Vic. Mar.* ‖ tantum : tantum-
modo B   tanto modo K ‖ tantum ordine commutato : *om. Era.*
Vic. Mar. Ant. Adr. ‖ 54 et : *om.* B ‖ typus : tibi Lᵃᶜ(Mᵃᶜ)   tipi
Hᵃᶜ(?) ‖ 56 fore : forte C ‖ incredibili K ‖ uidetur B ‖ 57 ac : et Ϭ ‖
ceti : et *add.* Bi ‖ 58 digerebantur BMᵖᶜ F K Jᵖᶜ(*i.t.*) Bi *Era.*

d'un relais à la neuvième heure et qui parvient à un autre
relais à la troisième heure du jour suivant. Si je dis qu'il
a fait deux jours de marche, on ne me reprochera pas aussitôt de mentir parce qu'il n'a pas marché durant la totalité
de ces deux jours, mais n'a employé qu'une partie de ces
journées à marcher. Telle, en tout cas, me paraît être
l'explication. Si quelqu'un ne l'admet pas et peut exposer
de meilleure manière le mystère de ce passage, on suivra
de préférence son avis[5].

2 Héb. : Et Jonas pria le Seigneur son Dieu depuis les
    entrailles du poisson en disant.

LXX : Pareillement, à part l'ordre qui est changé.

Si on rapporte Jonas au Seigneur et si son séjour de trois
jours et <trois> nuits dans les entrailles du monstre
désigne la Passion du Sauveur, sa prière doit[1] également
être le type de la prière du Seigneur.

Le miracle Je n'ignore pas[2] qu'il y aura des
gens pour trouver incroyable qu'un
homme ait pu être sain et sauf durant trois jours et
<trois> nuits dans les entrailles d'un monstre où se
digéraient[aa] les naufragés[3]. Ces gens seront ou des croyants
ou des incroyants. S'ils sont croyants, ils seront forcés
de croire à bien plus fort[4] : comment trois enfants jetés
dans la fournaise d'un feu bouillonnant, loin d'être atteints,

Vic. Mar. : degerebantur YM^{ac}LHIGJ^{ac} P^{pc}(*i.m.*)   dirigebantur
A D NX POJ^{pc}(*i.m.*) *rell.*   diregebantur C ‖ posse PO ‖
59 erunt aut infideles : *om.* P^{ac}   aut infideles erunt P^{pc}O ‖ fideles ...
infidele₅ : *tr.* A   NX ‖ infidelis M^{ac}H^{ac} ‖ si fideles : *om.* P^{ac} ‖ multa
YML^{ac}H^{ac}J ‖ credere maiora : *tr.* E F *Mar. Val. Ant.* ‖ 60 camino
L(M^{ac})HIGJ ‖ aestuantis : -tes A K   M^{ac}L^{ac}H^{ac}I   -dis Y ‖
61 fuerunt YL(M^{ac})H^{ac}GJ ‖ ne : nec K   in *Gre.* ‖ quidem : -dam
C M^{ac}(?)   quoque *Gre.*

II, 2 aa : Tertullien, *De resurr.*, 58, 8

eorum ' odor ignis ᵃ ' attigerit ; quomodo recesserit mare
et ad instar ' murorum ᵇ ' hinc inde rigidum steterit ut
praeberet uiam populo transeunti ; qua humana ratione
65 aucta fame leonum rabies praedam suam timens aspexerit
nec tetigerit ᶜ, et multa huiuscemodi. Sin autem infideles
erunt, legant quindecim libros Nasonis Μεταμορφόσεων
et omnem Graecam Latinamque historiam ibique cernent
uel Daphnen in laurum ᵈ uel Phaethontis sorores in popu-
70 los arbores fuisse conuersas ᵉ, quomodo Iupiter, eorum
sublimissimus deus, sit mutatus in cycnum ᶠ, in auro
fluxerit ᵍ, in tauro rapuerit ʰ, et cetera in quibus ipsa turpitudo fabularum diuinitatis denegat sanctitatem. Illis
credunt et dicunt deo cuncta possibilia, et cum turpibus
75 credant potentiaque dei uniuersa defendant, eamdem uirtutem non tribuunt et honestis.

Quod autem scriptum est : *ET ORAVIT IONAS AD DOMINVM
DEVM SVVM DE VTERO PISCIS ET DIXIT*, intellegimus eum,
postquam in utero ceti sospitem esse se senserit, non des-

II, 2 62 attigerit : attingerit YᵃᶜMLᵃᶜHᵃᶜ attingeret Yᵖᶜ   adtin-
geret F   adtegerit Pᵃᶜ   attigeret Gᵃᶜ ‖ 63 ad : *om.* PO Bi ‖
murorum : murum Kᵃᶜ ‖ stetit F   MLHᵃᶜGJᵃᶜ ‖ 64 transeunti : -te
MᵃᶜLᵃᶜHᵃᶜJᵃᶜ   -di F   Yᵃᶜ ‖ qua : quomodo ⅁ *Era. Vic. Mar.
Val.*   quia NᵃᶜX   *Gre.* ‖ humanam K ‖ ratione : -nem K   ranone
B ‖ 66 nec tetigerit : *om.* Bi ‖ nec : *om.* A ‖ et : *om.* A ‖ 67 erant
YMᵃᶜ   Pᵃᶜ ‖ legat YMᵃᶜ ‖ quindecim : xɪɪ F ‖ nasonis : libros *add.*
(B)s Mᵖᶜ   K   (B *periit in hoc loco*) ‖ μεταμορφόσεων POJᵖᶜ :
metamorfoseon A K Nᵖᶜ Bi   metamorfoseom BMᵖᶜ X   meta-
morfeseon C   mentamorfoseam Nᵃᶜ   ΝΕΝΑΝΟΦΟϹΕΩΝ F   ΝΕΝΧ-
ΝΟΡΟϹΑΙΝ Y   ΝΕΝΑΝΟ ΡΟϹΑΙΝ HIG   ΝΕΝΑΝΟ ΡΟϹΑΙΝ L   meta-
morphe(o)seos *Gre. Era. Vic. Mar. Val.*   -phoseon *Ant. Adr.* ‖
68 cernant F ‖ 69 daphnen HᵖᶜIGJᵖᶜ NX : dafhnen A   daphnem
K   dapnen C   Jᵃᶜ   PᵖᶜO   dapnem Lᵖᶜ   danphem Bi   dafi-
nen B   dapnhem Pᵃᶜ   dapinnu (?) Yᵃᶜ   dapinn Yᵖᶜ   dapinnī
Lᵃᶜ ‖ laurum : lauro K   labrum F ‖ sororis MᵃᶜLᵃᶜ ‖ inᵃ : *om.
Adr.* ‖ populos : plures MᵃᶜLHᵃᶜGJᵃᶜ(?)   populo Jᵖᶜ ‖ 69-70
populos arbores *tr.* Bi ‖ 70 arbore Jᵖᶜ ‖ fuisse conuersas : *tr.* NX
Adr. ‖ 71 sublimissimus : -os K : sublimisimus D   sublimis simus C ‖

n'eurent même pas leurs vêtements qui sentaient ' l'odeur
du feu[a] ' ; comment la mer se retira et se dressa de part
et d'autre comme des ' murs[b] ', pour offrir un passage
au peuple qui voulait traverser ; comment des lions
enragés, dont la faim avait été intentionnellement accrue,
regardèrent leur proie avec crainte[c] sans la toucher[5] ;
et bien d'autres faits du même genre. S'ils ne sont pas
croyants[6], qu'ils lisent les quinze livres des *Métamorphoses*
d'Ovide et toute l'histoire grecque et latine ! Ils y décou-
vriront Daphné transformée en laurier[d], les sœurs de
Phaéton en peupliers[e] ; comment Jupiter, leur dieu
suprême se changea en cygne[f], s'écoula (en pluie d')or[g],
prit pour commettre un rapt[h] la forme d'un taureau[7],
et autres aventures où la turpitude même de la fable
s'oppose à la sainteté de la divinité. Ils croient à ces fables,
en disant que tout est possible à la divinité et, alors qu'ils
croient à des turpitudes et les défendent par la toute-
puissance divine, ils n'attribuent pas le même pouvoir
pour des actions honnêtes.

Quant au texte : « Jonas pria le Seigneur son Dieu
depuis les entrailles du poisson, en disant », nous comprenons[8] que lorsqu'il se sentit sain et sauf dans les entrailles

---

deus : *om.* P[ac]O ‖ 72 tauro : auro Λ Π M[ac]LH[ac]   thesauro
I[ac] ‖ turpitudo : turpido A   F   M[ac] ‖ 73 diuinitus L[pc] ‖ denegatam
L ‖ illius YL(M[ac])H[ac] ‖ 74 dicant YLM[ac]H[ac] ‖ 75 potenciamque B
K   M[ac]LH[ac]G[ac]J[ac](?) ‖ 76 non : *om.* G ‖ honestis : -tos N   -tas
X ‖ 77 et : *om.* BM[pc]   PO ‖ 79 postquam : se *add.* PO ‖ ceti : piscis
Bi ‖ ceti sospitem : caeti suspitem F   coeti se hospitem YL(M[ac])
H[ac] P[ac]   ceti se sospitem H[pc]GJ   coetis hospitem N[ac]   coetis
ospitem O   coeti se ospitem I ‖ esse : *om.* NX   P[ac]O   fore
E ‖ se : *om.* CD   F   K   YM[ac]LHIGJ PO   Bi ‖ senserat *Gre.*

II, 2 a : Dan. 3, 94   b : Ex. 14, 22.29   c : Dan. 14, 31   d :
OVIDE, *Métam.* 1, 452-567   e : *Ibid.*, 2, 333-367   f : *Ibid.*, 6, 109
g : *Ibid.*, 6, 113   h : *Ibid.*, 6, 103

⁸⁰ perasse de Domini misericordia et totum ad obsecrationem
esse conuersum. Deus enim qui dixerat de iusto : « Cum
ipso sum in tribulatione ⁱ », et : « Cum inuocauerit me,
dicam : Adsum ʲ », adfuit ei, et dicere potest qui exau-
ditus est : « In tribulatione dilatasti mihi ᵏ. » |

II, 3 Heb. : Clamavi de tribvlatione mea ad dominvm et
exavdivit me ; de ventre inferi clamavi et
exavdisti vocem meam.

LXX : *Similiter, hoc tantum modo commutato : de uentre
inferi clamoris mei.*

⁹⁰   Non dixit : « Clamo », sed : *Clamavi,* nec de futuro precatur
sed de praeterito gratias agit, indicans nobis quod eo
tempore quo praecipitatus in mare uidisset cetum et tantam corporis molem et immanes rictus aperto se ore sorbere, « Domini recordatus sit ᵃ » et *clamaverit,* uel aquis
⁹⁵ cedentibus et clamore inueniente locum, uel toto cordis
affectu, secundum illud quod Apostolus dicit : « Clamantes
in cordibus uestris : Abba, pater ᵇ », et clamauerit ei qui
solus nouit corda hominum, et loquitur ad Moisen : « Quid

II, 2 80 misericordiam Kᵃᶜ ‖ 81 esse : *om.* YMᵃᶜLHᵃᶜ   Pᵃᶜ ‖ 82
inuocaueris PᵃᶜO ‖ 83 dicam : ad eum *add.* Bi ‖ ei : *om.* A   PᵃᶜO ‖
qui : quia YMᵃᶜLHIGJ
II, 3 ʜᴇʙ *in* H ‖ 85 et : *om.* MLᵃᶜHIGJᵃᶜ ‖ 86 inferni YL(Mᵃᶜ)
HIGJᵃᶜ   *Era. Vic. Mar. Val. Ant.* ‖ 87 exaudisti : audisti A   exaudiuit YMLHIGJᵃᶜ   audisti me Q ‖ 88 tantum : totum A   tanto
Hᵃᶜ ‖ de uentre : *om.* A ‖ 89 inferni Pᵃᶜ   *Ant.* ‖ clamores Lᵖᶜ   Pᵖᶜ
OJᵖᶜ   *Gre. Ant.* ‖ mei : audisti uocem meam *add. Era. Vic. Mar.*
Val. ‖ 90-91 precatur — praeterito : *om.* A ‖ 91 agit : ait B ‖ 91-92 eo
tempore : ex *praem.* HᵖᶜIGJ   *edd.* (— *Gre.*) ‖ 92 praecipitatus :
est *add.* Nᵖᶜ ‖ mare : -i Dᵖᶜ   est *add.* Pᵖᶜ ‖ tantum Mᵃᶜ LᵃᶜHᵃᶜ ‖
93 et : *om.* A   ut Nᵖᶜ ‖ immanes : -is PᵖᶜO   -e AB MᵃᶜLᵃᶜ
-em YHIGJ   -ens NᵃᶜX   -ins Nᵖᶜ ‖ rictus : rectus NᵃᶜX   rec-
tum YMᵃᶜLᵃᶜHᵃᶜ   rictum HᵖᶜIGJ   rictu Lᵖᶜ   strictus A B
cetus Nᵖᶜ ‖ sorbere : soruere F   sorbire NᵃᶜX   sorberet Nᵖᶜ

du monstre, il ne désespèra pas de la miséricorde du Seigneur et se tourna de tout son être vers la prière. Dieu en effet qui avait dit du juste : « Je suis avec lui dans la détresse[1] », et : « Lorsqu'il m'appellera, je lui dirai : Me voici[j] », s'approcha de lui ; et celui qui a été exaucé peut dire : « Dans la détresse, tu m'as mis au large[k]. »

3 Héb. : Dans ma détresse, j'ai crié vers le Seigneur et il m'a exaucé. Du sein de l'enfer, j'ai crié et tu as exaucé mon appel.

LXX : Pareillement, avec pour seul changement : « Du sein de l'enfer <tu as entendu> mon cri[1] ».

La prière de Jonas Il n'a pas dit : « Je crie », mais : « J'ai crié ». Il ne prie pas pour l'avenir, mais remercie pour le passé. Il nous indique ainsi qu'au moment où il fut jeté à la mer et aperçut le monstre avec sa masse énorme, sa gueule terrible qui s'ouvrait pour l'engloutir, « il se souvint du Seigneur[a] » et « cria », soit que les eaux se soient déplacées pour laisser passage au cri[2], soit par un sentiment profond du cœur, selon la parole de l'Apôtre : « Criant dans vos cœurs[3] : Abba, Père[b] ! » Il cria vers celui seul qui connaît le cœur des hommes et qui dit à Moïse : « Pourquoi cries-tu vers

P[ac]   sorboret O[ac]   obsorbere E   uolentem *add.* E ‖ aperto se ore sorbere : apertas eo resorbere C   apertos eore sorbere D ‖ 94 uel aquis : uel aliquis X   uelatus B ‖ 96 secundum : sed E[ac] et E[pc] ‖ quod apostolus dicit : apostoli F ‖ 97 uestris K   *edd.* : nostris A B CD E F 𝕾 NX PO Bi ‖ 98 nouerit A Bi ‖ 99 uocem : uoce K   *om.* D[ac]

II, 2 i : Ps. 90, 15   j : Is. 58, 9   k : Ps. 4, 2
II, 3 a : Jonas 2, 8a   b : Gal. 4, 6 ; Col. 3, 16 ; Rom. 8, 15

clamas ad me ^{c} ? », cum utique nihil ante hanc uocem cla-
100 masse Moisen scriptura commemoret. Hoc est illud quod
et in primo graduum psalmo legimus : « Ad Dominum cum
tribularer clamaui, et exaudiuit me ^{d}. »

VENTREM autem INFERI, aluum ceti intellegamus, quae
tan|tae fuit magnitudinis ut instar obtineret inferni. Sed
105 melius ad personam Christi referri potest qui sub nomine
Dauid cantat in psalmo : « Non derelinques animam meam
in inferno, nec dabis sanctum tuum uidere corruptionem ^{e} »,
qui fuit in inferno uiuens, ʿ inter mortuos liber ^{f} ʾ.

II, 4 a Heb. : ET PROIECISTI ME IN PROFVNDVM ET IN COR MARIS,
110   ET FLVMEN CIRCVMDEDIT ME.

LXX : *Proiecisti   me   in   profundum   cordis   maris,*
et flumina me circumdederunt.

Quantum ad personam Ionae, non est difficilis interpretatio, quod ceti clausus aluo in profundissimo et in medio
115 maris fuerit, *fluminibusque* « uallatus sit ^{a} ».

Quantum ad Dominum Saluatorem, sexagesimi octaui
psalmi sumamus exemplum in quo loquitur : « Infixus sum
in limo profundi et non est substantia. Veni in profundum
maris et tempestas demersit me ^{b} » ; de quo et in alio

II, 3 99-100 clamasse moisen : *om.* B ‖ moisen : -se K   moy-D^{ac} ‖
100 commemorat YJ^{ac} PO ‖ 101 et : *om.* YG   O   Bi   *Mar. Val.*
Ant. Adr. ‖ graduum : *om.* D^{ac} ‖ 102 exaudiuit : audiuit N ‖ 103
autem : *om.* Bi ‖ intellegimus A ‖ quae : qui Y   N^{pc}X   *Gre.* ‖ 104
obtineret : -rit E^{ac}M^{ac} obteneret F   otenerit Q ‖ obtineret
inferni : *tr.* YM^{ac}LHIGJ ‖ infernii Q ‖ 105 christi : dixit Q ‖ referre
M^{ac}LH^{ac} ‖ potest : post Q ‖ 106 non : ne Bi ‖ derelinques : -as NX
-is A   K ‖ 107 in : *om.* A

II, 4 a HEB. UER. *in* H ‖ 109 Et^1 : *om.* J^{pc} PO ‖ 109-110 Et^1 — me :
om. B ‖ 109 proiecistis P ‖ et^2 : *om.* K   YMLHIG   J^{ac} P^{ac} *edd.* ‖
in cor : cor A   CD   F   NXQ   Bi   cordis K(*sp.l*)   YMLHIG   J^{ac}
in corde *edd.* ‖ 110 et flumen circumdedit me : et flumina circumdederunt me K   YMLHIGJ^{ac} ‖ 111 proiecisti : et *praem.* B   -tis
P^{ac} ‖ 112 me circumdederunt : *tr.* A   K ‖ 115 mari B   D   NX ‖ 116

moi ᶜ ? », alors que l'Écriture ne mentionne aucunement
que Moïse ait crié auparavant. C'est ce que nous lisons aussi
dans le premier *Psaume* des degrés : « Dans ma détresse,
j'ai crié vers le Seigneur et il m'a exaucé ᵈ. »

Par « sein de l'enfer », entendons le ventre du monstre,
qui avait une telle taille qu'il ressemblait à l'Enfer[4]. Mais
on peut davantage rapporter cela à la personne du Christ
qui, sous le nom de David, chante dans le *Psaume*[5] :
« Tu n'abandonneras pas mon âme dans l'Enfer et tu ne
permettras pas que ton saint voie la corruption ᵉ », lui
qui fut vivant dans l'Enfer, ' libre parmi les morts ᶠ [6] '.

4a Héb. : Et tu m'as jeté dans les profondeurs et au cœur
    de la mer, et le flot m'a entouré.

    LXX : Tu m'as jeté dans la profondeur du cœur de la
    mer, et les flots m'ont entouré[1].

**La descente
aux Enfers**
En ce qui concerne la personne de
Jonas, l'interprétation n'est pas difficile[2] : enfermé dans le ventre du
monstre, il était dans les profondeurs et au centre de la
mer, et « il était enserré ᵃ » par « les flots ».

En ce qui concerne le Seigneur Sauveur[3], prenons
l'exemple du *Psaume* 68 dans lequel il dit ᵇ : « Je suis
empêtré au milieu de la boue des profondeurs et je n'ai
pas pied. Je suis venu au fond de la mer et la tempête

---

sexagesimi : septuagesimi Bi   sexangesimi Pᵃᶜ   sexagensimo
K   sexagesimum MᵃᶜLᵃᶜHIJᵃᶜ ‖ 117 infixissus K ‖ 118 limo :
limum A K   ligmum Bᵃᶜ ‖ est substantia : est suba Bᵖᶜ (*i.m.*) ‖
profundum : -do MᵃᶜLᵃᶜ   altitudinem G ‖ 119 dimersit CD
(Mᵃᶜ)LHIGJᵃᶜ ‖ et² : *om.* A   CD   *Gre. Ant.*

II, 3 c : Ex. 14, 15   d : Ps. 119, 1   e : Ps. 15, 10   f : Ps. 87, 6
II, 4a a : Jonas 2, 6   b : Ps. 68, 3

120 psalmo dicitur : « Tu autem abiecisti et despexisti, distu-
listi Christum tuum ; subuertisti testamentum serui tui,
contaminasti in terra sanctuarium eius, destruxisti omnes
macerias eius ᶜ », et reliqua. Ad comparationem enim caelestis beatitudinis et eius loci de quo scriptum est : « In
125 pace » sancta « locus eius ᵈ », omnis terrena habitatio plena
est fluctibus, | plena tempestatibus.   4⟨

Porro COR MARIS significatur infernus pro quo in Euangelio legimus : « In corde terrae ᵉ ». Quo modo autem cor
animalis in medio est, ita et infernus in medio terrae esse
130 perhibetur. Vel certe, iuxta ἀναγωγήν, IN CORDE MARIS,
in mediis temptationibus esse se memorat. Et tamen, cum
inter amaras aquas fuerit et « temptatus sit iuxta omnia
absque peccato ᶠ », non sensit amaras aquas, sed FLVMINE
CIRCVMDATVS EST de quo et in alio loco legimus : « Flumi-
135 nis impetus laetificat ciuitatem Dei ᵍ. » Aliis bibentibus salsos fluctus, ego in mediis temptationibus dulcissima
fluenta sorbebam.

Nec impium tibi esse uideatur si nunc Dominus dicat :
PROIECISTI ME IN PROFVNDVM, qui loquitur in psalmo :
140 « Quoniam quem tu percussisti ipsi persecuti sunt ʰ »,
secundum illud quod ex persona Patris in Zacharia ponitur : « Percutiam pastorem et oues dispergentur ⁱ. »

II, 4 a 122 terram A   B   NX   PO ‖ 123 macherias A   YMᵃᶜLᵃᶜ
Hᵃᶜ ‖ eius : *om.* NX ‖ enim : *om.* YMᵃᶜLHIGJᵃᶜ ‖ 124 iscriptum K ‖
126 fluctibus : fructibus C ‖ plena tempestatibus : *om.* A ‖ 127 porro :
per *add. Era. Vic. Mar. Val. Ant.* ‖ corde Nᵖᶜ ‖ 130 iuxta : *om.* Bi ‖
ἀναγωγὴν : αναγωγεν HᵖᶜIJ   ΑΝΝΑΓωFEN Lᵃᶜ   αναιgοceN K
ΑΝΑΓΓΕΝ Lᵖᶜ   αναγην N   anagogen BMᵖᶜ   G   X   Bi anagogin
A ‖ 131 medis F ‖ temptationibus : tempestationibus Kᵃᶜ   tempestatibus NX   *Adr.*   fluctibus tempestatibus E ‖ se : *om.* O ‖ 132 inter :
in terra K ‖ fuerit : -rat YᵃᶜMᵃᶜLᵃᶜHᵃᶜGᵃᶜJᵃᶜ   -rint K ‖ temptatus :
tempestatis MᵃᶜHᵃᶜ   tempestates L ‖ sit : sed L(ᵖᶜ?) ‖ 135-136
salsos fluctus : salsis fluctibus NᵃᶜX   salsos fluctibus Eᵃᶜ ‖ tempta-

m'a recouvert[4]. » Dans un autre *Psaume* encore il est dit de lui[c] : « Tu as rejeté, méprisé, écarté ton Christ ; tu as souillé sur la terre son sanctuaire, tu as détruit tous ses murs[5] », et la suite. En comparaison, en effet, de la béatitude céleste[6] et du lieu dont il est écrit : « Dans la paix » sainte « se trouve sa demeure[d] », toute habitation terrestre est pleine de flots, pleine de tempêtes.

Le « cœur de la mer » désigne l'Enfer[7], pour lequel on lit dans l'Évangile : le « cœur de la terre[e] ». De même que le cœur est au milieu de l'animal, de même, dit-on, l'Enfer est au milieu de la terre. Ou du moins, selon l'anagogie[8], il rappelle qu'« au cœur de la mer », il est au milieu des tentations. Cependant[9], bien qu'il ait été dans les eaux amères et qu'il ait été « tenté en tout, sans pécher[f] », il n'a pas senti l'amertume des eaux, mais « il a été entouré par le flot » dont nous lisons ailleurs : « Un flot impétueux réjouit la cité de Dieu[g]. » Les autres buvaient les flots salés ; moi, au milieu des tentations, je m'abreuvais aux eaux les plus douces.

N'allez pas trouver impie[10] que le Seigneur dise maintenant : « Tu m'as jeté dans les profondeurs », puisqu'il déclare dans le *Psaume* : « Car ils ont persécuté celui que tu as toi-même frappé[h] », selon la parole qui, dans *Zacharie*, est attribuée à la personne du Père[i] : « Je frapperai le pasteur et les brebis seront dispersées[11]. »

tionibus : tempestatibus E   NX   *Adr.* ‖ 138 tibi esse : *tr.* NXQ ‖ 142 oues dispergentur : dispergentur greges X ‖ dispergentur : dispargentur N   P[ac]

II, 4 a c : Ps. 88, 39-41   d : Ps. 75, 3   e : Matth. 12, 40   f : Héb. 4, 15   g : Ps. 45, 5   h : Ps. 68, 27   i : Zach. 13, 7

II, 4 b Heb : Omnes gvrgites tvi et flvctvs tvi svper me
         transiervnt.

145 LXX : *Omnes eleuationes tuae et fluctus tui super me*
         transierunt.

Quod super Ionam tumentes maris FLVCTVS TRANSIERINT
et detonuerit saeua tempestas, nulli dubium est. Quaerimus
autem quomodo OMNES *eleuationes et* GVRGITES *et* FLVCTVS
150 Dei SVPER Saluatorem TRANSIERINT : « Temptatio est uita
hominum super terram [a] », siue, ut in hebraeo habetur,
« militia », quia hic militamus ut alibi coronemur. Nul-
lusque est hominum qui cunctas sustinere queat tempta-
tiones absque eo qui « temptatus » est in « omnibus », iuxta
155 nostram similitudinem, absque « peccato [b] ». Vnde et ad
Corinthios dicitur : « Temptatio uos non apprehendat nisi
humana. Fidelis autem Deus qui non dimittet uos temp-
tari super id quod potestis, sed faciet cum tempta|tione
et exitum, ut possitis sustinere [c]. » Et quoniam omnes per-
160 secutiones et uniuersa quae accidunt absque Dei non
ingruunt uoluntate, idcirco Dei GVRGITES dicuntur et
FLVCTVS, qui non oppresserunt Iesum, sed TRANSIERVNT
SVPER eum, minantes tantum naufragium, non inferentes.
Vniuersae ergo persecutiones et turbines, quibus genus
165 uexabatur humanum et cunctae nauiculae frangebantur,

II, 4 b 145 elationes BM^{pc} ‖ 147 tumentis BM^{pc} K ‖ maris
fluctus : *tr.* A YM^{ac}LHIGJ ‖ transierint : -runt B YM^{ac}LHIG^{ac}J
N^{ac} *Era. Vic.*   transirunt F ‖ 148 detonuerit : tonuerit YM^{ac}
LHIGJ   detonerit B   detenuerit N^{ac} detinuerit N^{pc} ‖ 149
autem : ergo ⑤ ‖ elationes B ‖ 150 transierunt B   CD YM^{ac}LHIGJ
X Bi ‖ 151 hebraico CD *edd.* ‖ 155 absque : sine CD   *edd.*
(— *Adr.*) ‖ 156 adprehendit A^{ac} H^{pc}IG ‖ 157 deus : domini A ‖
dimittet : demittet A   dimittit NX P^{pc} dimittat K^{ac} *Gre.*
demittat K^{pc} demittit M^{ac} ‖ 158 supra Y(M^{ac}?)LHIGJ *edd.*
(— *Gre.*) ‖ sed : quod *add.* NX ‖ 159 et^1 : *om.* PO   *del.* J N ‖
possetis N^{ac}X ‖ 160 accedunt Y^{ac}M^{ac}L^{ac}HIG^{ac}J   NX ‖ 161 ingruunt :

4 b Héb. : Tous tes tourbillons et tes flots sont passés sur moi.

LXX : Toutes tes vagues et tes flots sont passés sur moi.

**Le Christ
et la tentation**

Que les « flots » grossis de la mer « soient passés » sur Jonas et que la tempête ait fait rage contre lui, cela ne fait de doute pour personne. Mais nous cherchons[1] comment « toutes » les « vagues », les « tourbillons », les « flots » *de Dieu* « sont passés sur » le Sauveur : « La vie des hommes sur terre est une tentation[a] » ou, comme porte l'hébreu, un « combat » — car nous combattons ici pour être couronnés ailleurs[2] — et il n'est personne parmi les hommes qui puisse soutenir l'ensemble des tentations, à part celui qui a été « tenté en toutes choses[b] », à notre ressemblance, sans « pécher[3] ». C'est pourquoi il est dit aux Corinthiens : « Qu'aucune tentation ne vous prenne, qui passe la mesure humaine. Dieu est fidèle et il ne permettra pas que vous soyez tentés au-dessus de vos forces ; mais, avec la tentation, il vous donnera le moyen d'en sortir, pour que vous puissiez la supporter[c]. » Et, comme toutes les persécutions et toutes les difficultés qui arrivent ne surviennent pas sans la volonté de Dieu, on parle des « tourbillons » et des « flots » *de Dieu*. Ils n'ont pas écrasé Jésus, mais « sont *passés sur* » lui, en le menaçant de naufrage, mais sans le lui causer[4]. L'ensemble donc des persécutions et des tourmentes qui agitaient le genre humain[5] et brisaient tous les navires ont fait rage sur ma

incongruunt YML^{ac}H^{ac}   ueniunt E ‖ 162 iesum : eum NXQ ‖ 163 super E K   NXQ L^{pc}(*q.ras.*) : per A B CD F YM L^{ac}HIGJ PO Bi *edd.* ‖ 164 uniuersa K ‖ ergo : igitur NXQ ‖ turbidines C^{pc}

II, 4 b a : Job 7, 1   b : Hébr. 4, 15   c : I Cor. 10, 13

super meum detonuere caput. Ego sustinui tempestates et
fregi turbines saeuientes, ut ceteri securius nauigarent. |

II, 5 a Heb. : Ego dixi : abiectvs svm a conspectv ocvlorvm
tvorvm.

170 LXX : *Ego dixi : Abiectus sum ex oculis tuis.*

Antequam « clamarem de tribulatione mea et exaudires
me [a] », quia formam serui acceperam [b], fragilitatem quoque
illius imitatus, dixi : abiectvs svm a conspectv ocvlorvm
tvorvm. Quando eram tecum et tuo lumine perfruebar et
175 in te lumine ego eram lumen [c], non dicebam : abiectvs
svm. Postquam autem « ueni in profundum maris [d] » et
hominis carne circumdatus sum, humanos imitor affectus,
et dico : abiectvs svm a conspectv ocvlorvm tvorvm.
Hoc quasi homo locutus sum. Ceterum, quasi Deus et is
180 qui cum essem in forma tua, non sum ‘ rapinam arbitratus
aequalem [e] ’ me esse tui, uolens ad te euehere humanum
genus. Vt ‘ ubi ego sum ’ et tu, ibi ‘ sint ’ et ‘ omnes qui in
me et te crediderunt [f] ’, dico :

II, 4 b 166 meum : mecum N[ac]   me N[pc]   eum A ‖ detonuere
caput : *om.* P[ac] ‖ detonuere : detonare YM[ac]L[ac]H[ac]IG[ac] J[ac]   deto-
nauere L[pc]G[pc] J[pc]   detonere A   cumtenuere N[ac]   continuere
N[pc] ‖ et : *om.* YM[ac]LHIGJ ‖ 167 turbidines CD ‖ saeuientes :
feruentes E
II, 5 a heb. uer. *in* H ‖ 168 ego : et *praem.* YJ[pc] PO *edd.*
(— *Adr.*) (*c. Vulg.*) ‖ sum : *om.* N ‖ a : *om.* K[ac] ‖ 170 ego : et *praem.* P
autem *add.* YM[ac](*q.lac. rel.*) ‖ ex : ab Bi   *Mar. Val. Ant.* ‖ tuis :
suis B ‖ 171 de : ut *praem.* B ‖ et : *om.* B   M[pc]J[ac]   P[pc]O ‖ exaudires :
-diris K M[ac]   -disti PO   exauditores Q   exaudiret *Gre.* ‖
172 me : mea Q ‖ quia : qui YM[ac]LHIGJ   PO   *Era. Vic. Val.(i.m.)*
Ant. ‖ forma K ‖ acceperam : accip- F   susceperam PO ‖ 173 illius :
eius A ‖ imitatus : emi- F   imitans A ‖ 174 tuo lumine : tu lumine F
uolumine CD[ac] P[ac]   tuo uolumine H[ac] ‖ 175 in : *om.* X[ac]   *Vic.* ‖
te A B CD F K YMLH[ac]GJ[ac] P[ac] Bi *Gre. Era. Vic. Mar.*
Val.(i.t.) Ant. : *om.* E   tuo H[pc]I P[pc]OJ[pc] NX Pal *Val.* (*i.m.*)
Adr. ‖ 176 autem : *om.* A B CD K Ꞅ NX PO Bi *Gre.*

tête. Quant à moi, j'ai supporté les tempêtes et j'ai brisé la rage des tourmentes, pour que les autres puissent naviguer en sécurité.

, 5 a Héb. : J'ai dit : Je suis rejeté de devant tes yeux.

LXX : J'ai dit : Je suis rejeté loin de tes yeux.

La kénose du Fils Avant que « je ne crie du sein de ma détresse et que tu ne m'exauces[a] », puisque j'avais pris la condition d'esclave[b], j'en ai imité la faiblesse[1] et j'ai dit : « Je suis rejeté de devant tes yeux. » Quand j'étais avec toi et que je jouissais de ta lumière, et qu'en toi, la Lumière, j'étais Lumière[c], je ne disais pas : « Je suis rejeté ». Mais, depuis que « je suis venu au fond de la mer[d] » et que j'ai été entouré[2] de la chair d'un homme, j'imite les sentiments humains et je dis : « Je suis rejeté de devant tes yeux. » Cela, je l'ai dit en tant qu'homme. En tant que Dieu et détenteur de ta condition, je n'ai pas ' considéré comme un bien propre d'être ton égal[e] ', car je voulais faire monter vers toi le genre humain[3]. Afin que ' là où je suis ' avec toi, ' soient aussi tous ceux qui ont cru en moi et en toi[f] ', je dis :

Era. Vic. ‖ profundo M^{ac}L^{ac}H^{ac} ‖ 177 humanus K ‖ imitor : imitator E^{ac}   imitatus D^{ac}   imitator J^{ac}   sumitur Y^{pc} ‖ effectus CD^{ac} ‖ 179 et : ut K ‖ is : his J^{ac}   Bi ‖ 180 rapina(m) arbitratus sum ꙅ ‖ rapina YHIG   Bi ‖ 181 me : *om.* N^{ac}X ‖ esse tui : esetui D^{ac}   esset P^{ac}   esse O ‖ uiolens P^{ac} ‖ ad te : a te ML^{ac}H^{ac} atte I ‖ euehere : euenire M^{ac}L^{ac}HJ^{ac}   uenire GI   uehere A B   Bi ‖ 182 ut : et CD^{ac}   P^{ac} ‖ et tu : *om.* P^{pc}O   et P^{ac} ‖ et² : *om.* BM^{pc}   K

II, 5 a a : Jonas 2, 3   b : Phil. 2, 7   c : cf. *Nicaenum* : « Lumen de lumine ».   d : Ps. 68, 3   e : Phil. 2, 6   f : Jn 17, 20-24

II, 5 b Heb. : Vervmtamen, rvrsvm videbo templvm sanctvm
185   tvvm.

*Pro quo LXX transtulerunt : Putasne addam ut uideam
templum sanctum tuum ?*

Hoc quod in graeco dicitur ἄρα et habet uulgata editio :
Putas, interpretari potest « igitur », ut sit quasi proposi-
190 tionis et adsumptionis confirmationisque ac syllogismi
extrema conclusio, non ex ambigentis incerto, sed ex fiducia
comprobantis. Pro quo nos interpretati sumus : vervmtamen, rvrsvm videbo templvm sanctvm tvvm, secundum illud quod ex persona eius in alio psalmo dicitur :
195 « Domine, dilexi decorem domus tuae et locum tabernaculi
gloriae tuae [a] », et euangelicam lectionem in qua scriptum
est : « Pater, glorifica me apud te ea gloria quam habui
priusquam mundus fieret [b]. » Et respondit de caelo Pater :
« Et glorificaui, et glorificabo [c]. » Vel certe, quia legitur :
200 « Pater in me et ego in Patre [d] », sicut templum Patris
Filius est, ita templum Filii Pater. Ipse enim dicit : Ego
« de Patre exiui et ueni [e]. » Et : « Verbum erat apud Deum
et Deus erat Verbum [f]. » Aut unus idemque Saluator, quasi
homo postulat, quasi Deus pollicetur et de sua quam sem-
205 per habuit possessione securus est.

II, 5 b 186 Pro quo lxx transtulerunt : lxx *Era. Vic. Mar. Val.
Ant.* ‖ Pro — tuum : *om.* C ‖ quo : eo A ‖ addam : adiciam Pᵃᶜ ‖
188 ἄρα: appa YL(Mᵃᶜ)HIGJ ‖ 190 et : *om.* Lᵖᶜ(?) ‖ — que : qui MᵃᶜL
quae Pᵃᶜ ‖ ac : *om.* B   MLHIGJ ‖ syllogissimi A ‖ 191 ex ambigentis :
ex(i)bentes Lᵃᶜ(Mᵃᶜ)HᵃᶜJᵃᶜ   exhibentes Lᵃᶜ²(?)G   exeuentus Lᵖᶜ
ex ambientis HᵖᶜI Biᵃᶜ   ex ambentis Y ‖ incerto : -tos B   in
praem. HIGJ ‖ 192 comprobantes MᵃᶜLᵃᶜHᵃᶜJᵃᶜ ‖ 193 rursus A Gᵖᶜ ‖
196 et : in *add.* A B K Bi ‖ euangelica BMᵖᶜNᵖᶜ ‖ lectionem :
-e BMᵖᶜ   lectio Nᵖᶜ ‖ in : *del.* Pᵖᶜ ‖ 197 apud te : -metipsum *add.*
K ‖ ea : *om.* YMᵃᶜLHIGJᵃᶜ Nᵃᶜ   et Pᵃᶜ ‖ 198 respondebit N ‖
199 glorificaui : clarificaui et iterum clarificabo Pal. *Val.*(*i.m.*) ‖
200 patre : -em K ‖ 201 ita : et *add.* B ‖ 202 ueni : *om.* Kᵃᶜ ‖ 203

5 b Héb. : Cependant, je verrai à nouveau ton temple saint.

Les LXX ont ici traduit : Penses-tu que je verrai ton temple saint ?

L'assurance du Christ Ce qui en grec se dit ἄρα et que l'édition commune traduit par « penses-tu », peut se rendre par « donc », comme la conclusion dernière de la majeure, de la mineure, de la conséquence et d'un syllogisme, pour exprimer, non l'incertitude de quelqu'un qui hésite, mais l'assurance de quelqu'un qui affirme[1]. C'est ce que nous avons rendu par : « *Cependant, je verrai à nouveau ton temple saint*[2] », selon ce qui est dit au nom du Christ dans un autre *Psaume* : « Seigneur, j'ai aimé la beauté de ta maison et le lieu où réside ta gloire[a] » ainsi que le texte de l'Évangile où il est écrit : « Père, glorifie-moi auprès de toi en m'accordant la gloire que j'avais avant que le monde ne fût[b]. » Et du ciel le Père répondit : « Je l'ai glorifié et je le glorifierai[c] [3]. » Ou bien[4], parce qu'on lit : « Le Père est en moi et je suis dans le Père[d] », de même que le Fils est le temple du Père, de même le Père est-il le temple du Fils. Lui-même en effet dit : « Je suis sorti du Père et je suis venu[e]. » Et « le Verbe était auprès de Dieu et le Verbe était Dieu[f]. » Ou bien encore, le Sauveur, un et identique, demande en tant qu'homme, promet en tant que Dieu, et il est sûr de la possession de ce qui toujours lui appartint.

itemque YM^{ac}LHIG^{ac}J^{ac} ‖ 204 deus B 𝔖 *Era. Vic. Mar. Val. Ant.* : dominus A CD K NX PO Bi *Gre. Adr.* ‖ 205 possessionem P^{ac} ‖ sucurus *Gre.*

II, 5 b a : Ps. 25, 8   b : Jn 17, 5   c : Jn 12, 28   d : Jn 10, 38 ; 14, 10-11 ; 17, 21   e : Jn 16, 28   f : Jn 1, 1

Ex Ionae uero persona, uel optantis uel confidentis affectu
liquido intellegi potest quod desideret, in profundo maris
positus, uidere templum Domini et spiritu prophetali alibi
sit et aliud contempletur. | 4‍I

II, 6 a Heb. : CIRCVMDERVNT ME AQVAE VSQVE AD | ANIMAM 1‍I
MEAM, ABYSSVS VALLAVIT ME.

LXX : *Circumfusa est mihi aqua usque ad animam
meam, abyssus uallauit me nouissima.*

AQVAE istae, quae uicinae sunt abyssis, quae in terris
215 uoluuntur et defluunt, quae multum secum limi trahunt,
non corpus sed animam nituntur occidere ; amicae quippe
sunt corporum et eius uoluptatibus confouentur. Vnde,
secundum illud quod supra diximus, loquitur Dominus in
psalmo : « Saluum me fac, Domine, quoniam intrauerunt
220 aquae usque ad animam meam ᵃ. » Et in alio loco : « Torren-
tem transiit anima nostra ᵇ. » Et : « Ne urgeat super me
puteus os suum ᶜ » neque me concludat infernus. Non mihi
deneget exitum : qui sponte descendi, sponte conscendam ;
qui uoluntarius captiuus ueni, debeo liberare captiuos, ut
225 impleatur illud : « Ascendens in altum, captiuam duxit

II, 5 b 206 optantis : obtantes Mᵃᶜ   obtantis LᵃᶜHIJ ‖ confi-
dentes Mᵃᶜ ‖ effectu A ‖ 207 quod : *om.* A ‖ desideret : desiderauerit
YMᵃᶜLHIGJᵃᶜ¹ *Era. Vic. Mar. Val. Ant.*   desiderat E‖profundum
CD K Y PO *Gre.* ‖ 208 positus : possitus F   ut possit YMᵃᶜ
LHIG(Jᵃᶜ) *om.* Mᵖᶜ ‖ uideret A ‖ alibi : aliud L(Mᵃᶜ?)HIGJ ‖
209 sit : uidisset L(Mᵃᶜ?)HIGJ ‖ et : *om.* E ‖ aliud : alibi Bi *Era.
Vic. Val(i.m.)* ‖ contemplatur A
II, 6 a 210 aquae : *om.* HIGJᵃᶜ ‖ 212-213 LXX − me : *om.* Kᵃᶜ ‖
212 mihi : *om.* ⑤ ‖ 213 meam : *om.* K ‖ nouissima : -mae K   -mam
B   -mum *Vic.* ‖ 214 aquae istae quae : aquae est aeque Pᵃᶜ ‖
quae : aquae O ‖ abyssus CD *Gre.* ‖ 215 multum secum : *tr.* ⑤ ‖
limum Nᵖᶜ Bi ‖ 216 amici MᵃᶜLHIGJ ‖ 217 corporis CD *Gre.* ‖
uoluntatibus CD YMᵃᶜLHᵃᶜGJ *Gre.* ‖ 218 dominus : deus B ‖
220 et : *om.* YMᵃᶜLᵃᶜHᵃᶜGJᵃᶜ ‖ 221 transiit : transiuit PO

En revanche, pour la personne de Jonas, on peut clairement[5] comprendre que, dans un sentiment de souhait ou de confiance, il désire, au fond de la mer, voir le temple du Seigneur et que, grâce à son esprit prophétique, il contemple un autre endroit que celui où il se trouve.

, 6a Héb. : Les eaux m'ont entouré jusqu'à l'âme, l'Abîme m'a enserré.

LXX : L'eau s'est répandue jusqu'à mon âme, l'Abîme le plus profond m'a enserré[1].

Les Forces du mal Ces eaux, voisines des abîmes, qui roulent et s'écoulent dans les terres, qui traînent avec elles beaucoup de boue, ne cherchent pas à tuer le corps mais l'âme, car elles sont amies des corps et choyées par les voluptés charnelles[2]. C'est pourquoi, selon ce que nous avons dit plus haut[3], le Seigneur déclare dans le *Psaume* : « Sauve-moi, Seigneur, car les eaux me sont entrées jusqu'à l'âme[a] », et, dans un autre endroit : « Notre âme a traversé un torrent[b] », et : « Que le puits ne m'oppresse pas de sa bouche[c] », et que l'Enfer ne m'enferme pas. Qu'il ne me refuse la sortie : je suis descendu librement, je remonterai librement. Je suis venu en prisonnier volontaire, je dois libérer les prisonniers, pour que s'accomplisse la parole[4] : « Montant dans les hauteurs,

---

pertransiit CD *edd.* (— *Adr.*) ‖ et : *om.* YMLᵃᶜHᵃᶜGJᵃᶜ ‖ urgueat K Jᵖᶜ ‖ 222 neque : ne PᵖᶜO ‖ me : *om. Era. Vic. Mar. Val. Ant.* ‖ concludet Bi ‖ 223 qui : quia YMᵃᶜL   quo HᵃᶜGJᵃᶜ ‖ conscendi Bi ‖ 224 captiuus : captus CD *Gre.*   captiuos MᵃᶜLᵃᶜHᵃᶜGJ ‖ debeo liberare : *tr.* YMLI   liberare non debeo HᵃᶜGJ ‖ deliberare *Val.*² *Ant.* ‖ captiuos : -us B Kᵃᶜ MLᵃᶜHᵃᶜGJ N   teneri *add.* GᵖᶜJᵖᶜ

II, 6a a : Ps. 68, 2   b : Ps. 123, 5   c : Ps. 68, 16

captiuitatem ^d. » Eos enim qui ante captiui fuerant in
mortem, iste cepit ad uitam.

ABYSSVS autem, perniciosas quasdam et pessimas fortitudines accipere debemus uel tormentis suppliciisque dedi-
230 tas potestates ad quas et in Euangelio daemones rogant
ne ire cogantur ^e. Vnde et «tenebrae erant super abyssum ^f». Interdum « abyssus » accipitur et pro sacramentis
ac profundissimis sensibus ac iudiciis Dei : « Iudicia
Domini abyssus multa ^g », et : « Abyssus abyssum inuocat
235 in uoce cataractarum tuarum ^h. »

II, 6 b-7 a Heb. : PELAGVS OPERVIT CAPVT MEVM; AD EXTREMA
                   MONTIVM DESCENDI, TERRAE VECTES CONCLVSERVNT
                   ME IN AETERNVM.

LXX : *Intrauit   caput   meum   in   scissuras   montium ;*
240   *descendi   in   terram   cuius   uectes   sunt   retinacula*
             sempiterna.

Quod Ionae CAPVT PELAGVS OPERVERIT et AD MONTIVM
EXTREMA DESCENDERIT et uenerit usque ad profunda terrarum quibus quasi uectibus et columnis Dei uoluntate
245 terrae globus sustentatur, nulli dubium est, de qua et alibi
dicitur : « Ego confirmaui columnas eius ^a. »

II, 6 a 226 captiui : capti NX^{pc} PO ‖ 227 mortem A BM^{pc} K
NX PO : -te CD YM^{ac}LHIGJ Bi *edd.* ‖ 228 abyssus A CD F
HIGJ^{ac} N^{ac}XQ P^{ac} Bi *Gre.* :-os B K YML N^{pc} P^{pc}O *rell.*
-um J^{pc} ‖ perniciosus M^{ac}L^{ac}H^{ac} ‖ 229 supplicisque F ‖ debitas K
Q ‖ 232 abyssus : -um CD   *om. Gre.* ‖ et : *om.* L^{pc} ‖ 233 ac¹ : et C
Gre ‖ censibus P^{ac} ‖ ac² : et A CD ⑤ *edd.* (— *Adr.*) ‖ 234 domini :
dei B D K ‖ abyssus¹ : -um P^{ac} ‖ abyssum : ad *add.* N^{ac} ‖ uocat N ‖
235 catarum A
    II, 6 b-7 a HEB *in* H ‖ 236 cooperuit F ‖ extremam B ‖ 239 in : ad in
CD   ad *edd.* (— *Adr.*) ‖ scissuris A ‖ 240 descendi : et *praem.*
YM^{ac}LHIGJ ‖ uectes : uecte D^{ac} N   uectae P^{ac} ‖ sunt : *om.*
M^{ac}LHIGJ^{ac} ‖ 242 operuit B CD ⑤ PO *Gre.* ‖ 243 ueniret
YM^{ac}L^{ac}HIGJ^{ac} ‖ profunda : *om.* CD^{ac} ‖ terrarum : *om.* CD^{ac} *Gre.* ‖

il a emmené des captifs[d]. » Ceux en effet qui étaient prisonniers pour la mort, il les a ramenés à la vie.

Quant à l'« Abîme[5] », nous devons y voir les forces de perdition très mauvaises ou les puissances chargées des tortures et des supplices[6], auprès desquelles les démons, dans l'Évangile, demandent de ne pas être forcés d'aller[e]. De là aussi[7] la parole : « Les ténèbres étaient sur l'abîme[f8]. » Parfois *abîme* s'emploie aussi pour les mystères, les pensées très profondes et les jugements de Dieu : « Les jugements de Dieu sont un abîme profond[g] », « l'abîme appelle l'abîme[9], au milieu du bruit de tes cataractes[h]. »

b-7a Héb. : L'océan a recouvert ma tête. Je suis descendu au bas des montagnes, les verrous de la terre m'ont enfermé à jamais.

LXX : Ma tête est entrée jusqu'au point de séparation des montagnes ; je suis descendu dans la terre dont les verrous sont des liens éternels[1].

Le monde infernal Que « l'océan ait recouvert la tête » de Jonas, que celui-ci « soit descendu au bas des montagnes » et qu'il soit venu aux profondeurs de la terre sur lesquelles, par la volonté de Dieu, le globe terrestre repose[2], comme sur des barres et des colonnes, personne n'en doutera, puisqu'il est dit ailleurs : « J'ai affermi les colonnes[a] » de la terre.

244 uoluntatem X ‖ 245 terrae globus : *tr.* CD *edd.* (− *Adr.*) ‖ sustentatur : sustentur CD[ac]   sustentetur D[pc] ‖ 246 firmaui A NX PO Bi

---

II, 6 a d : Ps. 67, 19 ; Éphés. 4, 8   e : Matth. 8, 30 ; Mc 5, 10 ; Lc 8, 31   f : Gen. 1, 2   g : Ps. 36, 7a   h : Ps. 41, 8
II, 6 b-7 a a : Ps. 74, 4

De Domino autem et Saluatore, iuxta utramque editionem uidetur mihi sic posse intellegi quod principale et
caput eius, id est anima quam cum corpore pro salute nos-
250 tra dignanter adsumpsit, descenderit *in scissuras montium*
qui fluctibus operiebantur, qui se a caeli subtraxerant
libertate, quos abyssus ambiebat, qui se a Dei scide | rant   4
maiestate, et postea etiam ad inferna penetrarit ad quae loca,
quasi in extremo limo, peccatorum animae trahebantur,
255 dicente psalmographo : « Intrabunt in inferiora terrae,
partes uulpium erunt [b]. » Isti sunt VECTES TERRAE et quasi
quaedam serae extremi carceris ac suppliciorum, nolentes
ab inferis animas exire captiuas. Vnde significanter LXX
κατόχους αἰωνίους transtulerunt, hoc est semper tenere
260 cupientes quos semel inuaserant.

Sed Dominus noster, de | quo sub persona Cyri in Esaia   1
legimus : « Fores aeneas conteram et uectes ferreos confrin-
gam [c] », AD MONTIVM EXTREMA DESCENDIT et AETERNIS CON-
CLVSVS est VECTIBVS, ut omnes qui clausi fuerant liberaret.

II, 6 b-7 a 247 et : *om.* YM^acLHIGJ   *Era. Vic. Mar. Val. Ant.* ‖
utramque : utraque Q   utrumque A ‖ 248 et : *om.* LHIGJ ‖ 249
animam YP^ac ‖ 251 qui[1] : quae MLHIGJ^ac ‖ operiebatur Y ‖ qui[2] :
quae L(M^ac)HIGJ^ac ‖ a : *om.* NXQ ‖ subtraxerant : -rat YM^acL^ac
HIG^ac Bi   -rit J^acN^pc   -runt E ‖ 252 libertatem K   N^acXQ ‖
se a dei sciderant : ea descenderant P^ac   se a dei disciderant P^pc
O^pc   se a dei discederant O^ac ‖ a : *om.* YMLHIGJ^ac ‖ sciderant :
sciderit NX   sciderat Q   disciderant P^pcO^pcJ^pc ‖ 253 maiesta-
tem P^ac ‖ penetrarit : -et K   YML^acHIGJ^ac   N^acX   P^ac   -int
CD   -ant L^pc   -trararit   *Gre.* ‖ ad[a] : a N^ac ‖ ad quae : adque
CD^ac   K   HIGJ   NX   atque Y   M^acL   P^ac   at quae M^pc ‖ loco
A ‖ 255 psalmigrafo LHGJ^ac ‖ in : *om.* M^acL^acH^ac ‖ 256 erunt : erant
CD^ac ‖ iste M^ac ‖ 257 quadam K ‖ serae : serre K   sera LH^pcIGJ^ac
serra H^ac ‖ suppliciarum YM^acL^acHIJ^ac ‖ 258 significanter : συντόνως
add. Gre. Vic. ‖ 259 κατόχους αἰωνίους A   LI   PO : κατυ(.ο.Χ)-
ΧΟΥCΑΙωΝΙΟΙC NX   ΚΑΙΟΧΟΥΕΑΙωΝΙΟΥC Κ   ΚΑΤΥΧΥCΑΙωΝΙΟΥC
Υ   ΚΑΤΥΧΟΥCΑΙωΝΙΟΗ H^ac   ΚΑΤΟΧΟΥCΑΙωΝΙΟΙC H^pc   ΚΑΤΥ-
ΧΥCΑΙωΝΙΟΗ G   ΚΑΤΥΧΟΥCΑΙωΝΙΟC Υ^pcJ^pc   Νωχλουc ΑΙωΝΙΟΥC

Pour le Seigneur et Sauveur, voici ce qui, me semble-t-il, peut être compris, en suivant les deux éditions : sa faculté maîtresse[3] et sa tête, c'est-à-dire son âme, qu'il a daigné prendre avec un corps pour notre salut, est descendue « jusqu'au point de séparation des montagnes[4] ». Celles-ci étaient recouvertes par les flots, elles s'étaient soustraites à la liberté céleste, elles étaient cernées par l'Abîme, elles s'étaient séparées de la majesté divine. Ensuite, l'âme du Christ a même pénétré dans les Enfers, lieu où les âmes des pécheurs étaient traînées comme dans la dernière des boues[5], ainsi que dit le psalmiste : « Ils entreront dans les profondeurs de la terre, ils seront la part des renards[b] [6]. » Ce sont là « les verrous de la terre » et comme les barreaux du cachot suprême et des tortures ; ils refusent aux âmes captives de sortir des Enfers. C'est pourquoi les Septante ont traduit d'une manière expressive[7] par *liens éternels*, c'est-à-dire qui désirent retenir pour toujours ceux dont ils s'étaient une fois emparés.

Mais Notre Seigneur, dont nous lisons en *Isaïe* sous la personne de Cyrus[8] : « Je fracasserai les portes de bronze et je briserai les verrous de fer[c] », « est descendu jusqu'au bas des montagnes », il a été « enfermé » sous des « verrous éternels », pour libérer tous ceux qui étaient enfermés[9].

B   Fιατοχξιαlυνm CD   Ηαπτοχουcαιωνιουci Bi   ὁμαλῶς ἀεὶ ἐπιθυμοῦν *Gre.*   κάτοχοι αἰώνιοι *Era. Vic. Mar. Val.*(*i.t.*) *Ant. Adr. om.* Mᵖᶜ (*ras.*) ‖ 260 quod ML(Hᵃᶜ)GJᵃᶜ ‖ semel : semper Mᵃᶜ Lᵃᶜ(?)HᵃᶜGJᵃᶜ(?) ‖ inuaserant : -rint Nᵖᶜ   euaserant Pᵃᶜ   ei *praem.* HᵃᶜG ‖ 261 sed dominus noster : dominus autem noster F ‖ de quo : et *add.* F ‖ cyri : christi Pᵃᶜ   *om.* O ‖ 262 aeneas : aereas CD *Gre.*   aeneos A ‖ 263 aeternus F

II, 6 b-7 a b : Ps. 62, 10-11   c : Is. 45, 2

II, 7 b Heb. : ET SVBLEVABIS DE CORRVPTIONE VITAM MEAM,
           DOMINE DEVS MEVS.

LXX : *Et   ascendat   de   corruptione   uita   mea,*
       Domine Deus meus.

Proprie dixit : SVBLEVABIS uel : *ascendat de corrup-*
270 *tione uita mea,* quia ad corruptionem et ad inferna des-
cenderat. Hoc est quod apostoli interpretantur in quinto
decimo psalmo ex persona Domini prophetatum : « Quoniam non derelinques animam meam in inferno nec dabis
sanctum tuum uidere corruptionem [a] », quod Dauid scilicet
275 et mortuus sit et sepultus, Saluatoris autem caro non
uiderit corruptionem [b].

Alii uero interpretantur quod, ad comparationem caelestis beatitudinis et Verbi Dei, humanum corpus corruptio
sit quod seminatur in corruptione [c], et in centesimo
280 secundo psalmo ex persona iusti significetur : « Qui sanat
omnes infirmitates tuas, qui redimit ex corruptione uitam
tuam [d]. » Vnde et Apostolus dicat : « Miser ego homo, quis
me liberabit de corpore mortis huius [e] ? » et appelletur
« corpus mortis [f] » uel « corpus humilitatis [g] ». Hoc illi ad
285 occasionem suae ducant haereseos et sub persona Christi

II, 7 b 265 subleuabit K ‖ corruptionem Q ‖ 265-270 uitam —
corruptionem : *om.* P[ac] ‖ 267-268 et — meus : *om.* B ‖ 267 ascendat :
-dit M[ac]LH[ac]J PO   -det YH[pc]IG   *Gre. Era. Vic. Mar.* ‖ 268
deus meus : *om.* NX ‖ 269 proprie : -pie A   die *add.* K ‖ subleuabit
CD K O ‖ ascendat : -dit H[ac] O   -det H[pc]IGJL[pc]   *Gre. Era.*
Vic. Mar. ‖ 270 qui A[ac] B   M[pc] ‖ ad[1] : de YM[ac]LH[ac]GJ[ac] O ‖
corruptione YM[ac]LH[ac]GJ[ac] ‖ ad[2] : *om.* B   M[pc] P[ac] ‖ 273 derelinques : -quas K[ac] *Era.*   -quis K[pc]   -quens Y[ac] ‖ in : *om.*
H[ac] ‖ 274-276 quod — corruptionem : *om.* Bi ‖ 275 et[1] : *om. Mar.*
Val. Ant. ‖ sit : est CD   P[ac]   *Gre.* ‖ sepultus : sit *add.* B   M[pc] ‖
276 uiderit : uidet Y[ac]M[ac]L[ac]H[ac]   uidit L[pc]GJ ‖ 277 caelestes
N[ac] ‖ 280 secundo : -dum K[ac] Bi   *om.* A ‖ significetur : sanctifi-
cetur *Mar.* ‖ 281 tuas : nostras Bi ‖ qui : et *praem.* NX ‖ redimit :
-et K   L[ac]J   P[ac]O   redemit B   C   G   N[ac]X   Bi   *Gre. Era.*

I, 7 b Héb. : Tu feras monter ma vie de la corruption, Seigneur, mon Dieu !

LXX : Que ma vie remonte de la corruption, Seigneur, mon Dieu !

Contre les Origénistes C'est avec justesse qu'il a dit : « Tu feras monter » ou : « Que ma vie remonte de la corruption », parce qu'il était descendu dans la corruption et dans les Enfers[1]. C'est ce que les Apôtres[2] entendent dans le *Psaume* 15, comme annoncé au sujet du Seigneur : « Car tu n'abandonneras pas mon âme dans les Enfers et tu ne permettras pas que ton saint voie la corruption[a]. » En effet, David est mort et il a été enseveli, tandis que la chair du Sauveur n'a pas vu la corruption[b].

D'autres, cependant, entendent qu'en comparaison de la béatitude céleste[3] et du Verbe de Dieu, le corps humain est corruption[4], car il est semé dans la corruption[c], et que, dans le *Psaume* 102, il est dit également du juste : « Celui qui guérit toutes tes infirmités, qui rachète ta vie de la corruption[d]. » C'est en ce sens aussi, selon eux, que l'Apôtre déclarerait : « Malheureux homme que je suis ! Qui me libérera de ce corps de mort[e] ? » et qu'il serait question de « corps de mort[f5] » ou de « corps de bassesse[g6] ». Qu'ils produisent ce texte en faveur de leur hérésie[7], pour prêter

Mar. Val.(i.t.) Ant. ‖ ex corruptione : ex interitu Y(Mac)LHIJGpc de interitu CD   *Gre. Era. Vic. Mar. Val.(i.t.) Ant. (c. Vulg.)* ‖ 282 dicit CD   Ypc   NX   PO   *edd.* ‖ 283 liberauit A   C   K   YMac   X   PO ‖ corpore : corruptione CD ‖ appellatur A   CD   *edd.* ‖ 285 ducant : ducunt *edd.*   dicant K ‖ et : ut *edd.* (— *Adr.*)

II, 7 b a : Ps. 15, 10   b : Act. 2, 29-31 ; 13, 36-37   c : I Cor. 15, 42   d : Ps. 102, 3-4   e : Rom. 7, 24   f : Rom. 7, 24   g : Phil. 3, 21

mentiantur antichristum, ecclesias teneant ut uentrem
pinguissimum nutriant et, carnaliter uiuentes, contra
carnem disputent[h].

Nos autem scimus de incorrupta uirgine corpus adsump-
290 tum non corruptionem Christi fuisse sed templum. Quod
si in Apostoli ad Corinthios sententiam trahimur in qua
« corpus » dicitur « spiritale [1] », ne contentiosi | uideamur, *41*
dicemus idipsum quidem corpus et eamdem carnem resurgere quae sepulta est, quae in humo condita, sed mutare eam
295 gloriam, non mutare naturam : « Oportet enim corruptiuum hoc induere incorruptionem et mortale hoc induere
immortalitatem [j]. » Quando dicitur « hoc », quodammodo
duobus digitulis comprehensum corpus ostenditur : hoc in
quo nascimur, hoc in quo morimur, hoc quod timent reci-
300 pere qui puniendi sunt, hoc quod uirginitas exspectat ad
praemium, adulterium formidat ad poenam.

Super Iona autem ita intellegi potest quod qui in uentre
ceti iuxta naturam corporum corrumpi debuerat et in cibos
bestiae proficere ac per uenas artusque diffundi, sospes et
305 integer manserit. Porro quod ait : DOMINE DEVS MEVS,
blandientis affectus est, quod communem omnium Deum,
beneficii magnitudine, suum et quasi proprium senserit
Deum.

II, 7 b 286 antechristum K   Y ‖ terreant CD   *Gre.* ‖ 288 dispu-
tant YM[ac]LH[ac]GJ[ac]   *Gre. Era. Mar. Val.(i.m.) Ant.* ‖ 289 autem :
haec Y(M[ac])L(H[ac])G[ac](J[ac]) ‖ adsumpto M[ac]H[ac] ‖ 290 corruptione Y ‖
christi : in christo B ‖ templi K ‖ 291 in[1] : *om.* Bi ‖ sententiam : -a Bi
secundam epistolam A ‖ trahimus NX ‖ 292 dicitur corpus spiritale
B ‖ spirituale *Era. Vic. Mar. Val. Ant.* ‖ uideamur : -mus N[ac]   uide-
mur A ‖ 293 dicimus B   ⑤   PO ‖ quidem : quid est C   J[ac]   quide
in B ‖ et : *om.* NX ‖ surgere B   D ‖ 294 in : *om.* H[pc]I   NX   Bi ‖
condita : est *add.* NX   POJ[pc] ‖ mutari D[pc] ‖ 294-295 eam gloriam :
eam in gloria CD   eum in gloria *Gre.* ‖ 295 natura K ‖ corruptum
CD   *Gre.* ‖ 297 immortalitate A ‖ 298-299 hoc — nascimur : *om.* BM[pc]
Y   P[ac] ‖ 299 hoc — morimur : *om.* CD   M[ac]LHIGJ[ac]   *Gre.* ‖ hoc
quod : hoc in quod K ‖ 302 ionam Y(M[ac])LHIGJ ‖ 303 in cibos : *om.*
M[ac]LH[ac]GJ[ac] ‖ cibos : -us M[ac]LH[ac]GJ[ac]   quibus F ‖ 304 arctusque F ‖

au Christ les propos de l'Antichrist[8], pour détenir les
Églises et nourrir leur ventre bien gras, pour discourir
contre la chair tout en vivant charnellement[h] !

Quant à nous, nous savons que le corps pris de la
vierge[9] sans corruption ne fut pas la corruption mais
le temple du Christ. Si on nous amène devant l'affirmation de l'Apôtre aux Corinthiens[i] selon laquelle le
« corps » est dit « spirituel[10] », nous dirons, pour ne
pas paraître chicaner[11], que c'est en vérité le même
corps et la même chair[12] qui ressuscitera, celle qui
a été ensevelie, celle qui a été mise en terre, mais
que sa gloire changera[13], si sa nature ne change
pas ; « car il faut que cet être corruptible revête
l'incorruptibilité et que cet être mortel revête l'immor-
talité[j] ». Quand on dit « cet être »[14], c'est comme si on
montrait le corps en le pinçant entre deux bouts de doigt :
ce corps dans lequel nous naissons, ce corps dans lequel
nous mourons, ce corps que craignent de retrouver ceux
qui doivent être punis, ce corps que la virginité attend
pour sa récompense, l'adultère redoute pour son châtiment.

Pour Jonas[15], voici comment on peut comprendre :
alors qu'il aurait dû, dans le ventre du monstre, connaître
la corruption naturelle des corps, servir de nourriture
à la bête et se répandre dans ses veines et ses membres,
il est demeuré sain et sauf et intact. Quant à la formule
« Seigneur, mon Dieu », elle exprime un sentiment d'affection. Dieu est commun à tous, mais Jonas, à cause de la
grandeur du bienfait reçu, a l'impression qu'il est son
Dieu propre, à lui en quelque sorte[16].

---

diffundi : deffundi F defundi CD[ac]   difundi N[pc]X   difudi N[ac] ‖
305 dominus YM[pc](?) L ‖ 306 omnium deum : *tr. Era. Vic. Mar.
Val. Ant.*   dominum omnium CD   *Gre*   dominum F ‖ deum :
dominum CD   domini YG

II, 7 b h : Tertullien, *De resurr.*, 11, 1   i : I Cor. 15, 44
j : I Cor. 15, 53

II, 8 a Heb. : Cvm angvstiaretvr in me anima mea, domini
310   recordatvs svm.

LXX : *Cum deficeret ex me anima mea, Domini
recordatus sum.* | 113

Cum, inquit, nullum aliud sperarem auxilium, recor-
datio Domini mihi saluti fuit, iuxta illud : « Recordatus
315 sum Domini et laetatus sum [a] », et in alio loco : « Recordatus sum dierum antiquorum et annos aeternos in mente
habui [b]. » Ergo, cum desperarem salutem et carnis fragilitas
in medio uentre ceti nihil me de uita sperare permitteret,
quidquid impossibile uidebatur Domini recordatione supe-
320 ratum est. Videbam me clausum utero et tota spes mea
Dominus erat. Ex quibus discimus iuxta Septuaginta eo
tempore quo *deficit anima* nostra et a corporis compage
diuellitur, non nos debere alio cogitationem uertere nisi ad
eum qui, et in corpore et extra corpus, noster est Dominus.
325 Super Saluatoris uero persona, non est difficilis interpretatio qui dixit : « Tristis est anima mea usque ad mortem [c] », et : « Pater, si possibile est, transeat calix iste a
me [d] », et : « In manus tuas commendo spiritum meum [e] »
et cetera his similia.

II, 8 a h *in* P   Heb *in* H ‖ 309 angustiaretur : angusta- B   PO
Q   anxiaretur NX   Pal   *Val.(i.m.)* ‖ 311 deficeret : deficerit M[ac]
H[ac]   defecerit CD   K   YL[ac]H[pc]IGJ[ac]   dececeret P[ac] ‖ ex : in
N(*sp.l.*) ‖ domini : misericordiae Bi ‖ 312 recordatus : memoratus CD
Gre. ‖ 313 alium A   NXQ   Bi ‖ 314 domini : *om.* A ‖ saluti : salus L[pc]
salutis D ‖ illud : quod *add.* K ‖ 315 laetatus : domini *add.* A ‖ 316
aeternos : et nos D ‖ 317 ergo : ego CD   F   YMLHIGJ[ac]   *edd.*
(— *Adr.*) ‖ 318 in : *om.* Bi ‖ permitterit K ‖ 319 speratum YM[ac]L[ac]
HIGJ ‖ 320 clausum : in *add.* A[ac]   *Era. Vic. Mar. Val. Ant.* ‖ utero :
ceti *add.* Ⅽ   P[pc]   *Era Vic. Mar. Val. Ant.* ‖ 321 eodem CD   *Gre.* ‖
322 quod A   CD[ac]   P[ac] ‖ deficit : defecit CD[ac]   K   YH[ac]   difecit
M[ac]L[ac] ‖ a : *om.* PO ‖ 323 alio : ad alios NX   alis K ‖ cogitatione
K   NX ‖ nisi : ni X ‖ 324 in : *om.* K[ac] ‖ 325 super saluatoris uero

8 a Héb. : Lorsque mon âme en moi était angoissée, je me suis
            souvenu du Seigneur.

LXX : Lorsque mon âme se séparait de moi, je me suis
      souvenu du Seigneur.

La confiance de Jonas Alors, dit-il[1], que je n'espérais plus
                         aucun autre secours, le souvenir du
Seigneur a été mon salut, selon la parole : « Je me suis
souvenu du Seigneur et je me suis réjoui[a] », et, dans un
autre endroit : « Je me suis souvenu des jours anciens et
j'ai pensé aux années de l'éternité[b] ». Donc, alors que je
désespérais d'être sauvé et que la faiblesse de la chair
ne me laissait aucun espoir de vie au milieu du ventre
du monstre, tout ce qui semblait impossible a été vaincu
par le souvenir du Seigneur[2] : je me voyais enfermé
dans ce ventre et toute mon espérance était le Seigneur.
Nous apprenons par là, selon les Septante, qu'au moment
où notre « âme se sépare » et s'arrache à son union avec le
corps, nous ne devons tourner nos pensées que vers celui
qui, que nous soyons dans notre corps ou hors de notre
corps, est notre Seigneur.

Quant à ce qui concerne la personne du Sauveur,
l'interprétation n'est pas difficile[3]. Il a dit en effet : « Mon
âme est triste jusqu'à la mort[c] », et : « Père, si c'est possible,
que ce calice passe loin de moi[d] », et : « Entre tes mains,
je remets mon esprit[e] », et les autres paroles semblables.

---

persona : ex persona domini F ‖ non est difficilis : facilis est F ‖ 327 et :
om. YMLHIGJ[ac] ‖ 327-328 a me calix iste CD   Bi   *edd.* (— *Adr.*) ‖
329 his similia : *om.* Bi

II, 8 a a : Ps. 76, 4   b : Ps. 76, 6   c : Matth. 26, 38 ; Mc 14,
34   d : Matth. 26, 39   e : Lc 23, 46

II, 8 b Heb. : Vt veniat ad te oratio mea, ad tem | plvm
sanctvm tvvm.   *41*

LXX : *Similiter.*

Idcirco in tribulatione « Domini recordatus sum ᵃ » *VT
ORATIO MEA* de extremo mari et « scissuris montium ᵇ » cons-
335 cendat ad caelos et *VENIAT AD TEMPLVM SANCTVM TVVM*
in quo tu aeterna frueris beatitudine. Et considerandum
quod, nouo genere, oratio fiat pro oratione et precetur
ut oratio illius conscendat ad templum Dei. Petit autem
quasi pontifex ut in corpore suo populus liberetur.

II, 9 Heb. : Qvi cvstodivnt vanitates frvstra, misericordiam svam derelinqvent.

LXX : *Qui custodiunt uana et mendacia, misericordiam suam reliquerunt.*

Deus natura misericors est et paratus ut saluet clementia
345 quos non potest saluare iustitia. Nos autem uitio nostro
paratam misericordiam et ultro se offerentem perdimus
et relinquimus. Et non dixit : « Qui faciunt uanitates » —
' Vanitas quippe uanitatum omnia uanitas ᵃ ' —, ne
damnare uideretur uniuersos et cuncto generi humano

II, 8 b 330 ut : et F   Q   Pᵃᶜ   Bi   *om.* E ‖ ueniet F   Pᵃᶜ ‖
ad te : *om.* HᵖᶜIG   NXQ ‖ 332 similiter : *om. Era. Vic. Mar.* ‖ 334
maris K ‖ et : ex *add.* A   de *add.* POJᵖᶜ ‖ 335 tuum : *om.* YMᵃᶜ
LHᵃᶜGJᵃᶜ ‖ 336 tu : tua CDᵃᶜF   YMLHIGᵃᶜ(?)J   *Gre   om.* NX ‖
aeternae CD ‖ 337 nouo genere : noui gerere YMᵃᶜLᵃᶜHᵃᶜ ‖ 339
populos MᵃᶜHᵃᶜ ‖ liberetur : liberet Mᵃᶜ   libetur Lᵃᶜ   liberaretur
Bi

II, 9 ʜb *in* HIG   ᴇb *in* P ‖ 341 suam : *om.* YMᵃᶜLHᵃᶜGJ ‖
derelinquent : -quunt BMᵖᶜ   PᵖᶜOJᵖᶜ (*c. Vulg.*) Vic.   dereliquerunt A ‖ 342 uanitatis K ‖ mendacia : falsa Y(Mᵃᶜ)LHIGJ ‖
343 reliquerunt : relinquerunt CD   Pᵃᶜ   dereliquerunt NXᵖᶜ   Pᵖᶜ
OJᵖᶜ   Bi ‖ 344 est : *om.* BMᵖᶜ ‖ ut saluet : *om.* C ‖ 345 uitia YMᵃᶜ
LᵃᶜHᵃᶜ ‖ nostra A   YMᵃᶜLᵃᶜHᵃᶜ ‖ 346 se : *om.* A ‖ 348 uanitatum :

I, 8 b Héb. : Pour que ma prière parvienne jusqu'à toi, jusqu'à ton saint temple.

LXX : Pareillement[1].

Dans la détresse, je me suis précisément « souvenu du Seigneur[a] » « pour que ma prière », du fond de la mer et du « point de séparation des montagnes[b] », monte jusqu'aux cieux et « parvienne jusqu'à ton saint temple », où tu jouis de la béatitude éternelle. Il faut remarquer cette façon nouvelle de faire, une prière pour une prière : il demande que sa prière monte jusqu'au temple de Dieu. Il implore, en tant que pontife, que, dans son corps, son peuple soit libéré[2].

II, 9 Héb. : Ceux qui pour rien gardent des vanités abandonneront leur miséricorde.

LXX : Ceux qui gardent des vanités et des mensonges, ont abandonné leur miséricorde[1].

Jonas philosophe Par nature, Dieu est miséricordieux[2]. Il est prêt à sauver par sa clémence ceux qu'il ne peut sauver par sa justice. Mais nous, nous perdons et abandonnons par notre faute la miséricorde qui est préparée pour nous et qui vient s'offrir à nous. Il n'a pas dit : « Ceux qui *accomplissent* des vanités » — car ' Vanité des vanités, tout est vanité[a] ! ' — pour ne pas sembler condamner tout le monde et refuser la miséricorde à l'ensemble du genre humain, mais : « Ceux

-tis YM[ac]LHIG   -tancium K ‖ omnia : et *praem.* J[pc] *Era. Vic. Mar. Val. Ant.* ‖ 349 uideretur : uideremur NX   uideatur L[ac]

2/8 b a : Jonas 2, 8a   b : Jonas 2, 6b
2/9 a : Eccl. 1, 2

350 misericordiam denegare, sed : QVI CVSTODIVNT VANITATES
(siue *mendacium*), « qui transierunt in affectum cordis ᵇ »,
qui non solum faciunt, sed ita custodiunt uanitates quasi
diligant et thesaurum inuenisse se putent. Simulque cerne
magnanimitatem prophetae : in profundo maris, in uentre
355 tantae bestiae aeterna nocte coopertus, non cogitat de
periculo suo, sed de natura rerum generali sententia philo-
sophatur. MISERICORDIAM, inquit, SVAM DERELINQVENT.
Licet offensa sit misericordia — quam nos possumus ipsum
intellegere Deum : « Misericors enim et miserator Dominus,
360 patiens et multae miserationis ᶜ » —, tamen eos QVI |
CVSTODIVNT VANITATES non relinquit, non detestatur, sed 11
exspectat ut redeant ; illi uero, stantem MISERICORDIAM et
ultro se offerentem, sponte propria DERELINQVVNT.

Potest hoc et ex persona Domini de Iudaeorum perfidia
365 prophetari qui, dum se aestimant « praecepta hominum ᵈ »
et Pharisaeorum mandata seruare — quae VANITAS atque
mendacium sunt —, Deum qui semper eorum misertus
fuerat, *reliquerunt.*

II, 10 Heb. : EGO AVTEM IN VOCE LAVDIS IMMOLABO TI ‖ BI ;   *4*
370   ‖ QVAECVMQVE VOVI REDDAM PRO SALVTE DOMINO. *4*

II, 9 350 misericordia Y ‖ sed : *om. Gre.* ‖ custodiunt : consen-
tiunt Y(Mᵃᶜ)LHIGJᵃᶜ Pᵖᶜ(*i.m.*) ‖ uanitati Y(Mᵃᶜ)LHIGJᵃᶜ ‖ 352
quasi : quam sic Lᵖᶜ(?)   quas E ‖ 353 diligant : -unt D E
YMᵃᶜLHᵃᶜ   id est idola et auguria *add.* E ‖ et : ut Lᵖᶜ ‖
inuenire *Ant. Adr.* ‖ se : *om.* Bi ‖ putant PO ‖ cerni X ‖ 354 magnanimitatem : -te K   magna nimietate A ‖ profundum Biᵃᶜ ‖ 355 tanta
B ‖ 357 inquit suam : *tr.* K ‖ inquit : *om.* A ‖ suam : qui *add.* A ‖
derelinquunt BMᵖᶜ PᵖᶜO ‖ 358 licet : latet Bi ‖ offensa : si *add.* Bi ‖
misericordiam F Kᵃᶜ ‖ quem A B K YMLHᵃᶜ NᵃᶜX POᵃᶜ ‖
359 miserator : -tur F   misera C   misericordia D ‖ 360 patiens —
miserationis : *om.* B ‖ patiens : faciens CDᵃᶜ ‖ 361 uanitatem CD ‖
relinquit : derelinquit A relinquid K ‖ non² : nec BMᵖᶜ K ‖ 362
exspectant I ‖ stante B ‖ 363 sponte : se *add.* Bi ‖ 364 et : *om.* 𝔊 ‖
365 praecepto PO ‖ 367 mendacium : mentium Q ‖ deum : domini

qui *gardent* les vanités » — ou « le mensonge », « ceux qui
en sont venus à aimer leur cœur[b] », qui ne se contentent
pas d'*accomplir* des vanités, mais les *gardent*, comme s'ils
les aimaient et pensaient avoir trouvé un trésor. Observez
en même temps la grandeur d'âme du prophète : il est
au fond de la mer, recouvert d'une nuit éternelle dans
le ventre d'un si grand monstre. Pourtant, il ne songe pas
au danger qu'il court, mais il philosophe, en émettant un
avis général sur la nature[3]. « Ils abandonneront, dit-il,
leur miséricorde. » Bien que la Miséricorde soit offensée
— nous pouvons voir en elle Dieu lui-même, car « le
Seigneur est miséricordieux et pitoyable, patient et plein
de pitié[c] » —, cependant elle n'abandonne pas « ceux qui
gardent des vanités », elle ne les rejette pas, mais elle attend
qu'ils reviennent. Mais eux, « abandonnent » délibérément
la « miséricorde » qui se tient devant eux et qui s'offre à eux.

Cela peut être prophétisé aussi, par la personne du
Seigneur, de l'infidélité des Juifs[4] : en pensant observer
des « préceptes d'hommes[d] » et les commandements des
pharisiens — qui ne sont que « vanité » et « mensonge » —,
ils « ont abandonné » Dieu, qui toujours leur avait fait
miséricorde.

10 Héb. : Mais moi, dans des paroles de louange, je t'offrirai
des victimes. Tous mes vœux, je les accomplirai
au Seigneur, pour le salut.

MLH[ac]GJ(?) ‖ eorum misertus : *tr.* NX ‖ miseratus *Gre.* ‖ 368 erat
A E NXQ ‖ reliquerunt : relinq- CD *om.* M[ac]L[ac]H[ac] praecepta contemnunt L[pc] non recordantur H[pc]IGJ dereliquerint E
II, 10 ʜᴇʙ *in* HIG ‖ 369 in : cum E[ac]F YMLH[ac]GJ ‖ 370 quaecumque : quo- Y[ac]M[ac](?)L[ac]H[ac] quod- L[pc] ‖ uoui : uiuo L[ac]

II, 9 b : Ps. 72, 7 c : Jonas 4, 2-3 ; Ex. 34, 6-7 ; Ps. 144, 8
d : Mc 7, 7 ; Is. 29, 13 LXX

LXX : *Ego autem cum uoce laudis et confessionis immolabo tibi ; quaecumque uoui reddam tibi salutare Domino.*

« Qui custodiunt uanitates, suam misericordiam reliquerunt [a] » ; ego autem, qui pro multorum salute deuoratus
375 sum, in *uoce laudis et confessionis immolabo tibi*, meipsum offerens « quia Pascha nostrum immolatus est Christus [b] » et, quasi pontifex et ouis, seipsum pro nobis obtulit. Et confiteor, inquit, tibi, ut ante confessus sum dicens : « Confiteor tibi Pater Domine caeli et terrae [c]. ». Et red-
380 dam uota quae feci PRO SALVTE omnium *DOMINO*, ut omne quod ' dedisti mihi non pereat in aeternum [d] '. Cernimus quid in sua passione Saluator pro nostra salute promiserit ; non « faciamus mendacem [e] » Iesum. « Mundi [f] » simus et ab uniuersis peccatorum sordibus separati, ut nos
385 Deo Patri offerat uictimas quas uouerat.

II, 11 Heb. : ET DIXIT DOMINVS PISCI, ET EVOMVIT IONAM IN ARIDAM.

LXX : *Et praecepit ceto, et eiecit Ionam super siccam.*

II, 10 372 tibi : *del.* L^pc ‖ salutare : -ri YL^pc   salute Bi ‖ domino : domini A B D^pc F K ϛ NX PO Bi   domine CD^ac *Gre.* ‖ 373 suam : suas K^pc   suas et *Gre.* ‖ reliquerunt : relinquerunt CD F   derelinquunt Bi ‖ 376 est : *om.* L ‖ 377 pontifex : uerus *praem.* n *Mar. Val. Ant.* ‖ oues M^acG^acJ^ac   Q ‖ 378 inquit tibi : *tr.* ϛ ‖ confessus sum : confessum B ‖ 379 confitebor CD I PO Bi *Era. Val. (i.m.)* ‖ pater domine : *tr.* ϛ   NX ‖ domine : *om.* Q ‖ caeli : et *praem.* K^ac ‖ 380 fecisti Bi ‖ omnium : hominum YM^acLHIGJ P^pc(*i.m.*) ‖ 382 quod MLHIGJ^ac ‖ 383 mendacium K ‖ iesum : dominum *Gre.*   ergo *add. Mar. Val.* ‖ mundi simus : mundissimus A^ac K J^ac I

II, 11 нb *in* HIG   EB *in* PO ‖ 386 euomuit : uomuit C K YM^acLHIGJ^ac XQ   euomit A D^ac ‖ ionam : et *praem.* Q ‖

LXX : Mais moi, avec des paroles de louange et d'action
de grâces, je t'offrirai des victimes. Tous mes
vœux, je les accomplirai pour toi, mon Seigneur,
à cause de mon salut[1].

Le sacrifice du Christ « Ceux qui gardent des vanités,
ont abandonné leur miséricorde [a2] » ;
mais moi qui ai été dévoré pour le salut de beaucoup,
dans « des paroles de louange et d'action de grâces je
t'offrirai des victimes », en m'offrant moi-même ; « car
le Christ, notre Pâque, a été immolé [b] » et, pontife en même
temps qu'agneau[3], il s'est offert pour nous. Et je te rends
grâces, dit-il, comme je t'ai rendu grâces lorsque j'ai dit :
« Je te rends grâces, Père, maître du ciel et de la terre [c]. »
Et j'accomplirai les vœux que j'ai faits « au Seigneur
pour le salut » de tous, pour que tout ce que ' tu m'as
donné ne périsse pas à jamais [d] '. Nous voyons ce que le
Sauveur a promis pour nous dans sa Passion. Ne « rendons »
pas Jésus « menteur [e] ». Soyons « purs [f] » et tenons-nous
éloignés de toutes les souillures des péchés, pour qu'il
nous offre à Dieu le Père comme les victimes qu'il avait
vouées.

11 Héb. : Le Seigneur parla au poisson qui vomit Jonas
sur la terre sèche.

LXX : Il commanda au monstre qui rejeta Jonas sur la
terre ferme.

---

388 praecepit : praeci-M^{ac}L^{ac} O   et *praem.* Q ‖ iecit C   M^{ac}LHG^{ac} ‖
389 siccam A Y(M^{ac})LHIGJ NX PO Bi : siccum CD *edd.*
terram BM^{pc} siccam terram K

II, 10 a : Jonas 2, 9   b : I Cor. 5, 7   c : Matth. 11, 25   d : Jn
6, 39 ; 10, 28 ; 17, 12   e : I Jn 1, 10   f : Is. 1, 16

390 Haec quae supra legimus sub persona Ionae, Dominus
deprecatus sit in uentre ceti de quo et Iob mystice loquitur :
« Maledicat ei qui maledixit diei illi, qui magnum cetum
capturus est [a]. » *Praecipitur* ergo huic magno ceto et
abyssis et inferno ut terris restituant Saluatorem et qui
395 mortuus fuerat, ut liberaret eos qui mortis uinculis tene-
bantur, secum plurimos educat ad uitam. Quod autem
scribitur EVOMVIT, ἐμφχτικώτερον debemus accipere quod
ex imis uitalibus mortis uictrix uita processerit.

III, 1-2 Heb. : ET FACTVM EST VERBVM DOMINI AD IONAM SECVNDO
DICENS : SVRGE ET VADE IN NINEVEN CIVITATEM
MAGNAM ET PRAEDICA IN EA IVXTA PRAEDICATIO-
NEM PRIOREM QVAM EGO LOQVOR AD TE.

5 LXX : *Et factus est sermo Domini ad Ionam secundo*
dicens : Surge et uade in Nineuen ciuitatem
magnam et praedica in ea iuxta praedicatio-
nem priorem quam ego locutus sum ad te.

Non dicitur prophetae : « Quare non fecisti quod tibi
10 fuerat imperatum ? » Sed sufficit ei | naufragii et | deuoratio-
nis sola correptio, ut qui imperantem non senserat Domi-

II, 11 390 legimus : quod *add.* P^pc (*i.m.*) ‖ personae A ‖ 391 sit
Codd. Gre. Adr. : est *rell.* ‖ iob : in *praem.* BM^pc K ‖ 392 ille
J^pc N^pcO^pcBi *Era. Vic. Mar. Val. Adr.* ‖ magnam coetam LH^ac
G^acJ^ac ‖ 393 ergo : *om.* F *Gre.* ‖ 394 abysso POJ^pc ‖ terris : ceteris
YM^acL^acH^acG^ac ‖ restituant : -tuat K^ac   -tuunt F ‖ 395 liberet
F ‖ mortis : suae *add. Gre.* ‖ 396 educat : educant O   ducat Bi ‖
ad uitam educat Ⅾ ‖ 397 euomuit : euomit K L^ac(M^ac)HIG^acJ^ac   et
uomuit NXQ ‖ ἐμφατικώτερον : ΕΝΦΑΤΙΚΩΤΕΡΟΝ BM^pc K   ΕΝΦΑ-
ΤΙΡΚΑΤΕΡΟΝ CD   ΕΜΦΩΤΙΚΩΤΕΡΟΝ P^pcO^pcJ^pcH^pcI   ΕΜΨΑΤΙΚΩ-
ΤΕΡΩΝ N   ΕΜΨΩΤΙΚΩΤΕΡΩΝ X   ΕΝΧΤΙΦΛΥΤΕΡΟΝ YLG   ΕΜΦΤΙ-
ΚΩΥΠΟΝ Bi ‖ 398 imis : imiis YM^acL^acH^acG^acJ^ac Q   intimis P^pc ‖
uitalibus : uisceribus K   uitabus Q ‖ processerit : successerit E
proicessit Q
III, 1-2 ᴴᴱᴮ *in* HI ‖ 1-2 secundo dicens : *tr.* F ‖ 2 et : *om.* NXQ ‖
nineue PO ‖ 3 in ea : *om.* A ‖ eam BM^pc K^ac(?) ‖ 4 priorem : *secl.*

Le Grand monstre vaincu   Ce que nous avons lu plus haut au nom de Jonas[1], le Seigneur l'aura prononcé en prière dans le ventre du monstre dont Job aussi parle, en langage mystique[2] : « Que le maudisse celui qui a maudit ce jour, celui qui doit capturer le Grand monstre[a]. » Il est donc « commandé » à ce Grand monstre, aux Abîmes et à l'Enfer[3] de rendre à la terre le Sauveur, pour que celui qui était mort pour libérer ceux qui étaient retenus dans les liens de la mort[4] emmène avec lui la foule vers la vie. L'expression « il vomit[5] » est à prendre dans un sens plus expressif[6] : du fin fond des centres vitaux de la Mort, la Vie s'est avancée, victorieuse !

1-2   Héb. :   Et la parole du Seigneur fut adressée à Jonas une seconde fois, disant : « Lève-toi et va à Ninive, la grande ville, et parles-y selon la première proclamation que je te dis. »

    LXX :   Et l'annonce du Seigneur fut adressée à Jonas une seconde fois : « Lève-toi et va à Ninive, la grande ville, et parles-y selon la première proclamation que je t'ai dite[1]. »

La seconde mission   Il n'est pas dit au prophète : « Pourquoi n'as-tu pas fait ce qui t'avait été ordonné ? » La seule punition du naufrage et de l'engloutissement lui suffit pour comprendre que sa

---

Vic. ‖ quae Bi ‖ loquor : loquar F   M[ac]LHIGJ[ac]   locutus sum POJ[pc] ‖ 5 factum A ‖ 7 eam BM[pc]   K ‖ 9 prophetae : proterue C *Gre*   propterue D[ac]   porotue D[pc] ‖ quid F ‖ te F ‖ 10 sed : quia E ‖ sufficit : suffecit F   sufficet M[ac]L[ac] ‖ naufragium CD *Gre.* ‖ 11 correptio : correctio E[ac]   corruptio L[ac] ‖ senserant A ‖ dominum : deum A   YM[ac]LHIGJ   Bi

---

II, 11 a : Job. 3, 8 LXX

num intellegeret liberantem. Alioquin superfluum est
delinquenti seruo post plagas uelle imputare quod fecit,
cum huiuscemodi correptio non tam emendatio sit quam
15 exprobratio.

Dominus autem noster post resurrectionem secundo
mittitur ad Nineuen ut qui prius quodammodo fugerat
dicens : « Pater, si possibile est, transeat calix iste a me [a] »
et noluerat dare « panem filiorum canibus [b] », nunc quia
20 illi dixerant : « Crucifige, crucifige » talem ! Nos « non habemus regem nisi Caesarem [c] », sponte pergat ad Nineuen et
hoc praedicet post resurrectionem quod ut praedicaret
ante passionem ei fuerat imperatum. Totum autem quod
iubetur, quod oboedit, quod non uult, quod iterum uelle
25 cogitur, quod Patris secundo exsequitur uoluntatem, refer
ad hominem et ad « formam serui [d] » cui talia uerba
conueniunt.

III, 3-4 a Heb. : ET SVRREXIT IONAS ET ABIIT AD NINEVEN IVXTA
VERBVM DOMINI. ET NINEVE ERAT CIVITAS MAGNA
30　　　　　DEI ITINERE TRIVM DIERVM. ET COEPIT IONAS
INTROIRE IN CIVITATEM ITINERE DIEI VNIVS.

LXX : *Et surrexit Ionas et abiit in Nineuen sicut locutus ei
fuerat Dominus. Erat autem Nineue civitas magna*

III, 1-2 12 intellegeret : -rit E[ac]   -rent K ‖ 12-15 alioquin —
exprobratio : *om.* E ‖ 12 alioqui BM[pc] P[pc]O ‖ 13 derelinquenti A
P[ac] ‖ uel Bi ‖ 14 correctio PO ‖ 17 qui : *om.* E ‖ quodammodo : *om.* E ‖
18 a me calix iste CD E ⹂ *edd.* (— *Adr.*) (*c. Vulg.*) ‖ 19 noluerat :
-rit Y(?) O   -ret N[ac] ‖ 20 ille K ‖ dixerunt Bi ‖ talem : *tr.* A ‖ 21
pergit *edd.* (— *Adr.*) ‖ ut *edd.* (— *Adr.*) ‖ 22 et hoc praedicet : iuxta
praedicationem priorem hoc Christus praedicat E ‖ 23 ante *Gre. Adr.* :
et *praem.* ⹂ *rell.* ‖ 24 iubetur : uidebitur L(M[ac])H[ac]G[ac]J[ac] ‖ oboedit : oboeditur Y   oboediuit CD E *Gre.*   oboediit L[pc] ‖ 24-25
quod[a] — uoluntatem : *om.* E ‖ iterum : uerum *Gre.* ‖ 25 secundo :
-dam L(M[ac])H[ac]GJ   *om.* P[ac] ‖ exequitur A K M[pc] PO *Gre.*
Era. Vic. Mar. Val. ‖ refer : refert K YJ[ac] P[ac] E[pc] *Gre.*   refe-
rat E[ac](?)   referet I ‖ 26 et : *om.* Q ‖ talia : uitalia E

délivrance lui vient de ce Seigneur dont il n'avait pas entendu les ordres. D'ailleurs, il est superflu, une fois qu'un serviteur fautif[2] a reçu son châtiment, de vouloir lui reprocher ses actes, car une telle punition serait moins une réprimande qu'une réprobation.

Quant à Notre Seigneur, après la Résurrection, il est envoyé une seconde fois à Ninive. La première fois, il avait fui en quelque sorte, en disant : « Père, si c'est possible, que ce calice s'éloigne de moi[a] », et il n'avait pas voulu donner le « pain des fils aux chiens[b] » ; maintenant que ces fils ont crié : « Crucifie, crucifie » un tel homme ; nous, « nous n'avons d'autre roi que César[c] », il se rend spontanément à Ninive, pour proclamer après sa Résurrection ce qui lui avait été ordonné de proclamer avant sa Passion[3]. L'ordre donné, l'obéissance, le refus, le fait d'être contraint dans un second temps, l'exécution de la volonté du Père la seconde fois, rapportez tout cela à l'homme et à la « forme d'esclave[d] », à qui conviennent de telles expressions.

4a Héb. : Jonas se leva et s'en alla vers Ninive, selon la parole du Seigneur. Ninive était la grande ville de Dieu, de trois jours de parcours. Jonas commença à pénétrer dans la ville, durant un jour de parcours.

LXX : Jonas se leva et s'en alla à Ninive, comme le Seigneur le lui avait dit. Or, Ninive était une grande

---

III, 3-4 a ᴴᴱᴮ uer *in* H   ᴴʙ *in* IG ‖ 28 ad : in CD   Bi   *edd.* (— *Adr.*) ‖ 29 erat ciuitas : *tr.* CD ‖ 30 dei : *om.* Aᵖᶜ Nᵖᶜ (*c.Vulg.*) ‖ trium dierum : *tr.* O   Bi ‖ 32 resurrexit CD   *Gre.* ‖ 32-33 ei locutus fuerat CD   Bi   *edd.*   locutus fuerat ei N ‖ 33 fuerat : est 𝕾 ‖ autem : haec YL(Mᵃᶜ)HᵃᶜGJᵃᶜ ‖ nineuen A   NX   O ‖ magno CD

III, 1-2 a : Matth. 26, 39   b : Matth. 15, 26   c : Jn 19, 15a, etc.   d : Phil. 2, 7

Deo quasi itinere uiae dierum trium. Et coepit Ionas
35   *ingredi ciuitatem quasi itinere uiae diei unius.*

Statim Ionas quod sibi fuerat imperatum opere perfecit.
Nineue autem erat ad quam pergebat propheta ciuitas
magna et tanti ambitus ut uix trium dierum posset itinere
circumiri. At ille praecepti et superioris naufragii memor
40 uiam trium dierum unius diei festinatione compleuit, quamquam sunt qui ita simpliciter intellegant quod in tertia
tantum parte urbis praedicauerit et ad reliquos confestim
praedicationis sermo peruenerit.

Dominus autem noster proprie post inferos consurgere
45 dicitur et uerbum Domini praedicare quando mittit apostolos ut baptizent eos qui erant in Nineue « in nomine
Patris et Filii et Spiritus Sancti [a] », hoc est ITINERE TRIVM
DIERVM. Et hoc ipsum sacramentum | salutis humanae 4
unius diei uia, id est unius Dei confessione perficitur, non
50 tam apostolis quam in apostolis praedicante Iona. Ipse
enim dicit : « Ecce ego uobiscum sum usque ad consumma-
tionem saeculi [b]. »

III, 3-4 a 34 dei O ‖ itinere : fuerat *add.* Y(M[ac])(L[ac])H[ac]GJ[ac]   fuerit
add. L[pc] ‖ uiae : *om.* H[pc]I ‖ dierum trium : *tr.* YM[ac]LHIGJ ‖ 34-35
dierum — uiae : *om.* C (*per homeot.*) ‖ 35 ingredi : in *add.* BM[pc] ‖ uiae :
om. YM[ac]LHIGJ *Era. Vic. Mar.* ‖ die B ‖ diei unius : *tr.* CD   *edd.*
(— *Adr.*) ‖ 36 sibi : ei S ‖ sibi fuerat : *tr. edd.* (— *Adr.*) ‖ fuerat : est E ‖
perficit E   K   M[ac]H[ac]L[pc] Bi ‖ 37 quem N[ac]X ‖ 38 posset : possit
A CD F YM[ac]LHIGJ NX P[ac] Bi *Gre.* ‖ 39 circumiri : circuiri
NX   circumire A YML[ac]H[ac]I[ac]GJ[ac] Bi ‖ at : ad A K ‖ illi K ‖
et : ut P[ac]   *om.* K ‖ superiores J[ac]N[ac] ‖ naufragi K ‖ 40 unus B ‖
compleuit : com N[ac]   cum peragit N[pc] ‖ 40-41 quamquam — in :
om. N ‖ 41 sint *edd.* (— *Gre.*) ‖ intellegunt YM[ac]LHIGJ ‖ in : *om.* F ‖
tertiam BM[pc] K P[ac] ‖ 42 parte : -tem BM[pc] Y P[ac]   *om.* E
M[ac]LH[ac] ‖ ad : *om.* F ‖ reliquos : -quis N[ac]   -quas N[pc] ‖ 43 praedicationis : *om.* F   confessionis A ‖ peruenirent YM[ac]L[ac]HIGJ[ac] ‖
44 propriae C K I NX P[ac] ‖ 46 baptizarent E Y ‖ nineuen B
PO ‖ 47 itinere : *om.* N[pc] ‖ trium dierum : *tr.* PO   48 et :
om. P[ac] ‖ 49 uia : *om.* D[ac] J[ac] *Mar.* ‖ 49-52 non — saeculi : *om.*

ville pour Dieu, d'un parcours d'environ trois jours
de marche. Jonas commença à entrer dans la ville,
d'un parcours d'environ un jour de marche[1].

Jonas mit aussitôt[2] à entière exécution l'ordre qui lui
avait été donné. Or, Ninive, où se dirigeait le prophète,
était une grande ville, d'une telle ampleur qu'on pouvait
à peine la parcourir[3] en trois jours de marche. Mais lui,
se souvenant du commandement reçu et de son naufrage
récent, accomplit en hâte en un seul jour le chemin de trois
jours. Certains cependant comprennent simplement qu'il
n'a prêché que dans un tiers de la ville et que sa proclamation est parvenue aussitôt aux autres habitants.

L'envoi des Apôtres aux païens Quant à Notre Seigneur, on dit
à proprement parler[4] qu'il se lève
après les Enfers et qu'il proclame
la parole du Seigneur, lorsqu'il envoie les Apôtres baptiser
ceux qui étaient dans Ninive, « au nom du Père et du
Fils et de l'Esprit-Saint[a] », c'est-à-dire en « trois jours de
parcours[5] ». Et ce sacrement même du salut des hommes
s'accomplit en « un jour de marche », c'est-à-dire dans la
confession du Dieu unique, Jonas[6] prêchant non tant aux
Apôtres que par le moyen des Apôtres[7]. Le Christ dit
en effet : « Voici que je suis avec vous jusqu'à la fin du
monde[b]. »

F   GJ[ac] ‖ 50 tam : tantum CD[ac]   *Gre.* ‖ apostolis[1] : apostolos
M[ac]L[ac]H[ac]   per apostolos E Bi ‖ quam : et *add.* Bi ‖ quam
in apostolis[2] : *om.* CD YM[ac]L[ac]H[ac] P[ac] *Gre.* ‖ ionee K ‖ 51
ego : enim Bi ‖ sum : omnibus diebus *add.* B   K   n   *Mar. Val.*
Ant. Adr.

III, 3-4 a a : Matth. 28, 19   b : Matth. 28, 20

Nullique dubium quare NINEVE MAGNA sit CIVITAS DEI cum mundus et uniuersa ' per ipsum facta sint et sine ipso 55 factum sit nihil ᶜ '. Notandum quoque quod non dixerit tribus | diebus « et noctibus » uel uno die « et nocte », sed absolute diebus et die, ut ostenderet in mysterio Trinitatis et unius Dei confessione nihil esse tenebrosum.

III, 4 b Heb. : ET CLAMAVIT ET DIXIT : ADHVC QVADRAGINTA DIES
60   ET NINEVE SVBVERTETVR.

LXX : *Et praedicauit et dixit : Adhuc tres⌐ dies et Nineue subuertetur.*

Trinus numerus qui ponitur a Septuaginta non conuenit paenitentiae et satis miror cur ita translatum sit cum in 65 hebraeo nec litterarum nec syllabarum nec accentuum nec uerbi sit ulla communitas. Tres enim dicuntur « salos » et quadraginta « arbaim ». Alioquin et de Iudaea tanto itinere missus propheta in Assyrios, dignam praedicationis suae paenitentiam flagitabat ut antiqua et putrida uulnera diu 70 adposito curarentur emplastro. Porro quadragenarius numerus conuenit peccatoribus et ieiunio et orationi et sacco et lacrimis et perseuerantiae deprecandi ob quod et

III, 3-4 a 53 nineuen A   Pᵃᶜ ‖ sit ciuitas : *tr.* YMᵃᶜLHIGJ ‖ 54 et¹ : *om.* Aᵖᶜ ‖ sint : sunt F   Pᵃᶜ Bi   *Gre.*   sit Aᵖᶜ ‖ 55 sit A   B F   MLHIGJ   NXQ   PᵖᶜO   Bi : est CD   K   Y   Pᵃᶜ   *Gre. Ant. Adr.* ‖ non : *om.* B ‖ dixerit : -at A   *Gre.*   -int I ‖ 56 et¹ : tribus *add.* PO ‖ 57 ministerio CDᵃᶜ   E ‖ 58 et : in Bi   BMᵖᶜ   in *add.* K NXQ   PO ‖ diei YLᵃᶜ(Mᵃᶜ)Hᵃᶜ
III, 4 b Hᴇʙ uer *in* H   Hᴇʙ *in* G ‖ 59 diebus BMᵖᶜ ‖ 60 subuerti-tur C   MᵃᶜLᵃᶜ ‖ 62 nineuen A ‖ subuertitur C ‖ 63 septuaginta *uel* ʟxx : xʟ NᵃᶜX   *om.* B ‖ 64 satis : salutis B ‖ minor CDᵃᶜ ‖ 66 uerbis A   F   M(?) ‖ tris *Gre.* ‖ dicentur MᵃᶜLᵃᶜHᵃᶜ ‖ salos : salus F   YMᵃᶜ LHᵃᶜ   solos G ‖ 67 arbaim : arbain BMᵖᶜ ‖ alioquin et : alioqui et BMᵖᶜ   PᵖᶜO   alioquinec Pᵃᶜ   alioquin nec Jᵖᶜ ‖ 68 in : ad K   MᵃᶜLHIGJ ‖ praedicationis suae : *tr.* CD   *edd.* (— *Adr.*) ‖ 70 adposito : adpossito F   inposito A ‖ implastro YMᵃᶜLHᵃᶜ ‖

Personne, sans doute, n'hésitera à reconnaître que Ninive soit la « grande ville de Dieu », puisque le monde[8] et l'univers ' ont été faits par lui et que sans lui rien n'a été fait [c] '. Il faut également remarquer qu'on ne parle pas de « trois jours » *et de trois nuits*, ou « d'un jour » *et d'une nuit*, mais simplement de *jours* et de *jour*, pour montrer que, dans le mystère de la Trinité et la confession du Dieu unique, il n'y a rien de ténébreux[9].

4 b Héb. : Il cria et dit : « Encore quarante jours et Ninive sera détruite. »

LXX : Il proclama et dit : « Encore trois jours et Ninive sera détruite[1]. »

Trois ou quarante jours ? Le nombre trois qu'emploient les Septante ne convient pas à la pénitence et je suis fort étonné de cette traduction car, en hébreu, ni les lettres, ni les syllabes, ni les accents, ni le mot ne présentent de point commun[2]. Trois, en effet, se dit *salos* et quarante *arbaim*. D'ailleurs[3], envoyé de Judée aux Assyriens au prix d'un tel chemin, le prophète réclamait une pénitence digne de sa prédication, pour guérir avec un pansement longuement appliqué des plaies anciennes et purulentes. De plus, le nombre quarante convient aux pécheurs, au jeûne, à la prière, au sac, aux larmes, à la demande persévérante[4]. C'est pourquoi Moïse a jeûné quarante jours sur le mont

---

quadragenarius : quadrigi- M[ac]   quadregi- L   quadrege H[ac] quadragi- CD ‖ 71 numerus conuenit : *tr.* CD   *Gre.* ‖ oratione K ‖ 72 et[3] : *om.* A

Moises quadraginta diebus ieiunauit in monte Sina [a] et
Helias fugiens Hiezabel [b], indicta fame terrae Israhel [c]
75 et Dei desuper ira pendente, quadraginta dies ieiunasse
describitur.

Ipse quoque Dominus, uerus Iona, missus ad praedicationem mundi, ieiunat quadraginta dies [d] et haereditatem
nobis ieiunii derelinquens ad esum corporis sui sub hoc
80 numero nostras animas praeparat. Quod autem CLAMAVIT
euangelicum illud expletur : « Stans clamabat » in templo,
« dicens : Qui sitit ueniat et bibat [e] ». Omnis enim sermo
Saluatoris, quia de magnis praedicat, clamor appellatur.

III, 5 Heb. : ET CREDIDERVNT VIRI NINEVE IN DEVM | ET
85 PRAEDICAVERVNT IEIVNIVM ET VESTITI SVNT SACCIS
A MAIORE VSQVE AD MINOREM.

LXX : Similiter.

Credidit Nineue et Israhel incredulus perseuerat. Credidit praeputium et circumcisio permanet infidelis. Et
90 primum CREDVNT VIRI de Nineue, qui ad aetatem Christi
peruenerant [a], PRAEDICANTQVE IEIVNIVM ET VESTIVNTVR
SACCIS A MAIORE VSQVE AD MINOREM : dignus et uictus et
habitus paenitentiae, ut qui offenderant Deum luxu et

III, 4 b 73 et : *om.* YM^acLHIGJ^ac ‖ 74 indicta — israhel : *om.* CD
YM^acLHIGJ^ac *Gre. Era.* ‖ terrae israhel : *om. Vic.* ‖ 75 desuper
ira : desuperiora P^ac ‖ pendente : poenitente L^ac(M^ac)H^ac   poeni-
tentiae Y ‖ 77 ionas Y N^pc PO Bi ‖ ad : de C ‖ praedicatione
B ‖ 78 mundo N^pc ‖ ieiunauit E K YM^pcLHIGJ *Era. Mar.* ‖
79 derelinques A ‖ sub : sed NXQ ‖ 80 clamat A B NXQ ‖ 81
euangelium Q Bi ‖ 82 ueniat : ad me *add.* ℭ *Era. Vic. Mar. Val.
Ant. (c. Vulg.)* ‖ 83 qui Bi ‖ magnis : malignis Q ‖ praedicabat CD
YMLHIGJ^ac *edd.* (— *Adr.*)

III, 5 ʜeb uer *in* H   ʜb *in* G   ᴇb *in* PO ‖ 84 nineue A B
CD K YMLH^ac NQ PO Bi : niniuitae E H^pcIGJ X *edd.*
(— *Adr.*) (*c. Vulg.*)   in niniue F ‖ in : *om.* B ‖ deum : dominum
BM^pc J   domino NXQ PO ‖ 86 a minore usque ad maiorem

Sinaï[a], et Élie, lorsqu'il fuyait Jézabel[b], quand il eut notifié la famine à la terre d'Israël[c] et que planait la colère de Dieu, est présenté comme ayant jeûné quarante jours.

Le Seigneur en personne — le véritable Jonas —, envoyé pour prêcher au monde[5], jeûne également quarante jours[d]. Il nous laisse le jeûne en héritage, pour préparer nos âmes, par ce nombre de quarante[6], à manger son corps. L'indication qu'il « cria[7] » s'accomplit[8] dans cet épisode de l'Évangile : « Debout, il criait » dans le Temple : « Si quelqu'un a soif, qu'il vienne à moi et qu'il boive[e]. » En effet, toute parole du Sauveur, parce qu'il prêche sur de grands sujets, est appelée un cri.

, 5 Héb. : Et les hommes de Ninive crurent en Dieu[1]. Ils proclamèrent un jeûne et se vêtirent de sacs, du plus grand au plus petit.

LXX : Pareillement.

Sac et jeûne, grands et petits

Ninive a cru et Israël persévère dans son incrédulité. Le prépuce a cru et la circoncision persiste dans l'infidélité[2] ! Tout d'abord « croient les hommes » de Ninive, qui étaient parvenus à l'âge du Christ[a] [3], « et ils proclament un jeûne et ils se vêtent de sacs, du plus grand au plus petit » : bien adaptés à la pénitence, et ce régime alimentaire,

---

BMᴾᶜ ‖ 87 ʟxx similiter : *om. Era. Vic. Mar.* ‖ 88 credit A BMᴾᶜ K POJᴾᶜ Bi ‖ nineuen A ‖ et : *om.* B ‖ 88-89 credit A BMᴾᶜ K POJᴾᶜ Bi ‖ 89 permanet infidelis : *tr.* NX ‖ 90 de : *om.* MᵃᶜLHIG Jᵃᶜ NXQ ‖ 91 -que : qui Q ‖ 92 a minore usque ad maiorem B Mᴾᶜ ‖ et¹ : *om.* A ‖ uinctus Bi

---

III, 4 b a : Ex. 34, 28 ; Deut. 9, 18   b : III Rois 19, 8   c : III Rois 17, 1   d : Matth. 4, 2   e : Jn 7, 37
III, 5 a : Éphés. 4, 13

ambitione eorum damnatione placent per quae prius offen-
95 derant [b]. Saccus et ieiunium arma sunt paenitentiae, auxilia
peccatorum : ante ieiunium et sic saccus ; ante quod occul-
tum est et postea quod palam ; hoc semper Deo, illud
interdum exhibetur et hominibus. Et si e duobus necessa-
riis unum est subtrahendum, magis ieiunium absque sacco
100 quam saccum eligam absque ieiunio.

Maior aetas incipit, et *VSQVE AD MINOREM* peruenit :
« nullus » enim absque « peccato » nec si « unius quidem diei
fue|rit uita eius » et « numerabiles anni uitae illius [c] ». Si
enim « stellae non sunt mundae in conspectu » Dei, « quanto
105 magis uermis et putredo [d] » et hi qui peccato offendentis
Adaⁿ tenentur obnoxii ? Sed et ordo pulcherrimus : praecipit Deus prophetae, propheta praedicat ciuitati. Prius
uiri credunt et, illis ieiunium praedicantibus, omnis aetas
sacco induitur. Viri non praedicant saccum, sed tantum
110 ieiunium. At uero hi quibus paenitentia praecipitur con-
sequenter ad ieiunium saccum copulant ut inanis uenter
et habitus luctuosus ambitiosius Dominum deprecentur.

III, 5 94 quem N ‖ placent : -ceant F H^{pc}GJ Bi^{pc} -cant I
-carent E ‖ offenderant : -dunt Q -derunt E^{ac} -derat I ‖ 95
arma : amara I ‖ sunt Π Λ YM^{pc}LHIGJ P^{pc} *edd.* (— *Gre.*) :
om. A B CD K NX P^{ac}O Bi *Gre.* ‖ 96 ieiunium : et sic
ieiunium *add.* YL(M^{ac})H^{ac} ‖ sic : sicut *Gre.* ‖ 97 et : sic *add.* B K
M^{pc} ‖ palam : est *add.* K ‖ deo : domino ☉ ‖ 98 si e : sic K sine
N^{ac} si ex Bi ‖ 99 est : et P^{ac} *om.* F ‖ 100 sacco M^{ac}(L^{ac})H^{ac} ‖
102 nec si CD K *Gre* : ne si A BM^{pc} F YL^{pc} NX PO Bi
Adr. nisi M^{ac}L^{ac}H^{ac}(?) et si H^{pc} IGJ *rell.* ‖ 103 et : si *add.*
H^{pc}IGJ ‖ numerabiles : -lis M^{ac}L^{ac}H^{ac} innumerabiles CD G Bi
Gre. Era. Mar. ‖ uita F M^{ac}L^{ac}H^{ac} ‖ 104 dei : eius BM^{pc} (*c.Vulg.*)
domini Bi ‖ 105 uermes CD^{ac} H^{pc} IGJ^{ac} ‖ offendentis : offendent
his A offentis P^{ac} offerentes YL^{ac}(M^{ac})H^{ac}G^{ac}J^{ac} offen-
dentes H^{pc}IJ^{pc1} ‖ 106 adam : *om.* A ‖ et : *om.* M^{ac}LH^{ac}GJ^{ac} ‖ pulcherrimus : uulneribus YM^{ac}LH^{ac}GJ^{ac} ‖ praecipit : praecepit K

et ce vêtement ! Ils avaient offensé Dieu par leur luxe
et leur faste ; il lui plaisent en condamnant la matière de
leurs offenses [b] antérieures[4]. Le sac et le jeûne sont les armes
de la pénitence, le secours[5] des pécheurs. D'abord le jeûne,
et puis le sac ; d'abord ce qui est caché, et ensuite ce qui
est public. Le premier est sans cesse présenté à Dieu,
le second de temps en temps aux hommes également[6].
Et, si de ces deux moyens nécessaires il faut en retrancher
un, je choisirai plutôt le jeûne sans le sac que le sac sans
le jeûne.

L'âge adulte commence, et on en vient « jusqu'au
plus petit » : « Nul, en effet, n'est sans péché[7], même si sa
vie en vérité n'a qu'un jour et si on peut compter[8] ses
années [c]. » Si, en effet, « les étoiles ne sont pas pures devant »
Dieu, « combien moins la vermine et la pourriture [d] [9] »
et ceux qui sont passibles de la faute d'Adam le pécheur !
L'ordre même est très beau[10] : Dieu commande au prophète,
le prophète annonce à la ville. Les hommes croient les
premiers et, quand ils proclament un jeûne, tous les âges
revêtent le sac. Les hommes ne proclament pas de revêtir
le sac[11], mais ils proclament seulement un jeûne. Cependant,
ceux à qui on commande la pénitence, joignent à juste
titre le sac au jeûne, pour que ventre vide et habit de deuil
supplient de manière plus pressante le Seigneur.

YJ   praecoepit N ‖ 108 ieiunium praedicantibus : *tr.* YM[ac]
LHIGJ ‖ 110 at : ad M[ac]J[ac] P[ac]   aut A ‖ hi CD P[pc]O *Gre.*
Vic. Val.(*i.t.*) *Ant. Adr.* : his A B K ⑤ NX P[ac] Bi *Era.*
Mar. Val.(*i.m.*)   *om.* F ‖ paenitenciae K   YM[ac]L[ac]H[ac] ‖ 110-111
conseuinenter F ‖ 111 ad ieiunium : ieiunio L[pc] ‖ 112 ambitiosius :
-sios N[ac]   -sus Bi ‖ deprecetur P[pc]OJ[pc] Bi[pc]

III, 5 b : Tertullien, *De ieiunio*, 3, 4   c : Job 14, 5 LXX
d : Job 25, 5

III, 6-9 Heb. : Et pervenit verbvm ad regem nineve et svrrexit de solio svo et abiecit vestimentvm
115 svvm a se et indvtvs est sacco et sedit in
cinere. (7) et clamavit et dixit in nineve ex
ore regis et principvm eivs dicens : homines
et ivmenta et boves et pecora non gvstent
qvicqvam nec pascantvr et aqvam non bibant,
120 (8) et operiantvr saccis homines et ivmenta et
clament ad devm in fortitvdine et convertatvr vir a via sva mala et ab iniqvitate qvae est
in manibvs eorvm. (9) qvis scit si conver|tatvr 4
et ignoscat devs et revertatvr a fvrore irae
125 svae et non peribimvs ?

LXX : *Et appropinquauit sermo ad regem Nineue et sur-*
rexit   de   throno   suo   et   abstulit   stolam
suam   a   se   et   coopertus   est   sacco   et   sedit   in
cinere. (7) Et praedicatum est in Nineue a rege
130 *et ab omnibus maioribus eius dicens : Homines*
et iumenta et boues et oues non gustent quicquam
nec pascantur et aquam non bibant. (8) Et cooperti
sunt saccis homines et iumenta et clamauerunt ad
Deum uehementer et reuersus est unusquisque de uia
135 *sua mala et ab iniquitate quae erat in manibus*
eorum dicentium : (9) Quis scit si paenitentiam
agat   Deus   et   reuertatur   ab   ira   furoris
sui et non pereamus ?

III, 6-9 Heb uer *in* H   Heb *in* GI   EB *in* PO ‖ 115 est :
om. Bi ‖ 116 dixit : exiit L(M^ac)(H^ac)G   exit J^ac ‖ 117 principum :
-pium A^ac   D^ac   K   M^ac   -pem I ‖ dicens : dixit Bi ‖ 119 bibent
A ‖ 120 saccis : et *add.* M^acL^acH^acGJ^ac   P^pc(*m.p.*) ‖ et² : *om.* P^pc1O ‖
121 clamabant Q ‖ deum : dominum BM^pc CD   *edd.* (− *Adr.*) ‖
conuertantur Bi ‖ 122 ab : *om.* NXQ ‖ 124-125 irae suae : suo BM^pc ‖
126 sermo : usque *add.* K ‖ nineuen A ‖ 128 et coopertus est sacco :
om. Bi ‖ 129 praedicatum est : et dictum est *add* P^acOJ^pc ‖ in : *om.*

6-9 Héb. : Et la nouvelle parvint au roi de Ninive ; il se leva de son siège, quitta son vêtement, se vêtit d'un sac et s'assit sur la cendre. Et on proclama dans Ninive cet édit du roi et de ses grands : « Hommes et bêtes de somme, bœufs et brebis ne toucheront à aucune nourriture ; ils ne mangeront pas ni ne boiront d'eau. Hommes et bêtes de somme se couvriront de sacs et ils crieront avec force vers Dieu. Chaque homme se détournera de sa mauvaise conduite et de l'iniquité qui est dans ses mains. Qui sait si Dieu ne changera pas et ne pardonnera pas, s'il ne reviendra pas de l'ardeur de sa colère, et nous ne périrons pas. »

LXX : Et l'annonce arriva au roi de Ninive ; il se leva de son trône, enleva sa robe, se recouvrit d'un sac et s'assit sur la cendre. Et on proclama dans Ninive cet édit du roi et de tous ses dignitaires : « Hommes et bêtes de somme, bœufs et brebis ne toucheront à aucune nourriture ; ils ne mangeront pas ni ne boiront d'eau. » Et les hommes et les bêtes se recouvrirent de sacs et ils crièrent avec violence vers Dieu. Chacun revint de sa mauvaise conduite et de l'iniquité qui était dans ses mains, en disant : « Qui sait si Dieu ne se repentira pas et s'il ne se détournera de sa violente colère, et nous ne péririons pas[1]. »

Gre. Era. Mar. Val. Ant. ‖ 130 omnibus : hominibus D^{ac} *Val.(i.m.)*
Ant. ‖ dicentibus *Era. Vic. Mar. Val. Ant.* ‖ 133 sint L^{pc} ‖ et² : *om.*
P^{ac} ‖ clament L^{pc} ‖ 134 deum : dominum A CD *edd.* (− *Adr.*) ‖
134-135 uia sua : *tr.* YL(M^{ac})HGJ ‖ 135 erat : est YL(M^{ac})HIGJ ‖
136-137 paenitentiam agat deus et reuertatur *Gre. Val.(i.m.) Adr.* :
conuertatur deus et exhortetur (exoretur *Ant.*) et auertatur *rell.* ‖
138 pereamus : periamus M^{ac}   peribimus L^{pc}

Scio plerosque regem Nineue — qui extremus audiat
140 praedicationem et descendat de solio suo et pristinum abi-
ciat ornatum uestitusque sacco sedeat in cinere nec sua
conuersione contentus ceteris quoque cum ducibus suis
praedicet paenitentiam dicens ut HOMINES ET IVMENTA
ET BOVES ET PECORA crucientur fame, OPERIANTVR SACCIS
145 et, damnatis pristinis uitiis, totos se conferant ad paenitentiam — super diabolo interpretari qui, in fine mundi
(quia nulla rationabilis et quae a Deo facta sit pereat creatura), descendens de sua superbia acturus sit paenitentiam
et in locum pristinum restituendus. Ad cuius sensus com-
150 probationem etiam illud de Daniele exemplum|proferunt 11
ubi Nabuchodonosor, acta per septem annos paenitentia,
in regnum pristinum restituitur [a]. Sed hoc, quia Scriptura
sancta non dicit et euertit penitus timorem Dei, dum facile
homines labuntur ad uitia putantes etiam diabolum qui
155 auctor malorum est et omnium peccatorum fons, acta paenitentia, posse saluari, de nostris mentibus abiciamus, et
sciamus peccatores in Euangelio mitti in ignem aeternum
qui praeparatus sit diabolo et angelis eius [b] et de his dici :
« Vermis eorum non morietur et ignis eorum non extin-

III, 6-9 139 regem : gregem I in *add.* Bi[ac] ‖ nineuae C ‖ 140 et[1] :
om. Vic. ‖ 141 ornamentum A ‖ 142 conuersione : conuersatione
YH(M[ac])(L[ac])IGJ   conuersio ne B ‖ conuentus B ‖ cum ducibus :
conducibus ⑤ NX *Gre. Era. Vic. Mar. Val.* ‖ 143 praedicet : prae-
cepisse L(M[ac])HIG(J[ac])   praecipisse Y   praedicasset CD[ac] ‖ ut :
om. ⑤ *Era. Vic. Mar. Val. Ant.* ‖ homines : et *praem.* A CD N
PO Bi   ex *praem.* B ‖ 144 et boues : *om.* M[ac]LHGJ ‖ operientur
D[ac] ‖ 145 et : ac L(M[ac])(H[ac](?) ‖ totus K   M[ac]LH[ac] ‖ ad : *om.* Bi[ac] ‖
146 diabolum B   ML[ac](?)HIGJ[ac]   N[pc] ‖ 147 nulli M[ac]L[ac]H[ac] ‖ ratio-
nalis B ‖ pereat : *om.* A ‖ pereat creatura : *tr.* CD *edd.* (— *Adr.*) ‖
148 discedens *Gre.* ‖ de : de sede N ‖ sua : *om.* CD[ac] *Gre.*   suae
N[pc] ‖ superbiae N[pc] ‖ 149 restituendus : restitudus I   sit paenitentiam *add.* CD *Gre.* ‖ ad cuius : *om.* CD[ac] *Gre.* ‖ comprobationem :
comparationem CD[ac] YL(M[ac])HIGJ *Gre.* ‖ 150 de : *om.* L[pc] ‖
daniele : danihel A CD K MLHI NX   daniel G ‖ 151 ubi :

Le salut du diable ? Ce roi de Ninive — qui est le dernier à entendre la prédication, qui descend de son trône, rejette ses ornements antérieurs et, vêtu d'un sac, s'assied dans la cendre ; qui, non content de sa propre conversion, prêche également la pénitence aux autres avec ses chefs d'armes en disant : « Hommes et bêtes de somme, bœufs et brebis » endureront la faim, « se couvriront de sacs » et se livreront tout entiers à la pénitence après avoir condamné leurs vices antérieurs —, j'en sais d'aucuns[2] qui voient en lui le diable[3] qui, à la fin du monde, parce qu'aucune créature spirituelle faite par Dieu ne saurait périr[4], descendra de sa superbe, fera pénitence et sera rétabli[5] à son rang primitif. Pour confirmer cette interprétation ils avancent également cet exemple tiré de *Daniel*[6] où Nabuchodonosor[7], après sept ans de pénitence, est rétabli dans son royaume primitif[a]. Mais une telle assertion, puisque l'Écriture sainte n'en parle pas et qu'elle détruit complètement la crainte de Dieu[8] — car les hommes glisseront facilement aux vices, s'ils pensent que le diable lui-même, l'initiateur des maux et la source de tous les péchés, peut être sauvé après avoir fait pénitence —, il faut la rejeter de nos esprits et savoir que, dans l'Évangile, les pécheurs sont envoyés au feu éternel[9], qui a été préparé pour le diable et pour ses anges[b], et qu'il est dit d'eux[10] que « leur ver ne mourra pas et leur

de *add.* NX ‖ acta : accepta CD   *Gre.* ‖ septem : octo D[ac] ‖ paenitenciam K ‖ 152 restituetur K   M[ac]L[ac]HIGJ[ac] ‖ qui L[pc] ‖ 152-153 scriptura sancta : -as -as L[pc]   *tr. Mar. Val. Ant.* ‖ 153 didicit L[pc] ‖ euertit : -tet CD   uertit K ‖ 154 quia CD[ac] K ‖ 155 auctor : uictor K ‖ est : *om.* D[ac] ‖ omnium : malorum *add.* YL (M[ac])HIGJ[ac] ‖ peccatorum : -que *add.* G[pc] ‖ 156 saluare M[ac]L[ac] H[ac] ‖ mentibus : hoc *add.* L(*sp.l.*) ‖ 158 sit : est CD   *Gre.* ‖ dicit K ‖ 159 extinguitur N[ac]

III, 6-9 a : Dan. 4, 24-33   b : Matth. 25, 41

160 guetur [c]. » Scimus quidem clementem esse Deum nec, qui
peccatores sumus, crudelitate illius delectamur, sed legi-
mus : « Misericors et iustus | Dominus et Deus noster mise- 4
retur [d] ». Iustitia Dei uallatur misericordia et tali ad iudicium ambitione procedit : sic parcit ut iudicet, sic iudicat
165 ut misereatur ; « Misericordia et ueritas obuiauerunt sibi ;
iustitia et pax osculatae sunt [e]. » Alioquin, si omnes rationabiles creaturae aequales sunt et, uel ex uirtutibus uel ex
uitiis, sponte propria aut sursum eriguntur aut in ima mer-
guntur, et, longo post circuitu atque infinitis saeculis,
170 omnium rerum restitutio fiet et una dignitas militantium,
quae distantia erit inter uirginem et prostibulum ? quae
differentia inter matrem Domini et (quod dictu quoque
scelus est) uictimas libidinum publicarum ? Idemne erit
Gabrihel et diabolus ? Idem apostoli et daemones ? Idem
175 prophetae et pseudoprophetae ? Idem martyres et persecutores ? Finge quod libet, annos et tempora duplica et
infinitas aetates congere cruciatibus : si finis omnium similis
est, praeteritum omne pro nihilo est quia non quaerimus
quid aliquando fuerimus, sed quid semper futuri simus.

III, 6-9 161 crudelitati K[pc]N[pc] ‖ delectemur Bi ‖ 162 et deus noster :
nostri *add.* CD   *Gre.* ‖ 163 uallatur : uellatur Y[ac]   uallata L ‖ 164
sic[1] : et *praem.* BM[pc]   K ‖ parcet CD[ac]   M[ac]LH[ac]   N ‖ iudicabit
L[pc] ‖ 166 sunt : se *add.* A   CD   K   *Gre. Era. Vic. Mar. Val.* ‖ alioqui
BM[pc]   P[pc]O ‖ si : *om.* O ‖ rationabiles : -bilis M[ac]   N[ac]   rationales
B   N[pc] ‖ 167 creaturae : tuae *add.* P[ac]   Y ‖ aequales : quales P[ac]
aeles A[ac]   tales A[pc] ‖ et : ut A[pc] ‖ ex[1-2] : *om.* ⑤ ‖ 168 aut sursum :
ut rursum A ‖ 169 longo : -um L(M[ac])HIGJ   P[pc]   -a CD ‖ circuitu :
-tum L(M[ac])HIGJ   P[pc]   circumitu *Vic.* ‖ atque : adque K ‖
infinitis : -tas Y[ac]HI(M[ac])GJ[ac]   -ta LJ[pc]   -ti N[ac]X   P[ac]O   -to
N[pc]   -tatem G[pc]   infinis A[ac]   in fine A[pc] ‖ saeculis : -li A[pc]
L(M[ac])HIGJ[ac]   N[ac]X   P[ac]O   -lo N[pc]   -la J[pc] ‖ 170 omnium :
somnium P[ac]O[ac] ‖ militantium : -tum A   B   K   N[ac]X   PO   -dum
CD ‖ 171 prostibulam Bi ‖ 172 differentia : distantia CD   *Gre.*
erit *add.* CD   *edd.* (− *Adr.*) ‖ et : *om.* MLHIGJ[ac] ‖ dictu : -o Y[ac]
M[ac]LHIGJ   -tum N[ac] ‖ 173 est : et *add.* L(*sp.l.*) G[pc] ‖ uictima
Bi ‖ libidinum publicarum : *tr.* YL(M[ac])HIGJ ‖ publicarum : pupli-

feu ne s'éteindra pas[c] ». Nous savons certes que Dieu est
clément et, pécheurs que nous sommes, nous ne nous
réjouissons pas de sa cruauté ; mais nous lisons[11] : « Le
Seigneur est miséricordieux et juste, et notre Dieu miséricorde[d]. » La Justice de Dieu est escortée par la Miséricorde
et c'est dans un tel cortège qu'elle s'avance pour juger :
il épargne pour juger, il juge pour faire miséricorde ;
« Miséricorde et Vérité se sont rencontrées, Justice et
Paix se sont embrassées[e][12]. » D'ailleurs, si toutes les
créatures rationnelles sont égales et si, d'elles-mêmes,
par leurs vertus ou par leurs vices, elles s'élèvent vers le
haut ou s'enfoncent vers le bas et qu'après un long cycle
et des siècles infinis s'opèrent le rétablissement général
et l'égalité parmi les combattants[13], quel écart y aura-t-il
entre la vierge et la prostituée, quelle différence entre la
mère du Seigneur et — crime rien qu'à le dire[14] ! — les
victimes des plaisirs publics[15]. Gabriel et le diable seront-ils
égaux[16] ? Égaux, les Apôtres et les démons ? Égaux,
les prophètes et les faux-prophètes ? Égaux, les martyrs
et les persécuteurs ? Imagine tout ce que tu veux, double
les années et les temps, accumule des périodes infinies
de tortures : s'il est pour tous une fin semblable, tout le
passé est comme rien. Car nous ne cherchons pas ce que
nous aurons été à un moment ou à un autre, mais ce que
nous serons à jamais.

K   publicanarum YH(M[ac] ?)GJ[ac]   plublicanarum L   pulli-
canarum I ‖ itemne L[ac](M[ac])HIGJ[ac] ‖ 174 idem[1] : item YM[ac]L[ac]
HIGJ[ac] ‖ apostolus M[pc] Bi ‖ idem[2] : item YL[ac](M[ac])HIGJ[ac] ‖ 175
idem : item Y L[ac](M[ac])HIGJ[ac] ‖ persecutores : persecuntures B[ac]
persuncutares B[pc] ‖ 176 finge : finique *Gre.* ‖ quot B   D[pc] J[pc] N
Gre. ‖ annos : et *praem.* YL(M[ac])HIGJ[ac] ‖ duplica : du(p)plicia
YML[ac]H[ac] P[ac]   duplia O ‖ 178 nihilo : -lum P[ac]   -li P[pc]O ‖
179 semper futuri simus : f.s.semper *tr.* YL(M[ac])H[ac]GJ ‖ semper : *del.*
H[pc]   *om.* I ‖ sumus B   D   Ꞩ   NX   PO

III, 6-9 c : Is. 66, 24   d : Ps. 114, 5   e : Ps. 84, 11

180 Nec ignoro quae aduersum haec soleant dicere et spem
sibi ac salutem cum diabolo praeparare. Verum non est
istius temporis contra dogma peruersum et σύνφραγμα diabolicum docentium in angulis et in publico denegantium
latius scribere. Sufficit nobis indicasse quid in hoc testi-
185 monio senserimus et quasi in commentariis breuiter inti-
mare qui sit rex Nineue ad quem extremum Dei *sermo* PER-
VENIAT. Quid ualeat apud homines saeculi eloquentia et
sapientia saecularis, testes sunt Demosthenes, Tullius,
Plato, Xenophon, Theophrastus, Aristoteles, et ceteri ora-
190 tores ac philosophi, qui uelut reges habentur hominum et
praecepta eorum non ut praecepta mortalium sed quasi
oracula accipiuntur deo | rum. Vnde et Plato dicit felices 1
fore respublicas si aut philosophi regnent aut reges philoso-
so | phentur. Quam autem difficile istiusmodi homines 4
195 credant in Deum, ut cotidiana exempla praeteream et
sileam de ueteribus historiis ethnicorum, sufficit nobis
Apostoli testimonium qui ad Corinthios scribens ait :
« Videte, fratres, uocationem uestram quia non sunt multi

III, 6-9 180 ignorare L(M^ac)H^acGJ^ac ‖ quid L^pc ‖ haec : nec
M^acH^ac G   *om.* K   L^pc   hoc Bi ‖ 182 peruersorum L^pc ‖ et :
om. PO ‖ σύνφραγμα A   BM^pc   J   NX   P^pcO : CYNΦPACMA Bi
CYNΦPATNA YL(M^ac)HG   CYNΦPATHA I   CYNΦPArua K   C͜cNE-
PPATIVA CD   CYNΦPArAM P^ac *om. Gre.* ‖ diaboliticum CD^ac ‖
182-183 diabolicum docentium in angulis *Gre. Val. Ant. Adr.* :
diabolicum regnum docentium et angelis L(M^ac)HIGJ *rell.*   diabolicum regnum docentium in angulis Y ‖ in publico : publico C
puplico K   publici M^ac(L^ac)HIG^acJ^ac   publice D G^pc J^pc *Era.*
Vic. Mar.   pi i i L^pc ‖ denegantium : priuilegium *add.* YMLHGJ
Era. Vic. Mar.   priuilegegium *add.* I ‖ 184 scribere : disputare PO ‖
quod HIGJ^ac   *Era. Vic. Mar. Val.*² *Ant.* ‖ in : *om.* M^acLH^ac   de
H^pcIGJ   *Era. Vic. Mar. Val. Ant.* ‖ testimonio : -ia M^acL^acH^ac
-ium A^ac ‖ 186 qui A   B   K   YM^acL^pcH^pcIGJ^ac   N^acX   PO : quis
CD   N^pc   J^pc *edd.*   quid Bi   que M^pcH^ac   quae L^ac(?) ‖
ad quem : cui CD   *Gre.* ‖ extremum : -us L Bi   ad *praem.* D^pc ‖
187 ualet M^acLHIGJ^ac ‖ et : *om.* BM^pc ‖ 188 sapientiae BM^pc ‖
demosthenis K ‖ 189 aristotelis YMLHIGJ^ac ‖ theophrastus : theopa-

Je n'ignore pas ce que l'on a l'habitude d'opposer à cela, pour se ménager à soi-même un espoir de salut en compagnie du diable. Mais ce n'est pas le moment d'écrire plus au long contre l'opinion perverse et le « rempart » diabolique de ceux qui répandent leurs idées dans les coins et les nient en public[17]. Il nous suffit d'avoir indiqué ce que nous pensons de ce passage et, ainsi qu'il convient dans un Commentaire, de faire brièvement connaître qui est le roi de Ninive[18] à qui « la parole » de Dieu « parvient » en dernier. La puissance

La conversion des lettrés auprès des hommes du siècle de l'éloquence et de la sagesse séculière[19] nous en avons pour témoins les Démosthène, Cicéron, Platon, Xénophon, Théophraste, Aristote et les autres orateurs et philosophes, qui sont considérés comme les rois des hommes[20]. Leurs préceptes sont reçus, non comme des préceptes de mortels, mais comme des oracles divins[21]. D'où le mot de Platon[22] selon lequel les États seront heureux si les philosophes deviennent rois ou les rois philosophes. Mais qu'il est difficile pour des hommes de cette espèce de croire en Dieu ! Je laisse de côté les exemples de chaque jour[23] et passe sous silence les histoires anciennes des païens. Je me contente du témoignage de l'Apôtre[24] qui, dans sa lettre aux Corinthiens, déclare : « Considérez, frères, votre appel. Il n'y a pas beaucoup

---

rastus YM^{ac}L^{ac}H^{ac}G^{ac}(J^{ac})   theopharastus C H^{pc}I   theoprastus K   theophrastes PO ‖ 190 ac : et Y(M^{ac})LHIGJ P^{pc} ‖ reges habentur : regentur A ‖ 192 accipiuntur : *om.* M^{ac}LHIGJ^{ac} ‖ 193 si aut : *om.* A^{pc} ‖ philophosy K ‖ 194 aut CD^{ac} ‖ difficile : *om.* B   ut *add.* PO   sit ut *add.* J^{pc}   est *add.* Bi ‖ 195 credunt CD ‖ 196 ethnicorum : ethinicorum L(M^{ac})H^{pc}   eth(i?)niquorum H^{ac}(?) etiniquorum Y   etinhicorum P^{ac}   et nicorum Bi ‖ 197 qui : quid K   dicit *add.* BM^{pc} ‖ ait : *om.* BM^{pc} ‖ 198 qui M^{ac}L^{ac}H^{ac} ‖ sunt : *om.* L^{pc}

sapientes iuxta carnem, non multi potentes, non multi
200 nobiles, sed stulta mundi elegit Deus ut confundat
sapientes, et infirma mundi elegit Deus ut confundat fortia,
et ignobilia mundi et ea quae erant contemptibilia elegit
Deus ᶠ » et cetera. Vnde rursum dicit : « Perdam sapien-
tiam sapientium et intellegentiam prudentium repro-
205 brabo ᵍ. » Et : « Videte ne quis uos spoliet per philoso-
phiam et inanem seductionem ʰ. » Ex quo perspicuum est
praedicationem Christi reges mundi audire nouissimos et,
deposito fulgore eloquentiae et ornamentis ac decore uerborum, totos se simplicitati et rusticitati tradere et in
210 plebeium cultum redactos sedere in sordibus et destruere
quod ante praedicauerant. Proponamus nobis beatum
Cyprianum, qui prius ido⟨lo⟩latriae assertor fuit et in tantam gloriam uenit eloquentiae ut oratoriam quoque doceret
Carthagini, audisse tandem sermonem Ionae et ad paeni-
215 tentiam conuersum in tantam uenisse uirtutem ut Christum
publice praedicaret et pro illo ceruicem gladio flecteret.
Profecto intellegimus REGEM NINEVE descendisse DE SOLIO
et purpuram sacco, unguenta luto, munditias sordibus
commutasse, non sordibus sensuum sed uerborum. Vnde

III, 6-9 199 iuxta : secundum A   CD   *edd.* (— *Adr.*) (*c.Vulg.*) ‖ non
multi potentes : *om.* CD   MᵃᶜLHIGJᵃᶜ   *Gre. Era. Mar.* ‖ 200 stultae
C ‖ 204 intellegentiam : -tium MᵃᶜLᵃᶜHᵃᶜ   *om.* Jᵃᶜ ‖ prudentiam
YMᵃᶜLᵃᶜHᵃᶜGᵃᶜ ‖ 205 ne : ut ne Bi ‖ uos spoliet : *tr.* YMLᵃᶜHIGJ
expoliet Lᵖᶜ ‖ phylophesophyam K ‖ 206 inanem : fitoi *add.* Lᵃᶜ(Mᵃᶜ)
HᵃᶜG(Jᵃᶜ)   stoicorum *add.* Lᵖᶜ ‖ 207 regis K ‖ nouissimus (Mᵃᶜ)Lᵃᶜ
Hᵃᶜ ‖ 209 simplicitate YMᵃᶜLᵃᶜHᵃᶜ   Pᵃᶜ   Biᵃᶜ ‖ rusticitate YMᵃᶜLᵃᶜ
Hᵃᶜ ‖ 209-210 in plebeium : inplebium CDᵃᶜ   I   implebium Bi ‖
210 cultus HIG Jᵃᶜ ‖ 211 praedicauerant : praedicarant A   YMᵃᶜ
LHᵖᶜIGJᵖᶜ   Pᵃᶜ   Biᵖᶜ   *Gre. Era. Vic.*   praedicarent CD   Hᵃᶜ
Biᵃᶜ   praedicabant NX   PᵖᶜO ‖ 211-212 beatum cyprianum : *tr.*
CD   *Gre.* ‖ 212 idololatriae : idolatriae *Codd.* ‖ 213 eloquentiae ut :
eloquentia et ut Q ‖ ut : et YMᵃᶜLᵃᶜHᵃᶜGᵃᶜJᵃᶜ ‖ oratoria YMᵃᶜHIG ‖
doceret : discederet YLᵃᶜ(Mᵃᶜ)HᵃᶜGᵃᶜ(?)(Jᵃᶜ)   disceret LᵖᶜGᵃᶜ(?)
excederet Gᵖᶜ ‖ 214 carthagini : -e Lᵖᶜ   Q   Pᵃᶜ   in *praem.* Q
et *praem.* YHI(Mᵃᶜ)(Lᵃᶜ)G   et *add.* Lᵖᶜ ‖ 216 publice : in *praem.*

parmi vous de sages selon la chair, pas beaucoup de
puissants, pas beaucoup de nobles. Mais Dieu a choisi
ce qui est sot dans le monde pour la confusion des sages.
Dieu a choisi ce qui est faible dans le monde pour la
confusion de la force. Ce qui est obscur dans le monde et
ce qui est méprisable, voilà ce que Dieu a choisi[f] », et
la suite. Aussi dit-il encore : « Je détruirai la sagesse des
sages et je rejetterai la science des savants[g] », et : « Voyez
à ce que personne ne vous trompe par la philosophie
et de vaines séductions[h]. » Voilà qui montre que la prédication du Christ a pour derniers auditeurs les rois du
monde. Ils déposent alors l'éclat de leur éloquence[25],
le bel apparat, la distinction de leur langage et s'adonnent
entièrement à la simplicité et à la rusticité du langage ;
ils s'abaissent au style ordinaire, s'asseyent dans la saleté
et détruisent ce qu'ils vantaient auparavant. Prenons
l'exemple du bienheureux Cyprien[26] : il fut tout d'abord
le défenseur de l'idolâtrie[27] et atteignit une telle réputation
d'éloquence qu'il enseigna aussi l'art oratoire à Carthage.
Il finit par entendre la parole de Jonas et, une fois converti
à la pénitence, il atteignit un tel courage qu'il prêcha
publiquement[28] le Christ et que pour lui il inclina le cou
sous le glaive. Assurément, nous comprenons que « le roi
de Ninive » est descendu « de son trône », qu'il a échangé
la pourpre pour le sac, les parfums pour la fange, le
raffinement pour la trivialité — la trivialité, non des

YM^{ac}L^{ac}H^{ac} || flecteret : plecteret J^{ac} PO   et *add.* P^{pc}O || 217
intellegemus P^{pc} || rege B || nineuen BM^{pc} Bi || solio : suo *add. edd.*
(— *Adr.*) || 218 unguenta : ungenta D   K   X   uigenta L^{ac}(M^{ac})
H^{ac} uigente L^{pc} || munditias : -tia YM^{ac} -tiam LHIG   mun-
di a N^{ac}Q   P^{ac} munda N^{pc}X   mundi ac P^{pc}O || 219 commu-
tauisse P^{ac}

III, 6-9 f : I Cor. 1, 26-28   g : I Cor. 1, 19   h : Col. 2, 8

220 et de Babylone in Hieremia dicitur : « Calix aureus Baby-
lon inebrians omnem terram [i]. » Quem non inebriauit eloquentia saecularis ? Cuius non animos compositione
uerborum et disertitudinis suae fulgore perstrinxit ? Difficile homines potentes et nobiles et diuites et multo his
225 difficilius eloquentes credunt Deo. Obcaecatur enim mens
eorum diuitiis et opibus atque luxuria et, cir | cumdati   42
uitiis, non possunt uidere uirtutes, simplicitatemque Scripturae sanctae non ex maiestate sensuum sed ex uerborum
iudicant uilitate. Cum autem ipsi qui prius mala docuerant,
230 uersi ad paenitentiam, docere coeperint bona, tunc uidebimus Niniuiticos populos una praedicatione conuerti et
fieri illud quod in Esaia legimus : « Si nata est gens semel [j]. »

Homines quoque et iumenta operta saccis et clamantia
ad Deum, eodem sensu intellege quod et rationabiles et
235 irra|tionabiles et prudentes et simplices ad praedicationem   11
Ionae agant paenitentiam iuxta illud quod alibi dicitur :
« Homines et iumenta saluos facies, Domine [k]. »

Possumus autem iumenta operta saccis et aliter interpretari de his maxime testimoniis in quibus legimus : « Sol

---

III, 6-9 220 et : *om.* YM^{ac}LH^{ac}GJ^{ac} ‖ de : *om.* K^{ac} ‖ babylone :
ierusalem *add.* YL(M^{ac})H^{ac}G^{ac}J^{ac} ‖ hieremias LH^{ac}G^{ac}J^{ac} ‖ dicitur :
dicit L^{pc}   loquitur CD ‖ babylone M^{ac}L^{ac}H^{ac}G^{ac}J^{ac} ‖ 221 quam
YL^{pc} ‖ eloquentia : sapientia Pal   *Val.(i.m.)* ‖ 222 animos : -us Y
-i N^{ac}X   -um N^{pc} ‖ computatione NX ‖ 223 disertitudinis : des-
B   -nes YM^{ac}   diss- CD^{ac}LHGJ^{ac}   NX   *Gre.* ‖ 225 credant
YM^{ac}L^{ac}H^{ac}G^{ac} ‖ obcaecatur : -tor A   -antur K^{ac}   -ata L^{pc} ‖
226 adque K M^{ac} ‖ et² : *om.* Bi ‖ 227 possint YM^{ac} ? ‖ uirtutis L(M^{ac})
HG^{ac}J^{ac} ‖ -que : quae M^{ac}LH(J^{ac}) ‖ 229 diiudicant ⱹ   P^{pc} ‖ uilitatem
A ‖ qui : *om.* C ‖ 230 reuersi K ‖ docere : -i B   *om.* Bi   dicere
MLHIGJ^{ac} ‖ uidemus B ‖ 232 legimus : *om.* A   NX ‖ si nata : sanata
YM^{ac}LHIGJ^{ac}   *Era. Mar.*   sina N   sinaeta X   si ieiunata
CD^{pc}   siue ieiunata D^{ac}   signata *Gre.* ‖ semel : simul B   H^{pc}GI
(*c.Vulg.*)   *Era. Vic. Mar.*   simel M^{ac} ‖ 234 deum : dominum CD
edd. (— *Adr.*) ‖ intellegere YL(M^{ac})H^{ac}G^{ac}J^{ac} ‖ rationales N^{pc} ‖ 235

idées, mais des mots[29]. Voilà pourquoi dans Jérémie il est dit de Babylone[30] : « C'est une coupe d'or que Babylone, elle enivre toute la terre[i]. » Qui n'a été enivré par l'éloquence du siècle ? Qui n'a eu l'esprit ébloui par la belle ordonnance des mots et par l'éclat de son éloquence ? Il est difficile pour des hommes puissants, nobles, riches, et beaucoup plus difficile encore pour des hommes éloquents, de croire en Dieu. Leur esprit est aveuglé par les richesses, les ressources, le luxe[31]. Entourés de vices, ils ne peuvent voir les vertus. Ils jugent la simplicité de l'Écriture sainte, non d'après la majesté des idées, mais d'après la bassesse du style[32]. Mais, lorsque ceux qui auparavant enseignaient le mal se seront convertis à la pénitence et commenceront à enseigner le bien[33], alors nous verrons les gens de Ninive se convertir par une seule prédication et se réaliser ce que nous lisons en *Isaïe*[34] : « Un peuple naît-il d'un seul coup[j] ? »

Hommes et animaux   Les hommes également et les animaux couverts de sacs qui crient vers Dieu, entendez-le dans le même sens[35] : ceux qui sont doués de raison et ceux qui ne le sont pas, les sages et les simples, font pénitence à la prédication de Jonas, selon ce qui est dit ailleurs : « Tu sauveras, Seigneur, les hommes et les animaux[k]. »

Mais nous pouvons entendre autrement les animaux couverts de sacs à partir, en particulier, des textes où nous

---

irrationales N^{pc} ǁ et[1] : *om.* E ǁ prodentes B ǁ et[2] A B E K ᴳ NX PO Bi : ac CD *edd.* ǁ simplices : et *add.* Y^{ac}L^{ac}(M^{ac})H^{ac} ǁ 236 alibi : et *praem.* C^{pc}D *edd.* (— *Adr.*) ǁ 237 iumenta : intellegere *add.* YM^{ac}LHIGJ ǁ saluos facies : saluabis YM^{ac}LHIGJ *Era. Vic. Mar. Val. Ant.*

III, 6-9 i : Jér. 51, 7   j : Is. 66, 8 LXX   k : Ps. 35, 7b

240 et luna induentur cilicio [1] », et in alio loco : « Induam caelum sacco [m] » ; pro lugubri scilicet habitu et maerore
atque iustitio quae μεταφορικῶς saccus nominantur.

Illudque quod dicitur : QVIS SCIT SI CONVERTATVR ET
IGNOSCAT DEVS, ideo ambiguum ponitur et incertum ut,
245 dum homines dubii sunt de salute, fortius agant paenitentiam et magis ad misericordiam prouocent Deum.

III, 10 Heb. : ET VIDIT DEVS OPERA EORVM QVIA CONVERSI SVNT
DE VIA SVA MALA. ET MISERTVS EST DEVS SVPER
MALITIA QVAM LOCVTVS FVERAT VT FACERET EIS ET
250 NON FECIT.

LXX : *Et uidit Deus opera eorum quoniam reuersi sunt
de uiis suis malis. Et egit paenitentiam Deus super
malitia quam locutus erat ut faceret eis et
non fecit.*

255 Secundum utramque intellegentiam, siue tunc urbi
Assyriae siue cotidie mundi Deus populis comminatur ut
agant paenitentiam. Qui si conuersi fuerint, ipse quoque
uertit sententiam suam et populi conuersione mutatur.

III, 6-9 240 cilicio : saccis YL(M[ac])HIGJ   sacco *Era. Vic. Mar.*
Val. Ant. ‖ in : *om.* PO ‖ 241 saccum Y[ac]M[ac]L[ac]H[ac] ‖ lugubri : -is
CD[ac]   lucubri H[pc]I ‖ scilicet : igitur A ‖ 242 iustitio B[ac]M[pc]   P[ac] :
institio K   iusticia B[pc]   iustitia A   maestitia CD YL(M[ac])
HIGJ[ac] *edd.*   tristitia NX   P[pc]OJ[pc] Bi ‖ μεταφορικῶς : μεταφο-
ρικος Y[ac]M[pc]HIJ   μηταφορικωc G   μεταφορι Y[pc]   μεταφω-
ρικως N   methaforicos X   metaforicos B PO Bi   metafori-
kos D[pc]   mitaforicos A   etaforicos ΜΕΤΑΦΟΡΙΚωΕ K   ΥΡΟΝΙΚΟC
C   UIEIΔΟΝΙΚΑC F   *om. Gre.* ‖ saccos Y[ac]M[ac]L[ac]P[ac] ‖ nominatur
CD F K Ϭ PO Bi *Gre. Era. Vic. Mar.* ‖ 243 illudque : illud N
illud quoque CD *edd.* ‖ quis : qui ML[ac]H[ac] ‖ 244 et : *om.* F
III, 10 Heb *in* H   Heb uer *in* I   Hb *in* G ‖ 247 uidens YL
(M[ac])HIJ ‖ 249 malitiam BM[pc] K   NQ (*c. Vulg.*) ‖ 253 malitia :
K L N PO   suam *add.* N[ac] ‖ quem B[ac] ‖ erat A B CD K
MLHIGJ Bi : fuerat Y NX PO *edd.* ‖ 255 urbi BM[pc] n CD

lisons : « Le soleil et la lune se couvriront d'un cilice[1] [36] »
et, dans un autre endroit : « Je couvrirai le ciel d'un
sac[m] [37] » ; le sac désignant par métaphore[38] la tenue de
deuil, le chagrin et le deuil public[39].

Quant à l'expression : « Qui sait si Dieu ne changera
pas et ne pardonnera pas », elle marque le doute et l'incertitude[40], pour que les hommes, inquiets de leur salut,
fassent plus fortement pénitence et provoquent davantage
Dieu à la miséricorde.

10 Héb. : Et Dieu vit leurs œuvres, qu'ils s'étaient détournés
de leur mauvaise conduite. Et Dieu eut pitié du
mal qu'il avait dit qu'il leur ferait, et il ne le fit pas.

LXX : Et Dieu vit leurs œuvres, qu'ils étaient revenus
de leurs mauvaises conduites. Et Dieu se repentit
du mal qu'il avait dit qu'il leur ferait, et il ne le
fit pas[1].

Les menaces divines   Selon les deux interprétations[2], Dieu
menace, en ce temps-là, la ville
d'Assyrie, chaque jour[3], les peuples du monde, pour qu'ils
fassent pénitence. S'ils changent leur conduite, lui aussi
changera sa sentence : c'est le changement du peuple qui

N[pc]   *Gre. Mar. Val. Ant. Adr.* : urbis A   E[ac]   K   Y[pc]LHIGJ   N[ac]
XQ   P[pc]O   Bi   *Era. Vic.*   orbis Y[ac](M[ac])   urbes P[ac] ‖ 256
assyriae : syriae CD   Bi   *Gre.*   niniues E ‖ mundi deus E : *tr.*
ᕐ ‖ populus A ‖ 257 fuerint : -rat Bi[ac]   -rit Bi[pc] ‖ 258 uertit :
-et Y[pc]L[ac]HIGJ   NX Bi   *Era. Mar. Val. Ant. Adr.*   conuertit
E   PO   conuertet CD   *Gre.* ‖ conuersionem Y   Q ‖ mutatur :
-antur K[ac]   utatur Q   mutabitur *Mar. Val. Ant.*

III, 6-9 l : Joël 2, 10 ; 3, 15   m : Is. 50, 3

Quod Hieremias et Hiezechiel manifestius explicant ᵃ, nec
260 bona uidelicet implere Deum quae promiserit si boni uer-
tantur ad uitia, nec mala quae pessimis comminatur si illi
reuersi fuerint ad salutem. Ita igitur et nunc VIDIT DEVS
OPERA EORVM QVIA CONVERSI SVNT A VIA sua pessima ;
non uerba audiuit quae solebat Israhel saepe promittere :
265 « Omnia quaecumque dixerit | Dominus, facie ‖ mus ᵇ », sed   4⁞
opera conspexit et, quia mauult paenitentiam peccatoris
quam mortem ᶜ, libenter mutauit sententiam quia uidit
opera commutata. Quin potius Deus perseuerauit in proposito suo, misereri uolens ab initio. Nemo enim punire
270 desiderans quod facturus est comminatur.

MALITIAM autem, ut supra diximus, pro suppliciis et
tormentis accipe, non quo Deus mali quicquam facere
cogitaret.

IV, 1 Heb. : ET AFFLICTVS EST IONAS AFFLICTIONE MAGNA ET
IRATVS EST, ET ORAVIT AD DOMINVM ET DIXIT :

LXX : *Et contristatus est Ionas tristitia grandi et*
confusus est, orauitque ad Dominum et ait :

III, 6-9 259 quod : *om.* YMLHIG(Jᵃᶜ)   quae *Era.* ‖ hieremias :
et *praem. Mar. Val. Ant.* ‖ et : in *add.* X ‖ 260 deum : dominum *edd.*
(− *Adr.*) ‖ quae : qui K Mᵃᶜ   quod A ‖ conuertantur D ‖ 262
uidet YMᵃᶜLHIGJᵃᶜ ‖ deus : dominus B ‖ 263 eorum : sua YL(Mᵃᶜ)
HIGᵃᶜJᵃᶜ   *om.* CDᵃᶜ *edd.* (− *Adr.*) ‖ 264 saepe : se K ‖ 265 dixit
A B K ⲋ PO ‖ dominus : *om.* G ‖ 266 et : *om.* A CD F
YMLHIGJᵃᶜ NX Bi *Gre.* ‖ qui A CD F YMLHᵃᶜ NX PO
Gre. ‖ mauult : magis uult A Bi   uult B K   maius uult N ‖
267 uidit : sententia qui *add.* Kᵃᶜ ‖ 268 perseuerauit : -uerit F Nᵃᶜ
-rat B ‖ proposito MLHᵃᶜ ‖ 269 miserere YᵃᶜMᵃᶜ ‖ nemo : neminem
L(Mᵃᶜ)HIGJ Pᵖᶜ *Era.*   non CD *Gre.* ‖ enim : *om.* PᵖᶜO ‖ 270 est :
om. Lᵖᶜ   esse Bi ‖ 271 malitia A B YMHI ‖ ut supra : *om.* F ‖
272 accipe : -pi K   -pere A Pᵃᶜ ‖ quo A F K YMᵃᶜLHIGJ
NX PO *Val.* : quod BMᵖᶜ CD E Bi *rell.* ‖ dei B ‖ mali quic-

la modifie[4]. C'est ce que Jérémie[5] et Ezéchiel[6] expliquent plus clairement[a] : Dieu n'accomplit, ni le bien qu'il a promis si les bons se tournent vers le vice, ni le mal dont il menace les méchants si ceux-ci se tournent vers le salut. C'est ainsi donc que « Dieu vit alors leurs œuvres, qu'ils s'étaient détournés de leur conduite » détestable. Il n'entendit pas de ces fréquentes paroles de promesse dont Israël avait l'habitude : « Tout ce que le Seigneur dira, nous le ferons[b] », mais il contempla leurs actes et, comme il préfère la pénitence du pécheur à sa mort[c], il modifia avec plaisir sa sentence en voyant la modification de leurs actes. Ou plutôt, Dieu a persévéré dans sa résolution ; car il voulait avoir pitié dès le début. Personne, en effet, s'il veut punir, n'annonce en menaçant ce qu'il va faire[7].

Le mot « mal », comme nous l'avons dit plus haut, est à prendre dans le sens de supplices et de tourments, — et non pas que Dieu méditât de faire quelque chose de mal[8].

, 1   Héb. : Et Jonas fut affligé d'une profonde affliction et il se fâcha. Il s'adressa au Seigneur et dit.

LXX : Et Jonas fut contristé d'une grande tristesse et il fut troublé. Il s'adressa au Seigneur et dit.

---

quam : *tr.* B   E ‖ quicquid E[ac] ‖ quicquam facere : *tr. edd.* (— *Adr.*) ‖ 273 cogitaret : -rit A P[ac]M[pc]   -tat Y[ac]L(M[ac]) -tet Pal. *Val.* (*i.m.*)

  IV, 1 нeb uer *in* H $\overline{\text{EB}}$ *in* PO ‖ 1 magna : *om.* F ‖ 2 est : *om.* M[ac]LH[ac]GJ ‖ et[1] : *om.* L[pc] ‖ dominum : deum K ‖ 3 et[1] : *om.* CD   *Gre.* ‖ 4 confusus : confessus L   conuersus A

  III, 10 a : Jér. 18 ; Éz. 18   b : Ex. 24, 3.7   c : Éz. 18, 23 ; 33, 11

5   Videns subintrare ʿgentium plenitudinem ᵃʾ et illud
impleri quod in Deuteronomio dicitur : « Ipsi me irritaue-
runt in his | qui non sunt dii ; et ego eos irritabo super 1
gente quae non est ; super natione stulta eos ad iracundiam
concitabo ᵇ », desperat de salute Israhelis et magno dolore
10 concutitur qui erumpit in uocem. Et causas maeroris exponit et quodammodo loquitur : Ego solus electus sum de
tanto numero prophetarum qui per aliorum salutem ruinam meo populo nuntiarem. Non igitur *contristatur*, ut
quidam putant, quod gentium multitudo saluetur, sed
15 quod pereat Israhel.

Vnde et Dominus noster fleuit super Hierusalem ᶜ et
noluit tollere « panem filiorum et dare eum canibus ᵈ ». Et
apostoli primum praedicant Israheli ᵉ et Paulus cupit
ʿesse anathema pro fratribus suis qui sunt Israhelitae ʾ,
20 quorum ʿadoptio et gloria et testamentum ʾ et repromissiones et ʿlegislatio ʾ, ex quibus ʿpatres et ex quibus Christus secundum carnem ᶠ ʾ. Pulchre autem Dolens — quod
interpretatur Ionas — ᴀꜰꜰʟɪɢɪᴛᴠʀ dolore, et « tristis est
anima » eius « usque ad mortem ᵍ », quia ne periret populus
25 Iudaeorum, quantum in se fuit, multa perpessus est. —
Historiae quoque magis dolentis conuenit nomen, significans laboriosum prophetam et peregrinationis atque naufragii miseriis praegrauatum.

IV, 1 6 implere K ‖ ipse K ‖ 8 gente : -tem B   Y   Nᵖᶜ   PO   Bi
-tes NᵃᶜX ‖ super : et *praem.* Lᵖᶜ ‖ natione : -nis Mᵃᶜ   -nes YLᵃᶜ
HIGJᵃᶜ(?)   NX   Pᵖᶜ ‖ stulta : ultra YMᵃᶜLᵃᶜHIG(Jᵃᶜ)   Pᵖᶜ   tollit
Nᵃᶜ   tollet X   tollam Nᵖᶜ ‖ eis *Val.*² ‖ 9 desperat : desiderat
YL(Mᵃᶜ)HIGJᵃᶜ ‖ 10 concitatur YL(Mᵃᶜ)HIGJᵃᶜ ‖ uoce YMHIGJᵃᶜ
PO ‖ 12 tanto : toto A   NX ‖ ruina MHᵃᶜ ‖ 15 quo A   NXQ ‖ 16
noster : nunc NX ‖ 17 dare : mittere CD   F   *Gre.* ‖ eum : *om.* A ‖ 18
paulus : apostolus YL(Mᵃᶜ)HIGJ ‖ 19 esse anathema : *tr.* B ‖ 20 quorum :
et *praem.* YMᵃᶜLᵃᶜHIGJ   *Era. Vic. Mar. Val. Ant.* ‖ repromissiones :
-nis Nᵃᶜ   -ssio Nᵖᶜ ‖ 21 legisdatio B   K   MᵃᶜLHIGJᵃᶜ ‖ ex quibus
patres et : *om.* A   *Gre.* ‖ quibus¹ : quorum CDᵃᶜ ‖ et² : *om.* D   Mᵃᶜ
LHIGJᵃᶜ   *Era. Vic.* ‖ christus : est *add.* CD   *edd.* (− *Adr.*) ‖ 24

Tristesse de Jonas et de Jésus   Voyant pénétrer ' la masse[a] des Nations[1] ' et s'accomplir la parole du *Deutéronome*[2] : « Eux m'ont irrité avec ces dieux qui n'en sont pas ? Moi aussi je les irriterai avec une nation[3] qui n'en est pas une ; je les mettrai en fureur avec une nation stupide[b] », Jonas désespère du salut d'Israël et il est secoué d'un profond chagrin qui éclate en paroles. Il exprime les raisons de sa douleur à peu près en ces termes[4] : « J'ai été le seul à être choisi parmi tant de prophètes pour annoncer, par le salut des autres[5], sa ruine à mon propre peuple ! » Ce qui, donc, le « contriste », ce n'est pas, comme certains[6] le pensent, le salut de la foule des Nations, mais la perte d'Israël.

C'est la raison pour laquelle Notre Seigneur pleurait[7] sur Jérusalem[c] et ne voulait pas prendre « le pain des enfants[8] pour le donner aux chiens[d]. » De même, les Apôtres prêchent-t-ils d'abord à Israël[e] et Paul désire être ' anathème pour ses frères qui sont Israélites[9] ', à qui appartiennent ' l'adoption, la gloire, l'alliance ', les promesses, ' la Loi ', parmi lesquels ' ont figuré les patriarches et dont le Christ est issu selon la chair[10][f] '. C'est à juste titre[11] que le Souffrant — c'est le sens du nom de Jonas[12] — est « affligé » de douleur et que son « âme est triste jusqu'à la mort[g] » ; car, pour éviter la perte du peuple juif, autant qu'il dépendait de lui, il a beaucoup souffert. — Le nom de Douloureux convient aussi davantage à l'histoire[13] : il indique la peine du prophète, écrasé par les malheurs de son voyage et de son naufrage.

---

eius : mea YMLHIG[ac]J[ac]   *om.* C ‖ 25 quanta Q ‖ 26 dolentes A K[ac] ‖ significans : se *add.* YL(M[ac])HI ‖ 28 miseriis : que *add. Era.*

IV, 1 a : Rom. 11, 25   b : Deut. 32, 21 ; Rom. 10, 19   c : Lc 19, 41   d : Matth. 15, 26   e : Act. 13, 46   f : Rom. 9, 3-5 g : Matth. 26, 38 ; Mc 14, 34

IV, 2-3 Heb. : Obsecro, domine, nvmqvid non hoc est verbvm
30   mevm, cvm adhvc essem in terra mea ? propter
     hoc praeoccvpavi vt fvge | rem in tharsis.
     scio enim qvia tv devs clemens et misericors,
     patiens et mvltae miserationis, ignoscens
     svper malitia. et nvnc, domine, tolle, qvaeso,
35   animam meam a me, qvia melior est mihi mors
     qvam vita.

     LXX : *O Domine, nonne isti sunt sermones mei,*
        cum adhuc essem in terra mea ? Propterea
        occupaui fugere in Tharsis. Scio enim
40   *quod tu misericors es et miserator, patiens*
        et multae miserationis, et agens paenitentiam
        super malitiis. Et nunc, dominator Domine, tolle
        animam meam a me, quia melius mihi est mori
        quam uiuere.

45 Hoc quod nos interpretati sumus obsecro et Septuaginta
transtulerunt ὦ δή, in hebraico legitur « anna ». Quae
mihi uidetur interiectio deprecantis significare blandientis
affectum. Quia igitur oratio eius, dum se dicit iuste fugere
uoluisse, quodammodo iniustitiae arguit Deum, querelas
50 suas obsecrationis exordio temperat. Nvmqvid, ait, non
hoc est verbvm mevm, cvm adhvc essem in terra mea ?
Sciui te hoc esse facturum. Non ignorabam misericordem,
propterea seuerum et truculentum nuntiare nolebam. Ideo

IV, 2-3 Heb uer *in* H   eb *in* PO ‖ 29 hoc est : *tr.* A   NXQ‖
30 meum BMᵖᶜK (*c. Vulg. et commentario*) : *om.* A   CD   YMᵃᶜLHIGJ
NXQ   PO   Bi ‖ 32 enim : domine *add.* L(Mᵃᶜ)HIGJ ‖ quia tu : es
add. Dᵖᶜ ‖ misericors : et *add.* K   es *add.* PO   Jᵖᶜ (*c. Vulg.*)
Vic. ‖ 33 miserationis : et *add.* A   BMᵖᶜ   K   LᵖᶜG   NXQ   PO   Bi
(*c.Vulg.*) ‖ 34 malitiam L   N   PO ‖ 35 est mihi : *tr.* A   K   ⑤
NXQ ‖ 37 non Aᵃᶜ ‖ 39 praeoccupaui *Era. Vic. Mar. Val. Ant.* ‖
40 es B   Dᵖᶜ   K   NX   POJᵖᶜ   Bi : *om.* CDᵃᶜ   YMLHIGJᵃᶜ   est
A ‖ 43 mihi est : *tr.* A   CD   YMᵃᶜLHIGᵃᶜJ   PO   Bi   *edd.* (– *Adr.*) ‖

2-3 Héb. : De grâce, Seigneur ! Ne sont-ce pas mes propos,
lorsque j'étais encore dans mon pays ? C'est
pour cela que j'ai commencé par fuir vers Tharsis !
Je sais en effet que tu es un Dieu clément et bon,
patient et plein de miséricorde, qui pardonnes
le mal. A présent, Seigneur, prends mon âme,
je te prie ; car, pour moi, la mort est meilleure
que la vie.

LXX : O Seigneur, ne sont-ce pas mes paroles, lorsque
j'étais encore dans mon pays ? C'est à cause de
cela que j'ai commencé par fuir vers Tharsis.
Je sais en effet que tu es riche en miséricorde et en
commisération, patient et plein de miséricorde,
te repentant des maux <que tu as annoncés>.
A présent, Seigneur tout-puissant, prends mon
âme ; car, pour moi, mourir vaut mieux que vivre.

Plaintes du Christ　　Ce que moi j'ai rendu[1] par « De
grâce ! » et que les Septante ont
traduit par ὦ δὴ se lit *anna* en hébreu[2]. Cette interjection
de prière me semble exprimer un sentiment de soumission[3].
Comme sa prière, lorsqu'il dit qu'il a eu de justes raisons
de vouloir fuir, accuse en quelque sorte Dieu d'injustice,
il tempère[4] ses reproches par un début suppliant : « Ne
sont-ce pas, dit-il, mes propos, lorsque j'étais encore dans
mon pays ? » Je savais que tu allais faire cela. Je n'ignorais
pas que tu es miséricordieux ; aussi ne voulais-je pas
annoncer que tu es sévère et brutal. C'est pourquoi j'ai

45 et : *om.* L^{pc} ‖ 46 ὦ δὴ : odh A　　ωΑh N^{ac}X　　ωΑΗ P^{pc}OJ^{pc}
(*i.m.*)　　ωΑΝ P^{ac}　　o dne E　BM^{pc}　　ωαΝ odne K　　cuan CD
uian YLH IGJ^{ac}(*i.t.*)　　o Bi　　Euan *Gre.* ‖ 47 deprecantis : uel
add. PO　　et *add.* J^{pc} ‖ 48 quia : quae P^{ac}　　qui O ‖ 49 iustitiae
Bi ‖ deum : dominum B　*edd.* (— *Adr.*) ‖ 50 obsecrationis exordio :
tr. Bi ‖ non : *om.* A ‖ 52 sciui te hoc : sic uii te non hoc Q ‖ te : *om.* Bi ‖
misericordiam Bi　*Gre.*

uolui fugere in Tharsis, uacare contemplationi rerum et in
55 mari istius saeculi quiete potius et otio perfrui. Dimisi
domum meam, reliqui | hereditatem meam [a], egressus sum
de sinu tuo, et ueni. Si MISERICORDEM dicerem atque CLE-
MENTEM et IGNOSCENTEM malitiae, nullus ageret paenitentiam ; si crudelem et tantum iudicem nuntiarem, sciebam
60 hoc tuae non esse naturae. In hoc ergo ambiguo positus,
malui fugere potius quam aut paenitentes lenitate decipere,
aut de te praedicare quod non eras.

TOLLE igitur, Domine, ANIMAM MEAM, QVIA MELIOR MIHI
EST MORS QVAM VITA. TOLLE ANIMAM MEAM, quae tristis
65 fuit usque ad mortem [b]. TOLLE ANIMAM MEAM : ' In manus
enim tuas commendo spiritum meum [c] '. MELIOR quippe
MIHI EST MORS QVAM VITA : uiuens, unam Israhel gentem
saluare non potui ; moriar, et mundus saluabitur.

Historia manifesta est et super persona prophetae sic
70 potest intellegi, ut crebro iam | diximus, quod propte || rea
contristetur et mori uelit ne, conuersa multitudine gentium, in aeternum pereat Israhel.

IV, 4 Heb. : ET DIXIT DOMINVS : PVTASNE BENE IRASCERIS TV ?

LXX : *Et dixit Dominus ad Ionam : Si uehementer con-*
75   *tristatus es tu ?*

IV, 2-3 54 uolui fugere : *tr.* CD   E   *edd.* || uacari YL(M[ac])H[ac] ||
contemplatione E   YM[ac]L[ac]HIG[ac]J[ac]   P[ac] || 55 mare A   CD   N[pc] ||
58 ageret : agere M[ac]L[ac] : -rit E[ac] || 59 iudicem : iudicium CD[ac]   YL[ac]
(M[ac])HIG(*i.t.*)   J[ac]   *Gre. Era. Val.*(*i.m.*)   uindicem G(*i.m.*) || 60
natura N[ac] || ambiguo : -e N[ac]Q   -ae X || positus : potus A[ac] || 61 aut :
ut K || paenitentis E[ac] || lenitate : -tem E[ac]   leuitatem E[ac] || decipere :
decepere A   deciperem NX   PO   deceperem Q   decipi E[pc] ||
62 praedicarem N   P || erat NXQ   P[pc]O || 63 domine : *om.* YM[ac]
LHIGJ || quia : quam CD[ac] || 63-65 quia — meam : *om.* Bi   *Gre.*
Era. Vic. || 64-65 tolle — mortem : *om.* A   CD   YM[ac]LHIGJ || quae :
quia K || tolle animam meam : *om.* D   NXQ   PO || 66 melius K[ac] ||
67 uiuens : uidens Y || 68 morior *Era. Mar.* || 69 personam M[ac]LH[ac]

voulu fuir à Tharsis, vaquer à la contemplation du monde[5] et, sur la mer de ce siècle, préféré jouir de la tranquillité et du repos. J'ai abandonné ma demeure, j'ai laissé mon héritage[a] [6], je suis sorti de ton sein et je suis venu. Si j'avais dit que tu es « miséricordieux et clément, que tu pardonnes » le mal, personne n'aurait fait pénitence. Si j'avais annoncé que tu es cruel et seulement un juge, je savais que telle n'est pas ta nature. Placé devant cette alternative, j'ai donc préféré fuir, plutôt que, soit tromper par l'indulgence ceux qui se repentaient, soit annoncer de toi ce que tu n'étais pas.

« Prends » donc, Seigneur, « mon âme, car pour moi la mort est meilleure que la vie[7] ». « Prends mon âme », qui a été triste à en mourir[b]. « Prends mon âme » : ' entre tes mains, en effet, je remets mon esprit[c]. ' Car, « pour moi, la mort est meilleure que la vie » : en vivant, je n'ai pu sauver la seule nation d'Israël ; je mourrai et le monde sera sauvé.

L'histoire est manifeste et peut s'entendre du prophète qui, comme nous l'avons mainte fois dit[8], s'attriste et veut mourir, pour que la conversion de la multitude des Nations n'entraîne la perte définitive d'Israël.

, 4 Héb. : Et le Seigneur répondit : « Penses-tu que tu as raison de te fâcher ? »

LXX : Et le Seigneur répondit à Jonas : « Es-tu très attristé ? »

IG[ac]J ‖ 71 contristatur $\mathfrak{S}$ ‖ uelit : uellit CD[ac] F   K   uellet D[pc]Y ‖ nec A K ‖ 72 pereat : periat F(?) M[ac]L[ac]   periret N
    IV, 4 ʜᴇʙ uer *in* HI   ʜʙ *in* G $\overline{\text{ᴇʙ}}$ *in* PO ‖ 73 irascaris K ‖ 74 si : sic N[pc]   *om. Era. Vic. Mar.* ‖ uehemente N[ac]

IV, 2-3 a : Jér. 12, 7   b : Matth. 26, 38   c : Lc 23, 46

Verbum hebraicum « hadra lach » et « iratus es tu » et
« contristatus es tu » transferri potest. Quod utrumque et
prophetae et Domini personae conuenit quod, uel IRATVS
sit ne uideretur apud Nineuitas fuisse mentitus, uel *con-*
80 *tristatus,* intellegens Israhel esse periturum. Et rationabiliter non ei dicit : « Male IRATVS es » uel « *contristatus*
es », ne uideretur reprehendere contristatum, nec rursum :
« Bene IRATVS es » aut « *contristatus* », ne suae sententiae
contrairet, sed interrogat ipsum qui IRATVS est et *contris-*
85 *tatus* ut uel causas irae respondeat uel maeroris aut, si ille
tacuerit, uerum Dei iudicium ex eius silentio comprobetur.

IV, 5 Heb. : ET EGRESSVS EST IONAS DE CIVITATE ET SEDIT
CONTRA ORIENTEM CIVITATIS ET FECIT SIBIMET IBI
VMBRACVLVM. ET SEDEBAT SVBTER ILLVD IN VMBRA
90   DONEC VIDERET QVID ACCIDERET CIVITATI.

LXX : *Similiter.*

Primus Cain fratricida et homicida [a], cruentum mundum
germani sanguine dedicans, « aedificauit ciuitatem » et
« uocauit » eam « ex nomine filii sui [b] » Enoch. Vnde et

IV, 4 76 hadra lach : adralach A   Bi   hadra iach F   *Gre.*
haldrakach YL(M[ac])GJ[ac]   haldralach HJ[pc]   haladralach I   adra
iach E[ac](?)   ad racha E[pc](*sp.l.*)   (h)ara lac(h) *Era. Vic. Mar.*
Val. ‖ et[1] : *om.* K   P[ac] ‖ es tu : *om.* P[ac]   esto E ‖ 78 persona
K[ac] ‖ 79 uidetur K[ac] ‖ 80-83 intellegens — contristatus : *om.* Bi ‖
80 perituram Y[ac]M[ac]L[ac]H[ac] ‖ rationabiliter : rationaliter C   ratio-
nabiter K[ac] ‖ 81 uel : et YL(M[ac])HIGJ ‖ 81-82 uel contristatus es :
om. CD[ac] *Gre*   uel contristatus E   D[pc] ‖ 82 es : *om.* K   NX ‖ 83-85 ne
— contristatus D[pc]   Y   NX   POJ[pc]   *Val. Ant. Adr.* : *om.* A   B
CD[ac]   E   F   K   MLHIGJ[ac]   Bi   *rell.* ‖ 85 uel[a] CD   F   𝕾   *edd.*
(— *Adr.*) : et A   B   K   NX   PO   Bi   *Adr.* ‖ maeroris : memoris
E ‖ 86 uerum : *om.* P[ac] O ‖ silentio : sententia Y[ac] ‖ comprobetur :
superueniat N[pc]
IV, 5 Heb uer *in* H   E̅B̅ *in* PO ‖ 87 et[2] : *om.* YM[ac]LHIG[ac]J[ac]
P[pc1] ‖ 88 et : *om.* N[ac] ‖ ibi : *om.* P[ac] ‖ ibi umbraculum : *tr. edd.*

Le mot hébreu *hadra lach* peut être traduit à la fois par
« es-tu fâché » et « es-tu attristé »[1]. L'un et l'autre convient
à la fois au prophète et au Seigneur, soit qu'il ait été
«fâché» de paraître avoir menti aux Ninivites, soit qu'il ait
été «attristé» en comprenant qu'Israël allait périr. Et c'est
avec raison qu'il ne lui dit pas : « Tu as tort de te fâcher
— ou de t'attrister — », pour ne pas paraître critiquer sa
tristesse, ni non plus : « Tu as raison de te fâcher — ou
de t'attrister — », pour ne pas aller contre sa propre
sentence ; mais il interroge celui qui est « fâché » ou
« attristé », pour qu'il lui indique les motifs de sa colère
ou de son chagrin. ou, s'il se tait, pour que la vérité du
jugement de Dieu soit démontrée par son silence.

5 Héb. : Et Jonas sortit de la ville et il s'assit à l'orient
de la ville. Il se fit pour lui-même à cet endroit
un ombrage et il était assis dessous, à l'ombre,
pour voir ce qui allait arriver à la ville.

LXX : Pareillement[1].

La ville et la tente Caïn, ce fratricide et cet homicide[a],
qui le premier ensanglanta le monde
du meurtre de son frère, fut le premier à « bâtir une ville[2]
et il l'appela du nom de son fils[b] » Énoch[3]. C'est aussi

(— *Adr.*) ‖ 89 subter : super N ‖ 90 uiderit M[ac] ‖ qui N[ac] ‖ accideret :
accederet K Y[ac] N[ac]X[ac] accediret X[pc] accederit M[ac]L[ac]
H[ac] ‖ LXX similiter : *om. Era. Vic. Mar.* ‖ 92 cruentum : crudum
H[pc](*i.m.*) G(*i.m.*) ‖ 94 uocauit : *om.* O[ac] uorauit K uocauerit
O[pc](*i.m.*) uocat I ‖ eam : *om.* B cain G ‖ ex : de BM[pc] ‖ enoch
D[pc] *edd.* (— *Gre*) : enocham H[pc]IG cain C *Gre.* cainam BM[pc]
cainam A K YM[ac]LH[ac] NXQ PO Bi chainan J[pc] (D[ac]
J[ac] *legi non possunt*)

IV, 5 a : TERTULLIEN, *De patientia*, 5, 16   b : Gen. 4, 17

95 Osee propheta dicit : « Deus ego et non homo, in medio tui
sanctus et non ingrediar ciuitatem ᶜ ». « Domini » enim,
psalmista dicente, « sunt exitus mortis ᵈ ». Quamobrem et
una fugitiuorum ciuitas appellatur Ramoth ᵉ, quod interpretatur « uisio mortis ». Et recte quicumque fugitiuus est
100 et propter peccata non meretur habitare Hierusalem habitat in urbe mortis et est trans fluenta Iordanis, qui « descensus » exprimitur. *EGREDITVR* ergo « Columba » uel
« Do|lens » *DE* istiusmodi *CIVITATE* et habitat *CONTRA ORIEN-
TEM* unde sol oritur, et est ibi in tabernaculo suo. Laben-
105 tiaque tempora contemplatus, exspectat quid supradictae
eueniat ciuitati. Antequam Nineue saluaretur et aresceret
cucurbita, antequam Christi euangelium coruscaret et
compleretur Zachariae prophetia : « Ecce uir, ‖ Oriens | nomen
eius ᶠ », Ionas sub umbraculo erat. Necdum quippe ueritas
110 uenerat de qua idem euangelista et apostolus loquitur :
« Deus ueritas est ᵍ. »

Et eleganter additur : *FECIT SIBIMET IBI VMBRACVLVM.*
IBI, iuxta Nineuen, *SIBIMET FECIT* : nullus enim de Niniuitis
tunc temporis habitare poterat cum propheta. *ET SEDEBAT*
115 *SVB VMBRA* : uel iudicis habitu uel de sua maiestate con-

---

IV, 5 95 prophete K ‖ ego : ergo YLᵃᶜ(Mᵃᶜ)HᵃᶜGJᵃᶜ ‖ et : *om.*
CDᵃᶜ *Gre.* ‖ 96 ingrediar : in *add.* CD   YL(Mᵃᶜ)HGᴘᶜJᵃᶜ *Gre. Era.*
Vic. ‖ 97 psalmi XQ ‖ dicente : *om.* NXQ   dicit *Gre.* ‖ exitus : exerci-
tus E ‖ sunt : *om.* N ‖ 98 unam A ‖ ramoth : romot CDᵃᶜ *Gre.*
uel iamoth *add.* CD   *Gre.* ‖ 99 quicum K ‖ 100 habitare : in *add.*
B ‖ 101 urbe : umbra A   NXQ   Bi ‖ qui : -que K ‖ descensus :
discensus CDᵃᶜ   MᵃᶜLᵃᶜHGJᵃᶜ   NᵃᶜX   descessus Pᵃᶜ   discessus
PᴘᶜOJᴘᶜ(*i.m.*) Iᴘᶜ(*i.m.*)   dissensus I(*i.t.*) ‖ 102 exprimetur Kᴘᶜ ‖ egre-
dietur Dᵃᶜ   Pᵃᶜ ‖ ergo : *om.* Pᵃᶜ ‖ 103 et : *om.* YMᵃᶜLHIGJ ‖ habitat : -tauit CD   *Gre.*   -tabit Bi ‖ 104 suo : ubi *add.* HᴘᶜIGJ   Pᴘᶜ
Era. Vic. Mar. Val. Ant. ‖ 104-105 labentiaque CD   K   YMᴘᶜLᴘᶜ   PᵃᶜO
Bi   *Gre.* : labenti aquae(e) A   B   NX   hihabentia quae Lᵃᶜ(Mᵃᶜ)
Hᵃᶜ   labentia quaeque HᴘᶜIGJPᴘᶜ edd. (— *Gre.*) ‖ 105 contem-
platus : -tur A   K   -tu... N*post. ras.* ‖ 105-106 supradictae eueniat :
supradicte (-ae) ueniat A   K ‖ saluaretur : salue- Nᵃᶜ   solue-
YMᵃᶜLHᵃᶜ ‖ aresceret YL(Mᵃᶜ)HIGJ   Bi   *Vic. Mar. Val.*(*i.t.*)   *Ant.*

la raison pour laquelle le prophète Osée dit : « Je suis
Dieu, moi, et non un homme. Au milieu de toi je suis
saint et je n'entrerai pas dans la ville [b] [4]. » Car « au Seigneur,
dit le psalmiste, sont les issues de la mort [c] [5] ». Voilà
pourquoi aussi une des cités de refuge s'appelle Ramoth [d], ce
qui veut dire « vision de mort [6] ». Aussi, quiconque est
fugitif et ne mérite pas, à cause de ses péchés, d'habiter
dans Jérusalem [7], habite à juste titre dans une « ville de
mort » et se trouve au-delà des flots du Jourdain, qui
signifie « descente [8] ». Colombe ou le Douloureux « sort »
donc d'une telle « ville » et il habite « vers l'Orient [9] »,
d'où le Soleil [10] se lève. Et il est là dans sa tente. Il contemple
le temps qui passe, en attendant ce qui va arriver à la ville
susdite. Avant que Ninive ne soit sauvée et que la courge
ne se dessèche, avant que n'étincelle [11] l'évangile du Christ
et que s'accomplisse la prophétie de Zacharie [12] : « Voici
l'homme dont le nom est Orient [e] », Jonas était sous
l'ombrage [13]. Car elle n'était pas encore venue, la Vérité [14]
dont celui qui fut à la fois évangéliste et apôtre déclare :
« Dieu est Vérité [f]. »

Et l'Écriture ajoute avec finesse : « Et il se fit pour
lui-même à cet endroit un ombrage. » « A cet endroit », près
de Ninive, « il se fit *pour lui-même* » (un ombrage) : en effet,
aucun Ninivite de ce temps ne pouvait habiter avec le
prophète. « Et il était assis à l'ombre » : soit dans l'attitude
d'un juge [15], soit diminué [16] dans sa majesté, ' les reins

Adr. : areret A   BM[pc]   CD   K   NXQ   PO   *Gre.* (*forte recte*)
accresceret *Era. Val.*(*i.m.*) ‖ 107 euangelius Q ‖ 108 zachariae
prophetia : zachariae prophetiae P[ac]   zacharia propheta O ‖
nomen eius oriens YM[ac] ‖ 112 et : *om.* A ‖ fecit : et *praem.* Ⅽ
Era. Vic. Mar. Val. Ant. ‖ ibi : *om.* Ⅽ   PO   *edd.* (– *Adr.*) ‖ 113
ibi : *om. Adr.*

IV, 5 c : Os. 11, 9   d : Ps. 67, 21   e : Deut. 4, 43   f :
Zach. 6, 12   g : Jn 3, 33 ; 14, 6

tractus, et ' accinctus lumbos in fortitudine ʰ ', ut non tota
ad pedes et ad nos ' qui deorsum sumus ' uestimenta
defluerent, sed in se altiore balteo contraherentur.

Porro quod dicit ut VIDERET QVID ACCIDERET CIVITATI,
120 solita consuetudine utitur Scripturarum, ut humanos Deo
iungat affectus.

IV, 6 Heb. : ET PRAEPARAVIT DOMINVS DEVS HEDERAM ET
ASCENDIT SVPER CAPVT IONAE VT ESSET VMBRA
SVPER CAPVT EIVS ET PROTEGERET EVM ; LABORA-
125   VERAT ENIM. ET LAETATVS EST IONAS SVPER HEDERA
LAETITIA MAGNA.

LXX : *Et praecepit Dominus Deus cucurbitae et
ascendit super caput Ionae ut esset umbraculum
super caput eius et protegeret eum a malis suis,*
130   *laetatusque est Ionas super cucurbita gaudio
magno.*

In hoc loco quidam Canterius, de antiquissimo genere
Corneliorum, siue, ut ipse iactat, de stirpe Asinii Pollionis,
dudum Romae dicitur me accusasse sacrilegii quod pro
135 cucurbita hederam transtulerim. Timuit uidelicet ne, si

IV, 5 116 accinctus : -ctos Y   NX   -tas E ‖ lumbis MᵃᶜLHIGJᵃᶜ ‖
117 ad nos : non *praem.* Kᵃᶜ ‖ 118 se : *om.* Bi ‖ altiore B   ⑤ : altiori X
Mar. Val.(*i.m.*) : artiore K   artiori A   PO   Bi   *Era. Vic. Ant. Adr.*
arctiori CDᵃᶜ   *Gre. Val.*(*i.t.*)   altiora N ‖ 119 porro quod : pro eo
quod Bi ‖ quid accideret : *om.* Pᵃᶜ   quid accederet E   NXᵃᶜ   quid
accediret Xᵖᶜ quid acciderit Q   qui deceret YᵃᶜLᵃᶜ(Mᵃᶜ)Hᵃᶜ ‖ 120
humanos : -us Y   -norum Eᵃᶜ ‖ 120-121 deo iungat : *tr.* YL(Mᵃᶜ)
HIGJ   iungatur Eᵃᶜ ‖ affectus : -tos Nᵃᶜ   effectus H(*m.p.i.m.*)I
(*m.p.i.m.*)J(*m.p.i.m.*)

IV, 6 ʜᴇʙ. uer. *in* H   ʜᴇʙ *in* I   ʜʙ *in* G ‖ 122 dominus :
om. L ‖ et² : ut Bᵃᶜ ‖ 123 supra PO ‖ 124 super : supra A   *om.* PO ‖
125 enim : *om.* CDᵃᶜ ‖ hederam LᵃᶜHIGJ   N   Bi ‖ 127 praecipit C
Mᵃᶜ ‖ deus : *om.* Kᵃᶜ ‖ 129 et : ut A ‖ malis suis : *tr. Era. Vic. Mar.*
Val. Ant.   animalis Dᵃᶜ   amabilis suis I ‖ 130 ionas : *om.* YMᵃᶜ
LHIGJᵃᶜ ‖ cucurbitam B   CD ‖ 132 canterius : cantherius C   PO

fortement[h] ceints[17]', pour empêcher ses vêtements de descendre jusqu'à ses pieds — et jusqu'à nous, 'qui sommes en bas[18]' —, et pour les retenir par une ceinture plus haute[19].

Plus loin, dans l'expression « pour voir ce qui allait arriver à la ville », l'Écriture emploie sa façon habituelle de prêter à Dieu des sentiments humains[20].

, 6 Héb. : Et le Seigneur Dieu prépara un lierre qui monta au-dessus de la tête de Jonas, pour donner de l'ombre au-dessus de sa tête et le protéger, car il avait peiné. Et Jonas se réjouit de ce lierre, d'une grande joie.

LXX : Et le Seigneur Dieu commanda à une courge qui monta au-dessus de la tête de Jonas, pour donner de l'ombrage à sa tête et le protéger de ses malheurs. Et Jonas se réjouit de la courge, avec un grand plaisir.

Courge, lierre ou ricin ? A cet endroit[1], certain Canterius[2], de la très ancienne famille des Cornelii ou, comme lui-même s'en vante, de la lignée d'Asinius Pollion, m'a naguère, dit-on, accusé à Rome de sacrilège[3], pour avoir traduit « lierre » au lieu de « courge ». Sans doute a-t-il craint, si les lierres poussaient

---

IV, 5 h : Prov. 31, 17 (?) ; Job 38, 3 ; 40, 2 (?) ; Ps. 64, 7 (?)

pro cucurbitis hederae nascerentur, unde occulte et tene-
brose biberet non haberet. Et reuera, | in ipsis cucurbitis
uasculorum quas uulgo saucomarias uocant, solent apostolorum imagines adumbrari e quibus et ille sibi non suum
140 nomen adsumpsit. Quod si tam facile uocabula commutan-
tur ut pro Corneliis seditiosis tribunis Aemilii consules
appellentur, miror cur mihi non liceat hederam transferre
pro cucurbita.

Sed ueniamus ad seria. Pro cucurbita siue hedera, in
145 hebraeo legimus « ciceion », quae etiam lingua Syra et
Punica « ciceia » dicitur. Est autem genus uirgulti uel
arbusculae lata habentis folia in modum pampini et umbram
densissimam sustinens. Quae Palestinae cre | berrime nas-
citur et maxime in arenosis locis. Mirumque in modum, si
150 sementem in terram ieceris, cito confota surgit in arborem
et intra paucos dies quam herbam uideras arbusculam
suspicis. Vnde et nos, eo tempore quo interpretabamur
prophetas, uoluimus idipsum Hebreae linguae nomen

IV, 6 136 pro : prae B ‖ curbitis Dᵃᶜ ‖ hedera N ‖ nasceretur N ‖
occultae A B NX PᵃᶜO ‖ tenebrosae B YL(Mᵃᶜ) X ‖ 137
biberet : bibere Pᵖᶜ   ebiberet (Mᵃᶜ ?)Lᵖᶜ   eliberet Lᵃᶜ   ubi
praem. Y Pᵃᶜ ‖ 138 uulgo : uulgus Bᵃᶜ YMᵃᶜLHIGJ PO Bi
uulgos BᵖᶜMᵖᶜ K ‖ saucomarias CD NX *edd.* : saucumarias P(*i.t.*)
J(*m.p.i.m.*)   saucimarias Y   aucomarias K MᵃᶜLHI Bi auco-
merarias Gᵃᶜ   aucamarias B   saccumarias A O   cucumerias
H(*m.p.i.m.*) J(*i.t.*)   cucumerarias GᵖᶜPᵖᶜ(*m.p.i.m.*) ‖ uocat Hᵖᶜ
IGJᵃᶜ ‖ solet I NᵃᶜX Pal *Val.*(*i.m.*) ‖ 139 adumbrari : -re CDᵃᶜ
Gre. Era. Val.(*i.t.*)   autumari MᵃᶜLHIGJP(*m.p.i.m.*) ‖ e : ex
YL(Mᵃᶜ)HIGJ   *om. Gre.* ‖ non suum sibi CD 𝔖 *Gre. Era.*
Vic. ‖ 141 seditiosis : seditionis B   scipiones *add.* Gᵖᶜ(*i.m.*) ‖ tri-
bunis : protribunis Gᵖᶜ ‖ aemilii : emilii Y   emelii CD   emuli
Bi   similiter L(Mᵃᶜ)HIGJᵃᶜ ‖ consulis Mᵃᶜ Nᵃᶜ ‖ 142 appellantur
K YMᵃᶜLᵃᶜHᵃᶜ ‖ minor I ‖ cur : cum A K ‖ transferrae D ‖ 143
cucurbitam K ‖ 144 seria : seriam K Pᵃᶜ   seriem Y(Mᵃᶜ)LHIGJ
Nᵖᶜ PᵖᶜO Bi *Mar.*   siriam CDᵖᶜ ‖ 145 ciceion : cicion CDᵃᶜ
ciceios Bi   siseon E ‖ syra : syria F   syriaca CD *Gre.* ‖ 146
ciceia : ceceia BMᵖᶜ   cicesa Y   cicaesa L(Mᵃᶜ) Hᵃᶜ(?)G   ciceta I

à la place des courges, de ne plus avoir de quoi boire en cachette et dans l'ombre[4]. De fait, sur les courges qui servent de récipients et qu'on appelle communément des *saucomariae*[5], on représente d'ordinaire l'image des apôtres auxquels cet individu même a emprunté son nom, qui n'est pas le sien. S'il est si facile de changer les appellations et, à la place des Cornelii, des tribuns[6] séditieux, de prendre le nom des Emilii, des consuls[7], je m'étonne[8] que moi, je n'aie pas le droit de traduire « lierre » au lieu de « courge » !

Mais venons-en aux choses sérieuses. Pour « courge » ou « lierre », nous lisons en hébreu *qiqeion*, ce qui en syriaque et en punique se dit également *qiqeïa*[9]. Il s'agit d'un genre d'arbrisseau ou d'arbuste, à feuilles larges, comme celles de la vigne, qui procure une ombre très épaisse[10]. Il pousse très fréquemment en Palestine et particulièrement dans les endroits sablonneux. Il est curieux de voir sa semence, une fois jetée en terre, s'échauffer rapidement, s'élever et devenir un arbre. En peu de jours, ce que vous aviez vu herbe vous le contemplez devenu arbuste ! Aussi voulions-nous, lorsque nous traduisions les prophètes, transcrire le mot hébreu lui-même, puisque

---

ciceroa *Gre.* siceia A   NX   elkeroa *Era. Vic.* ‖ uirgulti : -te K   uirtuti P(*i.t.*) O(*i.t.*) ‖ 147 habentis : -tes A K N[ac] habens L(M[ac])HIGJ *Era. Vic. Mar. Val.* ‖ pampani Y[ac]M[ac]L[ac]H[ac] ‖ 148 densissimam : denti- CD[ac]   suo trunco se *add. edd.* (*ex Ep.* 112, 22 ?) ‖ sustinentis PO   *Adr.* ‖ quae : -que K ‖ palestinae : in palestina *Gre. Era. Vic. Mar. Val.* ‖ creberrime : -mo B E[ac]F K YML[ac]HIGJ[ac]   crebrissimo CD[ac] ‖ 149 maxime : -ae C F   -o E[ac] ‖ locum N[ac] ‖ in[2] : *del.* L[pc]   im- PO ‖ 150 in terram : in terra E YMLHIJ NX   *om.* B ‖ confota : cumfota E   conforta CD[ac] I   confortata Y   POJ[pc] ‖ consurgit CD[pc] *edd.* (— *Adr.*) ‖ 152 suspicis : suspices L[ac]HIG[ac]J[ac]   suspicies L[pc]G[pc]   suscipis A   EF ‖ eodem CD[ac] F   *Gre. Era. Vic. Mar. Val.* ‖ quod F   P[ac] ‖ interpretabatur Bi ‖ 153 propheta Bi ‖ uoluimus : uolumus E   nolui- mus F   proferre *add.* N[pc](*sp.l.*) ‖ 153-154 nomen — arboris : nomen quia aliud N[pc](*sp.l.*) (*q.l.*154 *om.*))

exprimere quia latinus sermo hanc speciem arboris non
155 habebat. Sed timuimus grammaticos, ne inuenirent licentiam commentandi et, uel bestias Indiae uel montes Boeotiae, aut istiusmodi quaedam portenta confingerent, secu-
tique sumus ueteres translatores qui et ipsi hederam interpretati sunt, quae graece appellatur κισσός ; aliud enim quid
160 dicerent non habebant.

Discutiamus ergo historiam et, ante mysticos intellectus,
solam litteram uentilemus. *Cucurbita* et HEDERA huius
naturae sunt ut per terram reptent et, absque furcis uel
adminiculis quibus innituntur, altiora non appetant. Quo-
165 modo igitur, ignorante propheta, *cucurbita* in una nocte
consurgens umbraculum praebuit quae naturam non habet
sine perticulis et calamis uel hastilibus in sublime consur-
gere ? « Ciceion » autem, cum in ortu subito miracu|lum
praebuerit et potentiam ostenderit Dei in protectione uiren-
170 tis umbraculi, naturam suam secuta est.

Ad personam uero Domini Saluatoris, ne penitus propter
φιλοκολόκυνθον cucurbitam relinquamus, sic referri potest
ut illud commemoremus Esaiae : « Relinquetur filia Sion

IV, 6 154 latinus sermo : *tr.* CD   *Gre. Era. Vic. Mar. Val.* ‖ 155
inuenerint Y^{ac}M^{ac} ‖ 156 commentandi : -dandi YM^{ac}L^{ac}H^{ac}   commo-
F ‖ montis YMJ^{ac} ‖ boeotiae : poetiae F ‖ 157 confingerent : confi-
gerent A   J^{ac}   confingerit CD^{ac}   confringerent Y^{ac}I ‖ 158
hedera A ‖ 159 appellantur K   YM^{ac}L^{ac}H^{ac}IJ^{ac} ‖ κισσός : FICEOC
YL(H^{ac})   KICEOC F   H^{pc}IJ^{pc}   KICOC M^{pc}   ficeos C   G   siceos
D   HICOC Bi ‖ quod B   I   POJ^{pc}   *Mar. Val. Ant.* ‖ 160 dicerent :
-re A   -rint M^{ac}L^{ac}H^{ac} ‖ 161 discutiamus : discimus N ‖ et : ut
N^{pc} ‖ intellectis A ‖ 162 huius : eius NX   huic I ‖ 163 reptent :
repent CD^{ac}   Y^{pc}H^{pc}IJ^{ac}   reppent H^{ac}G^{ac}   repant L(M^{ac})   G^{pc}
(*sp.l.*)   D^{pc}   *Gre.*   repente A ‖ et : ut E^{ac} ‖ furcis : faris CD(*i.t.*)
fulcris E ‖ 164 quibus : ad *add.* K^{ac}   q *add.* N^{pc} ‖ innituntur :
-tentur NX   -tantur E^{pc}   innitur K^{ac}   inmittantur E^{ac} ‖ adpe-
tunt CD ‖ 165 ignoranter X^{ac}(?) ‖ in : *om.* MLHIGJ ‖ 166 praebuit
quae : praebuitque K ‖ 167 perticulis : pertigulis K   pergulis A
CD^{ac}   F   N^{ac}X   PO   J^{pc}   Bi   *edd.* (— *Adr.*)   perculis D^{pc}   Pal
Val.(*i.m.*)   uirgulis YL(M^{ac})HIGJ^{ac} ‖ 168 ciceion : ciccion K

le latin n'avait pas cette espèce d'arbre[11]. Mais nous avons craint que les professeurs[12] n'y trouvent matière à commentaire et n'aillent imaginer monstres de l'Inde, montagnes de Béotie ou merveilles de ce genre[13]. Nous avons donc suivi les anciens traducteurs[14] qui ont également rendu par « lierre » ce qui en grec se dit κισσός ; en effet, ils n'avaient pas d'autre mot.

Examinons[15] donc l'histoire et, avant de parler des sens mystiques, éclairons la lettre seule : la « courge » et le « lierre », par nature, rampent à terre. Sans tuteurs ou étais où s'appuyer, ils ne se dressent pas vers le haut. Comment donc une « courge », s'élevant en une nuit, a-t-elle, à l'insu du prophète, procuré de l'ombrage, alors que sa nature, sans perches, roseaux ou piquets, n'est pas de s'élever vers le ciel ? Le ricin au contraire, même s'il a offert un miracle dans sa venue subite et s'il a montré la puissance de Dieu en fournissant la protection de cet ombrage verdoyant, n'a fait que suivre sa nature[16].

Israël   Quant à la personne du Seigneur Sauveur — pour ne pas abandonner totalement la courge à cause de notre amateur de coloquinte[17] —, on peut entendre ce passage de lui en rappelant la parole d'Isaïe : « La fille de Sion sera abandonnée comme

---

sesion E ‖ ortu : ortum N   hortu B   K   P^ac   horto Y^pc orto E   Y^ac   X^ac   Bi   suo add. PO ‖ miraculo M^acLH^ac ‖ 169 deus A ‖ 170 umbraculi : umbrae oblitus N^acX   umbrae oblita N^pc   oblitus add. Pal (sp.l.)   Val.(i.m.) ‖ naturam : et praem. Gre. Era. Mar. Val. ‖ secuta : non add. M^pcL^pcHIG(J^ac) ‖ 172 φιλοκολόκυνθον : φιλοκολοϲυνεον A   φιαοκολοκυνθων B M^pc φιαοακοαοκυνεον K   φιλοκολοκινενον D^pc   cραοαορξνε- νον C   φιαφολογνον Y   φιαφοαοφγνον L   φιλοχο λοκγνοm H^pc I   φιαφο λοφινον G   φιαοκοαϲκγνον N   φιαοκοαοκινον X φιλοχλινθον PO J^pc ‖ referre YH^ac ‖ 173 illuc Y ‖ commemoremus : -ramus M^ac   -rauimus L^pc(?)

sicut tabernaculum in uinea et uelut casula in cucume-
175 rario, quasi ciuitas quae obpugnatur ª. » Et dicamus, quia
in alio Scripturae loco cucurbitam non inuenimus, quod ubi
cucumis nascitur ibi nasci soleat et cucurbita. Et Israel
huic generi comparatum quod quondam protexerit Ionam
sub umbra sua conuersionem gentium praestolantem et
180 non paruam LAETITIAM tribuerit ei, faciens umbraculum
et tabernaculum potius quam domum, habens tectorum
imaginem, domorum non habens fundamenta. Porro
« ciceion », nostra arbuscula modica, cito consur|gens et cito 42
arescens, ordine et uita comparabitur Israheli radices
185 paruas mittenti in terram et conanti quidem in excelsa
sustolli, sed altitudinem « cedrorum Dei ᵇ » et « abietum ᶜ »
non aequanti. Quod mihi uidentur et locustae significare
quibus uescebatur Iohannes qui dicit sub typo Israhelis :
« Illum oportet crescere, me autem minui ᵈ » : animal
190 paruum, infirmas habens alas, de terra quidem consurgens
sed altius non ualens auolare, ut plus sit quam reptile et
tamen auibus non aequetur.

IV, 6 175 expugnatur CD   *Gre. Era. Vic. Mar. Val.* ‖ 176 alio :
alia B   loco *add.* K ‖ scripturae loco : *tr.* NX   PO ‖ non : *om.*
Nᵖᶜ ‖ 177 cucumeris A   Bi ‖ 178 generi : rei K ‖ comparatum : -tam
MᵃᶜLHᵃᶜ   -tur *Vic.* ‖ quondam : quid et L(Mᵃᶜ ?)   quidam Hᵃᶜ
quidem HᵖᶜIGJ ‖ 180 ei : et A   PO   ei *add.* Pᵖᶜ(*i.m.*) ‖ 181 habere
NX ‖ tectorem CDᵃᶜ ‖ 182 domorum : -que *add.* Nᵖᶜ ‖ non habens :
habent NX ‖ 183 ciceion : ciccion K   ciceon NX   kikaion *Vic.* ‖
184 ordini DᵖᶜLᵖᶜ ‖ uita : uia A   B   K   X   POJᵖᶜⁱ Bi   *Val.*(*i.m.*)
Ant.   uitae Dᵖᶜ(?) ‖ isra(h)eli : -lis CD(ᵖᶜ ?)   -el A ‖ 185
mittenti : -tisBMᵖᶜ   CD   NX   PO   Bi   -tesA   E   K   Y   mitti
L(Mᵃᶜ)HIGᵃᶜJᵃᶜ ‖ conanti : -tis BMᵖᶜ   CD   E   Nᵖᶜ   PO   -tes A
K   Y   NᵃᶜX ‖ 186 sustu(l)li E   MᵃᶜLᵃᶜHIGJᵃᶜ ‖ set K ‖ altitudinem : ad *praem.* A ‖ dei : *om.* N ‖ abietum : abiectum B   abiex-
tum K   abie tu Y   abie[?] Mᵃᶜ ‖ 187 aequanti : -tis A   B
CD   E   Nᵖᶜ   Bi   -tes K   Y   NᵃᶜX ‖ significari L ‖ 188 ioannis

une hutte dans une vigne et comme une cabane dans une melonnière[18], ainsi qu'une ville assiégée[a]. » Et, puisqu'on ne trouve pas de courge ailleurs dans l'Écriture, disons que là où pousse le melon, pousse d'ordinaire aussi la courge. Israël est comparé à cette espèce de plante parce qu'il a un moment protégé Jonas de son ombre, lorsque celui-ci attendait la conversion[19] des Nations, et qu'il lui a causé une « joie[20] » qui n'était pas petite en lui faisant de l'ombrage et en lui procurant une tente plutôt qu'une maison : il avait la forme d'un toit, mais n'avait pas les fondations d'une maison. De plus[21], le ricin, notre modeste arbuste, qui s'élève rapidement et rapidement se dessèche, est bien comparable à Israël : certes, il jette en terre de petites racines et s'efforce de se dresser vers les hauteurs, mais il n'atteint pas la haute taille des « cèdres[b] [22] » et des « cyprès[c] de Dieu ». C'est ce que me semblent signifier également les sauterelles[23] dont Jean faisait sa nourriture, lui qui déclare, en symbolisant Israël : « Il faut que lui grandisse, mais que moi je diminue[d] [24]. » La sauterelle est un animal de petite taille, aux ailes faibles. Elle peut bien s'élever du sol, mais elle n'a pas la force de voler bien haut, en sorte qu'elle est plus qu'un animal rampant, sans égaler cependant les oiseaux.

A   CD[ac]   K ‖ dicit : *om.* N[ac] ‖ sub : in N[pc](*sp.l.*)X ‖ typum NX ‖ 190 infirmans P[ac] ‖ 191 sed : et B ‖ altium K ‖ uolare E   Bi ‖ 192 auibus non : *tr.* 𝕊 ‖ aequentur K

IV, 6   a : Is. 1, 8   b : Ps. 79, 11   c : Is. 37, 24 ; Zach. 11, 2
d : Jn 3, 30 ; Matth. 3, 4 ; Mc 1, 6

IV, 7-8 Heb. : Et paravit devs vermem ascensione dilvcvli in
crastinvm et percvssit hederam et exarvit.

195   et cvm ortvs fvisset sol, praecepit dominvs
vento calido et vrenti, et percvssit sol svper
capvt ionae et aestvabat. et petivit animae
svae vt moreretvr et dixit : melivs est mihi mori
qvam vivere.

200 LXX : *Et praecepit Deus uermi mane in crastinum
et percussit cucurbitam et arefacta est ; statimque
ut ortus est sol, praecepit Deus spiritui ardoris
urenti et percussit sol super caput Ionae.
Et angustiatus est et taeduit eum animae suae.*
205   *Et dixit : Melius est mihi mori magis quam
uiuere.*

Antequam *oriretvr* « Sol iustitiae [a] », uirens erat umbraculum et non *arebat* Israhel ; postquam ille surrexit
et tenebrae Nineuiticae eius luce discussae sunt, paratus
210 uermis in crastinvm ascensione dilvcvli — de quo
uicesimus primus psalmus inscribitur : « Pro assumptione
matutina [b] », et qui absque ullo semine de terra oritur et
dicit : « Ego sum uermis et non homo [c] » — *percvssit*
umbraculum quod, desertum auxilio Dei, omnem uirorem
215 perdidit.

IV, 7-8 heb uer *in* H(I)   hb *in* G   eb *in* PO ‖ 193 parauit :
praeparauit X P   praeparuit O ‖ deus : dominus CD K O
Gre. Era. Mar. Val. Ant. ‖ uermem : -en A PO   uerbum E ‖ ascensione : -em K[ac] NX[ac]   ascendere E ‖ 194 hederum CD ‖ 195
ortus : hortius Y ‖ praecipit CD Bi ‖ 195-196 praecepit — sol : *om.*
L[ac](M[ac] ? *lac.*) ‖ 196 ualido CD ‖ urente K Y ‖ 197 aestuauit K ‖
petiit CD *edd.* (— *Adr.*) ‖ 198 moriretur A CD L[ac]HG[ac]J[ac]
NX ‖ 198-199 et — uiuere *om. Gre.* ‖ 200 deus : dominus Bi ‖ uermi
mane : uerminae P[ac]   uerbi mane D[ac] ‖ 201 et[a] : *om.* Y[ac] ‖ 202 ut :
in B ‖ praecipit D[ac] ‖ deus : dominus CD *edd.* (— *Adr.*) ‖ 203 et :
om. K ‖ 204 angustiatatus M ‖ taeduit : tae(e)diauit A BM[pc]   tediuit
CD[ac] ‖ anima sua K ‖ 205 mihi : me BM[pc]   *om.* O ‖ mori

7-8 Héb. : Et Dieu, à la pointe de l'aube, le lendemain, prépara un ver. Celui-ci piqua le lierre, qui se dessécha. Et lorsque le soleil fut levé, le Seigneur donna un ordre au vent chaud et brûlant. Le soleil frappa sur la tête de Jonas, qui s'échauffa. Il demanda à mourir en disant : « Mieux vaut pour moi la mort que la vie. »

LXX : Et Dieu donna un ordre à un ver, le lendemain de grand matin. Celui-ci piqua la courge, qui fut desséchée. Et dès le lever du soleil, Dieu donna un ordre au souffle du vent chaud. Le soleil frappa sur la tête de Jonas, qui fut peiné et dégoûté de la vie. Il dit : « Mieux vaut pour moi la mort que la vie[1]. »

Le Soleil de Justice. Le ver et le vent de destruction Avant le « lever » du « Soleil de Justice[a] [2] », l'ombrage était verdoyant et Israël n'était pas « desséché ». Après son lever et la dissipation par sa lumière des ténèbres de Ninive, le Ver préparé pour « le lendemain à la pointe de l'aube » — ce ver pour lequel le *Psaume* 21 est intitulé : « En l'honneur de l'enlèvement matinal[b] [3] », qui naît de la terre sans la moindre semence[4] et qui dit : « Je suis un ver et non un homme[c] [5] » — a « piqué » l'ombrage. Abandonné du secours divin, celui-ci a perdu toute sa verdoyance.

---

magis : *tr.* YL(M^ac)HIGJ BM^pc   mori *edd.* ‖ 207 oriretur : oreretur A B K PO   orriretur C   orietur D^ac N^ac   moreretur Y   moriretur M^acL^ac ‖ 209 eius : *om.* BM^pc(*ras.*) ‖ luce : lucae CD   P^ac   lumen Bi ‖ sint D^ac ‖ 210 ascensionem P^ac ‖ 211 uicesimus : uicissimus CD^ac   uincenssimus K ‖ primis A ‖ 213 uerbis D^ac   P^ac ‖ 214 auxilium K

IV, 7-8 a : Mal. 4, 2   b : Ps. 21, 1   c : Ps. 21, 7

PRAECEPITQVE DOMINVS VENTO CALIDO ET VRENTI de quo
prophetatur in Osee : « Adducet urentem uentum Dominus
de deserto ascendentem, et siccabit uenas eius et desolabit
fontem eius ᵈ. » Et AESTVARE coepit Ionas et iterum uelle
220 MORI in baptismate cum Israhele ut in lauacro recipiat
humorem quem in negatione perdiderat. Vnde et Petrus
aren|tibus loquitur Iudaeis : « Paenitentiam agite et bap-
tizetur unusquisque uestrum in nomine Iesu Christi in
remissionem peccatorum uestrorum et accipietis donum
225 Spiritus Sancti ᵉ. »

Sunt qui uermem et urentem uentum Romanos intellegant duces qui, post resurrectionem Christi, Israhel penitus
deleuerunt. |

IV, 9 Heb. : ET DIXIT DOMINVS AD IONAM : PVTASNE BENE
230   IRASCERIS TV SVPER HEDERAM ? ET DIXIT : BENE
             IRASCOR EGO VSQVE AD MORTEM.

LXX : *Et dixit Dominus Deus ad Ionam : Si ualde
       contristaris tu super cucurbita ? Et ait : Valde
       contristor ego usque ad mortem.*

235   Supra, Nineuitis agentibus paenitentiam et gentium
urbe saluata, interrogatus idipsum propheta : « Putasne

IV, 7-8 216 praecipitque C ‖ ualido CD ‖ urente Y ‖ 217 adducet :
-cit MᵃᶜLᵃᶜHIGJᵃᶜ   -xit Y   dominus deus *add.* YL(Mᵃᶜ)HIGJ ‖
urentem uentum : *tr.* MᵃᶜLHIGJ Bi ‖ uentum dominus : *om.* Pᵃᶜ
(*sp.l.*) ‖ dominus : *om.* YMᵃᶜLHIGJ ‖ 218 de : *om.* CDᵃᶜ Jᵃᶜ ‖
deserto : -tum Jᵃᶜ   et *add.* B ‖ de deserto ascendentem : *om.* Pᵃᶜ²O ‖
218-221 et¹ — humorem : *om.* Bi ‖ 218 siccabit : sicauit K   Yᵖᶜ   seca-
bit Mᵃᶜ ‖ desolauit CDᵃᶜ   Yᵖᶜ   PᵃᶜO ‖ 219 fontes PO ‖ et¹ : *om.* K ‖
220 isra(h)ele : -el BMᵖᶜ   Lᵖᶜ   O   -li YᵃᶜH(Mᵃᶜ)(Lᵃᶜ)GᵃᶜJᵃᶜ ‖ ut :
et NᵃᶜX ‖ 223 uestrum CD   E   K   *edd.* : *om.* A   B   Ꙅ   NX   PO
Bi ‖ 224 remissione B   N ‖ 225 spiritus sancti : *tr.* A   B   K   NX
PO ‖ 226 uermi A ‖ romanorum Nᵖᶜ ‖ 227 ducem Nᵖᶜ ‖ penitus :
om. MLHIGJᵃᶜ ‖ 228 deleuerunt : diluerunt YᵃᶜMᵃᶜ   deluerunt
Yᵖᶜ   deleuerit A

Et « le Seigneur donna un ordre au vent chaud et brûlant »
dont il est annoncé dans *Osée* : « Le Seigneur amènera
un vent chaud qui montera du désert pour dessécher ses
sources et tarir sa fontaine[d] [6]. » Et Jonas commença
à « s'échauffer[7] » et à vouloir « mourir » avec Israël dans
le baptême, pour retrouver dans le bain la sève qu'il avait
perdue dans son reniement[8]. C'est pourquoi également
Pierre déclare aux Juifs desséchés[9] : « Faites pénitence
et que chacun d'entre vous se fasse baptiser au nom de
Jésus-Christ pour la rémission de vos péchés, et vous
recevrez le don de l'Esprit-Saint[e]. »

D'aucuns[10] interprètent le ver et le vent brûlant des
généraux romains qui, après la résurrection du Christ,
ont complètement détruit Israël.

, 9 Héb. : Et le Seigneur dit à Jonas : « Penses-tu avoir
raison de te fâcher pour un lierre ? » Et Jonas
dit : « J'ai raison, pour ma part, de me fâcher
jusqu'à en mourir ! »

LXX : Et le Seigneur Dieu dit à Jonas : « Es-tu si triste
pour une courge ? » Et Jonas dit : « Je suis, pour
ma part, tout triste jusqu'à en mourir. »

Chagrin pour Israël Quand, plus haut[1], alors que les
Ninivites se convertissaient et que
la ville païenne était sauvée, la question lui fut posée :

IV, 9 ʜeb. uer. *in* H   ʜb *in* G ‖ 230 tu : tui B ‖ hederam : -ra
PO   -re A   -rem N^{ac} ‖ 231 irascar N^{ac}   O ‖ 232 si : *om. Era.*
Vic. Mar. Val.(*i.t.*) ‖ 233 cucurbita : -tam BM^{pc}   L   Bi ‖ 235 super
CD   *Gre.* ‖ nini(e)uitas NX ‖ 236 urbe : orbe Y^{ac}M^{ac}   POJ^{pc} ‖
saluata : -to P^{pc}OJ^{pc}   salutata Bi ‖ interrogatus : -tur A   iter-
L ‖ idipsum : ipsum Bi

IV, 7-8 d : Os. 13, 15   e : Act. 2, 38

bene irasceris tu [a] ? », nihil respondit sed interrogationem
Dei silentio comprobauit. Sciens enim « clementem esse
Deum et misericordem » et « patientem et multae misera-
240 tionis [b] » et ignoscentem malitiis, super salute gentium
non dolebat. Hic autem, postquam in siccata cucurbita
aruit Israel et cum distinctione interrogatus : BENE IRAS-
CERIS TV SVPER HEDERA, confidenter respondit et dixit :
BENE IRASCOR EGO (uel *contristor*) VSQVE AD MORTEM ; non
245 enim sic uolui saluare alios ut perirent alii, non sic alienos
lucrifacere [c] ut meos perderem.

Et re uera, usque ad praesentem diem Christus plangit
Hierusalem [d] et plangit VSQUE AD MORTEM, non suam, sed
Iudaeorum, ut moriantur negantes et resurgant [e] Dei filium
250 confitentes.

IV, 10-11 Heb. : ET DIXIT DOMINVS : TV DOLES SVPER HEDERA IN
QVA NON LABORASTI NEQVE FECISTI VT CRESCERET,
QVAE SVB VNA NOCTE NATA EST ET SVB VNA NOCTE
PERIIT, ET EGO NON PARCAM NINEVE, CIVITATI
255 MAGNAE, IN QVA SVNT PLVS QVAM CENTVM VIGINTI
MILIA HOMINVM QVI NESCIVNT QVID SIT INTER DEX-
TERAM ET SINISTRAM SVAM ET IVMENTA MVLTA ?

IV, 9 238 dei : domini CD   *Gre.* ‖ 240 malitiis : *om.* P[ac] ‖ super :
om. A ‖ salutem K   N   PO ‖ 241 dolebat : doleat C   dolet *Gre.* ‖
in siccata : insicata D   siccata E[ac]   *Gre. Mar.Val. (i.t.)*   siccata
est E[pc] ‖ 242 interrogatus : interrogo A   est *add.* D[pc] ‖ irasceres
M[ac] ‖ 243 hederam BM[pc]   L   PJ[pc] ‖ dicit PO ‖ 244 uel : et *add.*
YL(M[ac])HIG[ac]J ‖ contristatur YL(M[ac])H[ac] ‖ 245 saluare : seruare
BM[pc] ‖ alienas YL(M[ac])H[ac] ‖ 246 lucrificare K   Ꙅ ‖ 247 plangit :
om. G[ac]   plangit Christus G[pc]   isra(h)elem *add.* L(M[ac])HIGJ[ac]
Era. Vic. Mar. Val.(i.t.) ‖ 248 hierusalem : israelem A   *del.* G[pc]
et *praem.* H[pc]I *Era. Vic. Mar. Val.(i.t.)* ‖ et : *om.* H[pc]I   *Era.
Vic. Mar. Val.* ‖ 249 et : ut A ‖ 250 confitentes : -tis M[ac]L[ac]   -dentes
K   Y[pc]   -denter N[ac]

IV, 10-11 Heb uer *in* H   Hb *in* G   Heb *in* I   EB *in* PO ‖
251 dolens L[ac]   X[ac] ‖ hederam B   Bi (*c.Vulg.*)   *Gre. Adr.* ‖ in :

« Penses-tu avoir raison de te fâcher[a] ? », il ne fit aucune réponse, mais justifia par son silence la question de Dieu. En effet, comme il savait que « Dieu est clément et miséricordieux, patient, plein de commisération » et de pardon pour les méchancetés[b], il n'éprouvait aucun chagrin du salut des Nations. Mais maintenant, une fois desséchée la courge d'Israël, quand on lui demanda en précisant : « As-tu raison de te fâcher *pour un lierre* ? », il répondit avec assurance : « Oui, j'ai raison de me fâcher (ou « de m'attrister ») jusqu'à en mourir. » En effet, je ne voulais pas sauver les uns pour perdre les autres, gagner des étrangers[c] pour perdre les miens !

Et de fait, jusqu'à nos jours[2], le Christ pleure Jérusalem[d] et pleure « jusqu'à la mort ». Non pas la sienne, mais celle des Juifs, pour qu'ils meurent en le reniant et ressuscitent[e] en confessant le Fils de Dieu.

10-11 Héb. : Et le Seigneur dit : « Toi, tu te chagrines pour un lierre qui ne t'a donné aucun mal, que tu n'as pas fait grandir, qui a poussé en une nuit et en une nuit a péri. Et moi, je n'épargnerais pas Ninive, la grande ville, où il y a plus de cent vingt mille hommes qui ne savent pas distinguer leur droite de leur gauche, ainsi qu'une foule d'animaux ? »

---

om. B ‖ 253 quae sub una : *om.* K ‖ nata — nocte[2] : *om.* CD[ac] M[ac] LHIGJ[ac] P[ac] ‖ est et : estque K ‖ sub[2] : *om.* BM[pc] Y NX P[pc] OJ[pc] Bi ‖ una[2] nocte[2] : *duppl.* K(*sp.l.*) ‖ 254 nineue : -uae CD -uen Y -i N[pc] ‖ ciuitate K ‖ 255 cento M[ac] ‖ 256 milia : *om.* CD[ac] NX ‖ inter : in PO ‖ dexteram : dextram A BM[pc] PO *Era. Vic. Mar. Val. Ant.* ‖ 257 et[1] : in add. PO ‖ suam : *om.* CD[ac]

IV, 9 a : Jonas 4, 4   b : Jonas 4, 2 ; Ex. 34, 6-7 ; Ps. 102, 8 c : I Cor. 9, 19   d : Lc 19, 41   e : Rom. 11, 15

LXX : *Et dixit Dominus : Tu pepercisti super cucurbita*
          pro   qua   non   laborasti   neque   nutristi   eam,
260   *quae   nata   est   in   nocte   et   in   nocte*
          periit. Ego autem non parcam Nineue, ciuitati
          magnae, in qua habitant plus quam duodecim
          milia uirorum qui ignorant dexteram et sinistram
          suam, et pecora multa ?

265   Nimiae difficultatis est exponere quomodo iuxta tropologiam dicatur ad Filium : TV DOLES SVPER HEDERA IN QVA
NON LABORASTI NEQVE FECISTI VT CRESCERET, cum ʿ omnia
per ipsum facta sint et sine ipso factum sit nihil ᵃ ʾ. Vnde
quidam locum istum interpretans, ut imminentem solueret
270 quaestionem, incurrit blasphemiam. Adsumens enim illud
de euangelio : « Quid me dicis bonum ? Nemo est bonus
nisi unus Deus ᵇ », Patrem interpretatus est bonum,
Filium uero ad comparationem eius qui perfecte et uere 42
bonus sit, in minori gradu positum. Et non considerauit
275 haec dicens quod in Marcionis potius | incurrerit haeresim 11
(qui alterum Deum tantum bonum, alterum infert iudicem
et conditorem), quam Arrii qui, cum maiorem Patrem et
minorem Filium praedicet, tamen Filium non negat conditorem. Ergo cum uenia audienda sunt quae dicturi sumus
280 et conatus nostri fauore potius et orationibus adiuuandi

IV, 10-11 258 pepercisti : percussisti A ‖ cucurbitam BMᵖᶜ K L ‖
259 qua : quo YMᵃᶜLᵃᶜHᵃᶜ   quam K ‖ 261 ciuitate Bᵃᶜ K Mᵃᶜ ‖
262 qua : quo YMᵃᶜLᵃᶜ ‖ duodecim : centum uiginti BMᵖᶜ K
centum uiginti milia siue duodecim milia Bi   xxII *Gre.* ‖ 263
milia : *om.* CDᵃᶜ NX   myriades *Vic. Mar. Val.*(*i.t.*) ‖ dextram
B G N PO ‖ 265 difficultates K ‖ trophologiam YMᵃᶜLH ‖ 266
hedera : -am B K Ⴝ N P Bi   -re A ‖ in qua : super quam
NX   quam K ‖ 268 sint : sunt Y MᵃᶜLHᵃᶜGᵃᶜ Bi ‖ sit : est A
CD NX *Gre. Vic. Mar. Val.* ‖ 269 quidem CDᵃᶜ ‖ soluerit CDᵃᶜ ‖
271 dicitis POJᵖᶜ ‖ est bonus : bonum est CDᵃᶜ   bonus est Dᵖᶜ
edd. (— *Adr.*) ‖ 273 filius B ‖ 274 sit : *om.* PO ‖ gradu : gladu Bi ‖ 275
potius : positus A ‖ incurrerit : -ret YMᵃᶜLᵃᶜHIGJᵃᶜ NX   incurrit
A CD ‖ heresin A NX PO ‖ 277 quam : qua L ‖ qui : quam I ‖

LXX : Et le Seigneur dit : « Toi, tu as épargné une courge
pour laquelle tu ne t'es donné aucun mal, que
tu n'as pas soignée, qui a poussé en une nuit et
en une nuit a péri. Mais moi, je n'épargnerais pas
Ninive, la grande ville où habitent plus de douze
milliers d'hommes qui ignorent leur droite et leur
gauche, ainsi qu'un nombreux bétail ? »

Il est bien difficile d'exposer com-
Difficultés ment, selon la tropologie[1], il est dit
d'interprétation au Fils : « Tu te chagrines pour un
lierre qui ne t'a donné aucun mal, que tu n'as pas fait
grandir », alors que ' tout a été fait par lui et que sans lui
rien n'a été fait[a] '. Aussi quelqu'un[2], en interprétant
ce passage et en voulant résoudre la question qu'il posait,
est-il tombé dans le blasphème. Prenant en effet le texte
de l'Évangile : « Pourquoi m'appelles-tu bon ? Personne
n'est bon sinon Dieu seul[b] », il a compris que le Père est
bon, mais que le Fils, en comparaison de celui qui est la
Bonté parfaite et véritable, occupe un degré inférieur.
Il n'a pas remarqué en disant cela[3] qu'il tombait dans
l'hérésie de Marcion (qui présente un Dieu uniquement
bon et un autre pour juger et créer), plutôt que dans
celle d'Arius qui, tout en prêchant un Père supérieur et
un Fils inférieur, ne nie pas cependant que le Fils soit
créateur[4]. Il faut donc écouter avec indulgence ce que
nous allons dire et nos efforts doivent être encouragés
de bienveillance et de prières[5], plutôt que méprisés par

cum : *om.* A ‖ 278 praedicent H[pc]I ‖ non : *om.* CD[ac]   *Gre.* ‖ negat :
-ant B   D[ac]   -ent H[pc]   egenat I ‖ 280 conatos K ‖ fauore : fouendi
Bi   *Vic.* (*in notis*) ‖ et[2] : *om.* CD   YM[ac]LH[ac]IG[ac]J[ac]   *Gre.* ‖ adiuuandi : audiendi M[ac]LHIG[ac]   audiendi et *praem. Era.*   audiendi
et iuuandi G[pc]   fouendi et *praem. Vic.*(*i.t.*)   adiurandi P[ac]

IV, 10-11 a : Jn 1, 3   b : Lc 18, 18 ; Mc 10, 18

quam spernendi aure maliuola, quia carpere et detrahere
uel imperiti possunt. Doctorum autem est et qui laborantium nouere sudorem uel lassis manum porrigere uel errantibus iter ostendere.

285   Dominus noster atque Saluator non ita LABORAVIT IN
Israhel quomodo LABORAVIT IN gentium populo. Denique
Israhel loquitur confidenter : « Ecce tot annis seruio tibi
et numquam mandatum tuum praeterii. Et numquam
dedisti mihi haedum ut cum amicis meis epularer. Sed
290 postquam filius tuus hic, qui deuorauit substantiam suam
cum meretricibus, uenit, occidisti illi uitulum saginatum ᶜ. »
Nec tamen confutatur a patre, sed clementer ei dicitur :
« Fili, tu semper mecum es, et omnia mea tua sunt ; epulari
et gaudere te oportebat, quia frater tuus hic mortuus erat,
295 et reuixit, perierat et inuentus est ᵈ. » Pro gentium populo
immolatus est uitulus saginatus et pretiosus sanguis effusus de quo Paulus ad Hebreos plenissime disputat ᵉ. Et
Dauid in psalmo : « Frater », inquit, « non redemit, redimet
homo ᶠ ». | Decreuit Christus ut ille cresceret ; iste mortuus   43
300 est ut ille uiueret ; hic descendit ad inferos ut | ille caelos   11
ascenderet. In Israhel uero nullus tantus LABOR fuit. Vnde

IV, 10-11 281 spernendi aure maliuola : spernendi aure adiuuandi
maliuola YMᵃᶜLHI   aure maliuola spernendi Gᵖᶜ(c.lac.) ‖ capere Jᵃᶜ ‖
et : om. N   uel Gᵃᶜ ‖ 282 autem : hoc add. NX ‖ et : ut Biᵃᶜ ‖ qui :
om. YMᵃᶜLHIGJ ‖ 284 ostendere : -deri MᵃᶜHᵃᶜ   ostederi L ‖ 285
ita : om. Kᵃᶜ ‖ 286 israhel — in : om. CDᵃᶜ   MᵃᶜLHᵃᶜGJᵃᶜ   Gre. ‖
287 annis : -os CD   K   YMᵃᶜLHIGJᵃᶜ   NᵃᶜX   P   Gre.   anno
O ‖ 288 et¹ : om. K ‖ 290 hic : hoc Nᵃᶜ   om. B ‖ substantia D ‖
291 illum B ‖ uitulum : illum add. A ‖ 292 confutatur : confundatur
YMᵃᶜLᵃᶜHᵃᶜ   confunditur LᵖᶜHᵖᶜIGJᵃᶜ ‖ ei : om. D ‖ dicit Mᵃᶜ ‖
293 aepulare K   Mᵃᶜ   NᵃᶜX ‖ 294 te : et Kᵃᶜ   Pᵃᶜ   om. BMᵖᶜ
Gᵃᶜ ‖ frater tuus hic : hic frater tuus edd. (— Adr.) ‖ fuerat J ‖ 296
effusus : est add. Bi ‖ 298 redemit B   CDᵃᶜ   YMᵖᶜLHIGJ   Bi :
redimit Dᵖᶜ   Mᵃᶜ   edd. (— Gre.)   redimet K   NX   PO   Gre.
redemet A ‖ redimit : redimit Mᵃᶜ   redemet CDᵃᶜ(?) ‖ 300 inferus
Kᵃᶜ ‖ ille : illo Nᵃᶜ   illos A   Q ‖ caelus Q ‖ 301 ascenderet : scanderet

des auditeurs malveillants. Car la critique et le blâme sont possibles même aux ignorants[6] ; mais c'est le propre des savants et de ceux qui connaissent la peine du travail que de tendre la main[7] à ceux qui sont fatigués ou de montrer le chemin à ceux qui se trompent.

Israël et l'Église des Nations Notre Seigneur et Sauveur ne s'est pas « donné du mal » pour Israël comme il s'est « donné du mal » pour le peuple des Nations. En effet, Israël déclare avec assurance : « Voici tant d'années que je te sers sans jamais avoir enfreint tes ordres et jamais tu ne m'as donné un chevreau pour festoyer avec mes amis. Mais maintenant que revient ton fils que voici, qui a dévoré son bien avec les filles, tu as tué pour lui le veau gras[c]. » Malgré tout, il n'est pas repris par son père qui, au contraire, lui dit avec bonté : « Mon fils, toi, tu es toujours avec moi et tout ce qui est à moi est à toi. Il fallait festoyer et te réjouir, puisque ton frère que voici était mort et qu'il est revenu à la vie, il était perdu et il est retrouvé[d]. » C'est pour le peuple des Nations[8] que le veau gras[9] a été immolé et qu'à été versé le sang précieux dont Paul parle très longuement[10] aux Hébreux[e11]. De même, David déclare-t-il dans le *Psaume*[12] : « Le frère n'a pas racheté ? C'est l'Homme qui rachètera[f] ! » Le Christ a décidé que ce peuple grandirait. Il est mort pour que ce peuple vive ; il est descendu aux Enfers pour que ce peuple monte aux cieux. En revanche, il ne s'est pas donné si grand mal pour Israël.

CD K *Gre.*   faceret ascenderet A[ac]   faceret ascendere A[pc] ‖ uero : *om.* YM[ac]LHIGJ[ac] ‖ nullus : *om.* A ‖ tantos N[ac] ‖ 301-302 unde — fratri : *om.* A

IV, 10-11 c : Lc 15, 29-30   d : Lc 15, 31-32   e : Hébr. 9-10 f : Ps. 48, 8

et inuidet iuniori fratri quod, post substantiam cum meretricibus lenonibusque prodactam, recipiat anulum et stolam et polleat pristina dignitate [g].

305 Quod autem ait : QVAE SVB VNA NOCTE NATA EST significat tempus ante aduentum Christi qui « mundi lumen [h] »
fuit, de quo dicitur : « Nox praeteriit, dies autem adpropinquauit [i]. » Et VNA NOCTE PERIIT, quando occubuit eis
« Sol iustitiae [k] » et Dei perdidere sermonem.

310 CIVITAS uero NINEVE MAGNA atque pulcherrima praefigurat ecclesiam in qua maior est numerus quam duodecim
tribuum Israhel, quod et fragmenta in solitudine signi-
ficant duodecim cophinorum [l].

Ignorant autem QVID SIT INTER DEXTERAM ET SINISTRAM :
315 uel propter innocentiam et simplicitatem, ut lactantem
monstret aetatem et relinquat intellectui quantus sit
numerus aetatis alterius cum tantus sit paruulorum ; uel
certe, quia magna erat urbs et, ' in domo magna, non solum
uasa sunt aurea et argentea, sed et lignea et fictilia [m] ',
320 erat in ea plurima multitudo quae ignorabat ante actam

IV, 10-11 302 inuidet : -dit K LHIGJ[ac] inuidi Y ‖ quod
post : *tr. Mar.* ‖ substantiam : -tia K suam *add.* K ‖ 303 prodactam : productam Y NX P[ac] productum CD[ac] *Gre.* perdi-
tam D[pc] deuoraram (*sic*) productum *Gre.* ‖ recipiet A[ac] ‖
annulum K *Gre. Mar. Val. Ant. Adr.* analum J[ac] ‖ stolam :
fialam N[ac]X ‖ 304 polluat A ‖ pristinam dignitatem YM[ac]L N[ac]
P[ac] ‖ 306 qui : quia CD[ac] ‖ mundi lumen : *tr.* B ‖ 307 praeteriit : -rit
J[ac] praecessit CD *edd.* (— *Adr.*) (*c. Vulg.*) ‖ adpropinquauit :
-bit Y L[pc1] X PO adpropiauit HG ‖ 308 et : in *add.* A B ‖
quando : quod Bi ‖ ei CD XQ Bi *Gre.* ‖ 309 perdidere : perdiderit
CD perderet YM[ac]LHIGJ[ac] perdere P[ac] perdidit *Gre* ‖
310 nineue magna : *tr.* Bi ‖ 311 est : *om.* B ‖ duodecim :
decim B YM[ac]L decem A M[pc]HIGJ[ac] NQ PO Bi *edd.*
(— *Gre.*) ‖ 312 solitudinem PO ‖ 314 ignorant : ignorante YL(M[ac])
H[ac] ignorantes H[pc]IGJ ‖ inter : in PO ‖ dextram A B PO ‖
315 ut : et YM[ac]LHIGJ[ac] et *praem.* P[ac] ‖ lactantem : iactantem
N[ac] iacentem X lactentem D[pc] E[pc] N[pc] *Era. Vic. Mar.*

C'est pourquoi celui-ci est jaloux de son frère cadet, en voyant qu'après avoir dissipé son bien avec les filles et les souteneurs, il reçoit anneau et robe et qu'il jouit de sa dignité d'autrefois[g].

L'expression « poussé en une nuit » désigne le temps précédant la venue du Christ[13], qui était « la lumière du monde[h] », dont il est dit : « La nuit est passée[14], mais le jour est proche[i]. » Le lierre a « péri en une nuit », quand s'est couché pour les Juifs le « Soleil de Justice[k][15] » et qu'ils ont perdu la Parole de Dieu[16].

Quant à la « ville de Ninive, grande » et fort belle[17], elle préfigure l'Église[18], où il y a un nombre d'habitants qui dépasse les douze[19] tribus d'Israël ; ce que désignent également les fragments qui, au désert[1], remplissent les douze corbeilles[20].

Ils ne savent pas « distinguer leur droite de leur gauche[21] » : soit à cause de leur innocence et de leur simplicité — pour indiquer la tendre enfance et laisser à penser quel peut être le nombre de ceux qui ont atteint un âge plus avancé quand les tout petits sont si nombreux —, soit encore — car grande était la ville et ' dans une grande maison il y a non seulement des ustensiles en or et en argent, mais aussi en bois et en terre[m] ' — parce qu'il y avait en elle une immense multitude qui,

---

Val(i.t.) Adr. et simplicem *add.* F ‖ 316 monstret : monstrat Q monstraret CD *Gre.* ‖ relinquat : reliquat P[ac]   relinquant A ‖ intellectui : in *praem.* N(*p.c.? i.m.*)   intellectu N[pc](?) ‖ 318 domo : domu CD[ac] M[ac]   domum L ‖ magnam L ‖ 319 uasa sunt : *tr.* A K ‖ fictilia : fictilea A   ficulia Q ‖ 320 erant YL[ac](M[ac])H[ac] ‖ plurima : magna YL(M[ac])HIGJ ‖ quae : qui M[ac]H[ac]L[ac]   que K M[pc]L[pc]H[pc]I ‖ ignorabant K Y PO ‖ antea A NQ ‖ actam : actum CD[ac] M[ac]L[ac]H[ac]   acta A   *om.* NQ

IV, 10-11 g : Lc 15, 22-23   h : Jn 8, 12 ; 9, 5   i : Rom. 13, 12   k : Mal. 4, 2   l : Matth. 14, 20 ; Mc 6, 43 ; Lc 9, 17 ; Jn 6, 13   m : II Tim. 2, 20

paenitentiam quid esset inter bonum et malum, inter dextrum et sinistrum.

Sed et IVMENTA MVLTA : multus est enim in Nineue numerus iumentorum et inrationabilium hominum qui
325 comparantur ' iumentis insipientibus ' et adsimilantur eis [n].

IV, 10-11 321 paenitentia A ‖ inter[a] : in P[ac]O   et *praem.* A ‖ 322 dextrum et sinistrum : dext(e)ram et sinistram A   CD   ⲋ   Bi *edd.* (— *Adr.*) *(forte recte)* ‖ 323 multa : *om.* ⲋ ‖ multas Y ‖ est enim : *tr.* Bi ‖ est : *om.* ⲋ ‖ in : *om.* K   *edd.*   innineue Q ‖ in nineue : *om.* Bi ‖ 324 inrationalium N[pc] ‖ 325 adsimilantur : adsimu- K   M[ac] LH[ac]J[ac]   simulantur I   X ‖ eis : amen *add.* ML[ac]HIGJ

explicit explanationum in ionam prophetam liber primus ad cromatium episcopum A   explicit in ionam prophetam B   explicit explanatio in ionam D   explicit F   explicit expositio hieronimi praesbiteri in ionam prophetam K   explicit tractatus super

avant de faire pénitence, ne savait pas distinguer le bien et le mal, la droite et la gauche[22].

Mais aussi une « foule d'animaux[23] » : il est grand, en effet, dans Ninive, le nombre des animaux et des hommes sans raison, qui sont comparés à des ' animaux insensés[n] ', et leur sont semblables[24] !

(in Y) ionam prophetam Y ML(-atam)HI   explicit explanatio beati hieronimi in ionam prophetam G   explicit tractatio super ionam prophetam J   explicit explanatio in ionam prophetam NX   explicit commentarius in ionam PO (hieronimi *add.* O, *initium forte commentarii sequentis*)   finit ionam prophetam ad chromatium episcopum Bi   *sine explicit* : C   E   Q

IV, 10-11 n : Ps. 48, 21.

COMMENTAIRE

Préface

1. L'*In Ionam* est de l'extrême fin de 396, ce qui reporte le début des *Commentaires sur les prophètes* en 393, immédiatement avant le *De uiris illustribus* dont il va être fait mention ensuite : v. Introd., p. 11 s.

2. *Interpretari* désigne aussi bien la traduction que le commentaire. Dans le cas présent, il s'agit du commentaire.

3. Sur *l'ordre* réel dans lequel ces prophètes ont été commentés, voir Introd., p. 18-22.

4. Ce n'est pas la première fois que Jérôme manifeste sa volonté de commenter l'ensemble des prophètes. (Voir Introd., p. 15 s.). La notice qu'il consacre à son œuvre dans le *De uiris* 135 (*PL* 23, c. 719) déclare qu'il a en chantier d'autres Commentaires de prophètes. Cet *In Ionam* sera immédiatement suivi de l'*In Abdiam*, mais il faudra attendre 406 pour que soient commentés les cinq derniers (petits). Bilan dans l'*In Amos*, 3, *Prol.* (*CC* 76, p. 300). Puis suivront : l'*In Danielem* (407), l'*In Isaiam* (408-410) dont dix chapitres avaient été commentés dès 397 pour Amabilis, l'*In Ezechielem* (410-414), l'*In Ieremiam*, commencé en 414 et demeuré inachevé... Voir Introd., p. 15-24.

5. *De inlustribus uiris* : catalogue des 135 écrivains chrétiens qui, de saint Pierre ... à Jérôme, ont illustré l'Église et ne la rendent pas inférieure dans le domaine de l'esprit à la littérature profane. Composé, dans le sillage de Suétone, comme l'indique le titre, à la demande de Fl. Dexter, fils de l'évêque de Barcelone, Pacien, qui se trouvait à Constantinople, en 393. Au moment de cet *In Ionam*, Dexter vient d'être nommé Préfet du Prétoire

d'Italie (395), après la mort de Théodose. On perd sa trace
ensuite. On ne voit pas pourquoi Jérôme tait ici son nom,
alors qu'il va nommer ou laisser deviner les dédicataires
de ses œuvres suivantes. Ambroise de Milan aurait-il tenu
quelque place dans cette nomination? Dans son *Contra
Rufinum* de 401, au contraire (2,23 = *SC* 303, p. 164-166),
Jérôme rappellera et le nom et le titre de ce Dexter. On
notera cependant que dans le *De uiris*, 135, le nom de
Damase n'apparaît pas pour les *Lettres* 18-21 qui lui sont
adressées.

Sur la date « cardinale » de 393, voir P. NAUTIN, « La date
du *De uiris inlustribus...* », *RHE* 56, 1961, p. 33-35.

6. *Volumina* : Jovinien avait écrit, contre la virginité
et le jeûne, deux livres qui furent transmis à Jérôme. Celui-ci
« écrasa » si bien Jovinien sous le poids et la violence de sa
réponse que son pamphlet fut à son tour contesté à Rome
pour ses excès. Pammachius le retira du commerce et
adressa à Jérôme une demande « d'explication » (voir la
note suivante). Noter la mention de *uolumina* encore
(E. ARNS, *La technique du livre d'après saint Jérôme*, Paris
1953, p. 118-122), tandis qu'il est question de *livres* pour
les ouvrages à ou sur Népotien. Simple *uariatio sermonis*?

7. Apologie ... du *Contre Jovinien* de l'année précédente :
l'actuelle *Lettre* 49, adressée, avec une lettre d'accompagne-
ment (*Ep.* 48), à Pammachius, en 394. Jérôme ne mentionne
pas sa correspondance avec le vieux moine Domnion (*Ep.* 50),
sur le même sujet.

8. L'actuelle *Lettre* 57, dont le sens de l'envoi à Pammachius est mis en lumière par P. NAUTIN, « Études... »,
REAug 19, 1973, p. 82-84 : 396. Les deux ouvrages sont
adressés à Pammachius, son ancien condisciple à Rome,
le gendre de Paula, qui devient le « patron » de Jérôme
à Rome à partir de 394. Mais leur objet est différent : après
l'attaque contre Jovinien et les remous qu'elle a suscités
à Rome, Jérôme doit maintenant faire face aux conséquences
de son affrontement avec Jean de Jérusalem, l'évêque du
lieu (voir *infra*, n. 10). On trouvera des traces de cette
querelle origéniste dans plusieurs pages de cet *In Ionam*
(V. Introd., p. 22 s., et *infra*, ad 2, 7b ; 3, 6-9).

9. Népotien était le neveu d'Héliodore, l'actuel évêque
d'Altinum (à l'ouest d'Aquilée), l'ancien compagnon que

Jérôme avait jadis voulu emmener au désert (*Ep.* 14).
Héliodore avait justement regagné l'Occident pour s'occuper
de son neveu orphelin. En 393, Jérôme répond à l'une des
demandes répétées de ce dernier, devenu clerc, en composant
à son nom un traité sur le sacerdoce et ses devoirs (l'actuelle
Ep. 52). En 396, il est mort et, durant l'été, Jérôme dédie
son Éloge funèbre à son oncle (*Ep.* 60).

10. Entre autres, ses longues lettres à Paulin de Nole
(*Ep.* 53 et 58) en 394-395, son *De uiduitate seruanda* à Furia
(*Ep.* 54) en 395. Sur la composition en cours de l'*In Iohannem*, voir Introd., p. 12. Ce n'est pas par simple scrupule
— très littéraire — ou par modestie que Jérôme se refuse
à être complet : durant ces trois années a éclaté et s'est
développée la querelle avec Rufin d'Aquilée et Jean de
Jérusalem au sujet d'Origène et de Paulinien, le frère de
Jérôme. Ce dernier s'est livré à cette occasion à quelques
basses besognes ... D'où le *tanto post tempore*, très subjectif,
qui va suivre.

11. *Igitur* : sur cette attaque sallustéenne, v. ANTIN,
p. 51, n. 2.

12. Rentrée en activité *(postliminium)* : sur ce mot,
cf. J. IMBERT, *Postliminium, Étude sur la position juridique
du prisonnier de guerre en droit romain*, Paris 1945 ;
A. WATSON, *The Law of Persus in the Later Roman Republic*,
Oxford 1967, p. 236-255. Ici, sensation de libération, déjà
exprimée, vis à vis de Rome où il vivait en « purpuratae
meretricis colonus (...) et iure Quiritum », dans la *Préface*
de la traduction du *De Spiritu sancto* de Didyme (*PL* 23,
c. 103 A-B). Le mot, déjà utilisé au sens propre dans la
Vita Malchi (§ 4 = *PL* 23, c. 55 C-D), sera repris en 404-5,
lorsque Jérôme reviendra à sa traduction sur l'hébreu et
aux Commentaires des prophètes, retardés par la mort
de Paula (*In libro Iosue, Praef.* = *PL* 28, c. 464 B = *BS* 1,
p. 285-286). De telles images sont rares chez Jérôme. Je n'en
vois d'analogue que dans la *Préface*, de 404-405 elle aussi,
à la traduction de la *Règle de Pakhôme* (§ 2 = *PL* 23,
c. 63 B) ; et, après 410, à Pacatula (*Ep.* 128,5 = *CUF* 7,
p. 154, l. 18). Les trois années d'interruption sont également
qualifiées de *longum silentium* dans l'*In Amos*, 3, *Prol.*
(*CC* 76, p. 300, l. 42).

13. La prière et l'appel à l'Esprit-Saint sont fréquents
dans les *Préfaces* des *Commentaires* (*In Philemonem, Prol.* =

PL 26, c. 602 C ; *In Michaeam*, 1, 1, 1 = *CC* 76, p. 423,
l. 41-43 ; 2, *Prol.* = p. 473, l. 219-223 ; *In Osee*, 1, *Prol.* =
CC 76, p. 1, 1-11 ; *In Zachariam*, *Prol.* = *CC* 76 A, p. 748,
l. 48-49), non moins que l'appel à la prière des dédicataires
en tête de ces Commentaires ou des traductions : *In
Galatas*, 1, *Prol.* = *PL* 26, c. 511 A et 401 B-C ; *In Ephesios*,
Prol. 1, 2 et 3 = *PL* 26, c. 441 A, c. 475 D et c. 513 D ;
In Michaeam, 1, 1, 1 et 2, *Prol.* cités *supra* ; *In Habacuc*,
2, *Praef.* = *CC* 76 A, p. 618, l. 6 ; *In Osee*, 3, *Praef.* = *CC* 76,
p. 109, l. 148-149 ; *In Ioelem*, *Prol.* = *CC* 76, p. 160, l. 32-
35 ; *In Amos*, 2, *Prol.* = *CC* 76, p. 256, l. 34-38 ; *In Zachariam*, 2, *Prol.* = *CC* 76 A, p. 795, l. 128-133 ; 3, *Prol.* =
p. 848, l. 20-21 ; *In Malachiam*, *Prol.* = *CC* 76 A, p. 902,
l. 40-41 ; *In Pentateucho*, *Prol.* (*BS* 1, p. 4, l. 47-49) ; *In
libro Regum*, *Prol.* (*BS* 1, p. 366, l. 78). Elle est moins
fréquente que chez Origène à l'*intérieur* même des Commentaires ou des homélies (*In Michaeam*, 1, 1, 10-15 = *CC* 76,
p. 430, l. 294-299 ; 2, 6, 10-16 = p. 502, l. 337-338 ; 2,
7, 8-13 = p. 516, l. 435-437). Jérôme se met plutôt à
couvert d'attaques méchantes, comme dans le présent
In Ionam, 4, 10-11 (l. 279-284) où il demande aussi pour
l'occasion des prières à ses critiques. Cela distingue et
rapproche la démarche du commentateur de celle du poète
chrétien qui en appelle à l'Esprit (v.g. Juvencus, *Euange-
liorum libri*, *Praef.*, v. 33-34), comme le poète païen invoque
la ou les Muses. Voir, chez Jérôme, l'*Ep.* 65, 6 (*CUF* 3,
p. 147, l. 3-6). On notera que la prière s'adresse ici à Jonas
lui-même, ce qui est rare, mais non unique. Jérôme demande
de la même façon l'aide de saint Paul pour expliquer ses
Épîtres (*In Ephesios*, 2, *Prol.* = *PL* 26, c. 477 A-B). Voir
Introd., p. 40 s.

14. *Typus* : le mot sera repris à la fin de cette même
Préface, en introduction à *Matth.* 12, 41, comme il l'est ici
à *Matth.* 12, 40 et Jérôme précisera qu'il « n'est meilleur
interprète de son *type* (de sa figure, peut-on dire) que
celui-là même qui a inspiré les prophètes et *a tracé en ses
serviteurs l'esquisse de la vérité à venir* » (l. 77-79). Sur la définition, les limites et l'emploi de ce mot, voir Introd., p.97 s. ;
99-103.

15. *Columba* : l'une des deux « traductions » principales
du nom de Jonas : Voir *In Ionam*, 1, 1 (l. 15-17).

16. Chez Jérôme, qui a souvent l'occasion de se référer
à ses prédécesseurs, comme chez les autres auteurs profanes

ou chrétiens, le mot *Veteres* peut, comme *Maiores* ou *Antiqui*, recevoir toutes les nuances : des plus laudatives aux plus dépréciatives (cf. Introd., p. 74 s.). Dans le cas présent, perce une critique qui sera précisée et estompée dans la suite ; mais, la même année, l'*In Abdiam* se termine en assurant avoir suivi l'*auctoritatem ueterum* (20-21 = *CC* 76, p. 374, l. 771 — mais emploi neutre en 17-18 = p. 368, l. 575-576). En 393, l'*In Sophoniam*, 1, 2-3 (*CC* 76 A, p. 660, l. 169-170) déclarait : « Debemus et maiorum interpretationem ponere », en laissant au lecteur le soin de faire son choix lui-même. Apparaît donc au début de cet *In Ionam* la volonté d'être plus critique et de *filtrer* ces opinions diverses. Mais retour à l'autre position, par exemple, dans l'*In Zachariam*, 2, 6, 9-15 (*CC* 76 A, p. 796, l. 175-178). En réalité, Jérôme oscille sans cesse entre ces deux attitudes. L'identité de ces *Veteres* n'est malheureusement pas toujours facile à établir ; car, selon des habitudes plus courantes dans l'érudition antique que dans la science actuelle, on se contente souvent d'un pluriel d'indétermination (voir Introd., p. 74 s.). Ici, il s'agit vraisemblablement, pour les Grecs, d'Origène et d'Eusèbe de Césarée ; pour les Latins, de Tertullien et sans doute de Victorin de Poetovio dont l'*In Matthaeum* ne nous est pas parvenu, mais qui était connu de Jérôme au moins dès son séjour à Rome. Voir *Le Livre de Jonas*, p. 614-616. Du point de vue formel, nous avons, en ces lignes de Préface, la prise de position ordinaire du commentateur vis à vis de ses prédécesseurs, l'indication des auteurs qu'il a utilisés, consultés ... même s'il tait leurs noms. Voir Introd., p. 32-34, et un exemple analogue chez THÉODORE DE MOPSUESTE, *In Iohannem*, *Praefatio* (Vosté, *CSCO* 116, p. 2), par rapport à Asterius le Sophiste.

17. *Ecclesiasticus* : voir *infra*, n. 34. Ce qualificatif est susceptible d'une certaine extension, même s'il s'applique d'abord et avant tout à l'orthodoxe — qui est l'homme de la tradition et prend la suite des Apôtres —, par rapport à l'*hérétique* (v. *In Michaeam*, 1, 1, 2 = *CC* 76, p. 423, l. 56-60 ; *In Abdiam*, 8-9 = *CC* 76, p. 362, l. 361 ; *In Osee*, 1, 4, 15-16 = *CC* 76, p. 48, l. 392 ; *In Isaiam*, 9, 30, 15-17 = *CC* 73, p. 389, l. 33-41, etc.), au *païen* (*In Isaiam*, 7, 23, 14 = p. 313, l. 12-14), au *Juif* (*In Isaiam*, 4, 28-32 = p. 145, l. 41-44). Il ne s'agit pas uniquement des doctes, mais, comme on le trouvera plus loin (l. 53), d'un simple fils

de l'Église (*In Nahum*, 1, 15 = *CC* 67 A, p. 541, l. 483 ;
In Osee, 3, 12, 2-6 = *CC* 76, p. 134, l. 105-130 ; *In Amos*, 1,
2, 6-8 = *CC* 76, p. 234, l. 181-184). L'emploi est courant
chez Origène.

18. La *quaestio* a fini par désigner un genre littéraire,
« scolaire », qui s'attache aux difficultés, diverses, d'un texte
ou à des sujets restreints de philosophie, de morale, etc.
Nous trouverons dans l'*In Ionam*, 2, 1 (l. 28-48) un exemple
de ces *questions* au sujet du décompte des « trois jours
et trois nuits » de Jésus dans le tombeau, et Jérôme a
quelques années plus tôt composé des *Hebraicae quaestiones
in Genesim* (*CC* 72, p. 1-56). Mais on rencontre très souvent
à l'intérieur même des *Commentaires* (ici 1, 9, l. 328 s. ;
2, 4b, l. 148 s. ; 4, 10-11, l. 270 s.) la formule *Quaeritur* ou
Quaerimus cur, quomodo, la mention d'une *quaestio* ou d'une
aporie à résoudre, banales dès l'époque classique (v.g.
CICÉRON, *De finibus*, 1, 9 : « Quaerimus igitur... »). L'Écriture
devient, comme Homère (v.g. les *Questions homériques* de
Porphyre), matière à « questions » et ce, de siècle en siècle
à partir du iiie : G. BARDY, « La littérature patristique des
Quaestiones et responsiones sur l'Écriture sainte », *RBi* 41,
1932, p. 210-236 ; 341-369 ; 515-537 ; 42, 1933, p. 14-30 ;
211-219 ; 328-352. Mais il est des « questiones » indiscrètes,
dans lesquelles il ne faut pas se lancer : ÉPIPHANE, *ap.*
JÉRÔME, *Ep.* 51, 7 (*CUF* 2, p. 169, l. 20 − p. 170, l. 5).

19. Reproche souvent fait par Jérôme à certains de ses
prédécesseurs ou à ceux qui transforment le Commentaire
en discours d'apparat. Voir Introd., p. 115.

20. Défense très fréquente de la part de Jérôme. Elle
concerne aussi bien l'entreprise de *traduction* sur l'hébreu
que les commentateurs antérieurs. Pour le premier domaine,
voir : *In libro Regum, Prol.* (*BS* 1, p. 365, l. 58-59) ; *In libro
Psalmorum* (iuxta Hebraicum), *Prol.* (*BS* 1, p. 768, l. 31-32) ;
In libro Iob, Prol. (*BS* 1, p. 731, l. 1-3 ; p. 732, l. 37-38) ;
In libris Salomonis, Prol. (*BS* 2, p. 957, l. 23) ; *In libro
Paralipomenon, Prol.* (*BS* 1, p. 547, l. 31-32) ; *In Pentateucho,
Prol.* (*BS* 1, p. 3, l. 4-5 ; l. 34-35) ; *In libro Iosue, Praef.*
(*BS* 1, p. 285, l. 6-8) ; *Hebraicae quaestiones in Genesim,
Praef.* (*CC* 72, p. 2, l. 16-18) ; *Contra Rufinum*, 2, 34
(*SC* 303, p. 196, l. 29 s.). Pour les Commentaires, voir, à
la suite d'ailleurs d'un Hébreu converti qu'il évoque, à
travers Origène peut-être, en *Ep.* 18, 15 (*CUF* 1, p. 70,

l. 21-26) : « non ut de aliquo detrahamus, sed ut scripturae sensum scientes... » ; *Ep.* 34, 3 (*CUF* 2, p. 46, l. 14-15), au sujet d'Hilaire et de ses erreurs : « Quid igitur faciam ? Tantum uirum et suis temporibus disertissimum reprehendere non audeo... », etc.

21. L'une des règles du commentateur. Au service du texte qu'il commente, il ne doit pas chercher à briller pour lui-même. *Ep.* 36, 14 (*CUF* 2, p. 61, l. 5-12), en 384 : « Il faut nécessairement un discours simple, pareil au langage de tous les jours et qui ne « sente pas l'huile », qui explique le sujet, discute le sens, éclaire les obscurités, mais sans luxuriance artistique des mots. Que d'autres passent pour diserts, qu'on les loue comme ils le souhaitent, que leurs joues se gonflent, qu'il en jaillisse des mots écumants, mais savamment balancés ! A moi, il suffit de parler pour être compris et, puisque j'expose les Écritures, d'imiter la simplicité des Écritures » (trad. Labourt) ; *Ep.* 37, 3 (*CUF* 2, p. 67, l. 2-6), contre Rheticius d'Autun en 384 également : « La langue est apprêtée, au rythme du cothurne gaulois. Qu'importe pour l'interprète, dont la profession est, non pas de faire valoir son éloquence personnelle, mais de faire comprendre exactement au lecteur éventuel ce qu'a compris l'écrivain lui-même ? » (trad. Labourt) ; *Ep.* 49, 17 en 394. A l'autre bout de sa carrière, v. *In Ezechielem*, 5, *Praef.* (*CC* 75, p. 185, l. 12-15). Exposé analogue chez THÉODORE DE MOPSUESTE *(In Iohannem, Praef.)* qui distingue de plus la tâche du *commentateur* tenu à la sobriété, de celle du *prédicateur*. Jérôme les fond parfois.

22. Il s'agit d'un principe, très sain, hérité de la critique hellénistique, qui consiste à se faire une idée non seulement de l'identité d'un auteur, comme il convient en particulier dans une *Préface*, mais aussi du caractère, de la nature des interventions d'un personnage, du sens et de la portée d'un mot, d'après l'ensemble de l'Écriture. Voir, par ex., pour des questions de géographie, *In Sophoniam*, 2, 5-7 (*CC* 76 A, p. 681, l. 180-181) ; *In Osee*, 3, 10, 14-15 (*CC* 76, p. 118, l. 503-506) ; *In Abdiam*, 1, 1 (*CC* 76, p. 353, l. 58-82). Sur les dossiers qui éclairent le sens d'un mot ou sa valeur et la manière dont il faut « de omni scriptura sancta celeri memoria congregare » (*In Danielem*, 2, 6, 10a = *CC* 75 A, p. 832, l. 290) les emplois de tel ou tel mot, voir *infra*, p. 354 s. sur *malitia* en 1, 7, et Introd., p. 59 s.

23. Ce prophète n'est connu que par cet épisode du règne de Jéroboam II en Israël, au milieu du VIIIe siècle, et c'est à ce prophète qu'ont été attribués la mission à Ninive et le livret qui la raconte, comme le montre le nom du père du prophète, Amittaï, mentionné également en *Jonas* 1, 1. Sur la patrie de ce Jonas en Galilée, voir n. 32.

24. Ordre ordinaire — même s'il comporte des variantes — des « autorités » : l'Écriture, puis les traditions hébraïques ou les historiens grecs, juifs et profanes. Jérôme fera intervenir plus loin le *Livre de Tobie*, en réservant son jugement sur son authenticité. Les traditions juives invoquées par Jérôme concernent très souvent les personnages cités par la Bible auxquels elles dressent des généalogies et tissent des biographies. Voir, par ex., *Hebraicae quaestiones in Genesim*, 11, 28 ; 22, 20-22 ; 24, 9 ; 33, 18 ; 37, 36 (*CC* 72, p. 15, l. 2 ; 27, l. 11 ; 28, l. 19 s. ; 42, l. 23 ; 45, l. 6) ; *In Nahum, Prol.* (*CC* 76 A, p. 526, l. 26-32) ; *In Sophoniam*, 1, 1 (*CC* 76 A, p. 656, l. 4 s.) ; *In Abdiam*, 1 (*CC* 76, p. 352, l. 1 s.). Jérôme transcrit souvent ces données sans les contester. Il est même quelquefois fier de faire partager à un ami (*Ep.* 73, 5-9 = *CUF* 4, p. 22, l. 31 — p. 25, l. 19), ce qu'il a « appris des hommes les plus érudits de cette nation », ce qu'il se donne pour tâche (*In Sophoniam*, 2, 5-7 = *CC* 76 A, p. 681, l. 163-165 ; *In Zachariam*, 2, 6, 9-15 = *CC* 76 A, p. 796, l. 172-175). Il lui arrive également de s'en prendre aux *fabulae hebraicae* (*In Sophoniam*, 3, 8-9 = *CC* 76 A, p. 700, l. 260-261 ; 3, 10-13 = p. 704, l. 415, etc.) ou de critiquer ceux-là même qu'il est allé écouter à grand prix. Cf. *supra*, p. 73, n. 217.

25. Cette identification figure de fait dans les diverses recensions des *Vies* (légendaires) *des prophètes* dont le fond est juif [Cf. Th. SCHERMANN, *Propheten und Apostellegenden nebst Jüngerkatalogen des Dorotheus und Verwandter Texte* (*TU* 31, 3), Leipzig 1907, p. 55-59], dans le *Talmud de Jérusalem*, etc. (Voir *Le Livre de Jonas*, p. 88-89). Sarepta, sur la côte phénicienne, entre Sidon et Tyr, est très loin de Geth.

26. « Amathi » ne serait donc pas le nom du père de Jonas, contrairement à ce qui est le cas pour la plupart des prophètes, mais un « surnom » commémoratif. Jérôme tirera parti de ce nom de *Vérité* en l'appliquant au Père du Christ, le « vrai Jonas » (1, 1, l. 20-21). Cette opinion ne figure pas

dans les *Vies des prophètes* mentionnées ci-dessus. Sur la
valeur des noms des prophètes, v. *In Michaeam*, 1, *Prol.*
(*CC* 76, p. 421, l. 11-25), et, avec une importante restriction,
In Malachiam, Praef. (*CC* 76 A, p. 901, l. 8-13) ; sur la
valeur attachée par les Hébreux, d'après Jérôme, à la mention
des *pères* des prophètes, v. *In Sophoniam*, 1, 1 (*CC* 76 A,
p. 656, l. 4 s.), en 393.

27. Sepphoris, devenue Diocésarée sous Antonin le Pieux,
se trouve à 9 km au nord-ouest de Nazareth, sur la route
qui gagne le lac de Tibériade au nord-est. Geth se trouve
donc presque au nord de Nazareth, à moins d'une dizaine
de kilomètres. Sur ces divers lieux, voir F. M. ABEL,
Géographie de la Palestine, t. 2, Paris 1938, p. 305 ; 326-
327 ; 483.

28. Ce tombeau, lieu de fixation par excellence des
traditions et des rivalités, est signalé en un tout autre
endroit (dans la terre de Saar, dans le sépulcre du Juge
Kenezios), par les recensions grecques des *Vies des prophètes* :
SCHERMANN, *Propheten...* (*TU* 31, 3), p. 56, l. 13 ; p. 57,
l. 7-8.

29. Manière ordinaire — comme *quidam, sunt qui, plerique* — de signaler, par un pluriel d'indétermination, une
opinion qui n'est pas adoptée. Cf. Introd., p. 75. On ne sait
qui est cet auteur. En revanche, on peut signaler que
certaines recensions des *Vies des prophètes*, sans nommer
Geth, font naître Jonas à « Kariathamaoum, près d'Azotos,
la ville grecque, au bord de la mer » (SCHERMANN, p. 55,
l. 4-5 ; p. 56, l. 17) ce qui est assez fantaisiste (SCHERMANN,
p. 58-59), tandis que la recension latine et les recensions
syriaques (SCHERMANN, p. 57, l. 12 et p. 59, n. 1) donnent,
Geth en Opher.

30. Lydda à l'époque hellénistique, Diospolis depuis
Septime Sévère, Lod aujourd'hui. A 45 km à l'ouest de
Jérusalem et 20 km de la mer.

31. *Ad distinctionem* : même attention pour Bethléem
« de Juda » : « Ad distinctionem eius Bethleem quae in
Galilaea sita est » (*In Michaeam*, 2, 5, 2 = *CC* 76, p. 483,
l. 124-125). Voir la fin de la n. 32.

32. Jérôme a évoqué ce Geth des Philistins en 393 dans
l'*In Michaeam*, 1, 1, 10-15 (*CC* 76, p. 430, l. 300-304).

Il existe également, entre Eleutheropolis et Diospolis, Gethemmon (*Liber de situ* = *PL* 23, c. 901 C-D). L'indication vient ici d'Eusèbe. Mais Jérôme peut avoir vu ces lieux qui ne sont qu'à une cinquantaine de km de Bethléem. Voir, en 396 également, pour Éleuthéropolis : *In Abdiam*, 1 (*CC* 76, p. 354, l. 66-69) ; 5-6 (p. 360, l. 264-268) ; pour Geth : *In Abdiam*, 19 (p. 370, l. 637-642). En 406, pour Geth : *In Amos*, 3, 6, 2-6 (*CC* 76, p. 301, l. 90-95), avec, auparavant, une précision tirée de l'onomastique pour Emath *la grande* (l. 84-90) « *ad distinctionem* minoris Emath ». Sur les divers Geth, voir Abel, *Géographie*, 2, p. 325-327. Sur Éleuthéropolis, nom de Beth Gubrin depuis Septime-Sévère, cf. *Ibid.*, p. 272.

33. Le Livre de *Tobie* ne figurant pas au canon *hébreu* (v. *In libro Regum, Prol.* = *BS* 1, p. 365, l. 54-55), Jérôme exprime quelques scrupules lorsque Chromace et Héliodore, en 392-3 (?), lui demandent de traduire un livre dont il n'a même pas trouvé le texte hébreu (*In librum Tobiae, Prol.* = *PL* 29, c. 23-26 = *BS* 1, p. 676). Pourtant, lui-même l'utilise sans restriction dans son *In Ecclesiasten*, 8, 2-4 (*CC* 72, p. 315, l. 47-49). Au contraire, en 407, l'*In Danielem*, 8, 16 est plus restrictif (*CC* 75 A, p. 857-858). La présente prise de position est moins brutale, puisqu'elle se retranche, comme la *Préface* de la traduction, derrière l'usage, quasi général, des Grecs et des Latins. Jérôme ne peut non plus ignorer le succès des représentations de Tobit (J. Doignon, « Tobit et le poisson dans la littérature et l'iconographie occidentale », *RHR*, 1976, p. 113-126). Pour *Judith*, il en appelle à l'autorité du concile de Nicée (*In libro Judith, Prol.* = *BS* 1, p. 691, l. 4-5) ; dans le *Prologue* à la traduction des *Livres de Salomon*, il écarte la *Sagesse* et l'*Ecclésiastique* et présente un point de vue qui est celui de toute son entreprise de traduction de l'hébreu : « Sicut Iudith et Tobi et Macchabeorum libros legit quidem Ecclesia, sed inter canonicas scripturas non recipit, sic et haec duo uolumina legat ad aedificationem plebis, non ad auctoritatem ecclesiasticorum dogmatum confirmandam » (*BS* 2, p. 957, l. 19-21). D'où des formules analogues à celle de l'*In Danielem* en ce qui concerne les autres livres. Par ex., pour la *Sagesse* : *In Zachariam*, 3, 12, 9-10 (*CC* 76 A, p. 866, l. 243-245) ; 2, 8, 4-5 (p. 808, l. 89-92). Sur l'évolution de Jérôme vis-à-vis du Canon, v. P. W. Skehan, « St Jerome and the Canon of the holy Scriptures », dans F. X. Murphy,

A Monument to St Jerome, p. 257-287 et pour *Tobie*, p. 262 ;
283 ; 287, n. 26 ; J. F. Hernández-Martin, « San Jeronimo
y los deuterocanonicos del Antiguo Testamento », *La
Ciudad de Dios* 182, 1969, p. 373-384.

34. *Ecclesiastici uiri* : l'expression, comme le relève avec
justesse dom Antin *(ad loc.)*, provient d'Origène et Jérôme
fait sienne la vénération de l'Alexandrin pour les défenseurs
et promoteurs de l'Église, ne voulant être, lui aussi, qu'un
uir ecclesiasticus. Dans le cas présent, il s'agit d'abord et
avant tout des *écrivains* ecclésiastiques, des *ueteres Ecclesiae
tractatores* (*In Isaiam*, 3, 6, 9-10 = *CC* 73, p. 101, l. 37) ;
des *ecclesiastici interpretes* (*In Matthaeum*, 2, 14, 2 = *SC* 242,
p. 296). La formule clôt une liste d'auteurs en *In Danielem,
Praef.* (*CC* 75 A, p. 774, l. 63-64). Sur le sens plus large,
v. *supra*, p. 323, n. 17.

35. Le texte est ici la traduction de la branche grecque
représentée par le *Vaticanus* et l'*Alexandrinus*. La prophétie
est attribuée à Nahum par le *Sinaïticus*. La *Vulgate* et
les *Vieilles latines* ne donnent pas le nom du prophète. On
peut tirer la conclusion, semble-t-il, que Jérôme avait ici
un modèle *grec*.

36. Par « historiens hébreux », Jérôme entend d'abord
la Bible elle-même (Nahum ?), mais aussi Josèphe (v. Introd.,
p. 69), qui, dans la circonstance, ne peuvent lui apporter
grand renseignement. D'où le renvoi à Hérodote (v. *infra*),
qui ne mentionne cependant pas Josias. L'historien grec
est une des autorités de l'histoire de l'Ancien Orient (*In
Abdiam*, 15-16 = *CC* 76, p. 366, l. 507-508 : « Legamus
Herodotum et graecas barbarasque historias » ; *In Isaiam*,
5, 14, 22-23 = *CC* 73, p. 171, l. 9-10 : « ... refert Herodotus
et multi alii qui Graecas historias conscripserunt », etc.
Cf. Introd., p. 69, n. 196). Les formules sont parfois plus
vagues encore : « Legat historias » (*In Sophoniam*,2, 12-
15 = *CC* 761, p. 690, l. 511-517) ; « Legamus ueteres
historias » (*In Zachariam*, 3, 11, 4-5 = *CC* 76 A, p. 851,
l. 114 s.) ; voir aussi : *In Danielem*, 3, 10, 21b (*CC* 75 A,
p. 896, l. 796-7) ; 3, 11, 15-16 (p. 910, l. 1100-1101). Cette
imprécision peut être cause d'erreurs. Elle n'est cependant
pas le propre de Jérôme : c'est presque une marque de la
philologie antique, qui déteste paraître pédante. On trouvera
des formules équivalentes chez Servius : « Vt punica
testatur historia » (*Ad Aen.*, 1, 738) ; « Apud cosmographos

legimus » (3, 104) ; « Historia romana quae ait... » (8, 761).
Sans doute faut-il faire intervenir également l'absence de
références précises dans les textes antiques.

37. La référence à Hérodote (*Hist.*, 1, 102-103) et les
données les plus anciennes des manuscrits imposent ce nom
dont la fin s'est confondue avec le début du mot suivant.
La chute de Ninive est de 612. Dans la *Chronique* d'Eusèbe
(éd. Helm, *CGS* 47, p. 97, l. 10), le nom de Cyaxare a également souffert sous le calame des scribes.

38. Jérôme tire ici une conclusion qu'il n'a pas évoquée
en commentant le livre de Nahum trois ans plus tôt.
Rappelons que le Jonas de *IV Rois* prophétise au viiie siècle,
donc longtemps avant Nahum et la destruction de Ninive...
La *Chronique* d'Eusèbe (v. n. suivante) le place plus tôt
encore.

39. Ce synchronisme, attribué ici aux *Hebraei*, sera
partiellement rappelé en *In Ionam*, 1, 16, l. 521 s. Il
correspond, à un nom près (Amos), à ce qui est indiqué
par la *Chronique* d'Eusèbe pour les années 805 avant J.-C.
(*GCS* 47, p. 84 a). La date exclut ici un synchronisme latin,
la première mention de l'histoire romaine figurant aux
années 796 s. Il n'en reste pas moins que Jérôme aime à
noter de tels synchronismes à l'adresse de ses lecteurs latins.
Voir, par ex., *In Aggaeum, Prol.* (*CC* 76 A, p. 713, l. 1-22) ;
In Zachariam, 1, 1, 1 (*CC* 76 A, p. 749, l. 6-23). Jonas
réapparaît dans l'*In Osee*, 1, 1, 1-2 (*CC* 76, p. 7, l. 40-43)
pour fixer le temps où Osée prêchait. Le synchronisme, à
défaut de pouvoir être fait avec Rome, le sera avec la Grèce
et Albe la Longue (*In Osee*, 1, 5, 6-7 = p. 54, l. 144-150).

40. Sur cette image de l'assise, de la base historique,
littérale, sur laquelle « s'élève » le sens spirituel, « anagogique », supérieur, etc., voir Introd., p. 55 s. Des formules
analogues assurent souvent la transition entre la partie du
Commentaire consacrée à l'*historia*, au sens littéral, et celle
qui en développe le sens spirituel, l'*intellegentia spiritalis*.
On trouve ces formules, tantôt à *fin* du développement
(*In Ecclesiasten*, 1, 1 = *CC* 72, p. 251, l. 47 s. ; 3, 18-20 =
p. 282, l. 335-336 ; *In Nahum*, 1, 15 = *CC* 76 A, p. 540,
l. 466-467 ; 3, 18-19 = p. 575, l. 732-735 ; *In Abdiam*,
2-4 = *CC* 76, p. 357, l. 190-191 ; 14 = p. 365, l. 469-470 ;
20-21 = p. 373, l. 729-731 ; *In Sophoniam*, 1, 4-6 = *CC* 76 A,

p. 661, l. 217-218 ; *In Danielem*, 1, 3, 92 = *CC* 75 A, p. 808, l. 728-730) ; tantôt au *début* de l'une ou l'autre partie du Commentaire : *In Sophoniam*, 1, 7 (*CC* 76 A, p. 663, l. 287) ; 1, 8-9 (p. 664, l. 322.328-329) ; 1, 13-14 (p. 671, l. 581) ; 2, 5-7 (p. 680, l. 144-145.165-166) ; *In Zachariam*, 3, 14, 5 (*CC* 76 A, p. 881, l. 172) ; *In Amos*, 3, 9, 6 (*CC* 76, p. 341, l. 186-191) ; etc. Ces transitions très visibles sont un procédé d'école tout à fait courant : v. par ex., PROCLUS, *In Timaeum* (89, l. 6-7 ; 90, l. 28-30, etc.) ; DIDYME L'AVEUGLE, *In Genesim* 1, 24 (50) (*SC* 233, p. 132) ; 1, 28-31 (68f) (p. 170 s.).

41. Évêque d'Aquilée depuis 388 vraisemblablement, après avoir été prêtre de Valérien et avoir, en tant que tel, baptisé Rufin en 370 environ. Sur Chromace et ses rapports avec Jérôme, voir Introd., p. 37, n. 52.

42. *Papa uenerabilis* : Le nom de *papa* est, au départ, affectif, mais il tend à devenir un terme au moins de respect, sinon un titre officiel encore. Voir P. DE LABRIOLLE, « Une esquisse de l'histoire du mot *Papa* », *BALAC* 1, 1911, p. 215-220 ; ID., « *Papa* », *ALMA* 4, 1928, p. 65-75 ; P. BATIFFOL, « *Papa, sedes apostolica, apostolatus* », *RAC* 2, 1925, p. 99-116 et particulièrement p. 99-103. Pour quelques emplois chez Jérôme, voir dom ANTIN, p. 54, n. 4.

43. *Sudor* : plus concret que *labor*, pour désigner le travail harassant du commentateur de l'Écriture (Ajouter aux textes cités par dom ANTIN, *ad loc.*, *In Osée*, 1, *Prol.* = *CC* 76, p. 55, l. 170 ; *In Zachariam*, 2, *Prol.* = *CC* 76 A, p. 795, l. 126), mais l'un et l'autre sont assez fréquents pour signaler un travail que Jérôme ne veut pas entreprendre : *In Ioelem*, 2, 28-32 (*CC* 76, p. 193, l. 654-656) ; *In Isaiam*, 2, 3, 23 (*CC* 73, p. 58, l. 20-22). Jérôme a aussi des formules plus littéraires qui sentent leur Cicéron : v.g. *In Isaiam*, 5, 21, 13-17 (*CC* 73, p. 207, l. 11-12).

44. Sur ce problème, que nous trouverons réexposé en *In Ionam*, 1, 3a, voir Introd., p. 99-104. Comparer *In Ecclesiasten*, 4, 9-12 (*CC* 72, p. 287, l. 135-137), où l'on trouve le principe inverse. Jérôme, même s'il commence par annoncer ici le contraire, entreprendra quand même ce « labeur ».

45. Au milieu de ces phases de l'aventure de Jonas, noter cette *cucurbita* admise ici, mais reniée en 4, 7.

46. Annonce de la conclusion de 1, 3 (l. 177 s.), à la fin d'une mise en garde — plus détaillée, mais analogue — contre une allégorisation de chaque élément de l'histoire du prophète, à laquelle Jérôme se livrera en fin de compte.

47. Ce « résumé » initial est une des règles de la *Préface*. (Voir Introd., p. 31 s.). Mais elle est loin d'être générale chez Jérôme (*In Galatas, Prol.* = *PL* 26, c. 309 B). C'est à cette règle de la *Préface* que fait allusion Jérôme quand il déclare au début de son *In Isaiam, Prol.* (*CC* 73, p. 1, l. 25-27) être incapable de la respecter. On trouve plus souvent de tels « résumés » en cours de Commentaire : *In Ecclesiasten*, 2, 4 (*CC* 72, p. 263, l. 57-60) ; 9, 7-8 (p. 324, l. 119-121) ; *In Ezechielem*, 4, 14, 1-11 (*CC* 75, p. 150, l. 485-487). Voir de même Proclus, *Sur le Timée* : l'ensemble / le détail : p. 96, l. 2-4 ; p. 158, l. 30-31 ; p. 186, l. 8-10.

48. Belle définition de « l'image », de l'« esquisse », de la « figure », par rapport à la réalité, à la « vérité ». Mais la doctrine est courante. Voir Introd., p. 88. Quant à l'image elle-même, elle sert, entre autres, à exprimer le rapport entre exégèse littérale *(lineae)* et exégèse spirituelle : *In Amos*, 3, 6, 7-11 (*CC* 76, p. 307, l. 294-295) ; *In Zachariam*, 1, 5, 5-8 (*CC* 76 A, p. 788, l. 119-121) et 2, 6, 9-15 (p. 796, l. 175-176) ; *In Malachiam*, 1, 7 (*CC* 76 A, p. 908, l. 220-221) : tous textes de 406-407. *Futura ueritas* est une expression de Cyprien ... qu'aime Chromace...

49. Très proche de *Lc* 11, 32, cette citation de *Matth.* 12, 41, complète la première partie du *logion* sur Jonas présentée plus haut. Elle met l'accent cette fois, non plus sur Jonas, mais sur les Ninivites et partant sur les Juifs. Dans ces dernières lignes, très soignées, y compris dans leur cadence, apparaît la thèse de ce Commentaire : la conversion de Ninive annonce le rejet d'Israël. Quand il commente ce *logion* en 398, Jérôme, pour la première partie, renvoie à son *In Ionam* (v. *In Ionam*, 2, 1 et p. 367, n. 3) ; pour la deuxième partie, il s'intéresse à des détails du texte. C'est à cette occasion qu'il rappelle rapidement, mais imparfaitement, l'axe de son *In Ionam* : « 'Et ici il y a plus que Jonas. ' Comprends *hic* comme adverbe de lieu, non comme pronom. Jonas, d'après les Septante, prêcha trois jours, moi si longtemps ; *lui au peuple assyrien, nation incrédule, moi aux Juifs, peuple de Dieu ; lui à des étrangers, moi à mes concitoyens.* Lui se borna à parler sans le moindre signe, moi qui accomplis de si grands signes, je suis calomnieusement traité de Béelzébub. Donc, il y a plus que Jonas *ici*, c'est-à-dire maintenant, parmi vous » (*In Matthaeum*, 2, 12, 41 = *CC* 77, p. 97-98 = *SC* 242, p. 256, trad. Bonnard).

50. Non pas seulement la « génération » contemporaine du Christ, mais le peuple juif, Israël, comme il est dit dans la deuxième partie de cette phrase en chiasme. Quant à « mundus », le monde, Jérôme dira bientôt (*In Ionam*, 1, 1-2, l. 21) que c'est la « traduction » du nom de Ninive.

51. Série d'oppositions entre chrétiens et juifs dont le fondement est le texte de Paul sur la lettre et l'esprit, qui se prête, chez Jérôme, à toute sorte de variations. Outre les textes cités par dom Antin, *ad loc.*, voir *In Michaeam*, 2, 4, 11-13 (*CC* 76, p. 478, l. 410-418) ; *In Sophoniam*, 3, 8-9 (*CC* 76 A, p. 700, l. 253-261) ; *In Marcum*, 11, 11-14 (*CC* 78, p. 489, l. 44-52) ; *In Amos*, 1, 1, 6-8 (*CC* 76, p. 223, l. 354-362) ; 3, 8, 1-3 (p. 327, l. 43-50) ; *In Ezechielem*, 14, 47, 21-23. Avant Jérôme, Origène avait développé les mêmes thèmes : v.g. *In Ieremiam h.* 14, 12 (*SC* 238, p. 90, l. 32-37).

52. Cette allusion au jugement devant Pilate et à la libération de Barabbas à la place de Jésus est courante chez Jérôme (*In Sophoniam* 3, 10-13 = *CC* 76 A, p. 703, l. 370-373 ; *In Habacuc*, 1, 1, 4 = *CC* 76 A, p. 583, l. 89-91 ; *In Osee*, 1, 2, 4-5 = *CC* 76, p. 20, l. 98-101 ; *In Malachiam*, 2, 2 = *CC* 76 A, p. 914, l. 51-57 ; *S. in diem Paschae* = *CC* 78, p. 546, l. 88.), comme chez Origène : voir *Le Livre de Jonas* p. 330-331 ; 345. Dans le cas présent, l'épisode est mentionné parce que c'est devant Pilate que le peuple juif, en demandant la crucifixion de Jésus, a rejeté son héritage, a refusé de recevoir Jonas-Jésus. On verra plus loin la place que tient cette scène dans le *Commentaire* (*In Ionam* 1, 3a, l. 95 s. ; 1, 13, l. 437). — Chez Origène, voir, par ex., *In Ieremiam. h.* 18, 5 (*SC* 238, p. 192).

1. Les *Hexaples,* tels que nous pouvons les connaître, ne relèvent aucune différence pour ces premiers versets. Il semble que Jérôme soit influencé par les *Septante* dans sa traduction de l'hébreu : « prêcher *contre* Ninive » devient « prêcher *dans* Ninive ». Le commentaire de Jérôme montre également qu'il n'a pas donné *quia* comme un déclaratif, mais comme une conjonction causale. Jérôme distingue pourtant « parler à » et « parler contre » au sujet de *Mal.* 1, 1 (*CC* 76 A, p. 903, l. 3-18), en 406, qui reprend des affirmations de 393 (*In Nahum, Prol.* = *CC* 76 A, p. 525-6, l. 21-26 ; *In Habacuc*, 1, *Prol.* = *CC* 76 A, p. 579, l. 6-21) et 396 (*In Abdiam* 1 = *CC* 76, p. 352, l. 14-16). Voir de même *In Ieremiam*, 6, 21, 3 (*CC* 74, p. 394, l. 17-18). L'*In Nahum, Prol.* (*CC* 76 A, p. 525, l. 2 s.) écrivait, au sujet de *Jonas* : « Factus est *sermo* Domini... », ce que l'on trouvera en 3, 1 pour la traduction du grec.

L'explication littérale, pourtant capitale, passe rapidement, de l'exposé de la thèse qui anime tout le Commentaire, à des précisions de détail sur le style biblique, ici éclairé à l'aide de deux exemples. C'est l'explication « tropologique » qui reçoit la plus grande part : chaque détail du texte est interprété de la mission de Jésus en ce monde, avec une mention rapide, déjà, de l'infidélité d'Israël.

2. Cette thèse, affirmée ici dès les premiers mots, commande toute l'interprétation du *Livre.* Ce n'est que plus loin que Jérôme rappellera que d'autres prophètes prêchent alors, en vain, à Israël (1, 16 ; 3, 5 ; 4, 1), tandis que Jonas est envoyé, avec succès, à une ville païenne. Sur cette première phrase, voir *Le Livre de Jonas*, p. 332.

3. Peu de différences ici entre les deux traductions, de sorte que Jérôme ne s'arrête pas. Ce qui le préoccupe, c'est d'éclairer cette tournure surprenante pour un gréco-latin. Il se contente de la rapprocher d'autres textes bibliques analogues, suivant la méthode qui consiste à expliquer l'Écriture par l'Écriture, comme on expliquait Homère par Homère (voir Introd., p. 59). Démarche analogue, mais inverse, de Didyme qui rapproche *Jonas* 1, 2 de *Gen.* 18, 20 (*In Genesim*, 6, 11-12 = *SC* 244, p. 167, l. 4-7). Selon la même méthode, Jérôme citera à nouveau ce verset pour éclairer la *malitia* de *Jonas* 1, 7, mais il ne dit absolument pas en quoi consiste la *malitia* de Ninive. Il évoquera plus loin la ville « idolâtre », sans entrer dans le détail.

4. *Tropologia* : appellation la plus fréquente chez Jérôme de l'*interprétation spirituelle*. Voir Introd., p. 87 s. Le mot revient quatre fois dans l'*In Ionam*, les trois premières dans les premières pages...

5. *Columba siue dolens* : cette double « étymologie », qui sera plusieurs fois reprise dans la suite du Commentaire, est également donnée dans le *Liber interpretationum hebraicorum nominum* pour *Jonas* (*CC* 72, p. 124, l. 10) ; mais, pour les *Livres des Rois*, Jérôme intercale un « *ubi est donatus* » (*CC* 72, p. 116, l. 4), tandis que *Columba* apparaît seule pour *Luc* (*CC* 72, p. 140, l. 1), comme en 393, dans l'*In Sophoniam*, 2, 12-13 (*CC* 76 A, p. 692, l. 585), et au début de l'*In Ioelem* en 406, où il donne « l'étymologie » de chaque prophète (*CC* 76, p. 159, l. 17). Dans l'*In Sophoniam*, 3, 1 (*CC* 76 A, p. 695, l. 41-42), il ajoute un autre sens : « Iona tam columbam quam *Graeciam* significat. Vnde et usque hodie graeci Iones et mare appellatur Ionium... » Le sens de *dolens* va infléchir tout le Commentaire et lui donner une tonalité grave et douloureuse.

6. A la suite d'Origène (voir par ex., *In Iohannem*, 6, 22 = *SC* 157, p. 296-298 et n. 2 ; *In Numeros h.* 6, 3 = *GCS* 30, p. 33 s. ; 35 s. ; 18, 4 = p. 173-174 ; *In Isaiam h.* 3, 2 = *GCS* 33, p. 255, l. 15 — p. 256, l. 9), Jérôme relève ici que l'Esprit est *demeuré* en Jésus (voir de même, *In Philemonem*, *Praef.* = *PL* 26, c. 601 B-C ; *In Marcum*, 1, 1-12 = *CC* 78, p. 458, l. 245-248 ; *De die Epiphaniorum* = *CC* 78, p. 530, l. 10-11, etc.).

7. Jérôme ne s'attachera guère à ces souffrances du Christ pour l'ensemble de l'humanité. Au contraire, il reviendra plusieurs fois sur les pleurs du Christ et sa souffrance *pour Israël* : voir *Le Livre de Jonas*, p. 338-340.

8. Sur l'absence de développement sur le sens littéral, v. *supra*, p. 384, n. 1 et la *Préface*, l. 42-44. D'après le *Liber* *interpretationum, Ionas, Amathi* signifie « ueritas mea uel fidelis meus » (*CC* 72, p. 124, 1. 9). Le second sens, proche certes du premier, ne sera ni mentionné, ni utilisé dans l'*In Ionam*. Il ne figure pas pour le IVe *Livre des Rois* (*CC* 72, p. 114, 1. 15-16). Dans la *Genèse*, Amathi reçoit un tout autre sens : « indignatio mea » (*CC* 72, p. 61, 1. 25).

9. Niniue : « pulchra uel germen pulchritudinis » (*Liber interpretationum, Gen.* = *CC* 72, p. 69, 1. 5) ; « pulchra siue germen pulchritudinis uel speciosa » (*Ibid., IV Reg.* = p. 117, 1. 26 ; *Is.* p. 121, 1. 18-19) ; « speciosa » (*Ibid., Ion.* = p. 124, 1. 13) ; *In Sophoniam,* 2, 12-15 (*CC* 76 A, p. 689, l. 484) : « Niniue speciosa interpretatur » ; (p. 692 ; l. 584) : « Niniue id est speciosa ». On le voit, l'idée de *beauté* apparaît dans toutes ces étymologies, mais le passage à la beauté du monde apparaît dans l'*In Nahum,* dirigé *contre* Ninive (antérieur à l'*In Ionam*) : « Sciendum est, quoniam Niniue in nostra lingua de hebraeo *speciosam* sonat, speciosus autem mundus hic dicitur, unde et apud graecos κόσμος ab ornatu accepit, quicquid, nunc aduersum Niniuen dicitur, de mundo figuraliter praedicari » (*In Nahum, Prol.* = *CC* 76 A, p. 525, 1. 18-22). Au cours de ce Commentaire, l'étymologie est rappelée (2, 8-9 = *CC* 76 A, p. 547, 1. 225-226 ; 3, 1-4 = p. 555, l. 50-51) et utilisée (1, 4 = p. 530, l. 110-111 ; 2, 11-12 = p. 552, l. 377-378 ; 3, 8-12 = p. 565, l. 364-365). De même, plus tard dans l'*In Zachariam,* 2, 9, 2 (*CC* 76 A, p. 826, 1. 95-100). Le passage de κόσμος = beauté à κόσμος = monde n'est possible qu'en grec, comme le relève TERTULLIEN (*Apolog.,* 17, 1 ; *Adu. Hermog.,* 40, 2 ; *Adu. Marcionem,* 1, 13, 3) et comme le note Rufin dans sa traduction du long chapitre qu'ORIGÈNE consacre au mot κόσμος dans les Écritures dans le *Peri Archôn,* 2, 3, 6 (*GCS,* 22, p. 121 s.). Origène joue volontiers sur l'ambiguïté du mot (v.g. *In Matthaeum,* 13, 20 = *PG* 13, c. 1148 C-1149 A), mais il n'évoque jamais Ninive, que je sache. Peut-être faut-il déceler l'influence du *Timée,* 29a, dans lequel « le monde est la plus belle des choses qui soient nées », soit, dans la traduction de Cicéron que connaît Jérôme, « neque mundo quicquam pulchrius » (Teubner, p. 157b, 1. 6).

10. L'expression évoque un autre regard. Cf. « Quod auris non intellegit auris spiritalis intellegit » (*Tr. in Ps.,* 93, 20-21 = *CC* 78, p. 148, 1. 188-189) ; « Viderunt et non uiderunt. Viderunt oculis carnalibus et spiritalibus non uiderunt (*Tr. in Ps.,* 105, 7 = p. 194, 1. 81-83).

11. *Bonum* disent les *Vieilles Latines* et la *Vulgate* pour le *tov* hébreu (= *bon*), mais la *Septante* dit καλόν, ce qui est plus proche de notre « Ninive *la belle* ». Influence d'une source grecque, ici encore.

12. En plus des deux peuples, c'est leur taille qui est déjà opposée : magna/*totus* gentium mundus. En 4, 10-11, Jérôme opposera sur ce point Israël et l'Église (l. 310), où il y a plus que les douze tribus d'Israël. Il ne verra pas davantage l'hébraïsme.

13. Voir *Le Livre de Jonas*, p. 332.

14. Le texte qui suit est tissé des passages de la *Genèse* qui justifient la punition divine lors du déluge, puis de la construction de la tour de Babel. Quant au *Psaume* 72, 9, il est pour Jérôme la peinture de l'orgueilleux : *In Ecclesiasten*, 9, 12 (*CC* 72, p. 530, l. 295) ; *Tr. de Ps.* 143, 8 (*CC* 78, p. 317, l. 105-111) ; *In Isaiam*, 6, 16, 6-8 (*CC* 73, p. 261, l. 35 ; p. 262, l. 60-61) ; *In Ieremiam*, 2, 1 (*CC* 74, p. 74, l. 9-10) ; 3, 71 (p. 206, l. 24). Ninive-Monde devient ici l'humanité, dont la révolte et l'orgueil culminent dans Babel et mériteraient une destruction analogue à celle du déluge. Rien n'est dit, en revanche, de la ville même de Ninive. Jérôme parlera plus loin de son « idolâtrie » et de son « ignorance de Dieu » (1, 3a), sans préciser. On notera les jeux sur monter/descendre, construction/destruction, orgueil/pénitence, dans une peinture avant tout morale.

I, 3a

1. Les deux interprétations sont présentées successivement et en des masses qui ne sont pas équivalentes, peut-être parce que Jérôme ne veut et ne peut trouver à l'aventure de Jonas une correspondance parfaite dans la vie du Christ. Mais on notera que dans la présentation de l'attitude de Jonas interviennent déjà des textes du Nouveau Testament qui concernent l'attitude du Christ et de Paul devant les Juifs.

2. Sur cette inspiration des prophètes chez Jérôme, voir, par ex., *In Michaeam*, 1, 2, 11-13 (*CC* 76, p. 451,

l. 412-424) ; *In Sophoniam*, 3, 14-18 (*CC* 76 A, p. 706, l. 486-487) ; *In Amos*, 1, *Prol.* (*CC* 76, p. 211, l. 20-22).

3. Là est la thèse de ce *Commentaire*. Elle sera reprise plusieurs fois (voir *Le Livre de Jonas*, p. 332-333). Elle nie aussitôt la jalousie du prophète, telle qu'elle devait être d'ordinaire présentée, et en appelle à l'exemple de Moïse et de Paul.

4. *Ex.* 32, 10, 31-32 : textes chers à ORIGÈNE. La meilleure illustration du présent texte se trouve dans son *In Epist. ad Romanos*, 7, 13 (*PG* 14, c. 1138 B-D) où *Ex.* 32, 31-32 vient confirmer *Rom.* 9, 3 (que Jérôme cite ici dans une démarche inverse), avec une comparaison entre les mérites de Paul et de Moïse, dans le genre de celles que nous savons instaurées par les Juifs entre Ézéchias et Moïse. Jonas et Moïse étaient rapprochés dans le *Talmud de Jérusalem*, *Ber.* 9, 1. Voir *Le Livre de Jonas*, p. 89-90 ; 200. Ajouter *In Zachariam*, 3, 11, 8-9 (*CC* 76 A, p. 855, l. 252-255). Sur l'épisode de Moïse chez Jérôme, voir *Ibid.*, p. 333, et n. 46. Dans un sens approchant, v. PAULIN DE NOLE, *Ep.* 12, 10 f. Sur l'attitude de Paul prêtée aux prophètes, v., par ex., *In Michaeam*, 1, 2, 11-13 (*CC* 76, p. 451, l. 404-417).

5. Sur le synchronisme d'Osée, Amos, Isaïe et Jonas, voir la *Préface*, p. 166 et n. 39 et 1, 16, l. 521 s., où il sera noté qu'Israël ne se convertit pas à leur voix, alors que les matelots du navire sont sauvés par leur foi au vrai Dieu. La même idée est reprise au sujet du second envoi à Ninive en 4, 1. Sur ce refus du prophète, voir *In Amos*, 3, 7, 1-3 (*CC* 76, p. 314, l. 28-44).

6. *Matth.*, 10, 6 ; 15, 24 : textes qui décrivent le refus premier du Christ de s'occuper des païens et qui tiennent une grande place dans cet *In Ionam*. Voir *Le Livre de Jonas*, p. 348 s.

7. Jérôme venait d'évoquer Balaam dans l'*In Michaeam*, 2, 6, 3-5 (*CC* 76, p. 495, l. 115-119 ; p. 496, l. 145-154). Il parlera à nouveau en 1, 7, l. 276, de ce prophète malgré lui de la grandeur future d'Israël : Jonas ne veut pas contredire une telle promesse de bonheur pour son peuple.

8. Jérôme donne ici l'exemple de Caïn *banni* loin de Dieu après le meurtre d'Abel et il citera, dans un tout autre

contexte, la construction de la ville d'Énos (*Gen.* 4, 17)
en *In Ionam* 4, 4. Plutôt, pourtant, que cet éloignement de
Caïn « loin de la face de Dieu » (*Gen.* 4, 16), il aurait pu
citer ici l'attitude d'Adam — et Ève — qui se cachent
« loin de la face de Dieu » (*Gen.* 3, 8). Il le fera en 1, 4,
d'une manière qui rappelle d'autres interprétations où cette
aventure de Jonas devient celle de l'homme et de l'humanité.
Jérôme montre toutefois une certaine résistance devant ces
interprétations. Voir Introd., p. 109 s. et *Le Livre de Jonas*,
p. 608-613.

9. En dehors du Livre de *Jonas*, il est question 16 fois
de Tharsis dans la *Septante* et 15 fois dans la *Vulgate*.
Il s'agit vraisemblablement de Tartessos, dont la localisation
exacte est toujours discutée (État récent de la question
in P. CINTAS, *Manuel d'archéologie punique*, Paris 1970,
I, p. 248-282 ; J. MALUQUER DE MOTES, *Tartessos, La ciudad
sin historia*, Barcelone 1970), mais qui doit se trouver
quelque part en Espagne. C'est l'une des plaques tournantes
du commerce phénicien, au bout du monde occidental,
au-delà des mers, dans un monde quasi irréel, ce qui explique
la plupart des nuances que peut prendre le mot dans la
Bible et l'imagination des Juifs. Ceux-ci pouvaient donc dire
que pour eux « Tharsis » était « la mer ». Dom ANTIN (p. 58,
n. 4) a rassemblé la plupart des allusions de Jérôme à
Tharsis, de sa *Lettre* 37 à Marcella, en 384, à son dernier
Commentaire, après 415. On constatera le grand nombre de
variations. Cet appel à l'opinion de Josèphe montre que
Jérôme n'a probablement pas sous les yeux les pages que
JOSÈPHE consacre à « Jonas » ; car, en *AJ* 9, 10, 2 (208)
qui concerne cet épisode, il n'est fait mention que de « Tarse
en Cilicie ». Le changement du *théta* en *tau*, attribué plus
exactement, en *Ep.* 37, 2, aux habitants de Tarse par Josèphe,
se trouve en *AJ* 1, 6, 2 (127). — Sur l'usage important de
Josèphe chez Jérôme, voir P. COURCELLE, *Les Lettres
grecques en Occident*, Paris 1948, p. 71-74, même s'il y a
erreur (p. 71-72) sur le cas de Tharsis. L'*Ep.* 37, 2, qui ne
suit pas simplement Josèphe, est antérieure aux *Hebraicae
quaestiones in Genesim*, 10, 4 qui se contentent de transcrire
AJ 1, 6, 2 (127). Cf. Introd., p. 69 et n. 196.

10. A cause du lieu de construction des navires, Ecyon-
Gueber, dans le golfe d'Aqaba. Il s'agit donc ici des navires
qui font le trafic sur la Mer Rouge, vers « l'Inde » éventuelle-

ment, et qui peuvent recevoir le titre de « navires de
Tharsis », i.e. de navires au long cours. Plus que de ce texte
de *II Chr.* 20,36, c'est de *III Rois* 10, 22 et de *II Chr.* 9, 21
que les commentateurs grecs tirent ordinairement que
Tharsis désigne l'Inde, à cause de la nature des denrées
rapportées à Salomon : THÉODORET DE CYR, *In Ionam*, 1, 3
(*PG* 81, c. 1724 B-1725 A) ; CYRILLE D'ALEXANDRIE, *In
Ionam*, 1, 3 (*PG* 71, c. 605 C-D) ; HÉSYCHIUS DE JÉRUSALEM,
In Ionam, fr. 2 (*Le Livre de Jonas*, p. 633) ; et la synthèse
chez THÉOPHYLACTE D'ACHRIDA, *In Ionam*, 1, 3 (*PG* 126,
c. 917-920). Chez Jérôme lui-même, v. *In Isaiam*, 1, 2, 16
(*CC* 73, p. 37, l. 8-9) ; *In Ieremiam*, 2, 87, 5 (*CC* 74, p. 131,
l. 16-18).

11. *Ps.* 47, 8 : ce verset figurera de même dans le dossier
rassemblé par Jérôme à propos des « naues Tharsis » d'*Is.* 2,
16, pour condamner ces navires. Mais il a, au préalable,
indiqué que Tharsis était la mer pour les « Hébreux » (*In
Isaiam*, 1, 2, 16 = *CC* 73, p. 37, l. 2-17).

12. *Is.* 23, 1.14 : dans sa traduction de l'hébreu (et la
Vulgate) d'*Is.* 23, 1.14, Jérôme donne *naues maris*. Dans
son Commentaire littéral il défend sa traduction : « *Vlulate
naues maris. Pro quo in LXX legimus Carthaginis et habetur
in hebraeo Tharsis, de quo et in Iona propheta et in quadam
epistola disputaui* (= *Ep.* 37). *Possumus autem, quia
Carthago Tyrorum colonia est, in praesenti loco Tharsis,
non mare generaliter, sed et Carthaginem accipere...* »
(*In Isaiam*, 5, 23, 1-2 = *CC* 73, p. 217, l. 52-57) ; « *Vlulate
naues, uel maris, uel Carthaginis* » (*Ibid.*, 5, 23, 14 = p. 221,
l. 18). Exposé différent en *In Isaiam*, 1, 2, 16 (*CC* 73, p. 37)
où la Septante est seule à donner *mer*, là où l'hébreu et les
autres versions donnent *Tharsis*. Cf. *In Ezechielem*, 8, 27, 12
(*CC* 75, p. 366, l. 970-975).

13. L'*Ep.* 37, 1-2, à partir des « pierres de Tharsis »
de *Cant.* 5, 14 que Reticius d'Autun a entendu de la ville
de Tarse. Rien n'est dit dans cet *In Ionam* de l'opinion,
fréquemment défendue par Jérôme, et en particulier dans
cette *Lettre à Marcella*, selon laquelle *Tharsis* est le nom
d'une pierre précieuse d'un bleu qui ressemble à celui de
la mer.

14. Jérôme opte donc ici pour l'interprétation « hébraïque ». On verra plus bas pour quelle raison (l. 89). Cette

interprétation est celle du *Targum de Jonathan* (*Le Livre de Jonas*, p. 74). Fuite éperdue, n'importe où (cf. *In Isaiam*, 1, 2, 16 = *CC* 73, p. 38, l. 33-34), ou fuite dans une direction diamétralement opposée à celle que Dieu lui avait indiquée ? D'autres commentateurs soulignent mieux ce point : CYRILLE D'ALEXANDRIE, *In Ionam*, 1, 3 (*PG* 71, c. 605 C-E) ; THÉOPHYLACTE, *In Ionam*, 1, 3 (*PG* 126, c. 917 D-920 B).

15. *Ps.* 75, 2 : opinion analogue, plus développée, mais sans mention explicite du *Ps.* 75, 2, chez CYRILLE D'ALEXANDRIE, *In Ionam*, 1, 3 (*PG* 71, c. 605 E-609 B). Ce dernier dépend-il de Jérôme ou tous deux dépendent-ils ici d'Origène ? Sur le *Ps.* 75, 2 et l'extension du salut aux Nations, v. *Tr. de Ps.*, 75, 2 (*CC* 78, p. 49) ; *In Marcum*, 11, 11-14 (*CC* 78, p. 488, l. 38-42) ; *In Osee*, 1, 2, 18 (*CC* 76, p. 30, l. 464-466) ; *In Amos*, 2, 5, 4-5 (*CC* 76, p. 277, l. 184-187). Sur la croyance que la Schékinah est réservée à Israël, v. *Le Livre de Jonas*, p. 99.

16. Interpellation très vivante du prophète. Le problème sera repris dans le commentaire de 1, 9, mais d'une autre manière : il s'agira moins alors d'une *découverte* de la puissance de Dieu sur tous les éléments, que de la sincérité du prophète. V. p. 200.

17. Cf. 1, 16, l. 509 s.

18. Allusion indubitable à *Jér.* 12, 7, qui reparaîtra en *In Ionam*, 4, 2-3 (l. 55-56) et que l'on trouve dans l'*Ep.* 60 de la même année 396 où elle n'a pas été plus remarquée que dans cet *In Ionam*. Cette interprétation de *Jér.* 12, 7 se trouve chez Origène, dans son *Homélie* 10, 7-8 (*SC* 232, p. 410-412) que Jérôme a traduite en 381 (*PL* 25, c. 646-7 = *hom.* 8, 7). Plutôt qu'à ces homélies traduites quinze ans plus tôt (P. NAUTIN, « Études... », *REAug* 20, 1974, p. 272, n. 82) ou relues dans le contexte de la querelle origéniste (P. HAMBLENNE, *Latomus* 36, 1977, p. 826-827) — solutions certes possibles —, j'ai proposé de voir ici un emprunt à l'*In Ionam* même d'Origène (*Le Livre de Jonas*, p. 284-285 ; 342-343) et je continue à trouver cette solution vraisemblable. Cette exégèse n'est pas fréquente chez Origène. On la retrouve pourtant dans son *In Matthaeum*, 14, 17 (*PG* 13, c. 1232 A-B) qui est de la même époque, à peu près, que les *Commentaires sur les petits prophètes*. Est-ce un hasard ? Mais je ne dis absolument pas que cette coïncidence vaut preuve.

19. Ne s'agirait-il pas, de façon bien elliptique, de l'assimilation courante du navire au corps humain ? Elle est appli-
quée en particulier aux « navires de Tharsis ». Voir, par
ex., AMBROISE, *De interpellatione Iob et David*, 1, 5, 15
(*CSEL* 32, 2, p. 220-221) : « *Naues Tharsis* id est intelle-
gibilis quae Solomoni aurum ferebant atque argentum, id
est *corpora nostra*, quae habent thensaurum in uasis ficti-
libus ». Pour ces « *bonae naues* », voir JÉRÔME, *In Isaiam*, 1,
2, 16 (*CC* 73, p. 37, l. 18-26), à partir du *Ps.* 106, 23 cité
dans la note suivante. L'interprétation existe pour Jonas
même dans un texte anonyme transmis par THÉOPHYLACTE
(*In Ionam*, 2, 1 = *PG* 126, c. 932-3 — V. *Le Livre de Jonas*,
p. 150-156 ; 464-468). Elle figure dans le *Midrasch sur Jonas*
et le *Zohar* : *Le Livre de Jonas*, p. 106-107. Ajouter Tanhoum
Yerouschalmi au xiiie siècle (S. PORNANSKI, « Tanhoum
Yerouschalmi et son Commentaire sur le Livre de Jonas »,
REJ 40, 1900, p. 145-146).

20. D'où l'importance de traduire *Tharsis* par *mer* comme
les *Hebraei* ! Mais Tharsis va recevoir encore une autre
interprétation : *infra*, n. 27. Que la mer, et ses tempêtes,
désigne ce monde ou la vie humaine, l'opinion est on ne peut
plus commune (Chez Jérôme, par ex. : *In Isaiam*, 7,
21, 1-3 = *CC* 73, p. 290, l. 17-23). Pour le lien avec la suite :
In Habacuc, 2, 3, 14-16 (*CC* 76 A, p. 647, l. 1067-1068) :
« ...mare huius saeculi *in quo habitat Draco* » ; *In Danielem*,
2, 7, 2-3 (*CC* 75 A, p. 838, l. 447-451) : la mer et l'abîme
sont par excellence le séjour des puissances du mal.

21. *Ps.* 103, 25-26 : le second verset sera cité à nouveau
en *In Ionam*, 2, 1a au sujet du monstre qui engloutit Jonas.
Dans le cas présent, c'est la *mer* du v. 25 qui est tout d'abord
visée. Autres utilisations analogues de ces versets en *In
Habacuc*, 2, 3, 8-9 (*CC* 76 A, p. 630-631) en 393, *In Zachariam*
2, 10, 11-12 (*CC* 76 A, p. 846-847) en 406, qui insistent sur
le caractère péjoratif, hostile, de cette mer. Autres textes
sur le *Draco* du v. 26 et son sort final en *In Ionam*, 2, 1
(v. *infra*, p. 365, n. 5). Le texte n'apparaît dans aucune œuvre
occidentale avant le ive siècle et il semble bien être d'abord
utilisé en grec par ORIGÈNE qui en fait un usage fréquent :
v.g. *In Matthaeum*, 13, 17 (*PG* 13, c. 1140 B-C).

22. *Matth.* 26, 39 : ce verset sera cité à nouveau en *In
Ionam*, 2, 7b pour montrer la condition humaine du Christ,
mais surtout en *In Ionam*, 3, 1-2 au sujet de la deuxième

mission de Jonas à Ninive. Texte capital pour l'interpréta-
et de la « fuite du Christ », et de la place qu'occupe Israël
dans son agonie. Cette interprétation, qualifiée de « plus
profonde » dans le *Contre Celse*, 7, 55, est, sans renvoi à
Jonas, développée dans la vieille traduction latine de
l'*In Matthaeum*, 92 d'Origène. Jérôme au contraire évoquera
Jonas en commentant la scène de Gethsémani. Voir Introd.,
p. 107, et *Le Livre de Jonas*, p. 341-348.

23. *Jn* 19, 15 : citation morcelée de *Jn* 19, 15 a et c,
reprise en *In Ionam*, 3, 2. Très fréquente chez Jérôme, elle
apparaît souvent sous forme contractée chez Origène :
voir *Le Livre de Jonas*, p. 343-344 et la n. 101. Cette scène
devant Pilate est ici à relier à l'extrême fin de la *Préface*,
sur le choix de Barabbas par les Juifs.

24. Sur l'importance des chapitres 9-11 de l'*Épître aux
Romains* dans l'*In Ionam*, voir Introd., p. 108 et *Le Livre
de Jonas*, p. 352-357.

25. *Lc* 23, 34 : signe éminent de l'amour de Jésus pour
Israël : *Tr. de Ps.* 7, 5 (*CC* 78, p. 23-24) ; *Tr. de Ps.* 108, 4
(p. 210, l. 36-43) ; *Tr. de Ps.* 87, 9 (p. 402, l. 88-89) ; etc.

26. Noter qu'on revient ici au *prophète*. Or, lorsqu'il
reprendra par la suite (v. n. 27) l'étymologie de Tharsis
qu'il va présenter, Jérôme traitera en réalité du Christ !
Trace donc d'omission, qui, étant donné le *uel certe*, témoigne
de la part de Jérôme d'une réserve devant l'interprétation
spirituelle qu'il présente. Il le dira explicitement à propos
de *Jonas*, 1, 3 b (p. 182-186).

27. Le *Liber interpretationum, III Reg.* (*CC* 72, p. 43,
l. 26) donne « Tharsis exploratio gaudii », mais ne fournit
aucune indication pour ce livre de *Jonas*. Les *Onomastica*
grecs (F. Wutz, *Onomastica Sacra*, *TU* 41, Leipzig 1914,
p. 195) donnent entre autres κατασκοπὴ χαρᾶς et les allusions
que fait Ambroise à la « Tharsis intelligibilis », vers laquelle
se hâte Jonas, laissent entendre que ce but de voyage peut
également être très noble. Cette interprétation de Tharsis
est reprise en *In Ionam*, 1, 6 (l. 253 s.) ; 1, 12 (l. 412 s.) ;
4, 2-3 (l. 54) : *contemplatio gaudii, laetitiae, rerum*. Elle se
trouve chez Hésychius de Jérusalem (cf. *Le Livre de Jonas*,
p. 644). En *In Isaiam*, 7, 23, 14 (*CC* 73, p. 313, l. 1-6),
Jérôme commente : « Naues Carthaginis, id est Tharsis ...

Tharsis secundum aliam interpretationem in linguam nostram uertitur : ' Consummatio sex ' siue ' laetitiae ' ». La *consummatio* dont il s'agit n'est autre que celle de la fin du monde, d'où le sens « anagogique » que peut prendre cette navigation vers l'au-delà. Dans l'*In Ezechielem*, 8, 27, 12 (*CC* 75, p. 366, l. 975-979), l'*exploratio* n'est pas prise en bonne part, selon Jérôme. A cause de la *curiositas* qu'elle suppose ?

28. Jérôme anticipe sur le texte sacré. Le nom de ce port par excellence de la Palestine n'a pas encore été signalé. Le sens de *speciosa* peut se tirer des indications du *Liber interpretationum, Ion.* (*CC* 72, p. 124, l. 10) ou *Act.* (p. 146, l. 19) : « Ioppe : pulchritudo ». Dans l'*In Sophoniam*, Jérôme a déjà parlé de la « Porte des Poissons », qui « Diospolim ducit et Ioppen, et uicinior mari erat » (1, 10 = *CC* 76 A, p. 666, l. 387-388).

29. Sur l'opposition *populus (Iudaeus)* et *gentes*, v. *In Isaiam*, 14, 51, 4-5 (*CC* 73 A, p. 560, l. 13-20). Jonas préfère donc se consacrer à l'*otium* philosophique, par crainte de provoquer la perte d'Israël. La même présentation sera faite du Christ en 4, 2-3 ; mais, dans l'intervalle, la navigation du Christ et des Apôtres est présentée comme une marche vers la « Contemplation de la joie » (1, 12). Plusieurs lignes d'interprétation se croisent, que Jérôme ne cherche pas à distinguer de manière trop précise.

I, 3b

1. La double explication de la démarche de Jonas et de Jésus est déséquilibrée, car l'application au Christ ne va pas de soi. D'où la longue mise en garde de Jérôme. Mais l'explication littérale vaut aussi d'être remarquée : Jérôme va à l'essentiel, Joppé, avant d'éclairer les détails matériels du texte.

2. Joppé est, de fait, signalé en *II Chr.* 2, 15, mais non dans le passage du *I*er *livre des Rois* qui relate la construction du Temple à la suite de l'alliance de Salomon avec le roi de Tyr Hiram (*III Rois* 5). Comme les *Paralipomènes* sont souvent parallèles aux *Livres des Rois*, Jérôme a généralisé, abusivement. Joppé est mentionné de la même façon en *Esd.* 3, 7 pour la construction du nouveau temple après l'exil. C'était encore, à l'époque de Jérôme, l'un des ports où abordaient les pèlerins de Terre Sainte. En 402, dans son *Contre Rufin*, 3, 22 (*SC* 303, p. 272, l. 11), Jérôme rapporte que lui-même, en quittant Rome en 385, faillit gagner directement la Palestine par le « port de Jonas » Sur son passage à Joppé à la fin 385, voir n. suivante.

3. Indication générale, telle qu'on en trouve en de nombreuses pages de Jérôme, mais dont il est parfois difficile de discerner si elle recouvre une expérience personnelle ou un renseignement recueilli chez un prédécesseur, Eusèbe, Origène. (Voir M. J. LAGRANGE, « Origène, la critique textuelle et la tradition topographique », *RBi* 5, 1895, p. 501-524 ; 6, 1896, p. 87-92). Dans le cas présent, nous savons par l'*Ep.* 108, 8 que Paula et Jérôme sont passés à Joppé en arrivant d'Antioche à Jérusalem, à la fin 385. Mais rien n'est dit alors d'une visite à ces « rochers », bien que Jérôme mentionne Andromède et son rocher (*CUF* 5, p. 166, l. 13-16). Dans le cas présent, on peut suspecter l'influence — directe ou indirecte — de JOSÈPHE dans le *Bellum Iudaicum*, 3, 420. Le lecteur latin connaît la légende de la belle enchaînée par OVIDE (*Métam.*, 4, 663-734) ou PLINE L'ANCIEN (*Hist. Nat.*, 5, 69...), quand ce n'est pas par les représentations figurées...

4. Sur cette expression flatteuse de Jérôme à l'égard de son lecteur, voir dom ANTIN, « Saint Jérôme et son lecteur », *Rech SR* 34, 1947, p. 86 = *Recueil*, p. 349.

5. On notera que la légende d'Andromède est dite *historia* ici, tandis qu'elle n'est que *fabula* en *Ep.* 108, 8, peut-être parce que Jérôme pense alors à OVIDE (*Metam.*, 4, 665-752).

6. La remarque, valable pour l'hébreu et la traduction des Septante (κατέβη), appuie les manuscrits les plus anciens contre les éditions depuis la Renaissance : Jonas est supposé partir de Jérusalem ou de Samarie.

7. Certains textes juifs décrivent la hâte de Jonas qui prend le premier navire venu, hèle même un navire qui passe (*Le Livre de Jonas*, p. 79 ; 99-100). Trace ici de développements de ce genre ? Voir la n. suivante !

8. Certains textes juifs voient un signe de la hâte du prophète dans le fait qu'il paie *avant même le voyage.* D'autres soulignent que Jonas, comme dans cette interprétation de Jérôme, a acheté toute la cargaison du navire : *Le Livre de Jonas,* p. 100 et n. 158. Quoi qu'en dise Jérôme, la Septante n'est ni plus claire ni plus obscure et traduit : « ἔδωκεν τὸ ναῦλον αὐτοῦ... ».

9. L'hébreu semble donc prêter à Jonas, selon Jérôme, une intention plus précise de se cacher, tandis que, dans la Septante, le prophète s'estime sauvé dès qu'il est à bord. En réalité, le sens est le même de part et d'autre et chaque langue a sa manière de dire. Nous « montons » toujours à bord d'un navire ... même si nous descendons du quai vers le pont ou le fond de la barque.

10. L'édition « commune » à l'époque de Jérôme, c'est-à-dire celle qui a été faite sur la κοινή des Septante, par rapport à la sienne, faite sur l'hébreu, qui ne deviendra la *Vulgate* qu'à partir du xiiie-xive siècle. Voir les textes cités dans l'Introduction, p. 44, n. 79 ; p. 48, n. 97, p. 85, n. 270.

11. Il y a certes loin de Sidon à Joppé — et on peut même se demander s'il faut comprendre « à l'extrémité du rivage de Judée » ou « tout au bord du rivage de Judée » ; cependant l'épisode de Jésus venant aux abords de Tyr et de Sidon (*Matth.* 15, 21 s.) tient une grande place dans l'*In Ionam* de Jérôme. (Voir *Le Livre de Jonas,* p. 348-351).

12. Toujours l'épisode de la Chananéenne. Si Origène l'interprète surtout, dans son *In Matthaeum,* 11, 17, des diverses sortes d'âmes, il admet également de voir en elle ou son pays le symbole des Nations (*Ibid.,* 11, 16). La Chananéenne qui se porte au devant du Christ est rapprochée de la veuve de Sarepta qui accueille Élie en *In Lucam h.* 33, 4 (*SC* 87, p. 398), homélie qui célèbre la foi des païens. L'interprétation devient générale au ive siècle, ce qui n'empêche pas Jérôme de suivre parfois l'*In Matthaeum* d'Origène dans son propre *In Matthaeum,* 2, 15, 22 (*SC* 242, p. 330). Mais, pour les « chiens », que sont les païens, « appelés ainsi pour leur idolâtrie, des chiens qui, nourris de sang et de cadavres, deviennent enragés », voir cette belle envolée : « O renversement admirable ! Jadis Israël était le fils, nous les chiens. La foi s'étant déplacée, les noms sont intervertis. Des Juifs, il est dit plus tard : ' Des chiens

nombreux m'ont entouré ' et ' Gardez-vous des chiens,
gardez-vous des mauvais ouvriers, gardez-vous des cir-
concis '. Nous, *avec la Syrophénicienne* et l'hémorroïsse,
nous entendons : ' Grande est ta foi, qu'il te soit fait comme
tu le veux ', et ' Ma fille, ta foi t'a sauvée. ' » (*In Matthaeum*, 2,
15, 25.28 = *SC* 242, p. 332-335 ; trad. Bonnard). Cf. *In
Ecclesiasten*, 9, 5-6 (*CC* 72, p. 324, l. 92-104).

13. Et non pas, malgré le texte biblique, « il paie (son
voyage) *à* ceux qui le transportent ». Jérôme oppose en
effet aux Juifs les « accolae maris » que sont à la fois les
matelots de *Jonas* 1, 3, les Sidoniens de *Matth.* 15, 21, et
les hommes, « habitants de la mer » de ce siècle, suivant ce
qui a été dit plus haut. Le Christ, venu sauver Israël et
désireux de sauver, d'abord et avant tout, son peuple, se
trouve par cette sortie en dehors d'Israël de *Matth.* 15,21-
24, par son rejet par les Juifs lors de sa Passion, sauver les
étrangers, les hommes du monde entier. Interprétation
subtile, qui fait en outre intervenir un parallèle entre le
sommeil de Jonas et le sommeil de Jésus dans la barque
de Génésareth ; si subtile que Jérôme formule immédiatement des réserves sur sa valeur et son extension. Il ne
l'abandonnera cependant pas totalement par la suite !

14. Page remarquable, si pas tout à fait unique dans
l'œuvre de Jérôme. Il a plutôt tendance à proclamer,
sinon toujours à mettre en œuvre, le principe inverse, à
savoir qu'il faut étendre à *tout* un passage ou à toute une
œuvre le caractère prophétique ou typologique qui lui a été
reconnu par le Christ ou par un Apôtre. C'est ainsi qu'il
revendique d'appliquer tout entier au Christ le *Psaume* 87
dont Paul a utilisé un verset pour décrire l'attitude du
Christ (*Tr. de Ps.* 87, 10 = *CC* 78, p. 403, l. 109-114). Au
sujet de l'*Exode*, invoqué par Paul en *I Cor.* 10, 1-11, il
déclare : « Si, donc, une partie de l'histoire de ce voyage
hors d'Égypte doit être comprise au sens spirituel, le reste,
que l'Apôtre a passé sous silence faute de temps, doit, de
toute évidence, ressortir au même sens » (*Ep.* 78, 1 = *CUF*
4, p. 53, l. 7-10 ; trad. Labourt. Dans cette lettre il s'apprête
à suivre, de plus ou moins loin, Origène. Voir de même
Tr. de Ps. 76, 21 = *CC* 78, p. 63, l. 246-267). C'est sur
I Cor. 10, 11 que Jérôme s'appuie pour donner une explication spirituelle du jugement de Salomon, quitte à réduire
sa tentative à la fin (*Ep.* 74, 2 = *CUF* 4, p. 27, l. 22 s. ;

6 = p. 31, l. 29-31). De même cherche-t-il souvent à montrer qu'un texte est à entendre tout entier au sens spirituel (v.g. *Tr. de Ps.* 77, 1 = *CC* 78, p. 64, l. 17-21 ; p. 65, l. 43-58 ; 77, 3 = p. 68, l. 107-111) ou s'autorise-t-il d'une assimilation d'un Apôtre pour l'appliquer à un autre texte (v.g. *In Habacuc*, 1, 2, 5-8 = *CC* 76 A, p. 603, l. 295 ; *In Ieremiam*, 2, 111, 3 = *CC* 74, p. 118, l. 1-5). Le procédé est déjà chez Origène, mais on a vu aussi qu'Origène mettait parfois des limites à l'extension de la typologie ou même de l'allégorie. De même pour Didyme l'Aveugle : voir Introd., p. 104, n. 337.

15. Sur le sens de ces mots, voir Introd., p. 51 s. ; 87 s. Jérôme revient souvent sur ce principe, mais le plus souvent quand il est gêné par l'interprétation qu'il a présentée ou va présenter à la suite d'un prédécesseur, *maior* ou *uetus*.

16. *Gal.* 4, 24-26 : on trouvera un peu plus loin une autre allusion à ce passage qui est le garant de toutes les tentatives allégorisantes. Jérôme s'en réclame souvent contre les partisans de la lettre : *In Galatas*, 1, 1, 17 (*PL* 26, c. 328-329) ; 2, 4, 24-26 (c. 389-391) ; *In Marcum*, 9, 1-17 (*CC* 78, p. 479, l. 73-86) ; *In Amos*, 1, 1, 6-8 (*CC* 76, p. 223, l. 359-362) ; *Ep.* 123, 12 (*CUF* 7, p. 87, l. 16-21). Mais, en 406, l'*In Osee*, 3, 11, 1-2 (*CC* 76, p. 121, l. 70-89), tout en maintenant la réalité passée des faits, restreint le *type* au point précis qui est invoqué par l'Apôtre. Voir Introd., p. 102.

17. *Éphés.* 5, 31 : texte lui aussi souvent utilisé par Jérôme dans un contexte exégétique, pour inviter à une interprétation plus haute, voire la plus haute (*In Ezechielem*, 5, 16-30 = *CC* 75, p. 195, l. 327-331 ; voir *Adu. Iouinianum*, 1, 16 = *PL* 23, c. 235 A-C ; *Tr. de Ps.* 88, 3 = *CC* 78, p. 407). Mais il a appris, peut-être auprès de Grégoire de Nazianze (qu'il invoque), qu'il ne fallait pas étendre la typologie suggérée par ce texte à toute l'histoire d'Adam et Ève (*In Ephesios*, 2, 5, 32 = *PL* 26, c. 535 C-536 A). Sur une restriction analogue chez Didyme l'Aveugle, v. Introd., p. 104, n. 337.

18. *Fabricam mundi* : y a-t-il plus qu'une simple rencontre formelle avec le *De fabrica mundi* de Victorin de Poetovio sur le début de la Genèse ? Le fragment qui nous est parvenu (§ 9 = ed. Hausleiter, *CSEL* 49, p. 8) s'intéresse bien au parallèle Adam/Jésus, Ève/Marie, mais pas à *Éphès.* 5, 31 s.

19. Allusion approximative, mais fréquente chez Jérôme
comme chez Origène, à *Gal.* 4, 26 : « Quae sursum est
Hierusalem, libera est, quae est *mater omnium nostrum.* »
Voir, par ex., *In Sophoniam*, 3, 14-18 (*CC* 76 A, p. 707,
l. 525-527) : « In die illa dicetur ad Hierusalem liberam,
quae non seruit cum filiis suis sed quae *mater est sanctorum* :
Noli timere, Sion... » ; *In Galatas*, 2, 4, 25-26 (*PL* 26, c. 390-
391) : « ... et e contrario quae sursum est Ierusalem, quae
est libera *materque sanctorum* ». Chez ORIGÈNE, voir, par
ex., *In Leviticum h.* 11, 3 ; 12, 4 ; *In Matthaeum*, 14, 17
(*PG* 13, c. 1232 A 11-12) dans un contexte d'Incarnation
analogue à celui-ci. Il s'agit le plus souvent chez Jérôme
de l'Église actuelle, mais aussi du monde angélique, comme
dans *In Isaiam*, 13, 49, 14-21 (*CC* 73 A, p. 543, l. 49-54).
On retrouvera cette perspective en *In Ionam*, 2, 7b (l. 277-
279). Jérôme oppose parfois sa conception, orthodoxe, à
celle des Origénistes (*In Zachariam*, 1, 2, 1-2 = *CC* 76 A,
p. 763, l. 23-29). Dans le cas présent, on peut se demander
si à la place de la « Jérusalem céleste » il ne faut pas voir
dans la « mère », l'Esprit-Saint, *ruah*, féminin en hébreu,
comme Jérôme se plaît à le rappeler. Voir n. 20.

20. Peut-on les deviner ? Dans son *In Matthaeum*, 14, 17
(*PG* 13, c. 1232 A-C), ORIGÈNE rapporte *Gen.* 2, 24 à
l'Incarnation du Christ où le Verbe, pour l'Église, quitte
son Père et quitte la Jérusalem d'en haut dont il était le
fils. Mais dans la 15e *Homélie sur Jérémie*, où c'est Jésus,
et non pas Jérémie, qui déclare : « Malheureux que je suis !
ô *Mère*, quel homme as-tu engendré » (*Jér.* 15, 10), ORIGÈNE
se réfère, entre autres, à l'*Évangile des Hébreux* où Jésus
s'adresse à l'Esprit-Saint comme à sa mère (*In Ieremiam h.*
15, 4 = *SC* 238, p. 122, l. 23-26 ; *In Iohannem*, 2, 12,
87 = *SC* 120, p. 262). Jérôme connaît d'ailleurs cet *Évangile
des Hébreux*. Sans doute ces spéculations sont-elles à l'arrière-
plan des propos ici tenus.

21. *Leges allegoriae* : pour le texte, voir l'apparat ; pour
l'expression voir DIDYME, *In Zachariam*, II, 15 (*SC* 84,
p. 434, l. 14 : ἀλληγορίας νόμος), mais d'abord PHILON,
Som. 1, 73 ; 1, 102, etc.

22. On notera la richesse (et la confusion) de cette page
en vocabulaire exégétique : *ordo tropologiae / ordo historiae ;
historia / tropologia ; loci historia / sub leges allegoriae ; historia / intellegentia spiritalis ; allegoria, sacramentum, referre* (5),

interpretari (2), *interpretatio*... On s'aperçoit qu'à l'*historia*
est opposée ou liée, non seulement l'*allegoria* dont l'emploi
est ici directement suggéré par *Gal.* 4, 26, mais aussi la
tropologia et, de façon plus générale, l'*intellegentia spiritalis*,
par le moyen de l'unique *referre*. En revanche, malgré
le renvoi à *I Cor.* 10, 4, ce n'est pas *typus*, mais *allegoria*
qui est utilisé pour l'interprétation de l'*Exode*. On a la
confirmation de cette assimilation ordinaire entre *allegoria*
et *typus* dans l'*In Oseam* de 406 où l'évocation de Sara
et Agar est faite τυπικῶς (v. note 16) et ce, dans un développement, là aussi, sur l'extension de l'interprétation spirituelle.
V. Introd., p. 88 s.

I, 4

1. On remarquera que ce verset, s'il reçoit à peine — et
en un second temps — une interprétation littérale, n'a le
droit à aucune interprétation christologique. Au contraire,
Jérôme fait soudain intervenir une interprétation « anthropologique », qui se relie à ce qu'il avait dit de Ninive comme
image du monde créé pour l'homme (*In Ionam*, 1, 1-2,
l. 20-25), mais qui trouve surtout son commentaire chez
des auteurs qu'il n'a sans doute pas consultés sur ce point,
mais qui dépendent vraisemblablement, comme lui, de
sources grecques et juives. Voir *Le Livre de Jonas*, p. 106-
108 ; 130-157 : 609-611.

2. *Ad hominis in communi personam* : sur *persona*,
v. Introd., p. 65-67. Le prophète représente ici l'homme en
général, mais tout d'abord Adam. Sur cette interprétation
anthropologique, v. Introd., p. 109 s.

3. Pas la moindre référence cette fois (v. *supra*, p. 344,
n. 2). Au lecteur de connaître « l'histoire », ici Isaïe. Parfois
la référence est donnée après coup : par ex., *In Matthaeum*,
1, 7-11 (*SC* 242, p. 142, l. 38), qui, après avoir fait allusion,
sans citer le texte, à *Gen.* 8, 21 (l. 36-37) ajoute : « Lege
Genesin ».

4. *Periclitabatur ... periclitantem* : le jeu de mots est
évident, son sens moins. Peut-être faut-il traduire simplement : « Le navire était en danger parce qu'il avait accueilli
un passager en danger. » Les asyndètes de la suite, ainsi

que le caractère abrupt de la sentence finale, traduisent cette atmosphère de tempête soudaine. Pour l'expression, comparer l'*Ep.* 1, 5 (*CUF* 1, p. 4, l. 26-27 : la femme de Verceil) : «... et periclitans ipsa alium uindicat periclitantem. »

I, 5a

1. Commence à se dessiner, plein de bienveillance, le portrait de l'équipage païen. Sa conduite, à la fois religieuse et, bientôt, respectueuse de Jonas et de son Dieu, va être opposée à l'attitude d'Israël, à l'égard de Jésus surtout (voir *In Ionam,* 1, 10 ; 1, 11 ; 1, 13 ; 1, 14).

2. L'allègement du navire est une des techniques les plus ordinaires en cas de tempête. Voir, par ex., *Act.* 27, 18-19 ; à l'époque de Jérôme, BASILE DE CÉSARÉE, *De ieiunio h.* 1 (*PG* 31, c. 168 C 9-D). Le but recherché est indiqué ensuite : « ut magnitudinem fluctuum classis *leuior* transiliret ».

3. Sur les pleurs du Christ, voir *In Ionam,* 1, 1-2 (l. 19 : *Lc* 19, 41). On notera que les Juifs ne participent pas ici directement à la scène. Leur comportement hostile ou indifférent n'est évoqué qu'à travers celui des païens, attentifs au salut de Jonas.

I, 5b

1. Deux explications littérales — opposées — sont suivies d'une interprétation spirituelle qui concerne l'*homme,* non le Christ. Or, Jérôme reviendra lui-même plus loin sur ce sommeil de Jonas, en le rapprochant du sommeil du Christ durant la tempête (*In Ionam,* 1, 12, l. 404 s.). Cette assimilation n'était possible qu'avec la première explication littérale. Sécurité, sérénité ou mauvaise conscience ? La traduction essaie de conserver l'ambiguïté que Jérôme découvre dans l'attitude du prophète.

2. Jonas, impassible comme un stoïcien — Jérôme aime citer HORACE, *Od.* 3, 3, 7 s. ! THÉODORE DE MOPSUESTE fait plus justement remarquer que Jonas s'est caché et endormi *avant* la tempête (*In Ionam,* 1, 3 = *PG* 66, c. 332 D-333 A), en soulignant que l'Écriture ne respecte pas toujours l'ordre chronologique. Jérôme le sait et parle souvent de l'*ordo praeposterus* : *In Ionam,* 1, 10, l. 342. Même chronologie rétablie chez CYRILLE D'ALEXANDRIE qui insiste sur l'amour de la solitude propre aux prophètes (*In Ionam,* 1, 6 = *PG* 71, c. 609 A-C). Quant à la nature de ce sommeil, dans cette première explication, on notera que Jérôme, qui évoquera bientôt Virgile (1, 8, l. 304 s.) et qui transformera le *sopor grauis* de sa traduction en *grauissimus sopor,* refuse le *placido sopore* de VIRGILE (*En.,* 4, 522 ; 8, 405) pour le banal *somno placido...* relevé il est vrai d'un *per*frui. Comparer *Ep.* 121, 1 (*CUF* 7, p. 13, l. 27-28).

3. Pourquoi ce chagrin ? Jérôme ne le dit pas. Il faut en chercher la raison dans le fait que le prophète songe à sa mission et à ses conséquences *pour Israël.* La tempête montre que Dieu n'a pas renoncé à sa volonté. Jérôme se contente de justifier l'accablement du prophète par un exemple pris à la Passion du Christ. Nous retrouverons plus loin les Apôtres plus directement liés à l'aventure de Jonas-Jésus (*In Ionam,* 1, 12, l. 408 s.).

4. Voir Introd., p. 109. Le *type* s'applique ici à l'interprétation anthropologique.

5. Interprétation qui se relie à ce qui a été dit plus haut de l'histoire de l'humanité : Adam, après la faute, se cache. Le sommeil de Jonas est compris comme un endurcissement par le *Midrasch sur Jonas* (*Le Livre de Jonas,* p. 107). Jérôme a dit plus haut (*In Ionam,* 1, 3b, l. 128 s.) que Jonas cherchait à se cacher. Pas d'interprétation christologique. THÉOPHYLACTE D'ACHRIDA (*In Ionam,* 4, 9-11 = *PG* 126, c. 964 B-968) applique d'une façon analogue l'ensemble de l'aventure de Jonas à la conduite humaine : l'homme se rebelle, avant d'être contraint de revenir à Dieu. Voir également le Commentaire sur Jonas de Tanhoum Yerouschalmi qui développe longuement cette interprétation « anthropologique » (S. POZNANSKI, « Tanhoum Yerouschalmi et son Commentaire sur le Livre de Jonas », *REJ* 40, 1900, p. 145-151).

6. *Rauca nare resonaret* : sur l'harmonie (?) imitative
et les attaques de Jérôme contre les ronflements divers,
v. Antin, p. 65, n. 1 et p. 66, n. 1-2. Sur le texte, voir
l'apparat critique : il est plus facile, semble-t-il, d'expliquer
la chute du second *re-* que sa duplication.

I, 6

1. Explication littérale et explication « selon la tropologie » se succèdent ; mais la première, en s'inspirant des
habitudes de la navigation, ne met pas en exergue le sens
réel du texte ; quant à la deuxième, elle est des plus compliquées. Jérôme tombe ici dans le travers qu'il dénonce
dans sa *Préface*.

2. Principe général repris plusieurs fois par Jérôme : voir
Antin, *ad locum*. Ajouter : *In Isaiam*, 5, 13, 7-8 (*CC* 73,
p. 162, l. 11) ; 5, 14, 29 (p. 173, l. 4 s.). Les sentences sont
fréquentes dans les *Commentaires: In Abdiam*, 12-13 (*CC*
76, p. 365, l. 448 s.) ; *In Isaiam*, 5, 19, 9-10 (*CC* 73, p. 168,
l. 8-9), etc.

3. Même attitude dans la tempête de *Act.* 27, où Paul
rassure à plusieurs reprises l'équipage. Saint Augustin dit
de Monique, lors de sa venue en Italie : « Per marina discrimina, ipsos nautas consolabatur, a quibus rudes abyssi
uiatores cum perturbantur consolari solent... » (*Confessions*,
6, 1, 1). Au contraire, dans la longue comparaison de
l'Épître de Clément à Jacques, 14-16, des *Reconnaissances
Clémentines*, l'évêque, qui est le *prôreus*, est celui qui a
le plus de soucis, puisqu'il porte d'abord ceux des autres
(*GCS* 51, p. 383-385).

4. Il s'agit ici de l'humanité, présente dans le navire de
Jonas-Jésus, en route vers « Tharsis ». Nous avons sans
doute ici la trace de l'interprétation selon laquelle l'humanité
— païenne — est représentée en chacune de ses religions
sur le navire où se trouve Jonas l'Hébreu (voir *Le Livre
de Jonas*, p. 100 et n. 160 et 161). Le thème est ici christianisé.
La Passion du Christ va apaiser la tempête du monde
(v. *In Ionam*, 1, 15, l. 494-500). Sur Tharsis, « Contemplation
de la joie », v. *supra*, p. 343, n. 27.

5. Anticipation sur 1, 16 où Jérôme reprendra cette remarque (voir p. 218). D'où le passage au « spirituel », puisque le « littéral » est impossible : un des grands principes de l'exégèse allégorique.

I, 7

1. Jérôme est moins préoccupé d'établir le sens littéral — sans doute trop clair — que de mettre en garde contre une utilisation de cet exemple de recours aux sorts, si consultés à l'époque. Il ne dira rien de l'interprétation christologique, alors qu'il a évoqué quelques lignes plus haut Jonas-Jésus « sorte deprehensus » (1, 6, l. 254 s.). Il se contente de prévenir une erreur possible.

2. Jérôme, qui a dû naviguer pas temps calme..., se fait sans doute des illusions sur le sang-froid des marins. Connaît-il l'interprétation selon laquelle la tempête n'aurait touché que le seul navire de Jonas, d'où l'émoi des marins ? Pour l'exégèse juive, voir *Le Livre de Jonas*, p. 100. Pour THÉODORE DE MOPSUESTE, v. son *In Ionam*, 1, 7 (*PG* 66, c. 333 B-C).

3. Ce que fait justement ORIGÈNE (*In Iosue h.* 23, 2-3 = *SC* 71, p. 454-456), en rapprochant des textes de l'Ancien Testament sur les sorts, *Jonas*, 1, 7 et *Act.* 1, 26. Mais il se pose, lui aussi, le problème de la valeur des sorts chez les chrétiens. Même critique chez THÉOPHYLACTE (*In Ionam* 1, 7 = *PG* 126, c. 924 B-D). Le problème était d'actualité au ive comme au iiie siècle. Il le restera, puisqu'on remplacera les *sortes uirgilianae* par des *sorts bibliques*. Voir, par ex., P. COURCELLE, *Les Confessions de saint Augustin dans la tradition littéraire*, Paris 1963, p. 143-154.

4. Sur ces prophéties involontaires, voir SOCRATE, *Histoire ecclésiastique*, 5, 17 (*PG* 67, c. 609), avec les mêmes exemples, au sujet du hiéroglyphe « ankh » et du signe de la croix.

5. L'explication est donnée pour *malitia* de la LXX, et non pour *malum* de l'hébreu. Précision sans cesse reprise : ici même, *In Ionam*, 3, 10 (l. 271 s.) ; mais auparavant :

In Ecclesiasten, 1, 14 (*CC* 72, p. 260, l. 337-342) avec appel à son maître hébreu ; *In Sophoniam*, 1, 12 (*CC* 76 A, p. 670, l. 559-565) ; et ensuite, en plus des Commentaires cités aux notes suivantes : *In Zachariam*, 2, 8, 16-17 (*CC* 76 A, p. 819, l. 483-489) ; *In Ioelem*, 2, 12-14 (*CC* 76, p. 183, l. 266-269) au sujet d'un texte très proche de *Jonas* 4, 2. Mais ce n'est que dans l'*In Michaeam*, 1, 1, 10-15 qu'est mentionné clairement le problème sous-jacent : il s'agit d'échapper à une objection des Marcionites et des Manichéens, qui avaient rassemblé dans l'Ancien Testament un certain nombre de textes qui attribuaient à Dieu une entreprise de *mal*. Au IIIe siècle, Tertullien et Origène répondaient déjà à l'objection. Jérôme doit à chacun : voir *Le Livre de Jonas*, p. 159-160 et 292-293.

6. *Matth.* 6, 34. Cf. *In Matthaeum*, 1, 6, 34 (*SC* 242, p. 140, l. 172 s.). Jérôme a reçu d'Amandus en 394, une question sur ce texte précis : *Ep.* 55, 1 (*CUF* 3, p. 41-42).

7. *Amos* 3, 6. Cf. *In Amos*, 1, 3, 3-8 (*CC* 76, p. 247, l. 139-154) qui reprendra le dossier.

8. *Is.* 45, 7. Cf. *In Isaiam*, 12, 45, 1-7 (*CC* 73 A, p. 505, l. 71-75) qui renvoie à *Matth.* 6, 34.

I, 8

1. Le commentateur enchaîne et paraphrase, en reprenant et remodelant subtilement les éléments du texte dont il admire l'ordonnance et la briéveté. Il ne dit rien d'une interprétation christologique possible. Le lemme est particulièrement perturbé, le texte n'étant pas très sûr dans le texte massorétique même.

2. *En.*, 8, 112-4 : passage fréquemment cité que cet « interrogatoire d'identité » d'Énée et ses compagnons par Pallas ! SÉNÈQUE (*Ad Heluiam*, 6, 3), à moins qu'il ne pense à Homère (*Apocoloq.*, 5, 4), cite le *Vnde domo* et PAULIN DE NOLE renvoie deux fois à Virgile (*Ep.* 3, 4 ; *Carm.*, 16, 18). Le jugement de Jérôme coïncide avec celui de Servius, tant pour le style que pour les points de l'interrogatoire ! Le grammairien commente le « *Iuuenes quae causa subegit?* »

par ces mots : « Succincta et plena interrogatio, cui per singula respondet Aeneas », et le « *Vnde domo* » par « De qua ciuitate? » (SERVIUS, *Ad Aen.*, 8, 112-114 = éd. G. Thilo, Berlin 1923, II, p. 215). Sur la portée de la remarque de Jérôme, voir Y.-M. DUVAL, « Saint Cyprien et le roi de Ninive... », p. 567.

I, 9

1. On notera l'absence de toute interprétation spirituelle en référence au Christ. L'explication va porter sur la justesse et la validité de la réponse du prophète.

2. Jonas est pourtant postérieur au schisme, d'après l'identification, qui a été proposée dans la *Préface*, avec le prophète du temps de Jéroboam II, roi d'Israël.

3. C'est la traduction ordinaire d'*Hebraeus* dans les *Onomastica* (*Liber interpretationum*, *Ex.* = *CC* 72, p. 73, l. 7 : « Ebraeorum : transeuntium » ; *Hebraicae quaestiones in Genesin*, 14, 13). Le dossier qui suit, qui met l'accent sur le *passage*, est fréquemment repris, plus ou moins complet, pour définir la condition du juste véritable, qui ne s'attache pas à cette terre et n'en fait pas sa demeure. Outre les textes rassemblés par dom ANTIN, *ad loc.*, voir *Ep.* 75, 1 (*CUF* 4, p. 32, l. 21-23) ; *In Ps.* 104, 13 (*CC* 72, p. 230) ; *Tr. de Ps.* 119, 5 (*CC* 78, p. 256, l. 295-296) ; *In Sophoniam*, 1, 17-18 (*CC* 76 A, p. 676, l. 792-794) ; *In Osee*, 1, 4, 1-2 (*CC* 76, p. 38, l. 32-38) ; *In Zachariam*, 2, 9, 11-12 (*CC* 76 A, p. 832 s.) ; *In Malachiam*, 2, 3-4 (*CC* 76 A, p. 916, l. 149-150) ; *In Isaiam*, 7, 20, 1-6 (*CC* 73, p. 289, l. 58-59) ; *In Ieremiam*, 1, 8, 3, etc. Thème éminemment biblique, développé dans l'Ancien Testament, mais qui éveille aussi des résonances néo-platoniciennes : l'homme est un étranger, un exilé sur cette terre. Jérôme a lu naguère le *De abstinentia* (1, 30, 2) de PORPHYRE. Le thème est fréquent chez ORIGÈNE (*v.g. In Matthaeum*, 11, 5 = *SC* 162, p. 286, l. 5-6). Il tiendra une grande place dans la spiritualité monastique.

4. Poursuivant ses remarques précédentes sur la *breuitas*, Jérôme se contente d'une notation esthétique sur la correction de la langue. Il ne relève ici aucune différence entre *terra* et *arida* comme le fait d'ordinaire ORIGÈNE (*Peri*

archôn, 2, 3, 6 ; *In Genesim h.* 1, 2 ; *In Numeros h.* 26,5),
ou DIDYME (v.g. *In Genesim*, 1, 9).

5. Cf. *In Danielem*, 1, 2, 19b (*CC* 75 A, p. 787, l. 233-235) :
« *Et Daniel benedixit Deo caeli* : ad distinctionem eorum
qui uersantur in terra et daemonicis artibus atque praestigiis
terrena deludunt... »

6. La difficulté a déjà été soulevée en *In Ionam*, 1, 3a
(l. 81 s.), mais de façon un peu différente. Sous la réponse
il y a, bien entendu, une allusion à *Jn* 15, 14-15 et *I Jn* 4, 18 ;
mais Jérôme qui note que le prophète hébreu s'adresse
à des non-Juifs, ne prend pas garde au fait que la *Septante*
s'est mise, elle, au niveau des lecteurs de langue grecque.

I, 10

1. Ici encore, pas la moindre allusion à une interprétation
spirituelle. Jérôme s'attache à l'ordre du récit, aux sentiments des matelots et à leur attitude à l'égard de Jonas.
L'accusent-ils *(causantur, reprehendunt, increpant)* ou lui
posent-ils simplement des questions ? Le désarroi de
ces matelots est bien montré par le balancement de la
phrase (l. 354-356) et leur étonnement par le finale, savamment construit (l. 360-362).

2. Notation assez fréquente du commentateur, qui
correspond aux règles de l'École. (Voir le dossier de dom
ANTIN, p. 69, n. 3, non entièrement repris dans son *Recueil*,
p. 236). Je me sépare fortement des éditions antérieures
pour la ponctuation des lignes suivantes.

3. Reprise, sous une forme peu différente, du raisonnement déjà avancé en 1, 3a (l. 81-83). Mais ici, il est mis
dans la bouche des matelots.

4. Le français est plat et rend mal les parallélismes et
les chiasmes du latin !

I, 11

1. Le « commentaire » qui se transforme en dialogue ne
concerne ici encore que la *lettre*. Jérôme amplifie la simple

question des matelots jusqu'à en faire un raisonnement
en forme, suivi des hésitations d'une délibération angoissée.
Le tableau final de la tempête, avec les vagues de ses
anaphores, est du meilleur Jérôme récrivant le texte sacré
où la nature se met en mouvement.

2. Cf. *Ep.* 65, 7, sur les sentiments du psalmiste, interprète de l'Esprit : « Meum est quasi organum praebere
linguam, illius (Spiritus) quasi per organum sonare quae
sua sunt » (*CUF* 3, p. 147, l. 15-17).

3. Mention très rare, sinon unique. Jérôme ne dit pas qui
est ce narrateur *(historicus)*. Le plus souvent, il se contente
de *ait, inquit,* qui peut concerner l'Écriture, l'Esprit, etc.
Selon le goût du temps, Salluste est le *nobilis historicus*
de l'histoire romaine (*In Ecclesiasten,* 5, 9-10 = *CC* 72,
p. 295, l. 129).

I, 12

1. Jérôme donne tout d'abord la parole à Jonas lui-même,
qui s'adresse avec éloquence aux matelots, comme un
accusé devant un tribunal. Il reprendra la parole pour
admirer la générosité du prophète. Mais surtout, il développe
l'interprétation christologique qui était oubliée ou omise
depuis plusieurs pages.

2. *Ceterum non ignoramus:* cf. *In Habacuc,* 1, 2, 2-4
(*CC* 76 A, p. 599, l. 165-167) : « Hoc propterea ne quod
sciebamus uideremur tacere. *Ceterum non ignoro* secundum
interpretationem eorum (= Hebraei) posse et ita accipi... »
Cette façon de faire masque souvent une *gêne* chez Jérôme :
voir la Préface (l. 66-67). Elle évoque peut-être également
ici les multiples exégèses de l'épisode de la tempête apaisée
(v.g. TERTULLIEN, *De baptismo,* 12, 7).

3. En 398, l'*In Matthaeum* relie à nouveau l'épisode de
la tempête apaisée au cours de laquelle les Apôtres réveillent
Jésus et l'aventure de Jonas : « Nous trouvons la préfigura-
tion de ce miracle dans Jonas. Les autres sont épouvantés,
il dort tranquillement, on l'éveille et, par le pouvoir et le
mystère de sa passion, il délivre ceux qui l'éveillent »
(*In Matthaeum,* 1, 8, 24 = *SC* 242, p. 162, l. 129-132 ;
trad. Bonnard) ; mais ce n'est pas une interprétation

fréquente chez Jérôme qui donne plus souvent une interprétation spirituelle de la tempête de cette vie : *Tr. de Ps.*
67, 2 (*CC* 78, p. 40, l. 4-8) ; 76, 20 (p. 215-217) ; 81, 1 (p. 83-
84) ; 92, 4 (p. 432, l. 88-91) ; 93, 16 (p. 437, l. 102-104) ;
In Isaiam, 13, *Prol.* (*CC* 73, p. 506-507), etc. Le rapprochement est cependant assez courant chez les Grecs et les
Latins (Voir *Le Livre de Jonas*, p. 234 ; 246 ; 405-406, etc.).

4. La tradition manuscrite hésite entre les deux réveils,
parce que l'interprétation est enchevêtrée et mêle tempête
apaisée et agonie, mais le sens et le parallèle avec l'*In
Matthaeum* conseillent le *suscitantes*.

5. Voir, *In Ionam*, 1, 3a (l. 101-103) où la navigation du
Christ vers Tharsis est présentée en des termes analogues.
Voir de même, pour la suite, *In Ionam*, 2, 5a (l. 179-184).

6. Image fréquente − à partir de *Job* 40, 25 (20) − chez
Jérôme (voir par ex., *In Michaeam*, 1, 1, 6-9 *CC* 76, p. 429,
l. 246-248) et dans les textes des premiers siècles (voir
Le Livre de Jonas, p. 284, n. 62). Elle est promise à un grand
succès dans les représentations. Voir, par ex., U. STEFFEN,
Das Mysterium von Tod und Auferstehung, Göttingen 1963,
p. 195-196 ; J. ZELLINGER, « Der Gekörderte Leviathan im
Hortus deliciarum der Herrad von Landsperg », *Historisches
Jahrbuch* 45, 1925, p. 169-177.

7. Voir *In Ionam*, 2, 1a (l. 6-10). Influence probable
d'*Os.* 13, 14.

8. Jérôme quitte l'interprétation spirituelle pour en
venir à une interprétation morale. De fait, le verset est
souvent mis dans la bouche — et par Jérôme lui-même — de
celui qui se dévoue à la cause générale (voir *Le Livre de
Jonas*, p. 591). Jérôme évoque ici les persécutions. Il en est
de même pour THÉOPHYLACTE D'ACHRIDA (*In Ionam*,
2, 1 = *PG* 126, c. 933 B-C), ce qui n'est sans doute pas pure
coïncidence. Jérôme permet le suicide pour échapper au
viol (*Adu. Iouinianum*, 1, 41 = *PL* 23, c. 270-273 et en
particulier 272 C). De même AMBROISE, *De uirginibus*, 3,
7, 32 s. AUGUSTIN réagira contre cette façon de voir : *De
ciuitate Dei*, 1, 26.

9. Il est curieux de trouver cette touche « païenne » au
beau milieu de ce « sacrifice » de Jonas. Y a-t-il en même

temps une allusion aux techniques anciennes pour apaiser les flots en répandant de l'huile? Sur ce procédé et son emploi à l'époque, v. Constance de Lyon, *Vie de saint Germain d'Auxerre*, 3, 13 (*SC* 112, p. 146), dans un récit de tempête et une situation qui rappellent le livre de *Jonas* et la tempête apaisée.

I, 13

1. Nous revenons à l'opposition entre l'attitude des matelots à l'égard de Jonas et celle des Juifs à l'égard de Jésus. Jérôme enchaîne les étapes du récit et trouve dans le détail du texte de la Septante — notons-le! — une confirmation de sa thèse.

2. Exclamation affective qui introduit ici l'explication christologique. Sur la place de *Jn* 19, 15a, v. *supra*, p. 178. Nous rencontrerons Pilate à la page suivante (*In Ionam*, 1, 14, l. 466 s.). Sur le mouvement, v. p. 357 s., n. 1.

3. « Soulagement *(releuatio)* » : hélas, ici encore, beaucoup mieux frappé en latin qu'en français! On peut d'ailleurs se demander si Jérôme ne joue pas sur un des sens de *releuare* et n'oppose pas les deux directions : Jonas s'enfonce, le navire se redresse, se relève. Mais il ne faut oublier que Jérôme a dit que Jonas était à lui seul le *pondus* qui alourdissait le navire (*In Ionam*, 1, 5a, l. 205). D'où la traduction retenue, ambiguë, et imparfaite.

I, 14

1. L'éloge des marins prépare le passage à l'interprétation christologique qui nous présente une scène essentielle de la Passion : le rejet du Christ par les Juifs.

2. Exclamation *initiale*. Elles sont rares chez Jérôme qui, cependant, ne se livre pas de façon impassible à une tâche purement intellectuelle. Ces marins païens sont déjà des chrétiens qui savent que la mort spirituelle — en tuant son prochain — est pire que la mort naturelle. Sur la prosopopée, voir *In Ionam*, 4, 1, l. 11 s. Autre évocation

en 415, dans le *Dial. c. Pelagianos*, 2, 23 (*PL* 23, c. 561 B-C),
au sujet de la justice de Dieu, dans une revue des différents
prophètes.

3. *Nonne nobis* : la tradition manuscrite actuelle hésite
entre *uobis* et *nobis*. Quoi qu'il en soit, interrogation discrète
au lecteur, mais qui introduit une scène essentielle dans ce
Commentaire. D'autres commentateurs transforment cette
scène sur le navire en une scène de tribunal (v. *Le Livre
de Jonas*, p. 82, n. 62), mais Jérôme est le seul à évoquer
le jugement de Pilate. Ce n'est pas la seule fois où ce jugement
et ce lavement des mains sont opposés à l'impureté d'Israël,
avec citation d'*Is.* 1, 15 : *In Habacuc*, 1, 2, 12-14 (*CC* 76 A,
p. 608, l. 507-511) ; *In Aggaeum*, 1, 1 (*CC* 76 A, p. 715,
l. 45-52) ; *In Matthaeum*, 4, 27, 24-25 (*SC* 259, p. 282) ;
In Isaiam, 2, 4, 4 (*CC* 73, p. 61, l. 5-9) ; 16, 59, 3-4 (p. 679,
l. 16-21). Cette interprétation et ce rapprochement figurent
chez Origène, *Commentariorum series in Matthaeum*, 124
(*PG* 13, c. 1775 A-B), qui dépend de l'*Évangile de Pierre*.
Voir Méliton, *Sur la Pâque*, 92, 693 (O. Perler, *SC* 123,
p. 112-114) et *Le Livre de Jonas*, p. 343-344.

4. Voir *In Isaiam*, 14, 53, 8-10 (*CC* 73 A, p. 594, l. 114-
116).

I, 15

1. L'explication part d'un détail — faux ou, pour le
moins, exagéré — du texte. Elle vise à montrer les bonnes
dispositions de l'équipage, mais aussi celles de Jonas,
puisque celui-ci n'est autre que Jésus dont la passion
volontaire apaise la tempête universelle. Dans l'intervalle,
Jérôme personnifie la mer déchaînée et bientôt apaisée,
en recourant à un exemple de la vie courante. Cette comparaison rompt un peu et le ton et le développement très
graves du passage.

2. En réalité, en grec comme en hébreu, l'action des
matelots est peinte avec moins de ménagements. Le
« prendre » du français serait trop violent, tel qu'est interprété le *tulerunt* latin. Dès *In Ionam*, 1, 3a, l. 83-85, Jérôme
avait annoncé cette conversion des matelots.

3. Voir *In Ionam*, 1, 11, l. 375-377.

4. Exemple familier, dans la peinture comme dans le ton ; les sentiments prêtés à la mer ne sont pas moins surprenants, au premier abord. Il ne faut pas oublier que la mer représente ici l'Abîme, c'est-à-dire la Mort, l'Enfer, voire le diable. Il sera à nouveau question plus loin de sa joie victorieuse (*In Ionam*, 2, 1a, l. 5-7).

5. *Dogmatum flatus contrarios :* allusion à *Éphés.* 4, 14 : « emportés à tout vent de doctrine... », interprété dans l'*In Ephesios*, 2, 4, 13-15 (*PL* 26, c. 501 A-B) avec le même *flatu* et la même image maritime : « Videtur mihi de omnibus dicere quia multi uenti doctrinarum sunt et flatu eorum fluctibus concitatis huc atque illuc homines incerto cursu et uario feruntur errore... » Les *doctrinae* de ce texte sont l'exact équivalent des *dogmata* de l'*In Ionam* comme du texte d'Origène qui est ici en partie adapté (J. A. F. GREGG, « The Commentary of Origen upon the Epistle to the Ephesians », *JThS* 3, 1902, p. 414-415). Jérôme expliquera dans la suite de l'*In Ephesios* (c. 501 B-C) ce que sont ces « vents » divers. Plus haut, il était dit explicitement que ces « vents » étaient déchaînés par le diable (*In Ionam*, 1, 12, l. 415 s.). L'utilisation d'*Éphés.* 4, 14 pour désigner les hérétiques ou les philosophes n'apparaît qu'avec CLÉMENT D'ALEXANDRIE (*Paed.*, 1, 18, 4 = *SC* 70, p. 142-144). Elle devient commune après Origène. Voir, par ex., AMBROISE, *De Patriarchis*, 5, 27 (*CSEL* 32, 2, p. 139, l. 18 — p. 140, 2, 1), où Paul, Lucrèce et Virgile se rencontrent...

6. Sur le « navire de l'humanité », voir *In Ionam*, 1, 3a, l. 102 s. Sur le « navire de l'Église », voir *In Ionam*, 1, 12, l. 404-410. Les hommes ne sont donc pas seuls ici en cause, mais l'ensemble de la création.

7. Cette « paix du monde » s'inscrit dans la ligne de la vision, fréquente depuis Méliton, selon laquelle la venue du Christ coïncide avec la Paix romaine et l'a provoquée. Jérôme ne développe guère cette thèse. La tempête est cependant parfois rapprochée du *Ps.* 2, 1-2 et de la conjuration des Juifs et des païens contre le Christ. Ainsi ZÉNON DE VÉRONE, *Tractatus*, 2, 17, 3 (*PL* 11, c. 448 = *CC* 22, p. 87. Cf. *Le Livre de Jonas*, p. 222-223) ou PIERRE CHRYSOLOGUE, *S.* 37, 2 (*PL* 52, c. 304 C-D = *CC* 24, p. 212-213. Cf. *Le Livre de Jonas*, p. 540). Mais ce dernier présente, à propos de la scène de la tempête apaisée de *Matth.* 8, 23-25, une interprétation de la « paix du monde » qui met en scène les Romains devenus chrétiens.

8. *Feruore suo :* reprise finale du mot concret de l'Écriture qui demande explication et qui est ici enrobé dans le commentaire. Sur la tempête du monde, voir l'*Ep.* 60, 2 (*CUF 3*, p. 91, l. 15-18) : « Tu as dévoré Jonas, il est vrai (*ô Mort*), mais il s'est retrouvé vivant dans tes entrailles. Tu l'as porté cependant comme s'il était mort, afin que l'ouragan du monde s'apaisât, et que notre Ninive fut sauvée par sa prédication » (trad. Labourt). Le dernier élément apparaissait, associé à la sauvegarde de l'équipage en *In Ionam*, 1, 3a, l. 83-85. Sur les rapports entre cette *Lettre* 60 et l'*In Ionam*, voir Introd., p. 12, *Le Livre de Jonas*, p. 283-286, et *In Ionam*, 2, 1a, l. 7-9.

I, 16

1. Un assez bel exemple encore de la façon de faire de Jérôme dans ce Commentaire. Les deux explications ne sont pas nettement séparées : on commence par l'interprétation christologique qui se trouve confortée par le fait qu'une interprétation simplement littérale semble difficile ; mais on glisse peu à peu à celle-ci, pour finir par une opposition entre la mission de Jonas et celle des prophètes ses contemporains.

2. Le Seigneur — et non Jonas ! Entraîné peut-être par ce qu'il vient de dire de la « tempête » universelle apaisée par la mort du Christ, Jérôme n'évoque pas directement ici l'histoire du prophète ; mais la suite revient aux matelots du navire. Jérôme oppose leur conduite initiale, au début de la tempête, où ils se sont tournés vers *leurs* dieux (*Jonas* 1, 5) et leur attitude actuelle où ils craignent *le* Seigneur. Cette « conversion » est éclairée pour lui par le fait que la crainte du second est plus grande — « timuerunt *timore magno* » — que la crainte des premiers... Minutie bien digne de Jérôme et de ses maîtres, pour lesquels aucun détail de l'Écriture n'est négligeable. Nous verrons en *In Ionam*, 4, 9 ce qu'il tire de la différence entre *Jonas* 4, 4 et 4, 9. Dans le cas présent, il n'est pas sûr que la « crainte » dont il est question en *Jonas* 1, 5 ait tout d'abord un caractère religieux. D'autre part, il a déjà été question de la « grande crainte » des matelots en *Jonas* 1, 10 sans que Jérôme note alors une conversion aussi radicale. C'est qu'elle n'était qu'en cours, puisque la tempête sévissait encore, en manifestant simplement la puissance de Dieu. L'apaisement soudain de la tempête les convainc, comme il sera dit plus loin ; et les voici doués des sentiments les plus profonds à l'égard du Dieu d'Israël.

3. La même remarque est faite par Théodore de Mopsueste (*In Ionam*, 1, 14-16 = *PG* 56, c. 236 C-D) et Théodoret de Cyr (*In Ionam*, 1, 16 = *PG* 81, c. 1729 B) qui situent donc les sacrifices au moment où le navire revient à terre. Jérôme ne voit pas que l'allusion aux victimes offertes sur le navire est dirigée contre les Juifs qui n'admettent de sacrifice à Dieu que dans le Temple de Jérusalem. Il attribue donc à ces matelots un culte spirituel, à la fois pour achever de peindre la conversion profonde de ces païens et pour rendre compte, selon les fondements de la méthode allégorique, d'une impossibilité de la « lettre ».

4. Dossier en faveur du culte spirituel. Le *Ps.* 50, 19 est cité dans l'*In Osee*, 3, 14, 2-4 selon l'hébreu : « *Et reddemus uitulos labiorum nostrorum*. Pro *uitulis*, qui hebraice appellantur Pharim, *fructum* Septuaginta transtulerunt qui dicitur pheri, falsi sermonis similitudine. *Vituli labiorum* laudes in Deo sunt et gratiarum actio : ' Sacrificium enim Deo spiritus contribulatus ' (*Ps.* 50, 19) » (*CC* 76, p. 154, l. 71-77).

5. *Colere :* selon l'équivalence entre *timere* et *colere* annoncée en *In Ionam*, 1, 9, l. 331 s.

6. Vrai du Christ ; moins de Jonas, à proprement parler.

7. Retour à l'opposition entre la mission de Jonas et celle des autres prophètes (*In Ionam*, 1, 3a, l. 52-60). Mais la comparaison tourne ici maintenant à l'avantage de Jonas.

8. Au sens large, car Amos et Osée, comme Jérôme le notera (*In Amos*, 1, 1, 1 = *CC* 76, p. 212, l. 4-27), prêchent en Israël.

9. Il s'agit toujours, dans cette affirmation elliptique, du navire de la création, évoqué en *In Ionam*, 1, 15, l. 495-500.

1. L'interprétation spirituelle précède les explications concernant, soit les problèmes de traduction, soit la réalisation matérielle de l'ordre. Le problème apologétique ne sera envisagé qu'à propos du *séjour* de Jonas dans les entrailles du monstre, non de la manière dont le prophète *pénètre* dans la gueule du monstre (voir *infra*, n. 5 fin).

2. L'interprétation spirituelle était annoncée depuis 1, 12, sinon 1, 3 : ce n'est pas le monstre, mais la Mort qui engloutit le « prophète » — Jésus plus que Jonas. Cette interprétation est suggérée par l'usage qu'a fait saint Paul du texte d'*Os.* 13, 14 (voir n. suivante) dans *I Cor.* 15, 54-55 : « Alors s'accomplira la parole de l'Écriture : La Mort a été engloutie dans la victoire. Où est-elle, ô Mort, ta victoire? Où est-il, ô Mort, ton aiguillon? » Sur l'hameçon, voir 1, 12, l. 418. Sur les images du vomissement, de la potion, voir *Le Livre de Jonas*, p. 505. A comparer avec la remarque finale (2, 11, l. 396-397) sur le style.

3. Sur l'utilisation d'*Os.* 13, 14 dans l'*Ep.* 60, 2 de 396 (à côté de Jonas) et dans l'*Ep.* 75, 1, voir *Le Livre de Jonas*, p. 284-286. Peu de chose, au contraire, dans l'*In Osee*, 3, 13, 14-15 (*CC* 76, p. 148, l. 285-298), de 406, sinon une discussion sur le texte lui-même et son usage par Paul.

4. Le κῆτος de *Matth.* 12, 40 ne fait pas difficulté en latin où *cetus* est acclimaté depuis longtemps, même dans la poésie (VIRGILE, *En.*, 5, 822). Mais les LXX connaissent, pour *Job* 3, 8, le *magnus cetus*, au lieu de Léviathan. Voir *In Isaiam*, 8, 21, 20-21 (*CC* 73, p. 344, l. 20-37). Sur *Job* 3, 8, voir *In Ionam*, 2, 11, l. 392 s.

5. Deux explications : la première est présente chez certains auteurs juifs (voir *Le Livre de Jonas*, p. 74, n. 16-17 ; p. 100). Le *Ps.* 103, 25-26 apparaissait déjà en *In Ionam*, 1, 3a. Voir encore *Hom. in Lucam* 16, 19-31 (*CC* 78, p. 514, l. 232-234); *In Habacuc*, 1, 1, 6-11 (*CC* 76 A, p. 588, l. 286-288) ; *In Nahum*, 1, 4 (*CC* 76 A, p. 529, l. 90-96) ; *In Isaiam*, 4, 11, 15-16 (*CC* 73, p. 156, l. 9-14) ; 7, 23, 1-3 (p. 309, l. 4-9) ; 9, 27, 1 (p. 344, l. 19-38, l'un des textes les plus riches). Plus qu'à la Création, cette « illusio » renvoie d'ordinaire à la fin du monde, où aura lieu cette dérision de Léviathan. Selon l'*In Aggaeum*, 2, 2-10 (*CC* 76 A, p. 731,

l. 177-179), la défaite du Dragon a eu lieu au moment de
la mort du Christ. Reste à lui reprendre son butin, ce que
font les Apôtres (*In Zachariam*, 2, 10, 11-12 = *CC* 76 A,
p. 846, l. 342-350). La deuxième explication est plus immédiate et concrète. Jérôme ne cherche cependant pas ici à
imaginer la scène comme le font certains prédicateurs ou
les imagiers. D'où la question de Deogratias à saint AUGUSTIN
(*Ep.* 102, 6, 30 — Voir Y.-M. DUVAL, « Saint Augustin... »,
REAug 12, 1966, p. 24-25 ; *Le Livre de Jonas*, p. 28-31).

II, 1b

1. Obéissance à un double principe : 1 — Le Christ et
les Apôtres sont les vrais interprètes de l'Écriture. 2 — Il
est inutile de répéter — en moins bien — ce qu'ils ont dit.
Restent les questions secondaires, les précisions de détail.
Voir, par ex., *In Ps.* 2, 1 (*CC* 72, p. 181) ; *Tr. de Ps.* 15, 1-2
(*CC* 78, p. 366, l. 71-82) ; 15, 9-10 (p. 381, l. 510 s.) ; *In
Matthaeum*, 2, 13, 3 (*SC* 242, p. 264-266, l. 29-32) : « Prenons-
y garde, toutes les fois que le Seigneur explique ce qu'il a
dit, et, à la prière de ses disciples, en fait le commentaire
à l'intérieur (de sa demeure), n'essayons pas de comprendre
autre chose, ni plus, ni moins, que ce qu'il a exposé dans son
commentaire » ; 2, 13, 37 (*SC* 242, p. 286, l. 295-298) :
« Donc, comme je l'ai dit plus haut, nous devons plier
notre foi à ce qui a été expliqué par le Seigneur. Mais ce
qui n'est pas dit, ce qui est abandonné à notre intelligence,
il nous faut l'effleurer rapidement » (trad. Bonnard) ; *In
Osee*, 3, 13, 14-15 (*CC* 76, p. 150, l. 331-332) ; *In Ioelem*,
2, 28-32 (*CC* 76, p. 192, l. 615 — p. 193, l. 635) ; *In Amos*, 3,
9, 11-12 (*CC* 76, p. 345, l. 342-345) ; *In Isaiam*, 4, 10, 20-23
(*CC* 73, p. 141, l. 44-45) ; 13, 49, 9-13 (p. 540, l. 32 s.) ;
15, 54, 1 (p. 599, l. 18 s. ; p. 600, l. 29 s.) ; 16, *Prol.* (p. 641-
643) ; 16, 59, 7-8 (p. 682, l. 31 s.) ; 17, 64, 4-5 (p. 735,
l. 8 s.) ; etc. Cette attitude n'est aucunement propre à
Jérôme, bien entendu ; cf. HILAIRE DE POITIERS, *In
Matthaeum*, 13, 1 (*PL* 9, c. 993 C-D = *SC* 254, p. 296) :
« De parabolis iam a Domino absolutis loqui otiosum est. »

2. Grave « question », qui a arrêté les apologètes depuis,
au moins, Eusèbe de Césarée et qui concerne le Christ bien
plus que Jonas sa figure (voir *Le Livre de Jonas*, p. 242-245).
Les façons de compter ces « trois jours et trois nuits » sont

multiples. Voir, par exemple, l'AMBROSIASTER, *Liber Quaestionum*, 64 (Quo modo probatur post tres dies et noctes resurrexisse ex mortuis saluatorem? = *CSEL* 50, p. 112-114) ; AMBROISE, *De interpellatione Job et Dauid*, 1, 5, 14 (*CSEL* 32, 2, p. 218-220). Jérôme peut avoir connu la Lettre d'Épiphane sur la question (éditée par K. HOLL, « Ein Bruchstück aus einem bisher unbekannten Brief des Epiphanius », *Festgabe für Adolf Jülicher zum 70 Geburtstag* Tübingen 1927, p. 163-164) qui offre un décompte analogue au sien.

3. C'est la première fois que Jérôme présente cette solution à partir de la grammaire. Il la reprendra dans son *In Matthaeum* en 398 (2, 12, 40 = *SC* 242, p. 254-256), en renvoyant à l'*In Ionam*. AUGUSTIN la signale dans son *Ep.* 102, 6, 34, mais en faisant remarquer qu'il en a déjà fréquemment traité (v. Y.-M. DUVAL, « Saint Augustin... », *REAug* 12, 1966, p. 28 et n. 96).

4. Jérôme aime non seulement les exemples simples (v. ANTIN, p. 78, n. 1), mais aussi en appeler à la langue parlée.

5. Comme on l'a dit dans l'Introduction (p. 76-78), un commentateur antique rassemble des opinions, y joint éventuellement la sienne, mais laisse le choix à son lecteur. Jérôme vient de rapporter une explication qu'il n'approuve sans doute pas, il a donné la sienne. Au lecteur de juger. La même modestie, fréquente chez Jérôme (v. ANTIN, *ad loc.*, p. 78, n. 3. — Ajouter, par ex., *In Nahum*, 2, 1-2 = *CC* 76, p. 542, l. 17 s. ; *In Galatas*, 2, 4, 22-23 = *PL* 26, c. 388 ; *In Habacuc*, 2, 3, 14-16 = *CC* 76 A, p. 648, l. 1122-1124 ; *In Matthaeum*, 13, 33 = *SC* 242, p. 282, l. 238-240), se rencontre d'abord chez ORIGÈNE, v.g. *In Epist. ad Romanos*, 2, 13 (*PG* 14, c. 912 C-D) ; 5, 8 (c. 1041 A) : « ... Si quis autem aliquid melius senserit, non pigeat his omissis illa recipere » ; 6, 12 (c. 1097 D) : « Eligat tamen qui legit et quod aptius probauerit, si tamen probauerit, hoc sequatur » ; 7, 12 (c. 1135 B-C) ; *In Gen. h.* 5, 5 s. (*SC* 7 bis, p. 178-180) ; *In Ex. h.* 4, 5 ; *In Canticum*, 2, 10 s. (*PG* 13, c. 184 B-C)... Série d'exemples pour les t. X-XI de l'*In Matthaeum* d'Origène, par R. GIROD, dans son *Introduction* à l'édition de *SC* 162 (p. 55-56) ; *In Matthaeum*, 14, 23 (*PG* 13, c. 1244 B-C), etc. PAMPHILE s'étendra longuement sur ce point dans la Préface de son *Apologie d'Origène* (*PG* 17, c. 543 C-545 B), en citant Origène.

II, 2

1. Ce *doit*, qui étend l'interprétation spirituelle à toute la prière de Jonas, contredit le principe émis dans la *Préface* et repris en 1, 3b ; mais c'est l'attitude qui sous-tend l'exégèse christique des *Psaumes*. Pour Jonas, même affirmation chez Ambroise (*Expl. Ps.* 43, 86 = *CSEL* 64, p. 323, l. 9-10) : « Ipsa oratio sancti Ionae docet dominicae passionis esse mysteria. » — Voir *Le Livre de Jonas*, p. 602-603, et Introd., p. 99-104.

2. Ce qui précède laissait attendre une interprétation spirituelle de la prière de Jonas. Celle-ci ne sera pas donnée pour ce premier verset. Jérôme insère ici une longue parenthèse apologétique avant d'expliquer le texte mis dans la bouche de Jonas.

3. *Digerebantur* : le texte, bien meilleur que le *dirigebantur* d'Adriaen (le jeu fréquent *gere-/rege-* explique l'erreur de certains manuscrits), présente la particularité d'être celui de Tertullien (*De resurrectione*, 58, 8 : « ...in cuius aluo naufragia de die *digerebantur* ») auquel nous trouverons plus loin un autre emprunt (voir Y.-M. Duval, « Saint Augustin... », *REAug* 12, 1966, p. 25, n. 83 s. et n. 141 ; Id., « Tertullien contre Origène... », *REAug* 17, 1971, p. 251-252). Le Ps.-Cyprien, qui dépend de Tertullien pour d'autres points (voir *Le Livre de Jonas*, p. 507-508), a lu le texte de la même façon : « Inter *semesas* classes *resolutaque* putri/ Corpora *digestu*... » (*De Iona*, 102-103 = *CSEL* 3, 3, p. 301).

4. Le Ps.-Philon, *Sermo de Iona*, 25 compare Jonas à Noé, évoque Daniel, les Hébreux et fait dire en substance à Jonas : « En me voyant, personne ne demandera désormais comment les jeunes Hébreux, Noé, ont été sauvés, comment le peuple hébreu a traversé la mer, ou Daniel a été sauvé des lions. » Origène applique ce principe aux Juifs dans son *Contre Celse*, 1, 43 où le Juif mis en scène par Celse a mis en doute l'apparition de l'Esprit sous la forme d'une colombe. Voir de même Jérôme, *In Philemonem*, 4-6 (*PL* 26, c. 609 A-D), qui dépend d'Origène d'après l'*Apologie pour Origène* de Pamphile traduite par Rufin (*PG* 14, c. 1305-

1308). Sur l'imitation de ce passage par Augustin, v. Y.-M. Duval, *REAug* 12, 1966, p. 24-25. Augustin dira lui-même dans un autre contexte : « Fit credibiliorum fides ex incredibilioribus creditis » (*De peccatorum meritis*, 1, 31, 60 = *PL* 44, c. 144 D). Sa défense du miracle part de ce principe, en s'appuyant sur les phénomènes naturels, habituels mais inexpliqués.

5. Jérôme rassemble ici ces trois épisodes pour leur seul caractère « incroyable ». Le premier est cité plusieurs fois comme exemple de la capacité qu'a la chair humaine de résister, grâce à la puissance de Dieu, à toute corruption (Irénée, *Adu. Haereses*, 5, 5, 2 ; Tertullien, *De resurrectione*, 58, 7. — Voir *Le Livre de Jonas*, p. 138-140), à côté, entre autres, de Jonas. De même retrouve-t-on d'ordinaire Daniel à côté de Jonas dans la liste de ceux qui ont été sauvés par Dieu.

6. Rétorsion fréquente, et qui insiste souvent sur l'aspect scandaleux de la mythologie. Lancée par Justin (*I Apol.*, 21, 1-2), Origène (*Contre Celse*, 2, 16), elle est répandue au IVe siècle chez Cyrille de Jérusalem (*Cat.*, 12, 27-28 = *PG* 33, c. 760 B-C), Épiphane (*Ancoratus*, 85), Ambroise (*De excessu Satyri*, 2, 70, 1 ; *II Apol. Dauid*, 5, 30 ; *Expl. Lucae*, 6, 108), Jérôme (*Adu. Iouinianum*, 1, 42 ; *In Danielem*, 4, 1 ; *In Osee*, 1, 1, 2 s.). Mais aucun de ces auteurs ne visait l'histoire de Jonas. On trouve au contraire chez Cyrille d'Alexandrie (*In Ionam*, 2, 1 = *PG* 71, c. 616-617), suivi par Théophylacte d'Achrida (*In Ionam*, 2, 1 = *PG* 126, c. 932 B-D), au sujet de *Jonas*, 2, 1, un renvoi à l'*Alexandra* de Lycophron faisant allusion à l'engloutissement d'Héraklès par un monstre marin. Voir *Le Livre de Jonas*, p. 15-16.

7. L'histoire de Daphné se trouve bien en *Métamorphoses*, 1, 452-567 et l'histoire de Phaéton y occupe la fin du même livre I et le début du livre II, suivie par la métamorphose de ses sœurs (2, 340-366) ; mais Ovide n'évoque brièvement les divers amours de Jupiter qu'à propos de la tapisserie d'Arachné (6, 103-114). Point n'était nécessaire de renvoyer ici à des textes précis, d'où la formule vague de Jérôme : « toute l'*histoire* grecque et latine ». Histoire ? Peut-être parce que pour Jérôme les dieux sont des hommes. Mais le mot est extensif et il sera repris un peu plus bas par *fabulae* (voir ce qui a été dit d'Andromède pour 1, 3b, p. 345,

n. 5). — Mention de Danaé en *Ep.* 57, 4 (*CUF* 3, p. 58, l. 24), de Daphné, « iuxta fabulam poetarum », en *In Ezechielem*, 14, 47, 18 (*CC* 75, p. 723, l. 1385-1391) à propos du célèbre faubourg d'Antioche. Autres métamorphoses et monstres en *In Danielem*, 1, 4, 1 (*CC* 75 A, p. 810-811), à la suite de Minucius Felix (v. Y.-M. DUVAL, « La lecture de l'Octauius de Minucius Felix à la fin du IVe siècle », *REAug* 19, 1973, p. 64-65). Sur les *fabulae* scandaleuses, voir *In Amos*, 2, 5, 7-9 (*CC* 76, p. 280, l. 274-288) : « Fabulae poetarum et ridicula ac *portentosa* mendacia, quibus etiam *caelum infamare conantur et mercedem stupri inter sidera collocare...* » Il s'agit ici des catastérismes et, par ex., pour la dernière allusion, de la « divinisation » d'Ariane par Dionysos. TERTULLIEN évoque de même Jupiter, à l'adresse de Marcion : « ... facilius creditur Iuppiter taurus factus aut cycnus quam uere homo Christus penes Marcionem » (*De carne Christi*, 4, 7 = *CC* 2, p. 880).

8. Représentation *concrète* de l'histoire de Jonas qui sera poursuivie pour les versets suivants ; mais Jérôme insiste ici sur la confiance de Jonas, en rassemblant un dossier scripturaire.

II, 3

1. *Texte grec* : Jérôme — ou la Vieille Latine — « transcrit » littéralement le texte grec ; d'où le génitif *clamoris mei*. La prière est un récit. Il faut situer les phases de l'aventure de Jonas, avant de montrer les sentiments du prophète. Jérôme hésite quelque peu entre une prière matérielle et une prière intérieure. C'est à ce problème qu'est consacré l'essentiel de l'explication. Il passe ensuite à l'interprétation christologique.

2. Noter cet essai de se représenter concrètement la situation. Ce cri à la vue du monstre ne s'entend nulle part ailleurs ! Le Ps.-PHILON (*Sermo de Iona*, 18), par exemple, montre le monstre au service de Jonas pour laisser passer la prière, jouant en quelque sorte le rôle d'un instrument de musique. TERTULLIEN se posait le problème pour Jonas, mais répondait que Dieu « non uocis, sed cordis auditor est sicut conspector » (*De oratione*, 17, 3-4).

3. *Gal.* 4, 6 : « Misit Deus Spiritum Filii sui in corda
uestra clamantem : Abba, Pater », plutôt, comme le
suggèrent dom Antin et Adriaen, qu'un assemblage de
Col. 3, 16 : « cantantes in cordibus uestris Deo » et de
Rom. 8, 15 : « accepistis spiritum adoptionis filiorum in
quo clamamus : Abba, Pater ». C'est pourtant aux Colossiens
que l'Apôtre recommande une prière instante. Mais l'erreur
se trouve ailleurs chez Jérôme avec des dossiers de textes
et d'exemples analogues à ceux qui vont suivre : *Tr. de Ps.*
5, 2 (*CC* 78, p. 18-13) : « Clamor in Scripturis, non uocis sed
cordis est ... Et Apostolus : ' Clamantes in cordibus
nostris : Abba, Pater ' (*Gal.* 4, 6). Vtique qui clamat, non
in corde clamat, sed in lingua clamat. Et quomodo dicit
Apostolus : ' Clamantes in cordibus nostris ' ? Quando
igitur gemitus noster et conscientia deprecatur, istum
clamorem intellegit Deus... » De même *In Ps.* 65, 17 (*CC* 72,
p. 213) ; *Tr. de Ps.* 76, 3 (*CC* 78, p. 55, l. 19 − p. 56, l. 34) ;
149, 6 (p. 350, l. 70-76) ; 87, 10 (p. 402-403) ; *In Isaiam*, 16,
58, 5 (*CC* 73 A, p. 664, l. 17-21). Sur cette prière du cœur,
son contexte antique et les problèmes qu'elle pose, l'influence
de Philon sur Origène et la diffusion de ce thème, v.
G. Q. A. MEERSHOEK, *Le latin biblique d'après saint Jérôme*,
Nimègue 1966, p. 140-156.

4. D'abord le sens littéral, sans difficulté aucune, alors
que THÉODORET invite à passer à l'interprétation spirituelle parce que le « sein de l'Enfer » ne peut être le simple
ventre du monstre (*In Ionam*, 2, 3 = *PG* 81, c. 1729C-E).
Jérôme passe d'ailleurs aussitôt à l'interprétation spirituelle :
« Sed *melius...* ».

5. Psaume cité par Pierre dans son premier discours en
Act. 2, 27 et par Paul en *Act.* 13, 35, comme il sera rappelé
plus loin (*In Ionam* 2, 7, l. 272-274), et donc toujours
interprété du Christ chez Jérôme (*Tr. de Ps.* 15, 10 =
CC 78, p. 381, l. 508 s. ; *In Isaiam*, 14, 51, 12-16 = *CC* 73 A,
p. 567, l. 66 s. ; *In Amos*, 2, 5, 10 = *CC* 76, p. 284, l. 420 s.),
comme avant lui dans la tradition latine (CYPRIEN, *Test.
ad Quirinum*, 2, 24 ; LACTANCE, *Inst. diuinae*, 4, 19, 8)
ou grecque (ORIGÈNE, v.g. *ap.* PAMPHILE, *Apologeticum*,
7 = *PG* 17, c. 599-600).

6. Ce verset est éclairé par le *Ps.* 15, 10 dans le *Tr.
de Ps.* 87, 4-5 (*CC* 78, p. 401, l. 46-64). Voir de même *In
Isaiam*, 16, 57, 17-21 (*CC* 73 A, p. 658, l. 80-82). Il est cité

dans un contexte de descente aux Enfers : *In Isaiam*,14, 53, 12 (*CC* 73 A, p. 598, l. 67-72), ou *Tr. de Ps.* 93 *in die Paschae* (*CC* 78, p. 447, l. 5). Le thème est origénien. Comparer le *Tr. de Ps.* 87, 4-5, cité plus haut, et ORIGÈNE, *In Canticum* 3, 2, 10 (*PG* 13, c. 183 B-184 B) qui citait déjà *Ps.* 87, 6 et *Job* 14, 4. Son *In Matthaeum*, 12, 3 cite le *Ps.* 87, 6 à propos de la descente du Fils de l'homme dans les Enfers. On le retrouve chez CYRILLE DE JÉRUSALEM, *Catech.* 13, 34 (*PG* 33, c. 813 B-C) ; 14, 8 (c. 832 C) ; RUFIN D'AQUILÉE, *Expos. Symboli*, 28 (*CC* 20, p. 163, l. 7-12), etc.

II, 4a

1. Les différences entre les deux traductions étant peu importantes, Jérôme commence par une affirmation générale sur l'interprétation littérale — sans difficulté, selon lui —, avant de passer à l'interprétation spirituelle qu'il ne qualifie pas. Sa solution présente pourtant quelques difficultés, de sorte qu'il doit d'abord ramener le sens d'une expression à son interprétation, avant de repousser une objection éventuelle ; ce qui lui permet d'assurer davantage encore son opinion... qui a toute chance de venir d'Origène.

2. Jérôme reprend les termes de l'une et l'autre traduction, en anticipant peut-être sur *Jonas* 2, 6a *(uallare)*, mais surtout en glosant *cor maris* par *medium maris*, ce qu'il ne justifie pas ici. Voir *infra*, n. 7.

3. L'interprétation des versets précédents nous faisait assister à la descente aux Enfers. Avec ce verset apparaît une deuxième « descente » qui va s'entrelacer plus d'une fois à la première, celle de l'Incarnation. Jérôme n'avertit pas. C'est pourtant de la vie humaine du Christ qu'il est question, « tenté en tout, sans qu'il pèche », frappé par le Père. Surtout, sa condition humaine *(terrena habitatio)* est comparée à sa condition céleste *(caelestis beatitudo)*. Jérôme ne formule ici aucune restriction sur cette interprétation qu'il repoussera plus loin (*In Ionam*, 2, 7b), à cause de ses implications. C'est qu'elle provient d'Origène et comporte la notion de préexistence de l'âme du Christ.

4. Premier emploi de ce *Psaume* 68 qui sera utilisé cinq fois dans le commentaire de la prière de Jonas. C'est

un psaume qui est appliqué de nombreuses fois à la Passion
du Christ par le Nouveau Testament, de sorte que l'on a
étendu peu à peu l'interprétation christologique à l'*ensemble*
du psaume, et en particulier à la descente dans les eaux
de la mort. Pour autant, cependant, que l'on puisse en
juger, cette extension n'est pas antérieure à Origène ; car
c'est chez ses disciples du IVᵉ siècle qu'on la trouve le plus
fréquemment : EUSÈBE DE CÉSARÉE (*In Ps.* 68, 2-3 = *PG* 23,
c. 725-8), HILAIRE DE POITIERS (*Tr. in Ps.* 68, 5 = *CSEL* 22,
p. 316-317 — avec un long développement sur Jonas),
JÉRÔME (*In Ps.* 68, 2 = *CC* 72, p. 215, l. 2 : « Totus hic
psalmus ex persona Christi intellegitur »), RUFIN (*Expositio
symboli*, 26 = *CC* 20, p. 161, l. 2). Dans le cas présent, il
s'agit de l'Incarnation ou de la Passion, plus que de la
descente aux Enfers (voir *infra*, n. 7), ce qui peut rejoindre
le commentaire de ce psaume par Origène, tel qu'on l'entre-
voit, chez Jérôme, à travers *In Ps.* 68, 15 (*CC* 72, p. 216,
l. 10-12) ; 68, 34 (l. 24-26). Il y évoque, au nom de *quidam*,
l'incarnation du Verbe et la chute des âmes. Le commentaire
passe, dans cet *In Ionam*, de l'une à l'autre perspective.

5. *Ps.* 88, 39-41 appliqué à la Passion du Christ et à sa
mort : *Tr. de Ps.* 88, 39-40 (*CC* 78, p. 413, l. 269-274)
avec allusion au *Ps.* 15, 10 et au tombeau ; à la vie du
Christ au milieu des tentations (v. note suivante) : *In Sophoniam*, 3, 19-20 (*CC* 76 A, p. 710, l. 623-630).

6. Il s'agit ici de la Jérusalem céleste (continuant sans
le dire la métaphore du *Ps.* 88, 41 sur le *sanctuarium* et
maceriae) que le Verbe a quittée pour s'incarner (v. 1, 3, l. 86 s.
155 s.), mais aussi de la condition des âmes avant leur
chute (*In Ecclesiasten*, 2, 17 = *CC* 72, p. 270, l. 297-300 ;
4, 2-3 = p. 284, l. 44-46 ; cf. *In Danielem*, 1, 5, 37-39a =
CC 75 A, p. 804, l. 650-652 ; *In Ezechielem*, 4, 16, 1-3
= *CC* 75, p. 160, l. 825-831), là où tout « est paix, c'est-à-
dire absence de tentation » (cf. *In Ecclesiasten*, 3, 8 = *CC*
72, p. 276, l. 141-147). Sur le *Ps.* 68, 3 comme reconnaissance de la tentation qui assaille l'homme, v. *In Isaiam*, 6,
16, 9-10 (*CC* 73, p. 263, l. 24-25). Ce thème de la tentation
va se poursuivre au long de l'explication du verset 4,
appliqué, soit au Christ, soit à l'homme. Est-il nécessaire
de rappeler que ces images bibliques interfèrent avec les
métaphores platoniciennes des « flots » ou des « tempêtes
des passions », « des plaisirs » (PLATON, *Lois*, 1, 636d,

reprises par PORPHYRE, *De abstinentia*, 1, 33, 2, tout autant
que par ORIGÈNE, v.g. *In Canticum*, 4, 2, 13-14 = *PG* 13,
c. 189 A-B) ?

7. Nous sommes à l'intérieur de l'interprétation *spirituelle*
et Jérôme revient à la descente aux Enfers, en identifiant
le *cor maris* et le *cor terrae* qui, lui, atteste qu'il s'agit de
l'Enfer. Cette identification pose la question de la métaphore
du cœur comme centre. La réponse lui vient d'ORIGÈNE
(*In Ieremiam h.* 2, 2 = *SC* 238, p. 340, l. 15 − p. 342, l. 24).
On la retrouve dans *In Ephesios, Prol.* (*PL* 26, c. 441 A)
au sujet de l'*Épître aux Éphésiens*, « la plus profonde des
lettres de Paul » : « *Mediam* autem dico (...) quomodo *cor*
animalis in medio est... », et dans l'*In Ezechielem*, 8, 27, 3-4
(*CC* 75, p. 358, l. 746-735) au sujet de Tyr au *milieu* de
la mer : «... cum sit ' in corde ', hoc est in medio, ' maris
sita ' (...) Quod autem ' cor maris ' medium significet,
et ille propheticus sermo demonstrat : ' ... et translati
montes in corde maris... ' (*Ps.* 45, 2); sed et Dominus
noster ' in corde terrae ' hoc est in medio et ad inferos
dicitur descendisse » (comme l'a bien vu dom ANTIN, p. 82,
n. 1); ou inversement l'*infima terra* d'*Ézéchiel* 31, 14 est
glosé par « *in corde* uidelicet terrae » (*In Ezechielem*, 10,
31, 1-18 = *CC* 75, p. 439, l. 179). Voir aussi MEERSHOEK,
Le latin biblique..., p. 175-176. Quant au « cœur *de la terre* »,
il ne peut s'agir pour Jérôme que des Enfers, et de la lutte
du Christ contre Léviathan.

8. Le mot *anagôgè* − dont c'est l'unique emploi dans
In Ionam − désigne ici une *espèce* de l'interprétation
spirituelle, mais souvent la désigne tout entière. Voir Introd.,
p. 87, n. 281.

9. Pour comprendre le texte de Jérôme, il faut apercevoir
la distinction sous-jacente entre les eaux − amères, salées,
des tentations − de la *mer* et l'eau douce − dulcissima −
du *flot* « qui réjouit la cité de Dieu » et procure au Christ
la joie au milieu des épreuves. Les eaux du « flot » du *Ps.* 45, 5
sont toujours des eaux « célestes », qu'elles désaltèrent
l'Église ou le Christ : voir, par ex., *Tr. de Ps.* 92, 3 (*CC* 78,
p. 431, l. 69-74); *In Nahum*, 2, 8-9 (*CC* 76 A, p. 547,
l. 225 − p. 548, l. 238) ou *In Habacuc*, 2, 3, 8-9 (*CC* 76 A,
p. 630, l. 449-478) qui distingue bons et mauvais fleuves,
bonnes et mauvaises mers ; ou encore *Tr. de Ps.* 76, 20
(*CC* 78, p. 62, l. 210 s.). Léviathan, au contraire, habite

les eaux amères (*In Isaiam*, 8, 27, 1 = *CC* 73, p. 345,
l. 72-73) et Adam s'y trouve prisonnier (*In Matthaeum*,
3, 17, 27 = *SC* 259, p. 46, l. 257-260 ; 3, 21, 21 = p. 122,
l. 323 s.). Cette amertume disparaîtra à la fin du monde,
lorsque le diable aura été humilié (*In Nahum*, 1, 4 =
CC 76 A, p. 529, l. 90-96). Dès à présent, Jérôme lui-même
demande à pouvoir se débarrasser, « in profundum maris »,
de la « salsugo et amaritudo uitiorum » (*In Michaeam*, 2, 7,
18-20 = *CC* 76, p. 523, l. 705-706).

10. Réponse à une objection éventuelle qui est assez
fréquente lorsqu'on avance une interprétation spirituelle.
Cf., par ex., *In Sophoniam*, 3, 1-7 (*CC* 76 A, p. 698, l. 165-
167). Sur l'animation du commentaire par ce *tibi* ou
aliquem, voir dom Antin, p. 82, n. 3.

11. *Zach.* 13, 7 : l'association du *Ps.* 68, 27 et de *Zach.* 13, 7
n'est pas rare chez Jérôme : *In Ps.* 3, 8 (*CC* 72, p. 183,
l. 27 — p. 184, l. 30) ; *In Matthaeum*, 4, 26, 31 (*SC* 259,
p. 250, l. 247-250) ; *In Isaiam*, 4, 10, 33-34 (*CC* 73, p. 146,
l. 29 — p. 147, l. 32) ; 14, 53, 8-10 (p. 594, l. 111-116) ;
16, 57, 17-21 (p. 658, l. 74-77). Cet assemblage remonte au
moins à Didyme (*In Zach.* 4, 308-309 = *SC* 85, p. 962)
que suit Jérôme (*In Zachariam*, 3, 13, 7 = *CC* 76 A,
p. 875, l. 180-183). Comme il le rappelle en 398 dans son
In Matthaeum, 4, 26, 31, Jérôme a discuté dans sa *lettre* 57, 7,
en 396, l'utilisation par Matthieu du verset de Zacharie,
qui a un tout autre sens dans le livre prophétique. La
référence au Nouveau Testament est ici implicite, puisque
le texte est mis ici dans la bouche du Père : *ex persona Patris*.
Sur cette notion de *persona*, v. Introd., p. 65-67.

II, 4b

1. L'explication *littérale*, ici encore, va de soi pour Jérôme.
Les difficultés ou particularités qu'il va relever dans l'explication spirituelle pourraient pourtant s'appliquer déjà à
la « lettre ». Elles sont trois. Pourquoi parle-t-on de *tous*
les tourbillons ? Pourquoi ceux-ci sont-ils dit les tourbillons
de Dieu (*tes* tourbillons) ? Ces tourbillons n'ont fait que
passer sur le Christ, sans l'engloutir.

2. *Vt alibi coronemur* : formule chère à Jérôme. A l'*Ep.* 22, 3 de 384 citée par dom ANTIN (p. 82, n. 5), ajouter ce texte de 414 à Démétriade : « In saeculi huius periclitamur militia ut in futuro saeculo coronemur » (*Ep.* 130, 7 = *CUF* 7, p. 174, 1. 9-11), en commentaire à *Job* 7, 1.

3. La première difficulté se résout par l'opposition entre le Christ, seul capable de supporter l'ensemble des tentations sans pécher, et l'homme qui ne peut supporter que des tentations à mesure humaine (*I Cor.* 10, 13). Le thème de la tentation continue l'interprétation du verset précédent. Ce développement a une saveur origénienne : le *Peri archôn,* 3, 2, 3, consacre un long développement, à partir de *I Cor.* 10, 13, cité par l'*In Ionam,* à montrer que l'homme n'est pas tenté par Dieu au-delà de ses forces et il insiste plus loin sur le fait que même Paul ne peut affronter *toutes* les puissances adverses (*Peri archôn,* 3, 3, 5). Seul le Christ l'a pu. Dans son exposé sur l'âme du Christ, Origène cite (entre autres) *Hébr.* 4, 15 pour établir que l'âme du Christ s'était attachée de façon indéfectible à Dieu (2, 6, 4). Le développement sur les puissances adverses se termine d'ailleurs (3, 2, 6) par la citation de *Job* 7, 1 avancée ici par Jérôme.

4. La tradition manuscrite hésite entre *per* et *super* après *transierunt.* Le commentaire et le lemme suggèrent *super,* comme l'a bien compris VERECUNDUS DE JUNCA (*In Canticum Ionae,* 4 = *PLS* 4, c. 195) qui suit ici Jérôme (*Le Livre de Jonas,* p. 553), mais on peut défendre le *per* et arriver à la même idée. Cf. *In Ps.* 123, 5 (*CC* 72, p. 237). Voir, dans le même sens, en *In Nahum,* 3, 18-19, l'opposition entre *stare* et *pertransire* (*CC* 76 A, p. 576, 1. 756-761), entre *irruere, superuenire* et *intrare* (p. 577, 1. 813-825). Dans un sens un peu différent, *Ep.* 18 B, 4 (*CUF* 1, p. 77, 1. 9-12) : « Quand l'âme, méditant dans la quiétude de ses pensées, semble assise, quand ses fondations reposent sur le roc, quand sa foi est profondément enracinée, toutes les vagues des tentations s'écoulent et se dépassent les unes les autres, mais elles ne submergent pas celui qui est tenté » (trad. Labourt). Arrière-plan (néo-)platonicien également : voir *supra,* p. 373, n. 6.

5. Élargissement à l'humanité pour laquelle Jonas-Jésus s'est sacrifié. Voir *In Ionam,* 1, 6 fin ; 1, 12 ; 1, 15 ; *Tr. de Ps.* 87, 8 (*CC* 78, p. 402, 1. 76-78).

II, 5a

1. Rien n'est dit de Jonas lui-même. Jérôme oppose les deux natures du Christ et reconstitue la suite de ses sentiments. Il laisse entendre que, chronologiquement, *Jonas* 2, 5a se place avant *Jonas* 2, 3. Outre le *Cantique* de Jonas et le *Ps.* 68, l'armature est fournie par *Phil.* 2, 7 et 2, 6, ce qui fait se superposer ou se prolonger Incarnation et Passion.

2. *Circumdatus* : voir Origène, *Comment. series in Matthaeum*, 90 (*PG* 13, c. 1741 C-D) : « potuerat compati infirmitatibus nostris quoniam et ipse *circumdatus* erat infirma natura humani corporis ». Noter le double *imitatus* de Jérôme.

3. La coupure des phrases n'est pas parfaitement nette, mais ceci semble bien se rattacher à la suite, qui concerne l'union du Père et du Fils et va s'appuyer sur *Jn* 17, 21. Jérôme a déjà cité *Jn* 17, 24 dans un contexte analogue en *In Ionam*, 1, 12, l. 414. Il élargit ici à tous ceux qui auront cru (cf. *Jn* 17, 20) et que le Christ emportera avec lui dans la demeure céleste (*Jonas* 2, 5b). La navigation vers « Tharsis » reprendra !

II, 5b

1. Ni dans l'hébreu, ni dans le grec, le sens n'est aussi affirmatif. Un doute subsiste, qui n'est pas admissible de la part du Christ. Jérôme choisit donc une valeur de ἄρα plus affirmative que celle de la traduction latine antérieure (*uulgata editio* : l'édition commune, cf. *In Ionam*, 1, 3 b, l. 129 s.). En reconnaissant les deux natures du Christ, il sera moins absolu un peu plus loin pour l'application à *Jonas* : il admet chez lui un simple *souhait* ou plutôt, puisqu'il s'agit d'un prophète, une *assurance*.

2. Après avoir assuré et expliqué le début de sa traduction *(Verumtamen)*, Jérôme glisse à la deuxième partie. Quel est le *temple* dont il s'agit ici ? Les deux explications ne diffèrent guère. Il s'agit de la gloire céleste du Christ et du Verbe.

3. Jérôme cite de mémoire et il confond *Jn* 12, 28 et *Jn* 17, 5, comme s'ils appartenaient au même épisode.

4. Il ne s'agit pas d'une troisième explication, mais d'une atténuation de son affirmation première (voir *supra*, n. 1) : les deux natures s'expriment dans une seule et même personne.

5. L'explication n'est pas aussi claire qu'elle le prétend. Jérôme, toujours gêné par le ἄρα initial, voit dans les privilèges ordinaires du prophète, la raison de sa confiance : du désir, il passe à la réalité.

II, 6a

1. Rien ne concernera Jonas dans l'explication de cette péricope. Jérôme va au contraire mettre en scène le Christ. Cette apparition est encadrée par deux précisions concernant les *eaux* et l'*abîme*.

2. La nature *spirituelle* des eaux est insinuée par le fait qu'elles s'en prennent ici à l'*âme*, selon la traduction littérale de l'hébreu *nephesh*. Jérôme penserait-il aux bains en parlant des voluptés charnelles ? Ils sont en tout cas soigneusement proscrits (voir, par ex., *In Ieremiam*, 4, 57, 4). De façon plus générale, la catabase de Jonas-Jésus fait appel aux représentations profanes autant qu'aux représentations juives et à la Bible. La *boue* fait penser aux marais infernaux et à leurs interprétations morales, comme les verrous, que Jérôme relève d'un *significanter* en 2, 6b (cf. *infra*, n. 7), évoquent les « portes de fer et le seuil de bronze » qui ferment le Tartare de l'*Iliade*, 8, 15. Jérôme renverra à *Is.* 45, 2, qui parle de portes d'airain et de verrous de fer. Sur les représentations de la descente aux Enfers, v., entre autres, W. BIEDER, *Die Vorstellung von der Höllenfahrt Jesu Christi*, Zurich 1949.

3. Reprise du *Ps.* 68 cité dans l'*In Ionam*, 2, 4a ; mais Jérôme se rend-il compte que sa troisième citation sera, elle aussi, empruntée à ce *Psaume* 68 ?

4. *Ps.* 67, 19 — *Éphés.* 4, 8 : cortège triomphal analogue
en *In Nahum*, 2, 3-7 (*CC* 76 A, p. 546, l. 187 — p. 547,
l. 202) ; *In Isaiam*, 13, 49, 24-26 (*CC* 73 A, p. 548, l. 32-34).
Le texte a grand succès depuis Origène. Voir, par ex.,
In Canticum, 3 (*PG* 13, c. 184 A-B) ; *In Epist. ad Rom.* 5, 10
(*PG* 14, c. 1052 A-B)...

5. Jérôme, à l'aide de citations bibliques (voir *infra*,
n. 7), va distinguer *deux* acceptions différentes de l'Abîme
(au singulier).

6. *Tormentis suppliciisque deditae potestates* : sur ces
puissances vengeresses que sont les anges déchus, v., par
ex., *In Nahum*, 1, 6 (*CC* 76 A, p. 531, l. 162 s.) ; 2, 3-7
(p. 546, l. 157-159) ; *In Habacuc*, 1, 1, 6-11 (*CC* 76 A, p. 586,
l. 221-223) ; 1, 1, 12 (p. 590, l. 345) ; *In Abdiam*, 15-16 (*CC* 76,
p. 367, l. 533-534) ; *Tr. de Ps.* 107, 10 (*CC* 78, p. 206, l. 150-
156) ; *In Danielem*, 1, 4, 1 (*CC* 75 A, p. 809, l. 775-781) ;
2, 7, 10b (p. 846, l. 656-658); *In Isaiam*, 1, 1, 7 (*CC* 73,
p. 13, l. 12-19) ; 6, 14, 7-11 (p. 239, l. 33-35) ; *In Ioelem*,
2, 21-27 (*CC* 76, p. 191, l. 549-564) ; *In Ezechielem*, 10,
31, 1-18 (*CC* 75, p. 444, l. 314-316); *In Ieremiam*, 3, 17, 6
(*CC* 74, p. 166, l. 15), etc. L'expression traduit sans doute,
comme les *uirtutes aduersariae* ou les *contrariae potestates*,
les « ἀντικείμεναι δυνάμεις » d'Origène, lui-même dépendant
de traditions à la fois juives et « platoniciennes » : cf. *In
Ieremiam h.* 19, 14 (*SC* 238, p. 232 et n. 3) ; 20, 9 (p. 299,
l. 109).

7. *Unde* : formule ordinaire pour introduire une preuve
ou une citation biblique. Jérôme aime, comme son maître
Origène, dresser des dossiers antithétiques. Sur *aquae* et
abyssus, voir *Tr. de Ps.* 76, 17 (*CC* 78, p. 60, l. 153-170) ;
In Habacuc, 2, 3, 10 (*CC* 76 A, p. 636, l. 676 — p. 637,
l. 717) ; *In Ezechielem*, 10, 31, 1-18 (*CC* 75, p. 442, l. 258-
266) ; 14, 47, 1-5 (*CC* 75, p. 706-708) ; sur *flumen: In
Habacuc*, 2, 3, 8-9 (*CC* 76 A, p. 630, l. 450-455) ; sur *fluuius:
In Ezechielem*, 14, 47, 6-12 (*CC* 75, p. 714, l. 1109 s.) ; sur
nubes: In Nahum, 1, 3 (*CC* 76 A, p. 529, l. 72-82) ; sur
piscina: In Nahum, 2, 8-9 (p. 548, l. 231-244) ; sur *mare:
In Habacuc*, 2, 3, 8-9 (*CC* 76 A, p. 630, l. 456-480) ; sur
petra: In Abdiam, 2-4 (*CC* 76, p. 358, l. 198-208)...

8. Sur cet *abîme* du mal, voir la même argumentation
chez Origène, *In Genesim h.* 1, 1 (*SC* 7 bis, p. 26).

9. *Ps.* 41, 8 : ce verset est plus souvent invoqué pour montrer l'harmonie entre l'Ancien et le Nouveau Testament. V.g. *Tr. de Ps.* 76, 19 (*CC* 78, p. 61, l. 177-179) ; 10, 3 (p. 359, l. 110-115)...

II, 6b-7a

1. L'hébreu est plus développé que la Septante. Jérôme ne le relève pas. Il applique sans difficulté le texte hébreu à Jonas, en retrouvant dans cette peinture des abysses la cosmologie scripturaire. Tout son intérêt se concentre sur le Christ dont la descente aux Enfers est suivie par paliers : le verset précédent évoquait les eaux mauvaises proches des abîmes ; les montagnes sont elles aussi des puissances mauvaises (voir *infra*, n. 4) ; enfin viendront les Enfers, avec leurs barreaux que le Christ, nouveau Cyrus, va briser pour libérer les captifs. Un « bon point » est donné à la Septante pour sa description de ces portes aux verrous éternels. Mais il aura tiré parti auparavant d'une autre nuance du grec qu'il interprète au sens figuré et qui impose une traduction, surprenante tout d'abord : *scissurae montium* (voir *infra*, n. 4).

2. Sur cette cosmologie, voir, par ex., Ambroise, *Hexameron*, 1, 6, 22 (*CSEL* 32, 1, p. 19, l. 11 s.).

3. L'interprétation spirituelle (v. *supra*, n. 1) part d'une thèse de l'anthropologie antique pour évoquer une question à l'ordre du jour dans la controverse christologique. Contrairement à son habitude (attestée entre autres par les exemples rassemblés par dom Antin, p. 86, n. 1 ; ajouter, à cause de sa date — début 393 — et de l'absence de toute réserve : *In Michaeam*, 2, 5, 7-14 = *CC* 76, p. 490, l. 370-371), Jérôme « localise » ici l'âme, le « principe directeur » des Stoïciens, dans la *tête* — le *caput* de Jonas 2, 6 dans les deux traductions —, et non dans le *cœur*. La question était débattue dans le stoïcisme. Cléanthe avait pris parti pour le cerveau à la suite de Platon, Chrysippe revient au cœur dans son traité sur *La partie directrice de l'âme* (v. É. Bréhier, *Chrysippe*, Paris 1910, p. 45-51). Jérôme connaît une partie de ces discussions, à travers au moins Tertullien, Origène ou Philon. Il en parle longuement dans son *Ep.* 64, 1 (*CUF* 3, p. 118,

l. 17 s.), en opposant Platon et le Christ, plutôt que les
Stoïciens. Il y revient dans l'*In Matthaeum*, 2, 15, 19
(*SC* 242, p. 328-330) et dans l'*In Danielem*, 1, 2, 28c
(*CC* 75 A, p. 791, l. 327-332), en évoquant à nouveau Platon.
Pour Tertullien, voir *De anima*, 15 ; pour Philon, *Abel
et Caïn*, 136 ; *De Somniis*, 1, 32 ; *Spec.*, 1, 213. Chez
Origène, v., par ex., *In Iohannem*, 2, 35, 215 (*SC* 120,
p. 354 et la n. 3) ; 6, 38, 189 (*SC* 157, p. 270) ; *In Ieremiam h.*
5, 14 (*SC* 232, p. 320, l. 17-18). C'est cependant la question
christologique qui est ici pour Jérôme la plus importante,
même s'il ne la développe pas, peut-être parce qu'il est gêné
par la situation de Jonas dans le ventre du monstre. Sur
la descente de l'âme du Christ aux Enfers tandis que le corps
demeure au tombeau, v. *Tr. de Ps.* 15, 9-10 (*CC* 78, p. 381,
l. 523-529) qui se termine par : « Hoc aduersus nouam
haeresim », entendons Apollinaire.

4. *Scissurae montium* : l'étymologie est filée dans la
suite, plus facilement en latin *(scissurae montium, se
subtraxerant, se sciderant)* qu'en français. Les « montagnes »
sont ici les puissances *mauvaises*. Elles peuvent être ailleurs,
lorsqu'il s'agit de « bonnes » montagnes, les Anges, les
Saints, les Prophètes, les Apôtres, le Christ, les Puissants, etc.
Géographie spirituelle qui oppose donc ici le monde des
profondeurs et de la servitude de l'Abîme à celui de la
liberté céleste auprès de Dieu. Voir *Ep.* 71, 1 (*CUF* 4,
p. 9, l. 3-6) ; Origène, *In Ieremiam h.* 16, 1 (*SC* 238,
p. 130-134).

5. Cf. *In Ionam*, 2, 6a début, sur les « eaux mauvaises ».

6. *Ps.* 62, 10-11 : l'un des textes qui, de façon plus ou
moins complète, décrivent les Enfers : *In Isaiam*, 8, 24, 1-3
(*CC* 73, p. 316, l. 18-20) ; *In Ezechielem*, 8, 26, 19-21 (*CC* 75,
p. 355, l. 663-670) ; 10, 31, 1-18 (*CC* 75, p. 444, l. 338-342).

7. *Significanter* : le mot est technique et fréquemment
employé — comme *pulchre, manifestius, signanter* — pour
souligner la justesse ou l'insistance d'une notation (voir,
par ex., *In Nahum*, 1, 3 = *CC* 76 A, p. 528, l. 39 ; *In
Sophoniam*, 1, 8-9 = *CC* 76 A, p. 665, l. 366). Dans le cas
présent, il est remarquable que le compliment vise la
Septante. On notera également que Jérôme, en ce temps
de lutte antiorigéniste, aurait pu trouver dans ces *liens
éternels* un témoignage en faveur de l'éternité des peines de

l'Enfer. Mais il est préoccupé par la descente aux Enfers *du Christ*, de sorte qu'il atténue ou dramatise par un « *désirant* retenir toujours... ». On aimerait pourtant connaître comment Origène avait expliqué ce verset. La dégradation par l'éloignement loin de la majesté et de la liberté divines, telle qu'elle a été soulignée plus haut, correspond bien à la cosmologie d'Origène.

8. Cyrus n'est ici, en définitive, que le représentant par avance ou le porte-parole du Christ. Mais en 408, lorsqu'il explique l'*ensemble* du texte, Jérôme trouve stupide d'appliquer ce chapitre 45 au Christ (*In Isaiam*, 12, 45, 1-7 = *CC* 73 A, p. 505, l. 46-54). En réalité, Jérôme est, dans le cas présent, l'héritier d'une exégèse ancienne, qui ne s'attache qu'au verset *isolé*.

9. Le thème de cette descente aux Enfers est repris, avec une allusion à *Is.* 45, 2, dans un sermon de Pâques malheureusement incomplet (*Tr. in Ps.* 93 = *CC* 78, p. 447, l. 9-15). Sur le thème de la libération, v., par ex., *Tr. de Ps.* 87, 4, 5, 6, 7 (*CC* 78, p. 401, l. 46 s., 53 s., 69 s.) ; *In Isaiam*, 6, 14, 7-11 (*CC* 73, p. 238, l. 32) ; ou, avec une autre image, *Tr. de Ps.* 107, 11 (*CC* 78, p. 207, l. 187-191). En 406, traces d'une polémique — anti-« pélagienne » déjà ? — contre des *quidam* pour lesquels les fautes d'Adam ne sont pas en cause dans cette libération : *In Zachariam*, 2, 9, 11-12 (*CC* 76 A, p. 831, l. 284-290).

II, 7b

1. C'est au sujet du Christ, et non de Jonas, que Jérôme relève l'exactitude du texte scripturaire, sans pourtant s'intéresser à la nuance entre l'assurance du futur et le souhait du subjonctif comme il l'avait fait plus haut pour 2, 5 b. C'est que Jérôme est préoccupé d'opposer son interprétation à celle d'Origène. D'où la longue mise au point sur la résurrection de la chair, accompagnée d'une attaque contre les disciples actuels de l'Alexandrin, avant d'en revenir à Jonas.

2. Pierre (*Act.* 2, 27) et Paul (*Act.* 13, 35) citent tous deux le *Ps.* 15. La remarque n'est pas rare chez Jérôme :

Tr. de Ps. 15, 1-2 (*CC* 78, p. 366, l. 71-87), 9-10 (p. 381, l. 510-511). Voir *In Ionam*, 2, 3, l. 104-108.

3. Nous retrouvons la *caelestis beatitudo,* évoquée en 2, 4a ; ce qui suppose que ces *alii* s'intéressent sans doute davantage à l'Incarnation qu'à la Résurrection du Christ. Le dossier scripturaire qui suit évoque Origène, sans qu'on puisse affirmer que son *In Ionam* présentait, à cet endroit même, un développement sur la résurrection de la chair. Comme on va le voir, les souvenirs ne manquent pas de la controverse en cours avec Jean de Jérusalem.

4. Sur l'emploi de *I Cor.* 15, 42 par Origène, voir le fragment transcrit par Jérôme (*Contra Iohannem,* 25 = *PL* 23, c. 377 C-378 B), qui cite aussi *Phil.* 3, 21. Mais, en s'appuyant sur le *Ps.* 29, 10 (« En quoi mon sang est-il utile et ma descente dans la corruption ? »), ORIGÈNE fait dire au Christ : « Je suis descendu des cieux, je suis venu sur la terre, je me suis livré à la *corruption,* j'ai porté un corps humain » (*In Ieremiam h.* 14, 6 = *SC* 238, p. 78, l. 27-29). Nous ne sommes pas loin de notre texte. Il faut cependant bien distinguer l'état inférieur que représente le corps, même intact, par rapport à la pureté de l'esprit immatériel, et la corruption *morale.* Jérôme passe facilement de l'un à l'autre — ce qui le fait ici se récrier en invoquant la naissance virginale. ORIGÈNE n'est pas exempt de ces glissements : voir, au sujet du même *Ps.* 29, 10, interprété cette fois des péchés des hommes, *In Ieremiam h.* 15, 4 (*SC* 238, p. 120, l. 8-12).

5. *Rom.* 7, 24 : le texte figure dans un dossier sur la préexistence des âmes et leur chute dans des corps que Jérôme transcrit au début de son *In Ephesios,* 1, 1, 4 (*PL* 26, c. 447 A-B). Il apparaît de même dans un développement très origénien de l'*In Ecclesiasten,* 2, 17 (*CC* 72, p. 270, l. 294-301) ; 4, 2-3 (p. 284, l. 34-36). Son utilisation est au contraire condamnée dans le *Contra Iohannem,* 17 (*PL* 23, c. 369 A-C), le *Tr. de Ps.* 78, 11 (*CC* 78, p. 74, l. 18-26) qui renvoient à Origène, de même que le *Contra Rufinum,* 1, 25 (*SC* 303, p. 70, l. 31 — p. 72, l. 37). En 413, l'*In Ezechielem,* 12, 40, 44-49 (*CC* 75, p. 587, l. 1132-1136) déclare encore : « Vnde dicebat et Apostolus : ' Miser ego homo ! Quis me liberabit de corpore mortis huius ? ' Non quo *iuxta saeuissimam haeresim* abolenda corpora esse credamus, sed quo sit superuestiri, non spoliari, et mortale hoc accipere immortalitatem et corruptiuum induere incorruptionem (cf. *I Cor.* 15, 53). » Cette interprétation n'est de fait pas étrangère à ORIGÈNE. Voir, par ex., *Contre Celse,* 7, 50 (*SC* 150, p. 132, l. 26-27), au milieu de tout un dossier scripturaire, et, mieux encore, 8, 54 (p. 297, l. 36-37) qui se meut dans un contexte de libération de l'âme des geôliers de cette terre, en citant également *Phil.* 3, 21. Avant 393, Jérôme sait employer le texte sans polémique : voir *Ep.* 22, 5 (*CUF* 1, p. 115, l. 3-5) ; *In Nahum,* 3, 7 (*CC* 76 A, p. 228-230) ; *In Sophoniam,* 1, 17-18 (*CC* 76 A, p. 676, l. 794-799). Sur ce texte de *Rom.* 7, 24 chez AMBROISE, voir le *De poenitentia,* 1, 3, 13 (*SC* 179, p. 62-64 et la n. 1 de la p. 64) sur le Christ et les souillures de la génération.

6. *Phil.* 3, 21 : sur ce « corps de bassesse », voir, par ex., *In Galatas,* 3, 6, 15 (*PL* 26, c. 436 D) ; *In Ezechielem,* 12, 40, 44-49 (*CC* 75, p. 587, l. 1132-1136) ; *In Ieremiam,* 3, 19, 3 (*CC* 74, p. 168, l. 4-6) ; 4, 28, 2 (p. 246, l. 8-11) ; 5, 52, 2 (p. 336, l. 21-24), etc. Ce dernier Commentaire contient une longue série d'attaques contre ce « délire » origénien.

7. Tout plein de la controverse sur la résurrection de la chair dans laquelle il est jeté depuis trois ans, Jérôme suppose la même science chez son lecteur, qu'il s'agisse de Chromace ou de tout Occidental. Il accuse donc les Origénistes de se parer de l'autorité du Christ en lui faisant tenir des propos en faveur de leurs thèses, c'est-à-dire, en définitive, de leur amour de la chair et de la bonne chère... L'emprunt à TERTULLIEN est patent : *De resurrectione,* 11, 1 (*CC* 2, p. 933, l. 2-3) : « Nemo tam carnaliter uiuit quam qui negant carnis resurrectionem ». J'ai montré ailleurs que le *Contra Iohannem* faisait, en 396 même, de larges emprunts au *De resurrectione* de Tertullien, au sujet justement de la résurrection de la chair. Jérôme écrit d'une manière voisine en 398 : « J'admire comment ces détracteurs de la chair mènent une vie charnelle, choient leur ennemie et la nourrissent de façon raffinée (*Ep.* 84, 9 = *CUF* 4, p. 136, l. 11-13 ; trad. Labourt). Comme l'expliquait déjà Tertullien, en niant l'importance de cette chair, on se permettait toute licence à son égard. C'est le reproche que reprend sans cesse Jérôme, vis-à-vis en particulier de Jean, en critiquant le luxe de ses repas. De même en est-il pour l'accusation de l'amour de la puissance (voir

Y.-M. Duval, « Sur les insinuations de Jérôme... », *RHE* 65, 1970, p. 372).

8. Selon l'idée que le diable est sans cesse déguisé : « Christum mentitur Antichristus » (*Ep.* 22, 38 = *CUF* 1, p. 155, l. 28).

9. Mention rapide de la virginité *in partu* qui a été discutée par Jovinien en 393, mais qui est à rapprocher ici de la doctrine d'Origène lui-même pour lequel la naissance et la génération qui la précède sont source de « souillure ». Pour Origène, cependant, le Christ, dans sa naissance même, échappe à toute souillure (*In Leuit. h.* 12, 4), même s'il a volontairement accepté des vêtements souillés (*In Lucam h.* 14, 3-4 = *SC* 87, p. 218-222.) Cf. le texte d'Ambroise, *De poenitentia*, 1, 3, 13, cité n. 5.

10. *I Cor.* 15, 44 : il s'agit, de fait, d'un texte cher aux Origénistes et dont ils infèrent une spiritualisation complète du corps. Voir la discussion de Paula et de l'Origéniste rapportée par Jérôme : *Ep.* 108, 23 (*CUF* 5, p. 190, l. 20 s.).

11. Voir, par ex., *In Isaiam*, 17, 60, 6-7 (*CC* 73 A, p. 698, l. 79-81).

12. Ce que les théologiens appelleront l'identité *numérique* du corps actuel et du corps ressuscité. Le *Contra Iohannem* offre des affirmations analogues, mais Jérôme, tout en juxtaposant ici *corpus* et *caro*, ne reprend pas l'attaque contre la distinction faite selon lui par Jean entre le *corps* et la *chair* (*Contra Iohannem*, 24 s. = *PL* 23, c. 375 A s.). Cf. Y.-M. Duval, « Sur les insinuations de Jérôme... », *RHE* 65, 1970, p. 367 s. Rufin rejetera l'accusation : *Prologus in Apologeticum Pamphili* (*CC* 20, p. 234, l. 30-45).

13. L'affirmation se trouve dès l'*In Galatas*, 3, 6, 15 (*PL* 26, c. 436 D). On la retrouve dans l'*Adu. Iouinianum*, 1, 36 (*PL* 23, c. 261 A-B), le *Contra Iohannem*, 29 (*PL* 23, c. 381 A-B), 31 f. (c. 383 B-C), le *Tr. de Ps.* 15, 9-10 (*CC* 78, p. 381, l. 529 — p. 382, l. 546), l'*In Matthaeum*, 3, 17, 2 (*SC* 259, p. 28, l. 25-35), l'*Ep.* 75, 2 (*CUF* 3, p. 34, l. 25 — p. 35, l. 1), l'*Ep.* 108, 23 (*CUF* 5, p. 192, l. 9-11). Voir d'autres textes dans Y.-M. Duval, « Tertullien contre Origène... », *REAug* 17, 1971, p. 245, n. 88. L'idée vient de Tertullien, *De resurrectione*, 52-55 et en particulier 52, 15 (*CC* 2, p. 997, l. 57) : « differentia gloriae, non substantiae » ; 55, 12 (p. 1003, l. 49-50) : « in resurrectionis euentu, mutari, conuerti, reformari licebit, cum salute substantiae ». Rufin, malgré l'accusation de Jérôme, l'énonce plusieurs fois (voir n. 12 ad f. et n. 14), mais en antithèses moins fortes.

14. « *Hoc* » : l'expression vient vraisemblablement, ici encore, de TERTULLIEN, *De resurrectione* 51, 8-9 (*CC* 2, p. 995, l. 42-47) : *I Cor.* 15, 53 : « ... cum dicit Apostolus « istud corruptiuum » et « istud mortale », *cutem ipsam tenens* dicit ». Jérôme la reprend en 398 pour Pammachius et Océanus au sujet des subtilités origénistes : « si urguere coeperis, *carnem digitis tenens*, an ipsam dicant resurgere quae cernitur, quae tangitur, quae incedit et loquitur... » (*Ep.* 84, 5 = *CUF* 4, p. 130, l. 31 − p. 131, l. 2), ce que RUFIN admet sans peine : « Sed et Apostolus cum dicit : Oportet enim corruptibile (...) (*I Cor.* 15, 53), numquid non corpus suum quodammodo contingentis et digito palpantis est uox? » (*De Symbolo*, 43 = *CC* 20, p. 179, l. 9-12), mais, après avoir fait remarquer que le *Symbole* d'Aquilée parle de l'« *huius* carnis resurrectio » et que le nouveau baptisé touchait son front en terminant le symbole (*De Symbolo*, 41 ; *Apologia ad Anastasium*, 4 ; *Apol. c. Hieronymum*, 1, 5 = *CC* 20, p. 177, l. 17-25 ; p. 26, p. 40, l. 5-13). Dans ce commentaire dédié à l'évêque d'Aquilée, Jérôme ne songe pas à évoquer cette particularité que confirme CHROMACE (*Tract.* 41, 8 = *CC* 9 A, p. 396, l. 198-200). J'ai montré que, dans son *Tract.* 51, 2, était reproduite à ce sujet une argumentation de Tertullien et de Jérôme (« Les relations doctrinales entre Milan et Aquilée durant la seconde moitié du IVe siècle », *Aquileia e Milano*, *AAAd* 4, Udine 1973, p. 174, n. 10).

15. Jérôme en arrive enfin à l'*historia*. Il ne se préoccupe pas de la défendre. Il se contente de justifier le *ton* de la prière. Sur le *blandientis affectus*, v. *ad* 4, 2-3, l. 47-48 et ANTIN, p. 88, n. 4.

16. Remarque fréquemment formulée : *Tr. de Ps.* 67, 25 (*CC* 78, p. 45, l. 170-172) ; 103, 1 (p. 182, l. 7-10) ; *Ep.* 106, 41 (*CUF* 6, p. 122, l. 16-18).

II, 8a

1. Jérôme se soucie d'abord de Jonas. Peut-être parce qu'il vient de terminer par lui l'interprétation du verset

précédent ; peut-être aussi parce que l'interprétation
spirituelle ne lui pose, dit-il, aucun problème. Entre les
deux, il glisse une exhortation pour l'heure de la mort,
en s'appuyant sur la Septante. Il ne relève pas la différence
de texte pour la première partie du verset.

2. Le dossier qui précède porte sur ce *souvenir de Dieu.*
On remarquera que Jérôme cite en réalité deux versets
voisins ; mais ils commencent tous deux par *recordatus sum.*
Usage d'une concordance ou simple mémoire ? La démonstration est mise tout entière dans la bouche de Jonas.

3. En fait, il s'agit moins de poser le problème d'une
angoisse du Christ (voir Origène, *In Ieremiam h.* 14, 6 =
SC 238, p. 78, l. 33-42 ; 15, 3 = p. 116, l. 12-19) que de
prouver, historiquement, que le Christ a connu l'angoisse
au moment de sa Passion et qu'il s'est souvenu de Dieu
en se tournant vers son Père. Cyrille d'Alexandrie
(*In Ionam,* 2, 9-10 = *PG* 71, c. 624 B), Théophylacte
d'Achrida (*In Ionam,* 2, 8 = *PG* 126, c. 940 D) évoquent
tous deux à ce propos la prière du Christ en croix.

II, 8b

1. L'hébreu dit en réalité : « Ma prière est venue... » et
les Septante : « Et que ma prière vienne » (optatif). Le
similiter ne s'imposait pas ; surtout, Jérôme établit un
enchaînement syntaxique final qui est absent du texte
sacré. Il le développe au début de son commentaire où il
s'efforce de reprendre l'élan de cette prière en insérant ce
verset 8b dans un mouvement qui va de 2, 3 à 2, 8. Cette
façon ordinaire (v. 2, 10) de lutter contre le découpage du
texte commenté est, cette fois, malencontreuse. Elle affecte
ici le contenu, puisqu'elle entraîne la remarque, surprenante,
sur la prière pour la prière (l. 336-338). Le commentaire
est mené en fonction du seul Jésus, « pontifex » du peuple
chrétien.

2. Mélange des images guerrières évoquées en 2, 6b-7,
l. 261-264 et à nouveau en 2, 11, l. 395-398 et de celle du
sacrifice, reprise en 2, 10, l. 375-385.

II, 9

1. L'ordre ordinaire est ici respecté : l'interprétation littérale, qui s'élargit ; l'interprétation christologique, beaucoup plus discrète.

2. Considération générale, qui est à la hauteur du développement « philosophique » que Jérôme prête à Jonas. Mais l'exégète se tourne rapidement vers les détails du texte et, s'il ne dit rien de *frustra*, il tire de *custodire* (garder) plus qu'il ne contient lorsqu'il l'oppose à *facere* (accomplir). En soi, cependant, cette attention aux nuances relève de la tâche du commentateur.

3. Ézéchias « philosophe » aussi dans sa prière, selon Jérôme (*In Isaiam*, 11, 38, 16-20 = *CC* 73, p. 448, l. 28-29), mais il est, lui, sain et sauf. De même Daniel (*In Danielem*, 1, 2, 21a = *CC* 75 A, p. 787, l. 242-243)...

4. L'application au Christ nous ramène à l'une des interprétations de cet *In Ionam* qui nous montre Jésus devant Israël. Voir, dans un sens voisin, *In Isaiam*, 9, 29, 13-14 (*CC* 73, p. 374, l. 13 — p. 275, l. 41) d'où est tirée la critique par le Christ des traditions pharisaïques.

II, 10

1. Rien n'est dit de Jonas. Oubli ou gêne ? Les deux versions forment cependant un tissage suggestif. Jérôme développe le texte en mettant successivement ses éléments dans la bouche du Christ et en le faisant remercier Dieu, non pour son propre salut, mais pour celui de l'humanité, « *pro* multorum *salute* », « *pro salute* omnium ». D'où la gravité, après les engagements du Christ pontife, de la remarque et de l'exhortation finales.

2. Reprise, hétéroclite, de *Jonas* 2, 9, pour *enchaîner*.

3. *Pontifex et ouis* : sur *pontifex*, voir *In Ionam*, 2, 8b, l. 339. *Ouis* à cause de la Pâque (*I Cor.* 5, 7) ; d'où, aussi, la pureté demandée plus bas aux « victimes » que deviennent les chrétiens dans le sanctuaire céleste évoqué au verset 8b.

II, 11

1. Sorte de conclusion qui s'applique au Christ seul et qui confirme l'interprétation qui vient d'être donnée par un recours à *Job* 3, 8 LXX, un texte qu'Origène est le premier à utiliser avec une telle fréquence et à rapporter à la descente du Christ aux Enfers (par ex., *In Epist. ad Romanos*, 5, 6, 9 = *PG* 14, c. 1051 A-C). Sur ce texte de *Job* chez Origène, Jérôme, Ambroise, voir *Le Livre de Jonas*, p. 193, 201-203, 235.

2. *Mystice* : le mot est plus fort que *per metaphoram* ou *per translationem*. Il équivaut souvent au sens spirituel. Mais les nuances sont multiples. Voir, par ex., *In Matthaeum*, 2, 11, 14-15 (*SC* 242, p. 222, l. 114-117) ; 2, 11, 27 (p. 232, l. 242 s.) ; 3, 21, 13 (*SC* 259, p. 114, l. 188-190) ; *Ep.* 128, 2 (*CUF* 7, p. 150, l. 6-8), etc.

3. Nous avons ici l'équivalence entre l'Abîme, l'Enfer, le Grand monstre et la Mort rencontrés aux divers moments du commentaire du *Cantique* de Jonas. Ultime mention de la *libération*, selon le schéma plusieurs fois présenté dans le commentaire de cette prière de Jonas (l. 108.224-227. 264.339).

4. Sur ces liens de la mort et la prison des Enfers, v., par ex., *In Danielem*, 1, 3, 92b (*CC* 75 A, p. 808, l. 730-734).

5. Tout à l'idée du triomphe du Christ qui s'avance solennellement *(procedere)* à la tête d'un cortège de prisonniers libérés, Jérôme ne voit ici dans *euomuit* qu'une image (v. note suivante), sans se préoccuper de Jonas, sans songer qu'il a parlé lui-même de *uomitus* en 2, 1a, l. 7. Sur l'image du vomitif chez Chromace, voir *Le Livre de Jonas*, p. 505 et n. 65.

6. ἐμφατικώτερον : sur cette reconnaissance — parfois erronée — des moyens de la rhétorique dans l'Écriture, voir les ex. rassemblés par dom Antin, p. 92, n. 2 ou Introd., p. 61-63.

1. La Vulgate, qui traduit « praedica in ea praedicationem quam ego loquor ad te », est plus fidèle à l'hébreu que la traduction présente qui ajoute *priorem.* En fait, l'une et l'autre, pour le *in ea* comme pour ce *priorem,* sont influencées par la Septante. Jérôme ne s'arrête pas explicitement à ce problème de l'identité des deux missions, comme le fera Cyrille d'Alexandrie (*In Ionam,* 3, 3 = *PG* 71, c. 624 D et 625 B), mais la problématique sous-jacente est la même. De la reprise très vive du récit et du raccourci littéraire, Jérôme tire des indications psychologiques qui concernent tant Dieu que Jonas. Il glisse rapidement à l'interprétation christologique où il est davantage question d'une *seconde* mission.

2. Jonas s'est dit *seruus Dei* en 1, 9 LXX et Jérôme a utilisé la comparaison du *(seruus) fugitiuus* en 1, 15, l. 489. La suite est empruntée à la vie de l'époque, car les distinctions sociales sont loin d'avoir disparu. Jérôme, lors de son séjour à Antioche, doit s'occuper d'un esclave en fuite du prêtre Florentinus de Jérusalem (*Ep.* 5). D'où les comparaisons à l'adresse de ses lecteurs : « Ainsi, des esclaves fugitifs, revoyant leur maître après un long temps, ne le supplient que pour éviter les coups » (*In Matthaeum,* 2, 8, 29 = *SC* 242, p. 164, l. 148-150).

3. Sur *Matth.* 26, 39 ; 15, 26 ; *Jn* 19, 15, voir *supra,* p. 343, n. 23. L'application au Christ exige une atténuation au point de vue dogmatique : il ne peut s'agir que de la nature humaine du Christ, contre le péril arien. On notera le *sponte* qui touche aussi un problème christologique. Plus loin, Jérôme dira que l'*ordre* s'adresse aux Apôtres, chargés de cette *seconde* mission (3, 3, l. 44 s.).

III, 3-4a

1. Les deux explications, littérale et christologique, se succèdent, sans aucune insérende.

2. L'accent est mis sur le zèle et la hâte de Jonas *(statim, festinatio),* tant et si bien que Jérôme avance que le prophète

a fait en un jour le travail de trois. Les commentateurs
évoqués par Jérôme étaient plus près de la vérité.

3. *Circumiri* : en faire le tour ou la parcourir ? Les commentateurs anciens se divisent, de même qu'ils ne savent
où placer exactement le *début* de la prédication de Jonas :
Théodore de Mopsueste, *In Ionam*, 3, 3 (*PG* 66,
c. 340 B-C) ; Théodoret de Cyr, *In Ionam*, 3, 3 (*PG* 81,
c. 1733 B-C) ; Cyrille d'Alexandrie, *In Ionam*, 3, 3-4
(*PG* 71, c. 625 C-D). Cyrille mentionne de la même façon
des prédécesseurs, qu'il n'est cependant pas possible d'identifier.

4. Subtile, l'interprétation permet de retrouver l'envoi
en mission des Apôtres dans le monde entier, et la prédication du baptême au Dieu trine et un. L'idée, qu'on retrouve
chez Maxime le Confesseur (*Ad Thalassium*, q. 64 =
PG 90, c. 720-721) et Théophylacte (*In Ionam*, 4, 9-11 =
PG 126, c. 965 D), vient peut-être d'Origène. Elle a été
reprise par Cyrille d'Alexandrie (*In Ionam*, 3, 1-2 =
PG 71, c. 625 A-B).

5. Trois jours et Trinité : v. *In Matthaeum*, 2, 15, 32
(*SC* 242, p. 336, l. 223-226). Cf. Origène, *In Matthaeum*,
12, 20 (*PG* 13, c. 1029 B-C). Sur la formule baptismale
et les problèmes trinitaires, voir par ex. *Tr. de Ps* 91, 6
(*CC* 78, p. 427 s.).

6. Le « vrai » Jonas, i.e. le Christ, comme le montre la
suite et comme il sera dit plus loin (l. 77).

7. *In apostolis* : d'après la suite (l. 51-52), seule *assistance*
du Christ, prise au même envoi des Apôtres à travers le
monde ; alors qu'un Hilaire (*In Matthaeum*, 10, 4 = *PL* 9,
c. 967 C), un Ambroise (*De Spiritu Sancto*, 1, *Prol.* 17-18 =
CSEL 79, p. 23-24), et *a fortiori* un Augustin antidonatiste,
insistent sur le fait que c'est le Christ qui baptise par l'intermédiaire de ses ministres. Jérôme a pourtant été amené
à s'intéresser à la controverse baptismale lors du schisme
luciférien. Voir Y.-M. Duval, « Saint Jérôme devant le
baptême des hérétiques », *REAug* 14, 1968, p. 145-180.

8. Sur l'identification de Ninive et du cosmos, voir 1, 1-2,
l. 21-24.

9. Cf. Origène, *In Epist. ad Romanos* 5, 8 (*PG* 14,
c. 1040 C-D) au sujet des trois jours du séjour du Christ

dans la terre et du baptême : trois *jours* parce que Dieu est lumière et nous illumine. Chez Jérôme, à propos de Rahab et du délai de « trois *jours* » : « Videte quid dicat : Expectate tribus diebus. Non nominat tres noctes, sed tres dies, quia inluminatum habebat cor » (*Tr. de Ps.* 86, 4 = *CC* 78, p. 113, l. 109-110). Sur l'opposition et l'unité trois-un, voir, avec d'autres contextes, *In Amos*, 2, 4, 7-8 (*CC* 76, p. 264, l. 291-292) ; *In Ezechielem*, 12, 40, 35-43 (*CC* 75, p. 582, l. 1000-1005) ; 44-49 (p. 586, l. 1117-1122) ; 13, 42, 15-20 (p. 619, l. 425-437), etc.

III, 4b

1. Juxtaposition des deux interprétations ; mais il ne fait guère de doute que la deuxième soit en réalité destinée à confirmer la première et à montrer la supériorité de l'hébreu sur la Septante.

2. L'hébreu et le grec diffèrent ici sans que l'erreur puisse être expliquée par une mélecture quelconque. Jérôme révèle ici sa méthode de contrôle, très élémentaire : comparer les divers éléments des mots, du plus simple au plus complexe : lettres, syllabes, accents.

3. Des deux raisons qui suivent, la première seule est tirée de l'histoire de Jonas ; les Grecs souligneront au contraire dans le délai si court de trois jours la bonté de Dieu (v.g. Jean Chrysostome, *De poenitentia h.* 1, 2) ; la seconde s'appuie sur un dossier habituel chez Jérôme (*In Matthaeum*, 1, 4, 2 = *SC* 242, p. 96, l. 5-9 ; *In Isaiam*, 16, 58, 3-4 = *CC* 73 A, p. 663, l. 89 s. ; *In Ezechielem*, 9, 29, 8-16 = *CC* 75, p. 412, l. 874-878 ; 12, 41, 1-2 = p. 590, l. 1212-19). Elle rejoint ce qui a été dit pour commencer et qui tend à exclure le nombre trois de la pénitence. Jérôme n'apporte cependant pas de preuve. Il connaît d'autres dossiers pour les nombres 7, 70 et 50, qui s'appliquent eux aussi à la pénitence (*In Isaiam*, 2, 3, 3a ; 7, 33, 15 = *CC* 73, p. 44, l. 9 − p. 45, l. 48 ; p. 314, l. 49 − p. 315, l. 56). Rien cependant ici sur la symbolique des nombres.

4. Noter l'insistance. Voir ce qui sera dit plus bas du sac et du jeûne.

5. Toujours Ninive = Cosmos. Voir 1, 1-2, l. 21-24 et l'annotation.

6. Jeûne prépascal plutôt que jeûne eucharistique.

7. Interprétation du mot due à ORIGÈNE. Voir *Sur le Psaume* 118, 19, 145 (*SC* 189, p. 420, et la note ; *SC* 190, p. 732-733) ; *Series in Matthaeum* 135 (*PG* 13, c. 1785 C-D). Ces considérations — diverses — sur *clamare* sont fréquentes également chez Jérôme. Voir G. Q. A. MERSHOECK, *Le latin biblique d'après saint Jérôme*, p. 140 s. On les retrouve de même chez EUSÈBE DE CÉSARÉE (v.g. *In Ps.* 68, 4-5 = *PG* 23, c. 729 B-C) qui les doit, lui aussi, à Origène.

8. Affirmation qui souligne l'identification de Jonas et de Jésus et qui ne se comprend que si on voit en tous deux des prédicateurs de conversion.

III, 5

1. Le lemme « hébreu » des éditions anciennes a été influencé par le texte de *Matth.* 12, 41 pour les *Viri Niueuitae* à la place de *Viri Nineve*. C'est la traduction de la Vulgate également, mais la plupart des manuscrits du Commentaire donnent *Nineue*.

2. La phrase initiale, qui rappelle la première phrase du Commentaire (1, 1), présente à nouveau la thèse de Jérôme, en glissant déjà de l'époque de Jonas à celle du Christ. L'explication du détail continuera en ce sens, avec les Ninivites qui atteignent l'« âge du Christ » (cf. *Éphés.* 4, 13), pour arriver jusqu'à Jérôme, son époque et son lecteur.

3. Age spirituel, plutôt que matériel ou légal. De même, au sujet des 5 000 hommes de la multiplication des pains : « Qui *in perfectum uirum* creuerant » (*In Matthaeum*, 14, 21 = *SC* 242, p. 310, l. 184), à la suite d'ORIGÈNE (*In Matthaeum*, 11, 3). Cf. *In Ephesios*, 2, 4, 13-15 (*PL* 26, c. 501 C-502 A), qui suit aussi sans doute l'Alexandrin. Voir *infra* sur les « petits enfants » (p. 434, n. 23).

4. Aucune allusion aux idoles. Jérôme, à cause de ses lecteurs (?), passe immédiatement au registre de la vie morale et sociale de son époque dans l'aristocratie : excès de table, luxe du vêtement. Pour le mouvement de la phrase, v. TERTULLIEN, *De ieiunio*, 3, 4 : « ut homo *per eandem materiam* causae satis Deo faciat *per quam offenderat* ».

5. *Auxilia* : au sens militaire de l'époque (cf. *arma*). De même, les Ninivites seront présentés tout à l'heure comme des suppliants grecs ou des accusés romains : *luctuosus habitus* (*infra*, l. 112).

6. Sur le jeûne « moral », intérieur, v. *In Isaiam*, 16, 58, 3-4 (*CC* 73 A, p. 662-663), où les Ninivites sont cités en exemple ; 16, 58, 5 (p. 664, l. 24-27 ; 29-37).

7. *Job* 14, 5b : cette déclaration sera relevée par Augustin dès le début de la controverse pélagienne et il la citera plusieurs fois par la suite (voir Y.-M. DUVAL, « Saint Augustin... », *REAug* 12, 1966, p. 14-18). La fin est nette et elle évoque Adam, comme le texte de l'*Adu. Iouinianum*, 2, 2 (*PL* 23, c. 284 B-C) qu'Augustin relèvera également. Plusieurs problèmes se posent néanmoins au sujet de la citation de *Job* 14, 5 par Jérôme et tout d'abord de sa première partie. Le texte ne correspond en rien à la traduction de la Vulgate (« Qui potest facere mundum de immundo conceptum semine nonne qui solus es. Breues dies hominis sunt numerus mensuum eius apud te est... ») de 393, ni même à sa Révision de la traduction sur la Septante (« Qui enim erit mundus absque sorde ? Nec unus quidem etiamsi unius diei uita eius ✖ super terram. Dinumerati enim sunt menses eius apud te... » = *PL* 29, c. 80 B-C), de 390-393. Jérôme continuera à citer le texte sans beaucoup se préoccuper de ses propres traductions, ni des « originaux » hébreu ou grec. C'est que ce texte a une longue histoire, en latin comme en grec. Si CYPRIEN cite « Quis enim mundus *a sordibus*, nec unus etiam si unius diei sit uita eius in terra » dans l'*Ad Quirinum*, 3, 54, le titre donne « Neminem... sine sorde *et sine peccato* esse ». En grec, la première citation de *Job* 14, 5 apparaît chez CLÉMENT DE ROME (*Ep. aux Corinthiens*, 17, 4 = *SC* 167, p. 128) dans un dossier sur l'humilité des saints. On trouve le même texte chez CLÉMENT D'ALEXANDRIE, soit dans des textes qu'il transcrit, soit dans des exposés personnels (*Stromates*, 3, 16, 100, 4 — Julius Cassien ; 4, 11, 83, 1 ; 4, 17, 106, 3 = *GCS* p. 242, l. 11 ; p. 285, l. 2 ; p. 295, l. 5) et c'est chez celui-ci qu'ORIGÈNE a dû le trouver. Il l'utilise en différents contextes pour évoquer les souillures de la naissance, la nécessité du

baptême, de la pénitence, le problème de l'incarnation
des âmes. V.g., en grec : *In Iohannem*, 20, 36, 328 et 335 ;
In Matthaeum 15, 23 ; *In Ieremiam h.* 5, 14 (et au sujet
de ce passage l'Introduction de P. Nautin, *SC* 232, p. 120) ;
In Ps. 50 (éd. R. Cadiou, *Commentaires inédits des Psaumes*,
Paris 1938, p. 83. Cf. Ambroise, *Apologie de David = SC* 239,
p. 150-151) ; en latin : *De principiis*, 4, 4, 4 ; *In Canticum*,
3, 10 ; *In Epist. ad Romanos*, 5, 9 ; *In Leuiticum h.* 8, 3 ;
12, 4 ; *In Isaiam h.* 3, 2 ; *In Lucam h.* 14, 3. Il est surprenant
que Jérôme n'ait pas, en 396, « flairé » la saveur origéniste
de l'allusion. C'est qu'il est habitué à utiliser ce texte
(*In Ecclesiasten*, 7, 17 = *CC* 72, p. 307, l. 256-257 ; *Adu.
Iouinianum*, 2, 2 = *PL* 23, c. 284 B ; *In Ps.* 1, 1 = *CC* 72,
p. 179 ; 9, 21 = p. 192 ; *Tr. de Ps.* 87, 5-6 = *CC* 78, p. 401 ;
l. 59 s.) et continuera à le faire avant (*Ep.* 122, 3 = *CUF* 7,
p. 70, l. 28-30 ; *In Isaiam*, 6, 14, 31-32 = *CC* 73, p. 253,
l. 34-35 ; 14, 53, 8-10 = *CC* 73 A, p. 594, l. 99-100 ; 15,
54, 9-10 = p. 607, l. 49-51 ; *In Ezechielem*, 4, 16, 4-5 =
CC 75, p. 163, l. 919-920 ; 4, 18, 1-2 = p. 228, l. 100 ; 14,
47, 1-5 = p. 711, l. 1040 s.) comme après le début de la
querelle pélagienne, avec des variations incessantes entre
sordes et *peccatum*. Célestius (*ap.* Augustin, *De perfectione
iustitiae hominis*, 11, 23 ; 11, 28 = *BA* 21, p. 168 s., 178)
et Pélage (*ap.* Augustin, *De natura et gratia* 7, 8 = *BA* 21,
p. 256) avaient contesté le sens et la portée de ce texte.
Jérôme, qui a cité le chapitre de l'*Ad Quirinum* de Cyprien
en *Dial. c. Pelagianos*, 1, 32 (*PL* 23, c. 525-526), s'en prend
plus loin à la critique de Pélage *Ibid.*, 2, 2 (H ; c. 539 B-C), en
refusant la distinction entre *sordes* et *peccatum* que Pélage
avait sans doute empruntée à Origène.

8. Ce n'est pas la seule fois où Jérôme donne *anni* au
lieu du *menses* biblique (*Ep.* 122, 3 = *CUF* 7, p. 70, l. 30).
Le sens qu'il en tire n'est pas non plus une lamentation
sur la brièveté de la vie humaine, mais sur les péchés qui
s'accumulent.

9. Voir dans le même sens *Ep.* 125, 7 (*CUF* 7, p. 120,
l. 4-5) ; *Dial. c. Pelagianos*, 2, 7 (*PL* 23, c. 543 A-B). Ces
deux textes tardifs semblent montrer que Jérôme n'est pas
sensible à l'utilisation origéniste de ces versets de *Job*
25, 5-6 en faveur de l'animation des astres (Ps.-Rufin,
Libellus fidei, 19 = *PL* 21, c. 1132 B-D = 3, 19 = *PL* 48,
c. 462 B).

10. Jugement moral plus qu'esthétique. Mais Jérôme note souvent les beautés littéraires du texte biblique. Sur l'expression, voir ANTIN, p. 96, n. 4 et ID., « Ordo dans saint Jérôme », *Recueil*, p. 235, où ce texte est oublié, de même que *Ep.* 64, 20 (*CUF* 3, p. 137, l. 21-23), assez proche de l'*In Ionam* pour le mouvement des l. 96-98.

11. Voir P. ANTIN, « Le cilice chez saint Jérôme », *Recueil*, p. 305-309, qui ne souligne peut-être pas suffisamment la condamnation de toute ostentation *en même temps que* l'exigence de pénitence matérielle, position équilibrée que l'on trouve aussi dans ce développement.

III, 6-9

1. La péricope la plus étendue de ce Commentaire — 4 versets ! — mais ce n'est pas cette longueur, très relative, qui justifie l'extension du commentaire : Jérôme s'en prend d'emblée à une thèse qu'il réfute, puis remplace par une interprétation personnelle. Les explications des détails textuels sont rejetées à la fin. Cette attaque contre Origène et l'apocatastase se comprend facilement dans l'atmosphère de 396. Elle n'est pas tout à fait nouvelle, comme on le verra plus bas, mais il n'y a ici aucune réserve dans l'attaque. Or, dans son *In Nahum* de début 393, Jérôme n'a fait aucune difficulté pour entendre du diable l'apostrophe finale au « Roi d'Assyrie » (*Nah.* 3, 18), c'est-à-dire au roi de Ninive (*In Nahum* 3, 18-19 = *CC* 76 A, p. 575, l. 732-737), mais il est question dans cette même apostrophe finale des officiers et des gardes du roi, des pasteurs et des chefs, et Jérôme voit en eux, selon l'hébreu comme selon les Septante, les mauvais *docteurs* qui ont abusé du peuple de Ninive (p. 576, l. 745 s. ; 771-798 ; Voir Y.-M. DUVAL, « La cure et la guérison... »). Est-ce cette interprétation qui se profile ici, aussi bien derrière celle du roi de Ninive, que Jérôme refuse, que derrière celle du roi *et* de ses grands, qu'il va au contraire proposer en opposant les orateurs et Cyprien ?

2. *Plerosque* : sens affaibli très fréquent de simple pluriel d'indétermination. L'attaque vise Origène et l'apocatastase, comme de nombreux détails vont le montrer ; mais Jérôme ne relève pas que le point d'appui de cette interprétation est contestable : il n'est pas dit que le roi soit le *dernier* à se convertir et le texte grec n'invitait pas davantage à cette interprétation : ἤγγισεν / *appropinquauit* disent les Septante, *peruenit* traduit la Vulgate.

3. Origène a-t-il enseigné réellement le salut du diable? On n'en a pas moins discuté dans l'Antiquité que de nos jours. RUFIN cite un passage d'une lettre d'Origène qui accuse ses ennemis de lui faire tenir de tels propos (*De adulteratione*, 7 = *CC* 20, p. 11, l. 8-11) mais Jérôme a donné de cette même lettre une citation plus longue qui ne rend pas le même son (*Contra Rufinum*, 2, 18 = *SC* 303, p. 148-154). Dès avant cette réponse de Jérôme, RUFIN était moins affirmatif dans sa propre *Apologia c. Hieronymum*, 1, 10 (*CC* 20, p. 43-44) et laissait à Origène le soin de rendre compte à Dieu de ses propres pensées. En réalité, il ne fait pas de doute que l'Alexandrin — avec prudence et réserve parfois, à titre d'hypothèse ici ou là, mais souvent aussi sans grande précaution — a présenté cette thèse du salut final de Lucifer et des démons, et qu'elle était dans la logique de son système. Discussion récente chez H. CROUZEL, « L'Hadès et la Géhenne chez Origène », *Gregorianum* 59, 1978, p. 291-329 et surtout p. 326 s. ; J. RIUS-CAMPS, « La hipótesis origeniana sobre el fin último », *Arché e Telos* (Atti del Colloquio di Milano, Maggio 1979), Milano 1981, p. 58-121. Jérôme, qui, dès 384, tient à l'éternité des peines de l'Enfer (*Ep.* 39, 3 = *CUF* 2, p. 76, l. 6-8), admet dans l'*In Ecclesiasten*, 1, 15 une restauration finale qui exclut toutefois le diable (*CC* 72, p. 260, l. 359-361). Le *Commentaire sur l'Épître aux Éphésiens* cite plusieurs fois (sans en donner l'auteur) l'opinion générale d'Origène, sans mention explicite du diable (*In Ephesios*, 2, 4, 3 = *PL* 26, c. 495 C ; 2, 4, 16 = c. 503 B-D), quitte à condamner plus loin comme « opinion vaine » la thèse selon laquelle le châtiment des pécheurs ne serait pas éternel (3, 5, 6 = c. 522 C-D ; v. *infra*, p. 398 s., n. 8). Mais, en 393, Épiphane dénonce cette opinion, qu'il attribue à Origène (*Ep.* 51, 5 = *CUF* 2, p. 163, 25 s.). Jérôme le suit alors (v. *infra*, n. 13), comme il suivra bientôt Théophile d'Alexandrie. Il ne rencontrera plus cette opinion dans un de ses modèles sans la dénoncer. Voir, en particulier, *In Isaiam*, 6, 14, 20 (*CC* 73, p. 247, l. 40) ; 7, 17, 12-14 (p. 273, l. 35) ; *Tr. de Ps.* 7, 17 (*CC* 78, p. 27, l. 227).

4. Sur l'égalité de ces *naturae rationales* selon Origène, voir l'*In Aggaeum*, 1, 13 (*CC* 76 A, p. 726, l. 482-4), dans un contexte origénien, simplement mentionné. Nous sommes alors en 392-393. Mais attaques analogues à celle de l'*In Ionam* en *Ep.* 61, 4 (*CUF* 3, p. 114-115) en 396, ou en *Dial. c. Pelagianos*, 1, 28 (*PL* 23, c. 522B-C) en 415-416. Le reproche sera formulé dans l'*Ep.* 124, 3 (*CUF* 7, p. 97) au sujet du *Peri Archôn*, 3, 5, 4 ; 3, 6, 5 ; et dans le *Contra Rufinum*, 2, 12 ; 3, 5 (*SC* 303, p. 132 ; 224) — parmi les erreurs d'Origène — au sujet de la traduction de Rufin.

5. *Restituere* : c'est le terme habituellement utilisé par Jérôme pour exprimer l'*apocatastase* grecque, la restauration en leur état primitif des natures angéliques déchues : *In Ecclesiasten*, 1, 15 (*CC* 72, p. 260, l. 359-361); *Ep.* 84, 7 (*CUF* 4, p. 133, l. 7 s.) ; *Contra Rufinum*, 2, 12 (*SC* 303, p. 132, l. 13 s.) ; *In Ezechielem*, 4, 16, 1-3a (*CC* 75, p. 161, l. 830-831).

6. *Dan.* 4 : lorsqu'il commentera le rêve de Nabuchodonosor en 407, Jérôme s'en prendra plusieurs fois à l'interprétation d'Origène : *In Danielem*, 1, 4, 23b (*CC* 75 A, p. 815-816) ; 33b (p. 818-819).

7. Sur Nabuchodonosor, comme figure du diable, voir, chez ORIGÈNE : *Peri Archôn*, 4, 3, 9 (25) ; *Sel. in Ezechielem*, 17 (*PG* 13, c. 813 B-C) ; *Contre Celse*, 6, 43 ad f. ; *In Ieremiam h.* 1, 4 (*SC* 238, p. 200, l. 26-27 et n. 1) ; chez Jérôme : *In Habacuc*, 1, 2, 5-8 (*CC* 76 A, p. 601, l. 204 s.) ; *In Danielem passim*, entre autres, 1, 3, 96 (*CC* 75 A, p. 808-809) où est mentionnée l'interprétation similaire du roi de Ninive descendant de son trône ; 1, 4, 1 ; 1, 4, 23b ; 2, 6, 25a ; *In Isaiam*, 6, 14, 5-6 (*CC* 73, p. 238, l. 8-14) ; 6, 14, 7-11 (p. 239, l. 30) ; *In Ezechielem*, 6, 18, 5-9 (*CC* 75, p. 237, l. 241) ; *In Ieremiam*, 1, 71, 2-1, 72, 1 ; 3, 18, 2 («uerus Nabuchodonosor») ; 5, 48, 2 («diabolus in cuius typum praecessit N.»). L'identification vient probablement du judaïsme : voir le *Midrasch sur Jonas* (trad. A. Wünsche, *Aus Israels Lehrhallen*, Leipzig 1907, 2, p. 46), les *Pirké R. Eliézer*, 43 (Ed. G. Friedlaender, Londres 1916, p. 341-342).

8. ORIGÈNE est convaincu de l'efficacité sur les simples des menaces d'un jugement dernier suivi de châtiments *matériels* (*Contre Celse*, 3, 79 (*SC* 136, p. 178, l. 7-15) ;

5, 15 (*SC* 147, p. 52, l. 26-29) ; 5, 16 (*SC* 147, p. 54, l. 14-20) ;
6, 26 (*SC* 147, p. 242, l. 6 — p. 244, l. 13) ; *In Ieremiam h.*
20, 4 (*SC* 238, p. 268, l. 20-32) ; mais il est convaincu aussi
qu'il s'agit là d'*images*, liées à notre condition matérielle
présente. De plus, comme Clément d'Alexandrie, il croit
que Dieu, bon par nature, n'appliquera pas ces menaces,
qui sont simplement destinées à corriger les plus rustres.
Même s'il déclare également que le feu intérieur est plus
douloureux que le feu extérieur (*In Ieremiam h.* 20, 8-9 =
SC 238, p. 288, l. 55 — p. 290, l. 2), il est persuadé que le feu,
châtiment et remède, ne sera appliqué que « jusqu'à un
certain terme, qu'il convient à Dieu d'assigner à ceux qui
ont été créés ' à son image ' » (*Contre Celse*, 5, 16 = *SC* 147,
p. 54, l. 24-26). Sur ce double problème voir, ORIGÈNE,
Homélies sur Jérémie (éd. P. Nautin, *SC* 232, Introduction,
p. 172-179). Dès le *Commentaire sur l'Épître aux Éphésiens*,
à propos d'*Éphés.* 5, 6 qui évoque les « opinions vaines »,
Jérôme condamne ceux qui enseignent qu'il n'y aura pas
de punition *éternelle*, ni *externe*, sensible, en leur reprochant
de flatter les pécheurs et de les rendre encore davantage
passibles des châtiments éternels (*In Ephesios*, 3, 5, 6 =
PL 23, c. 522 B-D ; cf. *In Danielem*, 1, 4, 24b = *CC* 75 A,
p. 817, l. 953-956). A la fin de son *In Isaiam*, il présente
le dossier scripturaire de ses adversaires en faisant la
remarque suivante : « Quae omnes replicant, affirmare
cupientes, post cruciatus atque tormenta, futura refrigeria,
quae nunc abscondenda sunt ab his quibus timor utilis est
ut, dum supplicia reformidant, peccare desistant » (*In
Isaiam*, 18, 66, 24 = *CC* 73 A, p. 798, l. 47-63). PÉLAGE
n'est pas d'un autre avis : *In Ephes.*, 5, 6 (*PLS* 1,
c. 1302 C-D); *In 2 Cor.*, 11, 3 (c. 1264 A-C) et, à sa suite,
De malis doctoribus, 16-17 (c. 1443-48).

9. Jérôme en revient toujours à ce texte contre les
Origénistes. V.g. *In Isaiam*, 6, 14, 20 (*CC* 73, p. 247, l. 40-51);
8, 24, 21-23 (p. 323, l. 43-49); 10, 30, 30-33 (p. 400, l. 38-41);
18, 66, 24 (*CC* 73 A, p. 798, l. 25-28). Pélage citera ce texte
de l'Évangile à Diospolis en 415, en accusant celui qui ne
l'admettrait pas d'être un Origéniste (AUGUSTIN, *De gestis
Pelagii*, 3, 9-10. Sur le contexte et le sens, voir *BA* 21,
n. 63, p. 628-629).

10. *Is.* 66, 24 : ce texte, évoqué par le Christ en *Mc* 9, 48,
fait partie du tableau du jugement dernier chez TERTULLIEN
(*De resurr.*, 31, 9) et c'est à la suite de l'Africain que Jérôme

l'utilise dans le *Contra Iohannem*, 33 (*PL* 23, c. 385 B) et
sans doute ici-même. Mais, dès 386, il signale et condamne
— sans le nommer — l'opinion d'Origène selon laquelle les
tourments ne sont ni éternels ni physiques, mais sont
constitués par le taraudement (du ver) et la brûlure du
remords (*In Ephesios*, 3, 5, 6 = *PL* 26, c. 522 B-D), ce qui
correspond bien à la doctrine du *Peri Archôn*, 2, 10, 4,
même si *Is.* 66, 24 n'est pas explicitement cité par la
traduction de Rufin (mais voir ORIGÈNE, *In Ieremiam h.* 20,
4 = *SC* 238, p. 268-270). En 402, Jérôme rappelle que ce
texte est interprété par Origène de la conscience et du
remords (*Contra Rufinum*, 2, 7 = *SC* 303, p. 114). Il ne
refuse d'ailleurs pas cette interprétation (*In Isaiam*, 6,
14, 7-11 = *CC* 73, p. 240, l. 56-61 ; 14, 5, 8-9 = *CC* 73 A,
p. 555, l. 20-23), qui est courante (ATHANASE, *Vie d'Antoine*,
5 = *PG* 26, c. 848), mais entend bien que ce feu est physique,
surtout qu'il est éternel (*In Isaiam*, 8, 24, 7-13 = *CC* 73,
p. 318, l. 11 s. ; 18, 66, 24 = p. 797, l. 18 — p. 798, l. 27) —
ce qu'il reproche à Origène de ne pas faire (*Ep.* 124, 7),
au moins pour les démons. Car Jérôme serait prêt à admettre
un pardon aux *pécheurs* : v.g. *In Sophoniam*, 1, 12 (*CC* 76 A,
p. 670, l. 554 : « poterat et peccatum ueniam promereri... » ;
In Michaeam, 1, 4, 1-7 (*CC* 76, p. 472, l. 211-213) ; *In
Isaiam*, 18, 66, 24 (*CC* 73 A, p. 799, l. 68-73). Mais il le
laisse à la science et à la miséricorde de Dieu (*In Isaiam*,
18, 66, 24 = *CC* 73 A, p. 799, l. 63-73. — Plus large encore :
In Isaiam, 8, 24, 21-23 = *CC* 73, p. 323, l. 55-60). En 415,
il s'en prendra à Pélage pour lequel, d'après lui, dans une
espèce d'inversion de la position de Jovinien, les pécheurs
doivent être au jugement tous *également* condamnés au feu
éternel, sans place, lui reproche Jérôme, pour la miséricorde
divine (*Dial. c. Pelagianos*, 1, 28 = *PL* 23, c. 520-522 C ;
In Ieremiam, 2, 5, 2 = *CC* 74, p. 77, l. 5-8). Sur la doctrine
« miséricordieuse » de cette page, ses sources, voir H. DE
LAVALETTE, « L'interprétation du Psaume 1, 5 chez les
Pères ' miséricordieux ' latins », *RecSR* 48, 1960, p. 504-563
et particulièrement, p. 558. Jérôme se démarque cependant
une fois encore d'Origène à la fin de son développement.
Pour l'utilisation de *Jonas* 3, 6-9 par les « miséricordieux »,
voir *Le Livre de Jonas*, p. 519-520.

11. *Ps.* 114, 5 : « Misericors ... justus ... miseretur ». Sur
ces trois termes et leur enchaînement, voir *Tr. de Ps.* 111, 4
et 114, 5 (*CC* 78, p. 233, l. 56-58 et p. 236-7) ; 83, 12 (p. 393,

l. 121-125) ; 91, 3 (p. 424-425). Ps.-Pélage (?), *De malis doctoribus*, 16, 6 (*PLS* 1, c. 1446 A-B).

12. *Ps.* 84, 11 : interprété parfois du Verbe incarné (*Tr. de Ps.* 84, 11 = *CC* 78, p. 398), mais plus souvent de l'équilibre, en Dieu, entre justice et bonté (*In Osee*, 1, 2, 19-20 = *CC* 76, p. 31, l. 494-506) ; *In Isaiam*, 9, 28, 16-20 (*CC* 73, p. 364, l. 53-57)...

13. *militantium* : Jérôme ne pense pas ici à Jovinien (voir *Ep.* 49, 21 = *CUF* 2, p. 150, l. 3 s.) qu'il a combattu dans les années précédentes — Jovinien n'admet pas de *degrés* à l'intérieur des *élus* : il n'y a pour lui que des élus et des réprouvés (*Adu. Iouinianum*, 18-34 = *PL* 23, c. 312-333) —, mais à Origène, pour lequel la guérison, progressive, aboutit, au terme d'une série plus ou moins longue de traitements, à un seul et même état (*Peri archôn*, 3, 6, 6 : « ...infinitis et immensis labentibus saeculis... »). Épiphane avait attaqué cette conception (Ap. Jérôme, *Ep.* 51, 5 = *CUF* 2, p. 163-164). Jérôme reprend sa liste dans le *Contra Iohannem*, 7 (*PL* 23, c. 360 B-C) et il le suivra à nouveau, en des termes proches de ceux de l'*In Ionam*, dans sa lettre sur le *Peri Archôn* d'Origène (*Ep.* 84, 7 = *CUF* 4, p. 133, l. 7-9). Attaque analogue dans le *Contra Rufinum*, 2, 12 (*SC* 303, p. 132, l. 13-19 : catalogue des erreurs d'Origène).

14. *Quod dictu quoque scelus est* : même expression, dans un contexte analogue, dès la *Vita Pauli*, 3 (*PL* 23, c. 19-20 A1).

15. *Victimae libidinum publicarum* : appellation commune chez Jérôme (*Ep.* 14, 5 = *CUF* 1, p. 38, l. 17-18 ; *Adu. Heluidium*, 20 = *PL* 23, c. 204 B-C ; *Ep.* 123, 8 = *CUF* 7, p. 83, l. 16-17), qui imite sans doute Tertullien (*De spectaculis* 17, 3) : « prostibula, publicae libidinis hostiae ». Cf. *De Spectaculis*, 19, 4 : les gladiateurs, « publicae uoluptatis hostiae ». Elle s'étend au sexe masculin (*In Isaiam*, 1, 2, 5-6 = *CC* 73, p. 32, l. 48-57).

16. Cf. *Ep.* 49, 21 (*CUF* 2, p. 150, l. 3-5) dans le cadre de la controverse avec Jovinien. Dirigé ici contre Origène, l'exposé s'anime en une série d'interrogations passionnées (cf. *Ep.* 84, 7).

17. C'est le reproche que Jérôme adresse ordinairement aux divers hérétiques, ainsi qu'à ses adversaires : aucun n'ose défendre franchement ses idées ou « rendre compte » de sa foi, malgré le conseil de Pierre (*I Pierre* 3, 15). Voir *Contra Iohannem*, 27 (*PL* 23, c. 379 C) ; *Ep.* 120, 10 (*CUF* 6, p. 149, l. 10-12) ; *In Ieremiam*, 4, 1, 2 (*CC* 74, p. 221, l. 8-9) ; 4, 1, 5 (p. 222, l. 5-9) ; etc. Cf. ANTIN, p. 98, n. 2.

18. J'ai donné un « commentaire » des deux pages suivantes dans « Saint Cyprien et le roi de Ninive dans l'*In Ionam* de Jérôme : la conversion des lettrés... », *Epektasis, Mélanges J. Daniélou*, Paris 1972, p. 551-570. Je devrai me contenter d'y renvoyer le plus souvent. Le premier problème que posent ces pages consiste dans le fait que Jérôme n'évoque en rien ici la conversion des *empereurs* chrétiens. Sur cet arrière-plan chez Jérôme et le fait que l'édit du roi de Ninive deviendra chez Augustin le symbole des lois des empereurs contre païens ou hérétiques, v. « La conversion des lettrés », p. 563-564 ; *Le Livre de Jonas*, p. 521-522. Jérôme, à la suite de modèles que je crois avoir identifiés (Lactance, Cyprien, mais aussi Origène) ne s'intéresse ici qu'au « pouvoir » intellectuel, spirituel, des orateurs et des philosophes.

19. Pour rendre, tant bien que mal, l'insistance, sinon le chiasme, de Jérôme. Viennent d'abord les orateurs, ensuite les philosophes (tous grecs). Sur ce type de liste, voir ANTIN, p. 99, n. 3 ; ajouter *In Nahum*, 1, 4 (*CC* 76 A, p. 530, l. 103-104).

20. Sur les philosophes comme « rois », voir, par ex., *In Ecclesiasten*, 2, 8 (*CC* 72, p. 266, l. 15). Mais c'est LACTANCE qui me semble être à l'origine de ce développement (*Inst. diuinae*, 5, 1, 15 ; v. « La conversion des lettrés », p. 554-555), plutôt qu'ORIGÈNE (v., par ex., *In Ps.* 118, 23-24 = *SC* 189, p. 226). Bien entendu, il ne s'agit pas ici de l'excellence d'un Cicéron « rex oratorum » (*Hebraicae quaestiones in Genesim, Praef.* = *CC* 72, p. 1, l. 12). Dans un sens très proche de l'*In Ionam*, voir, en 408-409, *In Isaiam*, 17, 60, 10-12 (*CC* 73 A, p. 700, l. 35-40) ; cf. « La conversion », p. 564.

21. Signe du caractère de plus en plus spirituel et religieux des philosophies dans les premiers siècles. Ainsi le néo-platonisme est-il une vraie religion (v. « La conversion », p. 553, n. 10) et les philosophes sont les directeurs spirituels de la société et, par le fait même, revêtus d'un pouvoir

politique autant que moral ou intellectuel. Voir, par ex.,
le cas de Themistios, qui fait grand usage de la maxime
suivante de Platon (« La conversion », p. 565 et n. 122).

22. Sur cette « citation » *ad sensum* de *Républ.*, 5, 473 c-d
et son succès au ${}^{IV^e}$ siècle, voir « La conversion des lettrés »,
p. 565 et n. 121 s. Dans l'*In Matthaeum*, 1, 10, 9-10 (*SC* 242,
p. 192, l. 90 s.), on trouve une allusion aux *Lois* (XII,
942 d-e), qui prescrivent de ne pas couvrir les extrémités
du corps : ni la tête, ni les pieds.

23. Sur les hommes auxquels, en ces années 393-396,
Jérôme songe de par lui-même ou de par ses lectures, voir
« La conversion des lettrés », p. 565-566. Rappelons que
vient de se dérouler à Rome en 393-394 la dernière grande
réaction païenne. Mais les résistances demeurent. Voir,
dans ce climat, la *Préface* du *De uiris illustribus* (*PL* 23,
c. 603 C-D).

24. Le dossier antiphilosophique qui suit (*I Cor.* 1,
19.26-28 ; *Col.* 2, 8) se trouve, dans un désordre analogue,
chez TERTULLIEN (*Adu. Marcionem*, 5, 19, 7-8), mais il vise
ici l'éloquence plus que la philosophie (voir aussi *Ep.* 53, 4
à Paulin de Nole = *CUF* 3, p. 13, l. 2-12). Sur l'invasion
du « style ecclésiastique » par l'éloquence et sa condamnation
au nom de *I Cor.* 1, 26-28, voir en particulier la *Préface*
à l'*In Galatas*, 3 (*PL* 26, c. 399-401 C).

25. La source immédiate de cette adaptation est à
chercher dans l'*Ad Donatum*, 3 de CYPRIEN qui parlait
du luxe des vêtements. Mais la métaphore est banale dans
le monde de l'éloquence : v. « La conversion des lettrés »,
p. 553-554.

26. Sur l'ensemble de ce témoignage concernant Cyprien,
voir « La conversion des lettrés », p. 558-562. On a souvent
mal interprété ce texte, comme si la lecture du *Livre de
Jonas* avait été déterminante dans la conversion de Cyprien.
Voir à ce sujet la mise au point de dom ANTIN, « Saint
Cyprien et Jonas », *RBi* 68, 1961, p. 412-414 (= *Recueil*,
p. 225-228). Jérôme évoque la conversion de Cyprien,
et celle de son éloquence... à travers son écrit le plus fleuri,
l'*Ad Donatum*... !

27. Sur le sens véritable de l'expression, v. « La conversion des lettrés », p. 560-561. Sur la carrière professorale
de Cyprien, v. *Ibid.*, p. 559-560.

28. *Publice praedicaret* : nous ne savons malheureusement
rien de la façon dont Cyprien a renoncé à la chaire de rhétorique de Carthage — car on voit mal qu'il ait pu conserver
son enseignement, au moins à partir du moment où il fut
élu évêque, même s'il nous dit lui-même que certains évêques
étaient procurateurs impériaux (voir à ce sujet Th. KLAUSER,
« Bischöfe als staatliche Prokuratoren im dritten Jahr-
hundert ? », *JAC* 14, 1971, p. 140-149). D'autre part, au
IIIᵉ siècle, la profession de *grammaticus* ou d'*orator* était
considérée comme incompatible avec le christianisme. Voir
G. BARDY, « L'Église et l'enseignement pendant les trois
premiers siècles », *RSR* 12, 1932, p. 18 s. Le *publice* concerne
sans doute plus particulièrement la réponse de l'*Ad Demetria-
num* aux milieux païens, l'attaque du *Quod idola dei non sint*,
telle que Jérôme la caractérise en *Ep.* 70, 5 (*CUF* 3, p. 214,
l. 10-13), et son attitude lors de son arrestation en 257 et 258.

29. Voir « La conversion des lettrés », p. 556-557 et, sur
la « conversion consciente du style » chez Cyprien, J. FON-
TAINE, *Aspects et problèmes de la prose d'art latine au
IIIᵉ siècle*, Turin 1968, p. 149-171, en particulier, p. 162 s.

30. *Calix aureus* : cette interprétation vient d'ORIGÈNE
(voir « La conversion des lettrés », p. 562, n. 99), en particulier *In Ieremiam h.* 21, 7 (= *Hom.* 2, de la trad. de Jérôme).
Jérôme l'a reprise de multiples fois. Voir, par ex., proches
de notre texte et d'Origène, le *Tr. de Ps.* 77, 9 (*CC* 78,
p. 70-71) ; 82, 8 (p. 387, l. 65-74). Cette exégèse, inconnue
en Occident avant le IVᵉ siècle, s'y répand dans la mouvance
d'Origène et des Cappadociens. Voir, par ex., AMBROISE,
De Helia, 15, 56-57. Sur la *dorure* de la rhétorique, v. *In
Habacuc*, 1, 2, 18 (*CC* 76 A, p. 614, l. 743-l. 746) ; *In Isaiam*,
12, 44, 6-20 (*CC* 73 A, p. 500, l. 115-116). — Dans un sens
très différent, voir l'*In Abdiam*, 15-16 (*CC* 76 A, p. 366-367)
de la même année 396. Sur les vases en or, argent, bois,
pierre, v. *In Danielem*, 2, 5, 4 (*CC* 75 A, p. 822, l. 53-71).

31. Le problème n'est pas seulement ici intellectuel ni
esthétique, mais moral. Jérôme s'intéresse cependant
davantage aux obstacles intellectuels.

32. *Verborum uilitas* : LACTANCE, *Instit. diuinae*, 6,
21, 4-5 (*CSEL* 19, p. 562, l. 14-18) : « Homines litterati,
cum ad religionem Dei accesserint ab aliquo imperito
doctore fundati, minus credunt. Adsueti enim dulcibus et

politis siue orationibus, siue carminibus, *diuinarum littera-*
rum simplicem communemque sermonem pro sordido asper-
nantur... », texte très proche d'*Institutiones diuinae*, 5,
1, 15 s. (cf. *supra*, n. 20) qui est au départ de tout ce développement de Jérôme sur la « royauté » de l'éloquence. Une
autre opposition s'y ajoute dans la Préface à la traduction
de la *Chronique* d'Eusèbe (Éd. Helm, *GCS* 47, p. 3, l. 12-18),
au sujet des *traductions* bibliques : « Inde adeo uenit ut
Sacrae litterae minus comptae et sonantes uideantur, quod
diserti homines, interpretatas eas de Hebraeo nescientes,
dum *superficiem*, non *medullam* inspiciunt, ante quasi
uestem orationis *sordidam* perhorrescunt quam *pulchrum*
intrinsecus rerum *corpus* inueniant... » Comparer *In Galatas*,
1, 1, 11 (*PL* 26, c. 322 C-D) : «... nec putemus in *uerbis*
scripturarum esse euangelium, sed in *sensu*, non in *superficie*
sed in *medulla*, non in sermonum *foliis* sed in *radice* rationis » ;
cf. 2, 4, 21 (c. 387 D-E). Plus près de l'*In Ionam*, l'*Ep*. 53, 10
de 394 à Paulin de Nole : « Nolo offendaris in scripturis
sanctis *simplicitate* et quasi *uilitate uerborum* quae, uel
uitio interpretum, uel de industria sic prolatae sunt ut
rusticam contionem facilius instruerent et in una eadem
sententia aliter doctus, aliter audiret indoctus... » (*CUF* 3,
p. 23, l. 16-20. — La remarque vient d'Origène : *Contre
Celse*, 1, 18 ; 6, 1-2). Dans l'*In Isaiam* encore, qui abonde
de remarques sur le style des Écritures et des Commentaires,
v., par ex., 15, 55, 1-2 (*CC* 73 A, p. 619, l. 78-79).

33. Sur cet idéalisme de Jérôme et ses sources, voir
« La conversion des lettrés », p. 568-569. AUGUSTIN reflète
plus souvent l'influence sociologique des *nobiles*. Voir,
par ex., *En. in Ps*. 54, 13 (*PL* 36, c. 637 B-C).

34. *Nata est semel* : dom ANTIN (p. 101, n. 6) a attiré
l'attention sur le *semel* qui alterne chez Jérôme avec *simul*
pour traduire le εἰς ἅπαξ des LXX, comme on le verra dans
les textes cités ci-dessous (d'après des éditions qui ne sont
pas toutes critiques...). Dans le cas présent, le *semel* de la
tradition manuscrite est appuyé par le *una praedicatione*
qu'il illustre. Il faut pourtant reconnaître que l'affirmation
est audacieuse, si on la rapproche des emplois les plus
fréquents de ce texte : Jérôme n'attend rien moins qu'une
nouvelle Pentecôte de la conversion des lettrés. L'utilisation
de ce texte apparaît en effet avec ORIGÈNE, qui oppose
fréquemment Israël et l'Église sur ce point (v.g. *In Ieremiam*

h. 9, 2-3 = *SC* 232, p. 384 — où *Is.* 66, 8 est rapproché
de *Deut.* 32, 21 que nous allons trouver en *In Ionam,* 4, 1 ;
C. Celse, 8, 43 = *SC* 150, p. 266, l. 3-4, etc.) en insistant
sur la conversion *rapide* des chrétiens, en particulier le jour
de la Pentecôte. Chez Jérôme : *In Galatas,* 2, 4, 27 *(PL* 26,
c. 391 D) : « ... in Isaac *(sic.* cf. *Gal.* 4, 22-23) exclamat
Dominus per prophetam : ' Si est gens nata *simul* ', quando
una die in Actibus Apostolorum tria millia et quinque
millia hominum crediderunt » ; *In Isaiam,* 18, 66, 7-9
(CC 73 A, p. 777, l. 64-67) : « Possumus hoc quod dicitur :
' Orietur gens *simul,* quia parturiuit et peperit Sion filios suos '
et ad illud tempus referre quando una die tria milia et
quinque milia de Iudaico populo crediderunt... » ; *In
Ieremiam,* 6, 15, 3 *(CC* 74, p. 383, l. 2-5) : « Tunc generauit
(Christus) multum populum ut impleretur illud Isaiae :
' Quia nata est gens *semel* '. Uno enim die tria milia et quinque
milia hominum crediderunt » ; *De die Epiphaniorum (CC* 78,
p. 532, l. 44-45 : *simul),* etc.

35. Jérôme avance d'abord une explication spirituelle,
avant de se rabattre sur une justification stylistique. Rien
sur les caparaçons de deuil qu'il connaît certainement ; rien
sur le jeûne auquel sont soumis les animaux. Peut-être ce
jeûne, décision volontaire, difficilement applicable aux
animaux, est-il au point de départ de l'explication « spirituelle ». Celle-ci est cependant courante, en vertu du principe
« Dieu s'occupe-t-il des animaux » de *I Cor.* 9, 9 (ORIGÈNE,
Peri Archôn, 4, 2, 6 ; *C. Celse,* 4, 49 ; etc. ; JÉRÔME, *In
Galatas,* 2, 5, 3 = *PL* 26, c. 396 C-E). Chez ORIGÈNE voir
par ex., *In Num. h.* 14, 3 : l'ânesse de Balaam représente
« une partie des croyants qui, en raison soit de leur faiblesse,
soit de leur innocence, sont comparés aux animaux », avec
citation du *Ps.* 35, 7b qui justifie ailleurs l'existence de
nourritures différentes pour les parfaits, les spirituels,
les sages d'une part, et les ignorants, les charnels, les simples
d'autre part : *In Gen. h.* 12, 5 ; 13, 4. Chez Jérôme, voir
In Ephesios, 2, 4, 12 *(PL* 26, c. 500 C-D) ; *In Ps.* 35, 7
(CC 72, p. 205, l. 4-5) ; *In Ecclesiasten,* 2, 7, 3 *(CC* 72,
p. 265, l. 126-131) ; 3, 18-21 (p. 282, l. 336-349) ; *In Aggaeum,*
1, 11 *(CC* 76 A, p. 725, l. 434-436) ; *In Ezechielem,* 14,
45, 13-14 *(CC* 75, p. 683, l. 149-165) ; *Tr. de Ps.* 146, 9
(CC 78, p. 333, l. 124-132) ; *In Michaeam,* 2, 7, 14-17 *(CC* 76,
p. 519, l. 548-550) ; *In Zachariam,* 1, 2, 3-5 *(CC* 76 A, p. 765,
l. 71-75) ; *In Ieremiam,* 6, 51 *(CC* 74, p. 439) ; etc.

36. *Joel* 3, 15 : le texte imagé donné ici ne correspond pas à la traduction de Joël sur l'hébreu, ni au texte grec des Septante. En 406, dans son *Commentaire* de Joël, Jérôme ne s'intéresse guère à ce passage. On peut se demander s'il s'agit bien d'un texte de Joël. La double citation ferait pourtant penser que Jérôme utilise une concordance et non pas sa mémoire.

37. *Is.* 50, 3 : traduction qui n'est ni celle de la Vulgate (« Induam caelos tenebris et saccum ponam operimentum eorum »), ni celle de la Septante (« Induam caelum tenebris et quasi cilicium operimentum eius »). Dans son *In Isaiam*, 13, 50, 2-3 (*CC* 73 A, p. 551, l. 33), Jérôme s'intéresse à l'image, après avoir envisagé que les ténèbres puissent désigner les puissances mauvaises ou simplement les nuages.

38. L'un des outils rhétoriques le plus souvent signalé par Jérôme dans l'Écriture. Voir ANTIN, p. 102, n. 2 et Introd., p. 62.

39. *Iustitium* : le mot a dérouté les copistes, mais il correspond à une réalité bien romaine de *luctus publicus*, avec prise du *sagum* (v. par ex., CICÉRON, *Phil.*, 5, 12 ; 8, 11, etc.). Cf. *Ep.* 22, 35 (*CUF* 1, p. 150, l. 17) ; *In Zachariam*, 2, 8, 10 (*CC* 76 A, p. 813, l. 257).

40. Comparer le commentaire du texte similaire de *Joël* 2, 14 en *In Ioelem*, 2, 12-14 (*CC* 76, c. 183, l. 269-283). Dans le sens inverse, pour montrer que la prescience divine ne détruit pas la liberté humaine, v. *In Ezechielem*, 1, 2, 4b-5 (*CC* 75, p. 27, l. 730-741), dans un contexte anti-pélagien déjà (?).

III, 10

1. Les deux interprétations sont explicitement réunies (v. les notes suivantes) parce que la leçon morale qui se dégage du récit est toujours actuelle.

2. *Secundum utramque intellegentiam* : unique emploi dans ce Commentaire, mais assez fréquent dans l'œuvre de Jérôme. Voir, par ex., *In Nahum*, 1, 2 (*CC* 76 A, p. 527, l. 28-29) : « Secundum utramque intellegentiam », qui suit une opposition entre l'*historia* et une *altior intellegentia* (l. 3) ; *In Abdiam*, 12-13 (*CC* 76, p. 365, l. 440-442) : « Secun-

dum duplicem sensum accipere debemus, corporalis...
spiritalis... », etc.

3. *Cotidie* : application (fréquente) de l'histoire à la vie
actuelle, collective ou personnelle : *Tr. de Ps.* 76, 20 (*CC* 78,
p. 62, l. 214-216) : «... secundum historiam. Sed illud semel
fecit ; ceterum, *cotidie* loquitur (Deus) ad mare... » ; 76, 21
(p. 62, l. 230-231) : « Hoc fecit secundum litteram. Ceterum
cotidie facit in nobis... » ; *In Sophoniam,* 2, 5-7 (*CC* 76 A,
p. 602, l. 193-194) : « Fit itaque ad eos sermo Dei uel in
consummatione et fine mundi, uel *cotidie* per ecclesiasticos
uiros » ; 2, 12-15 (p. 693, l. 622-625) : « Quod cum generaliter
in aduentu Antichristi siue in fine mundi possit intelligi,
tamen, *cotidie* in his qui simulant se esse de Ecclesia Dei
et operibus negant (...) accipi potest... » ; *In Amos,* 2, 5, 21-22
(*CC* 76, p. 293, l. 738-739) ; *In Ezechielem,* 3, 11, 17-21
(*CC* 75, p. 124, l. 1097 s.), etc.

4. Le Commentaire n'étant pas pour lui (cf. *supra,*
p. 325, n. 21) un simple exercice scolaire, Jérôme mêle
la parénèse actuelle au récit du passé (voir n. suivante).
Il oppose surtout la pénitence effective des païens à l'hypo-
crisie juive, mais ne s'arrête pas, ici, au problème du
changement divin soulevé par un tel texte. Pour l'utilisation
de l'histoire de Ninive dans le cadre de ce problème de
l'immutabilité divine, voir *In Zachariam,* 2, 8, 13-15
(*CC* 76 A, p. 817, l. 417-431) et, pour l'historique de la
question au iiie siècle, *Le Livre de Jonas,* p. 159-160 (Tertullien) ; p. 198 (Origène) ; p. 292-294. Voir de même *In Amos*
3, 7, 1-3 (*CC* 76, p. 315, l. 77-96) ; 3, 9, 9-10 (p. 344, l. 318-
330) qui cite *Jér.* 1, 7-8 et renvoie à l'exemple de Ninive ;
In Danielem, 1, 4, 24 (*CC* 75 A, p. 816, l. 931-945) qui, en
même temps que l'histoire d'Ézéchias et celle de Ninive,
invoque également *Jér.* 18, 8-10 ; *In Isaiam,* 11, 38, 1-3
(*CC* 73 A, p. 443, l. 13-18) qui évoque, au sujet d'Ézéchias,
David et Jonas et termine par un « Dominus enim paenitens
est super malitiis » qui est proche de *Jonas* 4, 3 ; *In Ioelem,*
2, 12-14 (*CC* 76, p. 183, l. 265-266) ; *In Ieremiam,* 5, 36
(*CC* 74, p. 322, l. 19-20). — Voir *Jonas* 1, 7 et les textes
cités sur l'interprétation de *malitia.*

5. Il s'agit essentiellement de *Jér.* 18, 8-10, cité et invoqué
de la même façon, avant l'*In Ionam,* dans l'*In Sophoniam,*
2, 12, 15 (*CC* 76 A, p. 690, l. 540-546), avec renvoi à l'histoire
de Ninive ; en 407, dans l'*In Danielem,* 1, 4, 24 (*CC* 75 A,

p. 816, l. 938-942). En 415, pris peut-être par la controverse pélagienne, Jérôme n'accorde sur l'instant aucune attention à cet aspect du texte (*In Ieremiam*, 4, 2) ; mais, un peu plus tard, au sujet de *Jér.* 26, 1-3, qui suggère la possibilité d'un changement divin en cas de conversion, l'exégète commence par expliquer l'anthropomorphisme, dans la ligne d'ORIGÈNE (*In Ieremiam h.* 18, 6) ; puis il renvoie à *Jér.* 18, 8-10, en terminant par un : « Legamus historiam Ionae et Niniue » (*In Ieremiam*, 5, 36 = *CC* 74, p. 322, l. 1-20).

6. *Éz.* 18, 21-24 ; 33, 11. Textes que Jérôme connaît bien et utilise souvent dans ses exhortations à la pénitence : *Ep.* 41, 3 ; 54, 6 ; 54, 8 ; 60, 8 ; *Alterc. Luciferiani*, 4 ; *In Ecclesiasten*, 7, 18. Sur ces renvois, très fréquents, d'un prophète à l'autre, v., par ex., *In Habacuc*, 1, 1, 13-14 (*CC* 76 A, p. 591, l. 414-415) : « Tale quid et Hieremias ad Deum loquitur... », etc.

7. Voir les textes rassemblés par ANTIN (p. 103, n. 3), d'Origène à Théodoret. De la même veine : *In Habacuc*, 2, 3, 2 (*CC* 76 A, p. 622, l. 149-155).

8. V. *In Ionam*, 1, 7, l. 283 s., mais ici, Jérôme livre, sans insister, l'une des raisons de ces multiples dossiers : défendre Dieu, contre les Marcionites, de tout contact avec le mal.

1. Malgré les allusions à l'*Épître aux Romains*, Jérôme commence par décrire l'attitude de Jonas, avant de passer au Christ, dont il analyse la mission et le nom de « Souffrant ». Mais cette « étymologie » du nom de Jonas lui donne l'occasion de revenir à l'histoire même du prophète. Sur les trois « couches » — Jonas, Jésus, Apôtres — de ce passage, voir *Le Livre de Jonas*, p. 334 ; 338-339 ; 353-355.

2. Le texte de *Deut.* 32, 21, auquel est censé penser ici Jonas, a été invoqué par *Rom.* 10, 19 pour montrer que l'entrée des païens dans l'héritage de Dieu a été annoncée par les prophètes. Justin le cite longuement à Tryphon (*Dial.*, 119, 1-2 — voir aussi *1 Apol.* 60, 9) ; Irénée lie l'infidélité d'Israël dénoncée par ce texte au choix par les Juifs de Barabbas et de César (*Dém.*, 95) ; Tertullien y voit, sans renvoi à Paul, l'annonce du remplacement des Juifs par les païens (*Adu. Marcionem*, 4, 31, 6 = *CC* 2, p. 630-631) ; Origène l'utilise volontiers (*Peri Archôn*, 4, 1, 4 ; *Sel. in Ieremiam*, 11, 4 ; *In Ieremiam h.* 9, 2-3 qui relie *Deut.* 32, 21 à *Is.* 66, 8 que nous avons vu plus haut ; *C. Celse*, 2, 78 qui évoque la substitution des païens aux Juifs).

3. Sur la différence entre *populus* et *gens*, voir *In Ieremiam*, 1, 96, 4 ; 2, 87, 6 s...

4. *Quodammodo loquitur* : prosopopée, analogue à celle des matelots (*In Ionam*, 1, 14, l. 462), qui reprend les arguments de *In Ionam*, 1, 3a : « Voyant ses confrères les prophètes envoyés aux brebis perdues de la maison d'Israël..., Jonas s'afflige d'être choisi seul pour une mission chez les Assyriens... » Cette prosopopée anticipe ici les propres paroles de Jonas (4, 2-3) ! Le procédé est fréquent : *In Habacuc*, 1, 2, 2-4 (*CC* 76 A, p. 598, l. 102 s.) ; 1, 2, 15-17 (p. 610, l. 563 s.) ; *In Sophoniam*, 3, 10-13 (*CC* 76 A, p. 703, l. 364-366) : « Quod autem ait (...) huiuscemodi est : ... » ; *In Nahum*, 1, 15 (*CC* 76 A, p. 541, l. 483) : « Itaque quod nunc dicitur, huiuscemodi est : ... » ; *In Aggaeum*, 2, 11-15 (*CC* 76 A, p. 737, l. 398-399), etc.

5. Sur le sens de cet événement pour Israël, v. *In Ionam*, 1, 3a, l. 38-63.

6. *Quidam* : voir Introd., p. 75, et *Le Livre de Jonas,* p. 333-335.

7. Voir *In Ionam,* 1, 5a, 1. 210 s., et *Le Livre de Jonas,* p. 338-340.

8. Voir *In Ionam,* 3, 2 et *Le Livre de Jonas,* p. 348-352.

9. Texte souvent rappelé par ORIGÈNE (v., par ex., *Sel. in Ieremiam* 4, 15 = *PG* 13, c. 656 D ; cf. *In Matthaeum,* 10, 18 ; *In Lucam h.* 33 ; etc.) et par Jérôme, d'un bout à l'autre de sa carrière (v.g. *In Ieremiam,* 6, 26, 8-9 = *CC* 74, p. 406).

10. *Rom.* 9, 3-5 : sur ce texte de Paul, v. p. 108. Michée est censé, lui aussi, prendre ces paroles à son compte (*In Michaeam,* 1, 2, 11-13 = *CC* 76, p. 451, 1. 404-412).

11. *Pulchre* : appréciation fréquente, qui tend à souligner l'ἀκριϐεία, la précision de l'Écriture, v.g. *In Michaeam,* 2, 5, 2 (*CC* 76, p. 483, 1. 123-4) : « *Pulchre* autem dicitur ... ad distinctionem... » ; *In Ezechielem,* 9, 38, 11-19 (*CC* 75, p. 392, 1. 229) : « ... *pulchre,* ad distinctionem... nominat » ; *In Ieremiam,* 4, 39, 3, etc. C'est l'équivalent du *Bene* de SERVIUS, *Ad Aen.,* 4, 653 (éd. Thilo-Hagen, p. 577, 1. 4) : « *Bene* ergo dixit Fortuna » ; 4, 654 (p. 577, 1. 8) : « Imago : *Bene* imaginem dicit... », etc.

12. Voir *In Ionam,* 1, 1-2, 1. 16 : le Souffrant, le Douloureux, l'*un* des sens « étymologiques » de Jonas (v. *supra,* p. 335, n. 5).

13. Jérôme revient à l'*histoire* pour confirmer son interprétation. En réalité, il oublie quelque peu celle-ci. La souffrance du prophète lui vient maintenant des épreuves subies depuis son envoi à Ninive, non de sa peine devant le sort d'Israël.

IV, 2-3

1. Une petite difficulté de traduction introduit un long monologue prêté à Jonas, semble-t-il d'abord *(in terra mea),* mais bien plutôt au Christ, d'après, en particulier, l'évocation de l'Incarnation (v. n. 6), du salut du monde et l'affirmation, pour finir, que l'*histoire,* quant à elle, est claire et

qu'il n'y a pas à se répéter! En réalité, Jérôme reprend
dans cette page de multiples affirmations ou allusions antérieures.

2. *Anna* : précision, souvent donnée par Jérôme, mais
avec des variations et des erreurs : *Ep.* 20, 3 ; 20, 5 ; *In Ps.*
117, 25 (*CC* 72, p. 235) ; *In Philemonem*, 20 (*PL* 26,
c. 615 A-B) ; *Tr. de Ps.* 114, 4 (*CC* 78, p. 236, l. 52-57) ;
115, 16 (p. 244, l. 132-136) ; *In Marcum*, 11, 1-10 (*CC* 78,
p. 487, l. 101-105)...

3. *Blandientis affectu* : Jérôme précise souvent le ton
des propos : *In Habacuc*, 1, 1, 12 (*CC* 76 A, p. 589, l. 336) :
« Haec autem loquitur *blandientis* et paenitentis affectu » ;
(p. 591, l. 390-392) : « Qui prius audacter loquebatur ad
Dominum... nunc in *blandimentorum* uerba prorumpit... » ;
In Danielem, 1, 4, 21 (*CC* 75 A, p. 815) : « Austeritatem
sententiae uerborum temperat *blandimentis* »... V. *supra*,
ad 2, 7b, et, pour l'appréciation littéraire générale, Introd.,
p. 63.

4. *Temperat* : De façon proche : *Hebraicae quaestiones in
Genesim*, 18, 30 (*CC* 73, p. 29, l. 7-9) : «... quia enim
uidebatur (Abraham) interrogans Dominus artare respon-
sione, *temperat* praefatione quod quaerit » ; *In Habacuc*, 1,
2, 1 (*CC* 76 A, p. 595, l. 15-16) : « superioris dicti agens
paenitentiam, *temperauerat* quidem quaestionem... » ; *In
Danielem*, 1, 4, 21 cité à la note précédente.

5. Sur le sens de Tharsis, voir *In Ionam*, 1, 3 a, l. 102-104.

6. Voir *In Ionam*, 1, 3, l. 86-87 : exploitation analogue
de *Jér.* 12, 7 pour peindre l'Incarnation du Verbe.

7. Conclusion de la prière, donnée de façon d'abord à
peu près complète, puis illustrée, membre par membre,
par des textes du Nouveau Testament et par une allusion
à la mort du Christ. Cette belle envolée dramatique a
souvent été massacrée par les copistes !

8. *Crebro: In Ionam*, 4, 1, mais aussi 1, 3a, l. 38-41.
Ce *crebro* — ou parfois *saepe* — montre surtout que la thèse
mentionnée est bien présente à l'esprit de Jérôme. Pour
l'importance de cet « aveu » dans l'*In Ionam*, voir *Le Livre
de Jonas*, p. 334-335. *Saepe* peut de la même façon ne
recouvrir qu'*une* seule répétition : *In Sophoniam*, 3, 1-7

(*CC* 76 A, p. 698, l. 166) renvoyant à quelques pages auparavant (p. 696, l. 89).

IV, 4

1. Un exemple de la méthode, à la fois précise et elliptique,
de Jérôme : il est arrêté par une nuance de traduction, mais
en réalité, préoccupé par l'application spirituelle de ces
nuances. Il affirme que les deux versions peuvent toutes
deux s'appliquer au Christ comme à Jonas, mais il ne dira
rien du Christ. Quant à Jonas, il faut, pour apprécier l'interrogation divine et le silence du prophète, connaître la
réaction de celui-ci lors de la mort du ricin (*In Ionam*, 4, 9,
l. 229 s.). D'autre part, Jérôme mentionne ici, pour la
première fois et *en passant*, la crainte de Jonas de passer
pour un *menteur* aux yeux des Ninivites, ce qui est la justification la plus courante dans l'Antiquité de la fuite du
prophète vers Tharsis. Lui-même, à la fin de sa vie, présentera
plusieurs fois ainsi la tristesse du prophète (*Dial. c. Pelagianos*, 3, 6 = *PL* 23, c. 576 A ; *In Ieremiam*, 5, 28, 6 =
CC 74, p. 343, l. 16-18). On remarquera en revanche comment
colère et *tristesse* sont envisagées à chaque étape de l'argumentation, selon la nuance de chaque traduction.

IV, 5

1. Le développement n'est pas des plus clairs. Il n'offre
pourtant aucune difficulté de texte et il est tout entier
consacré, quoi qu'il paraisse, à l'interprétation *spirituelle*.
Le montre à l'évidence la façon dont est, pour finir, attribuée
à Dieu, une attitude qui n'aurait pas besoin de l'être si
Jérôme appliquait, comme il se doit, le texte au prophète.
Attitude du Christ, tant dans sa fuite des villes (v. *infra*,
n. 2, 4, 5), que dans son éloignement des pécheurs, même
s'il ne fait pas éclater sa grandeur (v. n. 16). S'y ajoute une
perspective historique, car ce Jonas-Christ se trouve encore
sous l'« ombrage » de l'Ancien Testament (v. n. 13).

2. « Cain ille primus homicida et primus fratricida »
dit Tertullien (*De patientia*, 5, 16), qui aime d'autre part
le verbe *dedicare* repris par Jérôme (*De monogamia*, 4, 5 ;

Adu. Hermogenem, 29, 1). Mais l'Africain n'évoque ni Énos, ni la ville. Jérôme recourt ici à une autre tradition, composite : c'est parce que Caïn est criminel que toutes ses actions — dont la fondation d'une ville — sont entachées et encourent réprobation ; mais, alors que pour PHILON hellénisé c'est le *méchant*, à commencer par Adam, qui quitte la ville de *la vertu* (*Legum alleg.*, 3, 1-3 ; *Gig.*, 67 ; *Virtut.*, 190), il faut, pour comprendre cette condamnation des villes, tenir compte à la fois de la civilisation pastorale des Juifs — dont certains points de vue ne sont pas inaccessibles au « paysan » qu'est fondamentalement le Romain —, et de la critique des « ascètes » qui, à la suite de Jean-Baptiste en particulier (*In Marcum*, 1, 1-12 = *CC* 78, p. 453, l. 58-61), ou des fils de Rechab (*Ep.* 58, 5), quittent les villes pour le désert (« *Mihi oppidum carcer est et solitudo paradisus!* » : *Ep.* 125, 8) ou ne sont que des « étrangers », qui ne résident pas dans les cités de cette terre. Il est cependant chez Jérôme une « bonne » ville également, qui est tout d'abord la « cité de Dieu », la Jérusalem céleste : v.g. *In Michaeam*, 2, 5, 7-14 (*CC* 76, p. 490, l. 375-379). De même, l'Église est-elle une « bonne ville » dont le pécheur est exclu, pour un temps (*In Michaeam*, 2, 4, 10-11 = *CC* 76, p. 477, l. 362-367). Voir l'utilisation de ce thème de la cité de Caïn par AUGUSTIN, *Cité de Dieu*, 15, 1, 2 (*BA* 36, p. 38, l. 2 s.). Sur *La ville chez saint Jérôme*, voir ANTIN, *Recueil*, p. 375-389. Sur cette ville de Caïn, voir chez ORIGÈNE (?), *In Ps.* 126, 1 (*PG* 12, c. 1641 C) et chez JÉRÔME, *Ep.* 46, 7 (*CUF* 2, p. 107, l. 9-15) ; *In Osee*, 3, 11, 8-9 (*CC* 76, p. 127, l. 278-281), *Dial. c. Pelagianos*, 2, 22 (*PL* 23, c. 561 A-B).

3. Aucun manuscrit ancien ne donne Énos ni Énoch. Faut-il en conclure que l'archétype était déjà corrompu ? Mais il y a eu tant d'intermédiaires entre le ve et le viiie-ixe siècle !

4. *Os.* 11, 9 : même interprétation en *In Osee*, 3, 11, 8-9 (*CC* 76, p. 127, l. 273-277) : « *In medio tui sanctus et non ingrediar ciuitatem*, hoc est non sum de his qui in urbibus habitant, qui humanis legibus uiuunt, qui crudelitatem arbitrantur iustitiam, quibus ius summum summa malitia... » Suit une allusion à la ville de Caïn. Témoignage indirect accablant, à mettre en parallèle avec l'*Ep.* 1 où est évoqué l'*Heautontimoroumenos*, 796 de TÉRENCE (*Ep.* 1, 14 : « O uere ius summum summa malitia). La cruauté de la « justice » de l'époque est bien attestée par Ammien Marcellin...

5. *Ps.* 67, 21 (traduction des Septante). Ces *exitus mortis*
vont, semble-t-il, entraîner la mention de Ramoth, *visio
mortis*, cité des *fugitiui* ; mais on ne voit guère *pourquoi*
ce texte a été cité. Est-ce la ville qui est Mort, avec sa
corruption? Pour Eusèbe de Césarée, ce sont les Apôtres
qui prononcent cette parole et disent leur espoir d'être
libérés de la mort (*In Ps.* 67, 22 = *PG* 23, c. 704 D) ; on
retrouve ce même espoir de libération chez Athanase
(*In Ps.* 67, 21 = *PG* 27, c. 300 A-B), tandis que chez
Hilaire de Poitiers la phrase peint la victoire du Christ
sur la mort (*Tr. in Ps.* 67, 21 = *CSEL* 22, p. 296). C'est
l'idée que développe le *Tr. de Ps.* 67, 21 (*CC* 78, p. 44,
l. 139-141) de Jérôme. Chez Augustin, le psaume montre
l'humilité du Christ. Lui aussi est passé par la mort (*En.
in Ps.* 67, 29 = *PL* 36, c. 831 B). Rien dans tout cela ne
suggère un rapport avec une ville.

6. Ramoth est l'une des trois « villes de refuge » fixées
par Moïse, en Gad, au-delà du Jourdain, pour les meurtriers
involontaires (*Deut.* 4, 41-43). L'interprétation donnée ici
est la plus fréquente, mais n'est pas la seule que donne le
Liber interpretationum, Deut. : R. excelsum signum, siue
uidit mortem, uel *excelsa* (Lagarde, 23, 7 = *CC* 72, p. 87) ;
Jos. : R. uisio mortis (Lag., 29, 27 = p. 97) ; *III Reg. :
R. uisio mortis* (Lag., 43, 7 = p. 112) ; *Éz. : R. uisio mortis*
(Lag., 58, 19 = p. 132). Jérôme l'évoque, pour ses crimes
surtout, en *In Osee,* 2, 6, 8-9 (*CC* 76, p. 67, l. 176-185).
C'est sans doute la raison pour laquelle elle est mentionnée
ici. La géographie palestinienne devient une « géographie
spirituelle », où se meuvent les âmes (cf. *Ep.* 78, 40 = *CUF* 4,
p. 88, l. 4-5) : application d'un principe origénien dont
l'*Homélie* (latine) 21 (2) *sur Jérémie* traduite par Jérôme
offre un large exposé (*SC* 238, p. 336-340). Sur ces « cités
de refuge » et leurs habitants, v. *Adu. Iouinianum,* 2, 33
(*PL* 23, c. 330-331). Sur cette « géographie spirituelle »,
v. *In Galatas,* 1, 3, 1 (*PL* 26, c. 346 A-C). Sur les villes des
pécheurs fugitifs, v. *In Ezechielem,* 14, 48, 1-7 (*CC* 75,
p. 729, l. 1546-1554).

7. Il ne s'agit pas ici de la Jérusalem matérielle, mais de
la *Vision de paix*, que ne peuvent contempler que les justes.
De même, Ruben, Gad et la demi-tribu de Manassé reçoivent
leur part au-delà du Jourdain, dans le désert : « Plurima
enim habebant *iumenta* (au sens défini *supra*, 3, 6-9, l. 233 s.)
et necdum ad id uenerant ut possent habitare cum templo »

(*Ep.* 78, 43 = *CUF* 4, p. 91, l. 21-23), ce qui est la reprise
de l'*Hom. in Numeros*, 26, 4 d'ORIGÈNE (*GCS* 30, p. 250-251).
Voir de même *Adu. Iouinianum*, 2, 34 (*PL* 23, c. 332 b-c).
Malgré le *ergo*, l'application à Jonas-Jésus n'est pas des
plus limpides : Jonas quitte Ninive parce que ce serait
une ville de péché. Cela suppose, comme il va être dit,
que Jonas est sorti de Ninive *avant* sa conversion, dès qu'il a
fait son annonce de destruction.

8. *Iordanis* : l'étymologie, présente déjà chez PHILON
(*Legum alleg.*, 2, 89), est passée chez ORIGÈNE (*In Joh.*,
6, 217 ; *In Lucam h.* 21, 4) et dans les *Onomastica* (*Liber
interpretationum, Num.* : « Iarden descensio eorum uel uide
iudicium » = Lagarde, 18, 26-27 = *CC* 72, p. 82 ; *Luc.* :
« Iordanis descensio aut adprehensio eorum uel uidens
iudicium » = Lagarde, 64, 27-28 = *CC* 72, p. 140). Elle a,
dès le début, un sens souvent — mais non exclusivement ! —
péjoratif. Chez Philon, Jacob traverse la pratique du vice
et de la passion qui appartient à la nature « *inférieure* ».
Est-ce l'interprétation de « descente » qui est ici *implicite*
chez Jérôme ? Pour ORIGÈNE, qui donne pourtant au
Jourdain lui-même un sens positif, c'est « *au-delà du
Jourdain*, dans les régions tournées vers l'extérieur de la
Judée, que Jean baptise », c'est-à-dire qu'il s'adresse aux
pécheurs (*In Iohannem*, 6, 221). Telle semble être ici aussi
l'interprétation de Jérôme. Mais on peut, venant du désert,
traverser le Jourdain dans l'autre sens, pour entrer dans
la Terre promise. Voir, par ex., *In Ieremiam*, 5, *Praef.* :
« securus populus domini cum Iesu Iordanis fluenta tran-
sibit... »

9. Sur la dimension symbolique de cet Orient, voir
ORIGÈNE, *C. Celse*, 5, 30 (*SC* 147, p. 88-90) ou JÉRÔME,
Ep. 21, 8 (*CUF* 1, p. 90, l. 23-25) : « Postquam moti sunt
homines ab oriente et a uero lumine recesserunt... » ; *In
Sophoniam*, 2, 12-15 (*CC* 76 A, p. 691, l. 561-563). Inverse-
ment, pour l'*Occident*: *In Ezechielem*, 14, 47, 20 (*CC* 75,
p. 727, l. 1482-1485) ; 48, 10-12 (p. 731, l. 1610-1615).
D'où le rite, lors du baptême, de renoncer à celui qui est
en Occident et de se tourner vers l'Orient et le Soleil de
Justice : *In Amos*, 3, 6, 12-15 (*CC* 76, p. 312, l. 471-473).

10. Le Soleil va tenir une grande place dans la suite
de l'histoire de Jonas et d'Israël (v. p. 304 s.). Il s'agira
bien entendu du Christ.

11. *Coruscaret* : comme l'écrit dom ANTIN (p. 107, n. 8), véritable *cliché* de Jérôme, mais qui souvent sert à opposer l'Ancien et le Nouveau Testament : *In Galatas*, 4, 9 (*PL* 23, c. 376 B-C) : « Priusquam Christi *in toto orbe Euangelium coruscaret*, habuerunt suum fulgorem praecepta legalia » ; *Adu. Iouinianum*, 1, 30 (*PL* 23, c. 252 A) : « Antequam resurgeret Dominus et *Euangelium coruscaret*... » Jérôme aime aussi opposer la gloire actuelle à l'ignominie d'antan. V., par ex., *In Sophoniam*, 1, 15-16 (*CC* 76 A, p. 673, l. 678-680) : « patibulo Domini *coruscante* ac radiante Ἀναστάσει eius, de Oliueti monte quoque crucis fulgente uexillo... », etc. Quant à l'origine de ce cliché, v. TERTULLIEN, *De anima*, 49, 3 (*CC* 2, p. 855, l. 15-16) : « in omnem terram et in terminos orbis evangelio *coruscante* ». Ce n'est pas le dernier souvenir du grand Africain dans ce Commentaire.

12. *Ecce uir Oriens* : voir ORIGÈNE, *In Matthaeum*, 16, 3 (*PG* 13, c. 1372 A-B) ; *In Leuit h.* 13, 2 (*SC* 287, p. 200, l. 5-14).

13. Le contexte impose l'opposition ombre/lumière, figure/vérité ; mais il arrive que la tente, temporaire et fragile, d'Israël s'oppose à la construction en *pierres* vivantes de l'Église : par ex., *De die Epiphaniorum* (*CC* 78, p. 532, l. 57-59). Voir, dans un sens analogue, la tente sans fondations de l'*In Ionam*, 4, 6 l. 181 s.

14. Même dossier *Zach.* 6, 12 + *Jn* 14, 6 en *In Zachariam*, 1, 6, 12 (*CC* 76 A, p. 799, l. 275-286), au sujet des noms du Christ, *Oriens, Veritas*. Dans le cas présent, il s'agit d'opposer *vérité* et *ombre, esquisse*.

15. Sur cette attitude du juge, v. *Tr. de Ps.* 81, 1 (*CC* 78, p. 83, l. 17-25) ; *In Danielem*, 7, 9a (*CC* 75 A, p. 845, l. 621-629) ; *In Isaiam*, 2, 3, 13 (*CC* 73, p. 53, l. 6).

16. *Contractus* : il s'agit de la « contraction du Verbe », idée chère à Origène (v. M. HARL, *Origène et la fonction révélatrice du Verbe incarné*, Paris 1958, p. 229 s.). Chez Jérôme, voir *In Ps.* 64, 7 (*CC* 72, p. 213) : *Tr. de Ps.* 92, 1 (*CC* 78, p. 430, l. 19-24). *In Matthaeum*, 1, 5, 1 (*SC* 242, p. 104, l. 2-5) : « Le Seigneur monte sur les montagnes pour entraîner avec lui les foules vers les hauteurs, mais elles n'ont pas la force de s'élever. Les disciples suivent, et même à eux, il parle non pas debout mais assis, replié sur lui-même *(contractus)* : dans l'éclat de sa majesté, ils ne pouvaient le comprendre. »

17. *Accinctus lumbos in fortitudine* : la rencontre verbale avec *Prov.* 31, 17 (où il s'agit de la *femme* forte) est sans doute accidentelle. Jérôme pense plutôt au *Ps.* 64, 7 : « adcinctus in fortitudine » ou à *Job* 38, 3 : « adcinge sicut uir lumbos tuos ». Il n'est nullement question de l'invitation à se tenir (debout) les « reins ceints » (*Lc* 12, 35 ; *Éphés.* 6, 14) qui est faite aux Apôtres et aux fidèles (v., par ex., *In Nahum*, 2, 1-2 = *CC* 76 A, p. 543, l. 50-56 ou *In Ieremiam*, 1, 10, 1-2 = *CC* 74, p. 14, l. 9-17) après l'avoir été aux Juifs lors de la Pâque d'Égypte (*Épître à Praesidius*, l. 17 = *PL* 30, c. 183 A), mais de l'attitude du serviteur qui retrousse sa tunique pour être plus habile. La ceinture-baudrier connaît un grand succès dans la société militarisée du Bas-Empire, puisqu'elle est l'attribut du fonctionnaire autant que du soldat.

18. *Ad nos qui « deorsum » sumus* : sur cette situation qui est celle de l'imparfait, voire, comme ici, de tout homme devant le Christ, v. *In Marcum*, 9, 1-7 (*CC* 78, p. 480, l. 113-119) : « Vsque hodie Iesus aliis *deorsum* est, aliis *sursum* est. Qui *deorsum* sunt et *deorsum* habent Iesum, et turbae sunt et in montem ascendere non possunt. In montem enim soli discipuli ascendunt, turbae *deorsum* remanent. Si quis ergo *deorsum* est et de turba est, non potest uidere Iesum in candidis uestimentis, sed in sordidis. » Sur cette opposition, bien origénienne, entre la foule et les disciples, v. l'*In Matthaeum*, 1, 5, 1 cité n. 16 ; entre la montagne et la plaine, v., par ex., l'*In Michaeam*, 2, 4, 10-11.

19. *Altiori* : sur cette manière de remonter son vêtement, voir l'anecdote et le mot de l'empereur Julien chez AMMIEN MARCELLIN (*Res Gestae*, 22, 10, 5 : « ut expeditius per lutum incedat ! »). *Altiori/e* ou *artiori/e* ? Les deux sont possibles et la confusion r/l très fréquente. Cependant, Diane la chasseresse est *alte succincta* (MINUCIUS FELIX, *Octauius*, 22, 5), Pallas et Arachné au travail « cinctae *ad pectora* » (OVIDE, *Met.* 6, 59).

20. Sur la mention de cet anthropomorphisme, voir *supra*, p. 408 s., n. 5. Sur l'événement attendu par le Christ-Jonas, v. 4, 6 et *infra*, p. 424, n. 19.

IV, 6

1. Le fameux lierre ! Le passage sans doute le plus célèbre de ce *Commentaire*, dans la mesure où, confirmant la correspondance, postérieure, d'Augustin (voir *infra*, n. 3), il atteste, dès avant 396, des attaques contre la traduction de ce prophète parue en 390-392. En 401, RUFIN atteste lui aussi l'existence de ces critiques, puiqu'il propose de retailler tous les sarcophages pour obéir aux caprices de Jérôme et y remplacer par du lierre les courges représentées (*Apol. c. Hieron.*, 2, 39 = *CC* 20, p. 114, l. 29-34). Jérôme s'en prend ici de façon obscure à un adversaire qu'il déconsidère tout d'abord, avant de défendre son lierre dans une dissertation botanique. Il passe ensuite à la double interprétation, historique et spirituelle, de cet épisode, en s'attachant surtout à la seconde. Rien n'est dit de la différence des traductions (4, 6b : *laborauerat enim / a suis malis*), alors que les Septante sont ici plus proches de l'hébreu que Jérôme.

2. *Canterius* : le nom exact de ce Canterius — s'il s'agit même d'un nom propre (« certain baudet » ?) — nous échappe. Jérôme ne reprendra plus ce nom lorsqu'il répondra à Augustin en 404 (*Ep.* 112, 22 = *CUF* 6, p. 42, l. 9-12). La mention des Cornelii (v. *infra*, n. 6) et d'Asinius Pollion, avec celle, plus loin, des Aemilii, nous oriente vers un membre de « l'aristocratie » dont les prétentions nobiliaires sont bien attestées à l'époque (voir AMMIEN MARCELLIN, *Res gestae*, 28, 1, 30 ou 28, 4, 7. Même Paula prétend descendre des Gracques... et d'Agamemnon !). Cependant, c'est plutôt en tant que critique littéraire qu'Asinius Pollion est ici évoqué : on sait qu'il s'en était pris aussi bien à Cicéron qu'à César ou à Tite-Live (voir J. ANDRÉ, *La vie et l'œuvre d'Asinius Pollion*, Paris 1949, surtout p. 81-101). Jérôme le cite en 401 à Rufin, à côté de Luscius Lauinius, un rival de Térence, pour montrer justement qu'il n'a jamais pris personne *nommément* à partie (*Contra Rufinum*, 1, 30 = *SC* 303, p. 80, l. 6-14). Dans ce dernier texte, Asinius Pollion appartient aux Cornelii, alors que l'*In Ionam* distingue la famille des Cornelii de la lignée d'Asinius Pollion.

3. Pour montrer le désarroi que peut créer la lecture liturgique de la traduction de Jérôme sur l'hébreu, Augustin

lui cite le cas de la ville d'Oea en Tripolitaine, où l'évêque
avait, pour le livre de *Jonas*, adopté la traduction nouvelle
de Jérôme (*Ep.* 104, 5 = *CUF* 5, p. 99, l. 1-8). Le peuple,
choqué par un détail — qu'Augustin ne précise pas dans sa
première lettre, mais qui s'avérera être le lierre de Jonas
(voir Y.-M. Duval, « Saint Augustin et le Commentaire
sur Jonas... », p. 10-11) — a protesté et a demandé l'arbitrage
des Juifs qui se sont prononcés ... contre la traduction
nouvelle. Nous ne savons pas si, à Rome, la critique de
« Canterius » s'est exercée à l'occasion d'une lecture liturgique. Augustin lui même décontenança le peuple d'Hippone
en faisant lire durant la semaine sainte les récits de la
Passion autres que celui de Matthieu auquel étaient habitués
les *simplices* (*S.* 232, 1 = *PL* 38, c. 1108 A-B). Avant même
la lettre d'Augustin, est revenue à Jérôme l'annonce qu'une
lettre (apocryphe) circulait en Afrique où le traducteur
condamnait son travail sur l'hébreu. Il répond en attestant,
entre autres, qu'il explique chaque jour à ses frères le
psautier des Septante et que c'est cette version qu'il chante
(*Contra Rufinum*, 2, 24 = *SC* 303, p. 168-170), affirmation
déjà tenue plusieurs fois. L'*In Danielem*, 2, 5, 7c (*CC* 75 A,
p. 823-824) s'emporte d'une manière analogue contre un
critique qui a reproché à Jérôme de s'être trompé dans
sa traduction de Daniel sur le *genre* d'un mot. Jérôme
ébauche un dossier qui n'est guère concluant. L'*In Zachariam*
(3, 11, 12-13 = *CC* 76 A, p. 857, l. 333-334 et 353-356)
corrige au contraire la traduction donnée « olim ». Sur les
« variations » de Jérôme concernant *hedera/cucurbita*, voir
le dossier de dom Antin (p. 114, n. 3 — mais l'interprétation
est à corriger).

4. Les ennemis de Jérôme sont souvent accusés de vie
débauchée. V.g. *In libro Psalmorum* (iuxta Hebraicum),
Praef. (*BS* 1, p. 768, l. 29-31) : « Peruersissimi homines !
Nam, cum semper nouas expetant uoluptates et gulae
eorum uicina maria non sufficiant, cur in solo studio Scripturarum ueteri sapore contenti sunt? ». Inversement, et l'image
n'est pas sans pointe, ils ne veulent boire que le « vieux
vin » des traductions anciennes (*In Pentateucho*, *Praef.*,
PL 28, c. 148 A = *BS* 1, p. 3, l. 5-6 ; *Ep.* 112, 20 = *CUF* 6,
p. 40, l. 25-26)... On croirait entendre Horace !

5. *Saucomarias* : contrepoids *(sacoma)* ? en forme de
calebasse ? D'où une sorte de gourde ? de calebasse ? Destinée
aux *refrigeria* sur les tombes, comme les coupes dorées dont

certaines représentent de fait Pierre et (ou) Paul ? ou souvenir de pèlerinage à Rome, à la façon des ampoules de Terre Sainte ou d'Égypte ? Beaucoup de questions, aux réponses incertaines... ! Rappelons les gobelets de Boscoreale ou les coupes avec le portrait d'Épicure dont parle CICÉRON (*De finibus* 5, 3). Dans l'*In Amos*, 2, 5, 7-9 (*CC* 76, p. 281, l. 291 s.), Jérôme évoque les ventouses « instar medicinalis cucurbitae », autre emploi très concret, comme on en trouve (encore) de multiples dans les pays méditerranéens.

6. Il s'agit du tribun de 67 avant J.-C., défendu en 65 par Cicéron dans son *Pro Cornelio* (perdu pour l'essentiel). En cette même année 396, Jérôme rappelle dans son *Contra Iohannem*, 12 (*PL* 23, c. 365 B-C) la *Vie de Cicéron*, dans laquelle Cornelius Népos évoquait cette défense du « seditiosus tribunus » : voir Y.-M. DUVAL, « La conversion des lettrés... », p. 567, n. 145. Au sujet d'Isaïe, cette touche très romaine : « Non praecepit propheta ne exigat unusquisque quod debitum est, maxime quod iuste dedit et iuste repetit ; alioquin *tribunitiae esset seditionis assertor*, sed... » (*In Isaiam*, 16, 58, 6-7 = *CC* 73 A, p. 665, l. 23-26).

7. *Paul-Émile* (consul en − 168), sans doute, puisqu'il vient d'être question de Pierre et *Paul*, auquel l'adversaire a emprunté son nom. Peut-être avec jeu sur la prononciation de *Paulus/Pallio* ; mais il faut avouer que la devinette, qui est dans l'esprit de certaines lettres à clé de Cicéron, nous échappe ici totalement. Ce genre de satire est relativement rare chez saint Jérôme (Vigilance devient Dormitance...). Il est à distinguer du recours à la zoologie ou au répertoire des monstres, beaucoup plus fréquent dans ses attaques-défenses contre ses adversaires, un Onasus, un Jovinien, un Rufin ou un Pélage.

8. Tour fréquent chez Jérôme pour introduire une remarque ironique : *In Ecclesiasten*, 3, 5 (*CC* 72, p. 274 l. 60-61) ; *Contra Rufinum*, 1, 17 (*SC* 303, p. 46, l. 4 s.) ; *In Isaiam*, 11, 38, 7 (*CC* 73, p. 445, l. 4-5).

9. « Qiqeïa » : la parenté des langues sémitiques suffit à expliquer la similitude de forme pour désigner une plante qui se rencontre de l'Égypte au nord de la Syrie, c'est-à-dire de l'ancienne Phénicie. Dans sa *Lettre* 112, 22 à Augustin, Jérôme ne parlera plus du punique (voir Y.-M. DUVAL, « Saint Augustin et le Commentaire sur Jonas... », p. 12) !

Mais en *In Isaiam*, 3, 7, 14 (*CC* 73, p. 103, l. 36-38), au sujet
de *alma*, il avance timidement : « Lingua quoque punica,
quae de Hebraeorum fontibus manare *dicitur*, proprie
uirgo *alma* dicitur ». L'appel au syriaque est plus fréquent.
Jérôme l'a entendu parler autour de lui à Antioche et au
désert de Chalcis (v., par ex., *In Matthaeum*, 1, 10, 12-13 =
SC 242, p. 194, l. 131-133, pour le bonjour : *Salama lach*).

10. Sur les mots *suo trunco se* ajoutés unanimement par
les éditions anciennes, voir Introd., p. 124, n. 10, et la
description parallèle de l'*Ep.* 112, 22 (*CUF* 6, p. 42, l. 18-22).

11. En plus de certains mots ou expressions comme
hosanna, alleluia, amen (*Ep.* 20, 4 = *CUF* 1, p. 82, l. 10-15 ;
26, 1-4 avec la remarque prêtée à Origène = *CUF* 2, p. 15,
l. 16-20), la flore et la faune de la Palestine et des régions
avoisinantes posaient évidemment maint problème à un
traducteur. Il lui fallait d'abord identifier, sans se tromper,
la plante ou l'animal mentionnés par l'Écriture. Mais, que
faire devant un animal qui n'avait pas d'équivalent dans
l'Orient grec ou en Occident ? Avant Jérôme, les traducteurs
grecs avaient tenté diverses solutions : ou bien ils donnaient
un équivalent, plus ou moins proche ; ou bien ils transcri-
vaient simplement le mot. La façon de faire de Jérôme
est elle-même fluctuante. Ce n'est que dans ses Commentaires
qu'il peut *justifier* son choix. Voir, par ex., *In Nahum*,
1, 10 (*CC* 76 A, p. 536, l. 310-312) ; *In Isaiam*, 10, 35, 1-2
(*CC* 73, p. 424, l. 25-27) ; 12, 41, 17-20 (*CC* 73 A, p. 474,
l. 47-57) ; 15, 55, 12-13 (p. 628, l. 37-40) ; *In Ieremiam*, 1, 30
(*CC* 74, p. 28, l. 15-19), ou, pour les animaux, *In Isaiam*, 5,
13, 21-22 (*CC* 73, p. 165, l. 10 − p. 166, l. 23) ; 6, 13, 19-22
(p. 234, l. 39-60). Il y entre beaucoup d'arbitraire et Jérôme
suit tantôt tel modèle, tantôt tel autre. Sur cette science,
voir L. Fonck, « *Hieronymi scientia naturalis exemplis
illustratur* », *Biblica* 1, 1920, p. 481-499 et pour l'*hedera*,
p. 495-496. Fonck remarque que Pline (*Nat. Hist.*, 15, 25)
avait parlé du *qiqi* d'Égypte, en ajoutant : « eam nostri
ricinum uocant »...

12. A l'école, le *grammaticus* est chargé de l'apprentis-
sage de la lecture et, dans le commentaire littéraire, s'attache
surtout à la langue et au vocabulaire. Jérôme se plaint
parfois de devoir se ravaler à ce niveau (*In Danielem*, 2,
5, 7c = *CC* 75 A, p. 823-824, au sujet du genre d'un mot
de la traduction de Daniel). On notera cette rencontre avec

Rufin, traducteur du *Commentaire sur le Cantique* d'Origène
qui craint que ses lecteurs ne confondent *mălum*, le mal,
et *mālum*, la pomme (ORIGÈNE, *In Canticum*, 3, 3 = *PG* 13,
c. 151 A-B). Jérôme irrité renvoie Rufin à l'école du *grammaticus*, comme un ignare (*Contra Rufinum*, 1, 17 = *SC* 303,
p. 48, l. 34 s.). Sur l'évolution du rôle du *grammaticus* et
de la grammaire vers le seul soin de la correction « gramma-
ticale », voir L. HOLTZ, « La typologie des manuscrits... »,
RHT 7, 1977, p. 251.

13. Nous n'avons pas, que je sache, d'exemple, de
pareilles créations, mais Jérôme dénonce l'arrogance des
exégètes qui abordent la Bible sans préparation suffisante
(*Ep.* 20, 1 ; 53, 6-7). Lui-même nous a donné un bel exemple
de ces « monstres » dans l'histoire du sabbat « second-
premier » commenté par Grégoire de Nazianze (JÉRÔME,
Ep. 52, 8). Peut-être songe-t-il à l'un de ces monstres
d'*Is.* 13, 19-22 devenu sirène ou hippocentaure ?

14. Unique mention, dans ce *Commentaire*, de l'utilisation,
« jadis », des *Hexaples*, et affirmation exagérée. Dans l'*Ep.*
112, 22 (*CUF* 6, p. 42, l. 15) où il reprend l'apologie de son
hedera à l'adresse d'Augustin, Jérôme invoque la traduction
d'« Aquila, cum reliquis » par κιττόν, ce en quoi il doit faire
erreur, puisque c'est Symmaque qui donne κισσόν, tandis
qu'Aquila et Théodotion ont, semble-t-il, simplement
transcrit le *qiqeïon* hébreu en κικεῶνα (F. FIELD, *Origenis
Hexaplorum quae supersunt*, Oxford 1875, 2, p. 986). Ceci
confirme que Jérôme a travaillé très vite, sans s'intéresser
aux diverses versions, peu différentes il est vrai, de ce petit
livre. Jérôme se saisit pourtant parfois de nuances minimes.

15. *Discutiamus ergo* : on en arrive à l'exégèse proprement
dite, après la critique textuelle. *Discutere, uentilare* appartiennent au langage ordinaire de l'exégèse (voir ANTIN,
p. 112, n. 1 et Introd., p. 52).

16. Jérôme a raison sur le plan scientifique et botanique
et sa présentation fait l'économie d'un miracle ; mais sa
démonstration ne peut guère convaincre celui qui tient
à la courge ou au lierre, car les étais dont ils ont besoin
existent bien, et sur les représentations figurées, et dans le
texte biblique où Jonas a commencé par se dresser une hutte
(de branchages ?). La courge et le lierre peuvent donc s'y
enlacer. Jérôme ne semble pas s'en être aperçu, pas plus

qu'il n'a senti la résistance populaire : les sarcophages et les peintures avaient répandu un type de Jonas qui ne correspond guère à celui qui nous est décrit ici (voir *Le Livre de Jonas*, p. 35-36). Jérôme a-t-il été influencé par la peinture du lierre chez Tertullien, *De anima*, 19, 5 : « Video et hederas, quantum uelis premas, statim ad superna conari et nullo praeeunte suspendi... »? Sur la « vigne d'Israël » qui, à moins d'étais, se répand à terre et se trouve brûlée par le « vent brûlant », v. *In Ezechielem*, 6, 19, 10-14 (*CC* 75, p. 252, l. 824-828).

17. En 404, Jérôme déclare, à Augustin, que les Juifs, en prétendant que l'hébreu donnait bien l'équivalent de *cucurbita*, ou bien montraient qu'ils ne connaissaient pas l'hébreu, « aut ad inridendos *cucurbitarios* uoluisse mentiri » (*Ep.* 112, 22 = *CUF* 6, p. 43, l. 1-2), comme ici dans une pointe finale.

18. *Is.* 1, 8 : ce n'est pas ici la melonnière qui importe, malgré l'à-peu-près de Jérôme, mais la *hutte* et la *cabane*. Elles vont être comparées à celle de Jonas qui, comme elles, représente Israël. Voir en ce sens Jérôme, *In Habacuc*, 2, 3, 17 (*CC* 76 A, p. 649, l. 1160-1164) ; *In Isaiam*, 1, 1, 8 (*CC* 73, p. 13-14) ; 66, 6 (p. 775, l. 15-24), mais déjà Irénée, *Adu. haereses*, 4, 4, 2 (*SC* 100, p. 420) ; Tertullien, *Adu. Marcionem*, 4, 31, 6 (*CC* 1, p. 630-631) ; 4, 42, 5 (p. 660, l. 19-21) ; Origène, *Series in Matthaeum*, 119 (*PG* 13, c. 1770 D) ; *In Lucam h.* 5, 4 (*SC* 87, p. 138)...

19. Jérôme revient, sans le dire, au moment où Jonas s'est installé sous sa tente, « pour voir ce qui allait arriver à la ville » ; mais il ne nous a pas dit alors à quoi tendait cette attente. Dans le cas présent, il n'explique pas d'où viennent les peines passées *(laborauerat enim)* ou les maux présents *(a suis malis)* du prophète ou de Jésus. Il faut relier cette affirmation à la justification du nom de *Jonas-dolens* donnée plus haut (*In Ionam*, 4, 1, l. 26-28).

20. Reprise et explication du « laetatus est (...) laetitia magna/laetatus est (...) gaudio magno » du texte biblique.

21. Plusieurs images et oppositions scripturaires se succèdent, qui forment autant d'oppositions entre Juifs et chrétiens, hérétiques et orthodoxes, imparfaits et parfaits, sages et ignorants. La plus nouvelle est celle du « ricin » aux courtes racines dont on peut imaginer, puisque Jérôme

a dit qu'il poussait surtout dans le sable, qu'il se rencontre
avec la maison bâtie sur le sable. Jérôme s'intéresse davantage au figuier, qui a des feuilles et non des fruits (*In Marcum*,
11, 11-14 = *CC* 78, p. 489, l. 44-52 ; *In Habacuc*, 2, 3, 17 =
CC 76 A, p. 649-650) ; à la vigne (*In Habacuc*, 2, 3, 17 =
CC 76 A, p. 649-650 ; *In Osee*, 2, 10, 1 = *CC* 76, p. 105 ;
In Isaiam, 1, 1, 8 = *CC* 73, p. 13-14 ; 2, 5, 1-7 = p. 62-68) ;
à l'olivier (*In Habacuc*, 2, 3, 17 = *CC* 76 A, p. 651, l. 1217-
1223 ; *In Osee*, 3, 14, 5-9 = *CC* 76, p. 156, l. 160 s.)...

22. Il y a les cèdres *orgueilleux* du *Ps.* 28, 5 (*In Ps.*
28, 5 = *CC* 72, p. 202 ; *De die Epiphaniorum* = *CC* 78,
p. 531, l. 29-31 ; *In Isaiam*, 1, 2, 13 = *CC* 73, p. 35 ; 4,
9, 8-13 = p. 130, l. 73-74 ; 17, 60, 13-14 = *CC* 73 A, p. 701,
l. 14-18 ; *In Ezechielem*, 10, 31, 1-18 = *CC* 75, p. 442,
l. 251 s.) ou de *Zach.* 11, 2 (*In Zachariam*, 3, 11, 1-2 =
CC 76 A, p. 848-849 ; *In Ieremiam*, 4, 36 = *CC* 74, p. 257,
l. 13-18 ; *In Isaiam*, 4, 10, 33 = *CC* 73, p. 146, l. 24-28 ;
11, 37, 21-25, p. 439, l. 30-35. Dans l'*In Sophoniam*, 2, 12-15,
ce cèdre orgueilleux n'est même autre que l'Église de la fin
du monde, voire l'Église actuelle : *CC* 76 A, p. 693, l. 636-
642). Les « *cèdres de Dieu* » du *Ps.* 79, 11 sont plus rarement
évoqués, parce que, comme le dit l'*In Isaiam*, 6, 7-11
(*CC* 73, p. 239, l. 18 s.), ces « cèdres » ont péché et ont été
voués au châtiment ; mais ce n'est pas leur nature qui est
condamnée (*In Isaiam*, 1, 2, 12-14 = *CC* 73, p. 35, l. 16-29).
Il en va de même pour les cèdres et les cyprès d'*Éz.* 31, 8
(*In Ezechielem*, 10, 31, 1-18 = *CC* 75, p. 443, l. 294-304)
ou ceux d'*Os.* 14, 6 (*In Osee*, 3, 14, 5-9 = *CC* 76, p. 156,
l. 152-155), l'un des rares textes où Jérôme s'attache aux
racines autant qu'aux branches. Jérôme s'arrête cependant
davantage au parfum de leur bois qu'à leur taille (*In
Isaiam*, 12, 41, 17-20 = *CC* 73 A, p. 474, l. 57 s. ; 15, 55, 12-
13 = p. 628, l. 47-59). On trouvera un développement sur
les « cèdres de Dieu » dans l'*Homélie* 6, 10 *sur l'Exode*
d'ORIGÈNE (*SC* 16, p. 162), où la vigne que nous sommes
doit s'étaler sur les « cèdres de Dieu » que sont les prophètes
et les Apôtres, et dans les *Selecta in Ezechielem*, 17, 22
(*PG* 13, c. 813 D) où le grand cèdre planté sur la montagne
qui est le Christ n'est autre que l'Église. En 406, c'est à un
genévrier, pour son ombre, mais aussi pour ses fleurs et
ses fruits, que sera opposé le ricin (*In Osee*, 3, 14, 5-9 =
CC 76, p. 157, l. 193-200). Sur le grand arbre d'Israël
devant l'arbuste des païens, voir le texte de l'*In Ezechielem*

signalé p. 428, n. 9. La remarque elliptique de Jérôme ne
s'éclaire que si on la replace dans toute cette frondaison
spirituelle.

23. Changement complet de registre. La description de
la sauterelle se trouve déjà chez ORIGÈNE, traduit par
Jérôme (*In Lucam h.* 11, 5 = *SC* 87, p. 194) ; elle est
présentée au sujet du *criquet*. Le texte le plus éclairant se
trouve dans l'*In Marcum*, 1, 1-12 (*CC* 78, p. 455, l. 130-140):
« Locusta animal paruulum est et inter uolatile et reptile
medium est. Neque enim a terra satis tollitur, quia, si
paululum eleuatur, non tam uolat quam salit et cum a
terra se paululum eleuauerit, iterum pennis deficientibus
cadit in terram. Ita et *Lex* uidebatur quidem quasi ab
idolatriae errore paululum recedere, sed ad caelum uolare
non poterat (...) Ergo *Lex* tollebat homines de terra paululum
et ad caelum perducere non poterat. » La tradition occidentale présente les sauterelles de manière très différente :
HILAIRE, *In Matthaeum*, 2, 2 (*PL* 9, c. 925 A-C) ; CHROMACE,
In Matthaeum, *tr.* 9, 2 (*CC* 9 *bis*, p. 232, l. 51-67)... En 406,
dans l'*In Ioelem*, 2, 1-11 (*CC* 76, p. 178, l. 96-105), Jérôme
évoque une récente *(nuper)* invasion de sauterelles en
Palestine : aussi serrées que des tesselles de mosaïque ;
mais, dès l'*In Nahum* (3, 13-17 = *CC* 76 A, p. 568, l. 465-
472 ; 469 s. ; p. 573, l. 660-668), il décrit leurs mœurs et
leurs mouvements ; il s'agit alors pour lui des habitants
de Ninive (p. 572, l. 625-639 — voir Y.-M. DUVAL, « La cure
et la guérison... », p. 488 s.). Ailleurs, elles représentent les
hérétiques : *In Osee*, 3, 13, 3 (*CC* 76, p. 143, l. 92 s.)...

24. Sur Jean-Baptiste comme représentant de la Loi,
v. *In Marcum*, 1, 1-12 (*CC* 78, p. 454, l. 105-111) ; 1, 13-31
(p. 461, l. 41-46) ; *In Ezechielem*, 13, 44, 4-5 (*CC* 75, p. 648,
l. 1245-1251)...

IV, 7-8

1. Il est difficile, malgré les plans chronologiques qui sont
dégagés, de discerner s'il s'agit du prophète ou du Christ-
Jonas. C'est sans doute aussi l'un des passages où il ne faut
pas chercher à faire cette distinction puisque le Ver, comme
le Soleil, ne sont autres que le Christ. Le dessèchement du
ricin annonce l'abandon d'Israël après la mort du Christ.

Jérôme nous apprend même, sans vraiment prendre cette opinion à son compte, que « certains » ajoutaient encore à cette histoire du peuple juif, en découvrant sa ruine par les armées romaines.

2. Il s'agit du Christ, d'après *Mal.* 4, 2 (cité à nouveau en 4, 10). De façon surprenante, si on pense à la place que tiennent dès le IIe siècle le dimanche et la mystique solaire, mais qui s'explique peut-être par le risque d'un reproche d'héliolatrie, ce titre n'est pas utilisé en Orient avant ORIGÈNE, chez lequel il est très fréquent (v.g. *In Iosue h.* 1, 5 ; 11, 3, 16, 1 ; 19, 4 ; *In Romanos*, 9, 32 ; 9, 38 ; *C. Celse*, 6, 79, etc.) ; d'où son succès chez Jérôme, qui ne le trouvait pas non plus dans les textes occidentaux du IIe et du IIIe siècle. Un exemple, qui unit *Mal.* 4, 2 et le *Ps.* 21, 1 — tous deux au sujet de la résurrection — se rencontre en *In Osee*, 2, 6, 1-3 = *CC* 76, p. 64, l. 60-66). Voir *infra*, l. 309.

3. Ce titre du *Psaume* 21 est généralement interprété par Jérôme, non de l'Incarnation, mais de la Résurrection le matin de Pâques : *In Ps.* 21, 1 (*CC* 72, p. 198, l. 1 s.) ; *Tr. de Ps.* 89, 14 (*CC* 78, p. 419, l. 172-179) ; *Ep.* 120, 9 (*CUF* 6, p. 1 ; 146, l. 27-28) ; *Ep.* 140, 18 (*CUF* 8, p. 94, l. 21-27).

4. Les Anciens croient à la génération spontanée du ver. Sur l'application au Christ, voir ORIGÈNE, *In Lucam h.* 14, 8 (*SC* 87, p. 226-228). Cf. Y.-M. DUVAL, « Saint Augustin et le Commentaire sur Jonas... », p. 36, n. 127.

5. *Ps.* 21, 7 : ce verset appartient aux dossiers les plus anciens sur l'abaissement du Christ (JUSTIN, *Dial.*, 85, 1 ; 101, 2 ; TERTULLIEN, *De carne Christi*, 15, 5 ; *Adu. Iudaeos*, 14, 2 ; *Adu. Marcionem*, 3, 7, 2 ; CYPRIEN, *Ad Quirinum*, 2, 13), mais il n'est pas fréquent chez Jérôme qui le cite cependant comme un texte bien connu (*In Ps.* 21, 7 = *CC* 72, p. 199, l. 34-36 ; *In Habacuc*, 1, 2, 9-11 = *CC* 76 A, p. 607, l. 448-449 ; *In Isaiam*, 12, 41, 8-10 = *CC* 73, p. 472, l. 81-82).

6. *Os.* 13, 15 : appliqué au Christ vainqueur de la mort en *Ep.* 60, 2 (*CUF* 3, p. 91, l. 12-13) de cette même année 396 ; *Ep.* 75, 1 (*CUF* 4, p. 33). Voir *Le Livre de Jonas*, p. 285-286.

7. Sur le rapprochement entre cette souffrance pour Israël et l'agonie du Christ à Gethsémani, tel qu'on le trouve en *In Matthaeum*, 4, 26, 37 ; 4, 26, 42 (*SC* 259, p. 252, l. 285 s. ; p. 258, l. 348 s.) ou en *In Isaiam*, 3, 9, 3-5 (*CC* 73, p. 124, l. 19-30), voir *Le Livre de Jonas*, p. 336-337 ; 345-346 et n. 105-107.

8. Celui par lequel le peuple juif a refusé de reconnaître Jésus comme son roi (v. 1, 3a, l. 94 s.), comme va le montrer l'adresse de Pierre aux Juifs repentants après le départ du Christ.

9. Sur ce reverdissement après la pénitence, v. *In Ioelem*, 2, 21-27 (*CC* 76, p. 191, l. 566-576), *In Ezechielem*, 5, 17, 22-24 (*CC* 75, p. 224, l. 1234-1252). Sur le dessèchement d'Israël, voir, dans le même sens, AMBROISE, *De Spiritu sancto*, 1, *Prol.*, 6-9 (*CSEL* 79, p. 18-19).

10. Sans doute Origène. Aux raisons que j'ai données dans « Les sources grecques de l'exégèse de Jonas... », p. 101 s., ajouter les textes d'un Pseudo-Origène, de Maxime le Confesseur, Hésychius de Jérusalem et Théophylacte d'Achrida, étudiés dans *Le Livre de Jonas*, p. 391-393 ; 451.

IV, 9

1. Jérôme aperçoit une progression entre les questions posées par Dieu en 4, 4 et en 4, 9. Il y trouve la justification de la thèse qu'il avance : Jonas est un Juif qui, sans haine pour les païens, ne veut pas être le prophète de la ruine d'Israël. La naissance et la destruction du ricin ne sont pas un exemple destiné à modifier les sentiments de Jonas, mais *elles annoncent la destruction du peuple juif*. L'application est ensuite faite au Christ, selon la thèse générale de ce Commentaire.

2. *Vsque ad praesentem diem.* Variante du *usque hodie* très fréquent : *Tr. de Ps.* 77, 8 (*CC* 78, p. 69, l. 145-146) : « *Vsque hodie* peruersus est Israhel » ; *In Aggaeum*, 1, 1 (*CC* 76 A, p. 715, l. 48) : « *Vsque hodie* immundas habens manus carneus Israel... » ; *In Isaiam*, 1, 1, 6 (*CC* 73, p. 12, l. 24-25) : « *Vsque hodie* uulnus et liuor et plaga tumens populi Israel non est circumligata fasciolis... », etc.

IV, 10-11

1. Une nouvelle fois, le prophète est perdu de vue, parce que l'interprétation « tropologique » fait difficulté : Jérôme ne se résout pas à utiliser celle d'un prédécesseur — qu'il ne nomme pas — parce qu'elle est entachée de subordinatianisme, voire de dualisme marcionite. Il en présente une autre, dont il ne cache pas les défauts, en utilisant la parabole de l'enfant prodigue. Il reprend ensuite le détail du texte en l'appliquant à l'histoire d'Israël et à celle de l'Église des Nations.

2. Selon GRÜTZMACHER, il s'agit d'Origène (*Hieronymus*, II, Berlin 1906, p. 197) ; pour Vaccari, consulté par dom ANTIN (p. 21-22), il s'agirait d'Hypatios de Nicée, un homéen déposé sous Théodose. Mais Jérôme ne dit nullement que cette opinion est soutenue par un arien. Il s'agit plutôt de quelqu'un qui, sans s'en rendre compte, tombe dans l'hérésie d'Arius ou plutôt de Marcion, car il soutient que le Christ-Jonas n'a rien « fait », tandis que Dieu, le Père, a *créé* le ricin et les habitants de Ninive. Même si ORIGÈNE voit dans le Verbe l'instrument de la création, il semble bien que lui seul ait pu se servir avant Jérôme du texte de *Mc* 10, 18 (ou *Lc* 18, 18) dans un sens subordinatianiste, même si on trouve chez lui, à la fois, une réfutation de l'emploi que les Marcionites font de ce texte (*Peri Archôn*, 2, 5, 1 ; 2, 5, 7 f. Voir de même DIDYME, *De Spiritu sancto*, 45 = *PL* 23, c. 141 B-D), et une mise en garde contre une interprétation de ce texte en faveur d'une dissemblance du Père et du Fils (*Peri Archôn*, 1, 2, 13). Cependant, bien des textes d'ORIGÈNE (*De oratione*, 15, 4 ; *Exhort. Mart.*, 7 ; *C. Celse*, 5, 11 ; *In Matthaeum series*, 92) *pouvaient* être lus dans un sens subordinatianiste et, en tout cas, après la controverse arienne où *Mc* 10, 18 tient une certaine place (HILAIRE, *De Trinitate*, 4, 8 ; AMBROISE, *De fide*, 2, 1, 15-19 ; JÉRÔME, *Tr. de Ps.* 142, 10, etc.), *l'ont été*, comme le montre la *Lettre à Avitus* de Jérôme (*Ep.* 124, 2 = *CUF* 7, p. 96, l. 23-27). — Sur le couple Marcion-Arius, et le passage de l'un à l'autre, voir *Contra Iohannem*, 17 (*PL* 23, c. 368 C), en 396, et *Ep.* 121, 7 (*CUF* 7, p. 32-33) au sujet de *Rom.* 5, 7.

3. Dangers multiples : *Ep.* 112, 16 (*CUF* 6, p. 36, l. 16-18) : « Dum aliud uitas, ad aliud deuolueris. Dum enim metuis Porphyrium blasphemantem, in Hebionis incurris laqueos » ; *Ep.* 120, 10 (p. 149, l. 17-21) ; *In Ezechielem*, 8, 26, 7-14 (*CC* 75, p. 351-352) ; 11, 38, 1-23 (p. 535, l. 1762-1765) ; 12, 40, 5-13 (p. 565, l. 486-492)...

4. L'exposé de Jérôme est à la fois juste et maladroit ; car le « dieu bon » que reconnaît Marcion est justement le « Père du Christ » ; or, c'est le Christ-Jonas qui fait preuve ici d'une moindre bonté, pour une œuvre qu'il n'a pas faite. Sur Marcion et les objections marcionites chez Jérôme, voir *In Nahum*, 1, 8-9 (*CC* 76 A, p. 534, l. 248-259) ; *In Aggaeum*, 1, 1 (*CC* 76 A, p. 717, l. 144-147) ; *In Joel*, 2, 21-27 (*CC* 76, p. 190, l. 530-535) ; *In Isaiam*, 3, 7, 3-9 (*CC* 73, p. 105-108) ; 12, 45, 1-7 (*CC* 73 A, p. 505, l. 71-72 ; p. 506, l. 92-96).

5. Les appels à la bienveillance se multiplient lorsque le texte est difficile. Par exemple, dans l'*In Ezechielem*, 1, 1, 4a (*CC* 75, p. 7, l. 89-94) ; 8, 26, 7-14 (p. 351-352) ; 11, 38, 1-23 (p. 535, l. 1762-1765) ; 12, 40, 5-13 (p. 565, l. 486-492), etc. Sur les appels à la prière, voir Introd., p. 40.

6. Reproche ordinaire de Jérôme à ses critiques (voir dom ANTIN, p. 117, n. 1-2). Cf. *Ep.* 112, 15 à saint Augustin (*CUF* 6, p. 35, l. 2-3) : « Tu apprendras alors par les faits qu'il est plus difficile de confirmer ses propres théories que de critiquer celles d'autrui » (trad. Labourt) ; 49 (48), 12 (*CUF* 2, p. 133, l. 13-15) : « C'est une méthode facile de dicter au combattant ses coups, depuis le mur où l'on est à l'abri, ou, quand on est soi-même frotté d'huiles parfumées, d'accuser de lâcheté un soldat couvert de sang » (trad. Labourt) ; *In Ezechielem*, 13, *Praef.* (*CC* 75, p. 605, l. 13-20).

7. Expression familière. Ajouter aux textes cités par dom ANTIN (p. 117, n. 2) : *Ep.* 54, 6 ; 79, 10 ; 118, 7 ; 123, 6 ; 147, 3 ; 98, 24 (Théophile) ; *Tr. de Ps.* 105, 1 ; *In Isaiam*, 7, 21, 14 s. ; 18, 63, 18. Cf. RUFIN, à Jérôme : « Sed *porrigenda manus* est, non est nimie perurguendus » (*Apol. c. Hieronymum*, 2, 12 = *CC* 20, p. 92, l. 3-4).

8. En 384, Jérôme avait longuement commenté la parabole de l'enfant prodigue pour Damase qui demandait justement comment, selon l'explication courante, pouvait s'appliquer au peuple juif la parole du fils aîné : « Voici tant d'années que je te sers » (*Ep.* 21, 1 = *CUF* 1, p. 84,

l. 14-21). Tout en défendant l'application de la parabole aux pécheurs, Jérôme explique cette parabole en découvrant Israël dans le fils aîné. Voir, dans le même sens, *Tr. de Ps.* 107, 9 (*CC* 78, p. 204, l. 112 — p. 205, l. 125) ; *In Isaiam*, 17, 63, 8-10 (*CC* 73 A, p. 727, l. 38). Application aux seuls pécheurs en *In Michaeam*, 2, 4, 10-11 (*CC* 76, p. 477, l. 362-372) ; *Ep.* 140, 7 (*CUF* 8, p. 83, l. 17-19) ; *In Isaiam*, 7, 21, 14-15 (*CC* 73, p. 297, l. 15-25). Jovinien exploitait cette parabole en faveur de l'égalité des récompenses dans l'au-delà. En 393, Jérôme conteste son interprétation et le renvoie à sa Lettre à Damase (*Adu. Iouinianum*, 2, 31 = *PL* 23, c. 328 D - 329 A, 329 B-C).

9. Sur le Christ, « veau gras » immolé pour le salut des pécheurs et des Nations, cf. *Ep.* 21, 26 (*CUF* 1, p. 99, l. 7-9), 31 (p. 101, l. 9-12), 35 (p. 104, l. 12-14) ; *In Isaiam*, 4, 12, 6 (*CC* 73, p. 159, l. 12-18).

10. *Plenissime* : un adverbe du vocabulaire rhétorique : *In Nahum*, 3, 5-6 (*CC* 76 A, p. 559, l. 169) : « *plenissime* in Hiezechiele prophetalis sermo describit » ; *In Zachariam*, 2, 8, 7-8 (*CC* 76 A, p. 811, l. 187-188) : « Et nunc *plenissime* sub Domino saluatore in Ecclesia » ; 3, 14, 1-2 (p. 877, l. 43-44) : « Haec omnia *plenissime* Iosephus qui Iudaicam scripsit historiam commemorat »...

11. Sur les réticences fréquentes de Jérôme au sujet de l'*Épître aux Hébreux*, voir C. SPICQ, *L'Épître aux Hébreux*, Paris 1952, I, p. 185-186, qui ne cite pas ce texte, l'un des premiers à être sans réserve.

12. *Ps.* 48, 8 : JÉRÔME, *Ep.* 54, 18 (*CUF* 3, p. 41, l. 6-7) : « Haec (= Marcella, la chrétienne) cum redemptis gentibus clamitat : ' Frater non redemit, redimet Homo ' (*Ps.* 48, 8) et de alio psalmo : ' Homo natus est in ea et ipse fundauit eam Altissimus ' (*Ps.* 86, 5) ». Comme dans l'*In Ionam* postérieur d'un an, l'*Homo* n'est autre ici que le Christ, sauveur des païens.

13. Voir *In Ionam*, 4, 7-8, l. 207 et les textes cités à cet endroit sur le lever du « Soleil de Justice ».

14. *Rom.* 13, 12 : thème origénien : *Commentariorum series In Matthaeum*, 87 (*PG* 13, c. 1737 D-E) ; *In Epist. ad Romanos*, 9, 32 (*PG* 14, c. 1232-1233). Jérôme le reprend souvent, dans un sens historique (opposition de l'Ancien et du Nouveau Testament), intellectuel (v. *In Isaiam*, 6, 15, 1 = *CC* 73, p. 255, l. 23-44 : la nuit de la sagesse humaine et de la philosophie, par rapport à la lumière de la foi), ou moral : v., par ex., *In Sophoniam*, 3, 8-9 (*CC* 76 A, p. 701, l. 270-277).

15. *Sol iustitiae* : cf. Origène, *In Canticum*, 2, 6 (*PG* 13, c. 111 B-C) ; *In Matthaeum*, 16, 3 f. (*PG* 13, c. 1372 A-C). Chez Jérôme, le développement est également tantôt moral, tantôt historique. Voir, par ex., *In Galatas*, 2, 4, 8-9 (*PL* 26, c. 376 B-D, sur l'ombre de la Loi et le lever du Soleil de Justice) ; *In Ecclesiasten*, 1, 5 (*CC* 72, p. 254, l. 142-143) ; 12, 2 (p. 352, l. 116) ; *In Michaeam*, 1, 3, 5-8 (*CC* 76, p. 460, l. 121-122) ; *In Isaiam*, 7, 21, 11-12 (*CC* 73, p. 295, l. 47-48) ; *In Ieremiam*, 3, 51 (*CC* 74, p. 187, l. 16-17).

16. La *perte* de la Parole : *In Aggaeum*, 1, 1 (*CC* 76 A, p. 715, l. 43-60) : la venue du *Verbum* ou du *Sermo Dei* chez les Juifs et chez les chrétiens. Voir, dans le même sens, *Tr. de Ps.* 76, 3 (*CC* 78, p. 55, l. 23-25) ; 133, 2 (p. 287, l. 124-133). « Sermo eos reliquit » déclare des Juifs l'*Homélie sur Luc* 5, 4 (*SC* 87, p. 138 f.) d'Origène.

17. « Grande » d'après *Jonas* 3, 3 ; « très belle », puisque Ninive signifie « beauté » (voir *In Ionam*, 1, 1-2, l. 21-24).

18. Ninive église des Nations : Jérôme est peut-être ici plus discret que son modèle vraisemblable Origène. Dans l'*In Sophoniam* de 393 en effet, au sujet de la ruine de Ninive annoncée par le prophète (2, 13), Jérôme note que, dans l'*In Ionam*, il a (*sic !* Voir, pour cette affirmation, l'Introduction, p. 21 et n. 50) interprété Ninive de l'Église des Nations, tandis que dans l'*In Nahum* il l'a interprétée du monde : si la ruine à venir de ce dernier « n'est pas difficile » à accepter, comment parler sans blasphème de la ruine de l'Église ? Il propose d'y voir l'état de l'Église lorsque viendra l'Antichrist et il ajoute la remarque suggestive — dans le cadre de l'*In Ionam* et de l'histoire d'Israël — : « Si enim Deus propter infidelitatem ramis naturalibus non perpercit (*Rom.* 11, 20-21), sed fregit eos et posuit flumina in desertum et fontes aquarum in sitim, terram fructiferam in salsiginem, propter malitiam habitatorum eius, cur non e contrario eos de quibus dixerat : ' Posuit desertum in paludes aquarum et terram sine aqua in fontes aquarum et habitare fecit ibi esurientes et cetera ' (*Ps.* 106, 35-36) et quos inseruit de oleastro in radicem bonae oliuae (*Rom.* 11, 17), si immemores recesserint a conditore suo et adorauerint Assyrium, euertat et ad eamdem sitim reducat in qua prius fuerant? » (*In Sophoniam*, 2, 12-15 = *CC* 76 A, p. 692-693). Jérôme est sans cesse attentif au « refroidissement de la charité » que connaît, selon lui, l'Église et qui annonce la fin du monde. Son silence ici n'en est que d'autant plus remarquable. Inversement, ce même *In Sophoniam* — à propos du « reste d'Israël » (*Soph.* 2, 13) — évoque la conversion et le salut final d'Israël. De même *In Michaeam*, 1, 2, 6-8 (*CC* 76, p. 444, l. 210 — p. 445, l. 227). De tels textes font de Jérôme un lecteur attentif de Paul, non un ennemi aveugle des Juifs comme on le dit parfois...

19. Douze tribus : « douze myriades » donnent les Septante, qui rejoignent les « cent vingt mille » de l'hébreu. Aucun manuscrit ne parle de myriade ; certains corrigent en reprenant le chiffre de la Vulgate. Je maintiens « douze mille ». Quant au choix entre dix et douze, voir la n. suivante.

20. Sur ce rapprochement, voir *In Matthaeum*, 2, 14, 20 (*SC* 242, p. 308, l. 170 — p. 310, l. 177 ; à relier à Origène, *In Matthaeum*, 11, 3 = *PG* 13, c. 912 A-B) ; *Tr. de Ps.* 80, 7 (*CC* 78, p. 79, l. 106-120) où G. Morin renvoie à juste titre à l'*Ep.* 108, 13 (*CUF* 5, p. 174, l. 27-30) : « ... solitudinem in qua multa populorum milia paucis saturata sunt panibus et de reliquis uescentium repleti sunt *cophini duocecim tribuum* Israël », et à Origène. Cet épisode est en faveur ici des *douze* tribus, malgré les hésitations de la tradition manuscrite, influencée par le décompte des « *dix* tribus de la maison d'Israël » et les « *deux* tribus de la maison de Juda » (v., par ex., *In Ieremiam*, 2, 4, 8).

21. Des deux explications, l'une est littérale et affirme l'innocence des enfants, malgré les propos tenus en *In Ionam*, 3, 5, l. 101-104, l'autre est figurée et rejoint ce qui a été dit des âges spirituels en *In Ionam*, 3, 5, l. 90 s. Ce texte sera discuté durant la controverse pélagienne : *Dial. c. Pelagianos*, 3, 6 ; 3, 17 (*PL* 23, c. 576 A-B ; c. 586 D-587). — Voir Y.-M. Duval, « Saint Augustin et le commentaire... », p. 16 s.

22. Sur la gauche et la droite, v. Antin, p. 118, n. 4.

23. Voir *In Ionam*, 3, 6-9, l. 237 : les « animaux » de l'Écriture deviennent ordinairement les catégories spirituelles les moins élevées. Voir par ex., Origène, *In Exodum h.* 3, 1 (*SC* 29, p. 291-292) ; Jérôme, *In Ioelem*, 1, 17-18 (*CC* 76, p. 174, l. 508-511), etc. Autres textes, p. 393, n. 3.

24. Pas la moindre conclusion, parénétique ou autre. On en trouve moins encore dans les Commentaires profanes. Les seules exceptions chez Jérôme sont l'*In Aggaeum* où l'exégète s'excuse d'avoir écrit très vite et l'*In Abdiam* où il renvoie à son œuvre de jeunesse ; l'une purement littéraire donc, l'autre guère moins, malgré l'importance donnée à la *sensuum consequentia* sur l'*eloquii uenustas*.

INDEX

Ces *Index* ne concernent que le seul texte du *Commentaire sur Jonas* de Jérôme, à l'exclusion même du texte biblique commenté. Les chiffres gras renvoient aux pages du texte latin ; les chiffres ordinaires à la ligne. On pourra retrouver assez souvent par là les passages de l'annotation correspondante.

I. — INDEX SCRIPTURAIRE

II. — INDEX DES MOTS HÉBREUX

PUNIQUE ET SYRIAQUE

INDEX DES MOTS GRECS

INDEX DES « TRADUCTIONS » DE NOMS PROPRES HÉBREUX

III. — INDEX DES AUTEURS ANCIENS

V. — INDEX DES MOTS ET MATIÈRES REMARQUABLES

— Sont en italiques les mots du vocabulaire de l'exégèse et de la critique littéraire (ce qui ne veut pas dire que tous les emplois relevés ici soient techniques).

— Sont en petites capitales un certain nombre de thèmes doctrinaux.

— Les mots des lemmes ou des citations ne sont d'ordinaire pas relevés.

euangelica lectio   238, 196.
euangelicum   266, 81.
euangelista et apostolus   294, 110.
euangelium   208, 404 ; 220, 11 ; 222, 26 ; 232, 127 ; 242, 230 ; 272, 157 ; 294, 107 ; 310, 271.
exemplum   194, 272 ; 230, 117 ; 272, 150 ; 276, 195.
exordium   222, 37 ; 288, 50.
explanare   166, 75.
explere   214, 464 ; 266, 81.
explicare   220, 12 ; 284, 259.
exponere   162, 25 ; 204, 370 ; 222, 26.27 ; 224, 47 ; 310, 265.
exprimere   294, 102 ; 300, 154.
exprobatio   260, 15.

fabrica (mundi)   182, 148.
fabula   226, 73.
factor   200, 326.
feruor   160, 12 ; 216, 500.
fidelis   224, 49 (2) ; 234, 157.
fides   212, 457 ; 216, 497.
fiducia   238, 191.
filius   164, 38.44.54.55 ; 166, 80 ; 310, 273.278 (2) ; 312, 290.293.
filius dei   168, 89 ; 170, 32.
finge   222, 40 ; 274, 176.
forma (hominis, serui)   236, 172.180 ; 260, 26.
fortitudines (v. daemones, potestates)   242, 228.
fragilitas   236, 172 ; 250, 317.
fratricida   292, 92.
fugitiuus   176, 75 ; 180, 128 ; 188, 205 ; 196, 280 ; 202, 353 ; 206, 381 ; 208, 398 ;

214, 475 ; 216, 489 ; 218 518. 524 ; 294, 98.99.
fulgor   278, 208 ; 280, 223.
fundamentum   166, 66 ; 302, 182.

generaliter   174, 69.
gens   202, 352.353 ; 290, 67.
gentes (v. nationes, ethnici)   168, 8 ; 170, 26 ; 172, 39 ; 174, 61 ; 178, 96.107 ; 184, 154 ; 214, 468 ; 286, 5.14 ; 290, 71 ; 302, 179 ; 306, 235 ; 308, 240 ; 312, 286.295.
genus (famille)   296, 132.
genus humanum   234, 164 ; 236, 182 ; 252, 349.
germanus   292, 93.
globus (terrae)   242, 245.
grammaticus   300, 155.
graece   300, 159.
Graecus (v. Index IV).

haeresis   246, 285 ; 310, 275.
hamus   210, 418.
Hebraei (v. Index IV).
hedera   296, 135 ; 298, 136. 142.144 ; 300, 158.162 ; 308, 243.
historia   164, 58 ; 166, 66 ; 180, 121 ; 182, 141.143 ; 184, 163.165 ; 190, 316 ; 202, 342 ; 208, 403 ; 226, 68 ; 286, 26 ; 290, 69 ; 300, 161.
historicus   206, 378.
hodie   164, 45.51 ; 180, 119.
homicida   292, 92.
homo   170, 29 (2) ; 182, 149 ; 186, 185.190 ; 190, 232 ; 204, 360 ; 225, 58 ; 234, 153 ; 260, 26 ; 268, 98 ; 272, 154 ; 276, 187.190.194 ; 280, 224.233 ; 282, 245.

TABLE DES MATIÈRES

SOURCES CHRÉTIENNES

Fondateurs : H. de Lubac, s.j.
† J. Daniélou, s.j.
C. Mondésert, s.j.
Directeur : D. Bertrand, s.j.
Directeur-adjoint : J.N. Guinot

Dans la liste qui suit, dite « liste alphabétique », tous les ouvrages sont rangés par nom d'auteur ancien, les numéros précisant pour chacun l'ordre de parution depuis le début de la collection. Pour une information plus complète, on peut se procurer deux autres listes au secrétariat de « Sources Chrétiennes » — 29, rue du Plat, 69002 Lyon (France) — Tél. : 16 (7) 837.27.08 :
1. la « liste numérique », qui présente les volumes et leurs auteurs actuels d'après les dates de publication ; elle indique les réimpressions et les ouvrages momentanément épuisés ou dont la réédition est préparée.
2. la « liste thématique », qui présente les volumes d'après les centres d'intérêt et les genres littéraires : exégèse, dogme, histoire, correspondance, apologétique, etc.

Liste alphabétique (1-323)

SOUS PRESSE

PROCHAINES PUBLICATIONS

LES ŒUVRES DE PHILON D'ALEXANDRIE
publiées sous la direction de
R. ARNALDEZ, C. MONDÉSERT, J. POUILLOUX.
Texte original et traduction française.